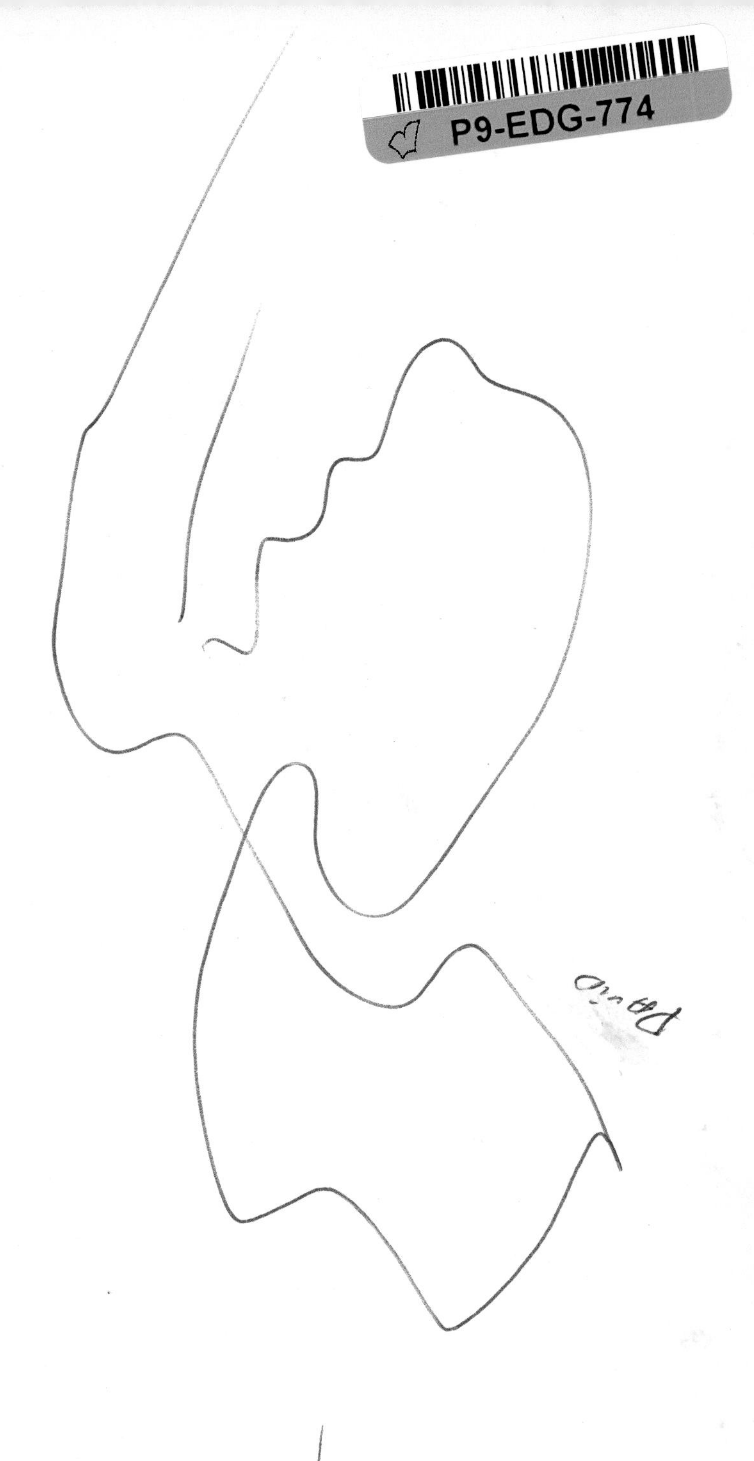

# VARIÉTÉ

# Conteurs Romanciers

HOLT, RINEHART AND WINSTON, NEW YORK

Dramaturges Poètes Penseurs

# VARIÉTÉ

Edited by JOSEPH D. GAUTHIER, S. J., *Boston College*

Library of Congress Catalogue Card Number: 60-6213

JUNE, 1966

The pattern on the cover is based on a Matisse tapestry design.
*(Courtesy French Cultural Services)*

33054-0110

Printed in the United States of America

⚜⚜⚜

# PREFACE

*Variété* is a collection of varied French literary pieces, conceived essentially as a graded intermediate reader, affording all the reading material necessary in a second-year class.

The editor has tried to introduce the student to famous writers and works in every century from the fifteenth to the twentieth. However, the "pages choisies" type of collection has been avoided; with few exceptions, each selection is complete in itself and offers aesthetic unity as well as unity of interest.

In making his selection, the editor has kept in mind what seems to him to be the interest, taste, and present curiosity of college freshmen and sophomores. Dividing the texts into three parts—prose fiction, poetry, and thought—enables the student to follow the literary evolution of each genre simultaneously or as distinct units. The narratives and plays in the first section should offer no difficulty. The second and third parts, on French poetry and thought, should present a challenge to the more mature student and lead to stimulating class discussions. Some teachers, however, may even prefer not to assign these sections in a second-year class.

In order to achieve this progression of increased reading difficulty, modern French style has been used in the first selection, a medieval farce. All other selections are untouched, except for Balzac and Mérimée, whose original novels have been abridged. With the permission of the publishers, a few selections that appeared previously in *Promenade littéraire* (Dryden Press, 1942) have been included in this collection.

Notes clarifying linguistic difficulties in the text or explaining literary and historical allusions will be found at the bottom of each page. They are more numerous at first, in order to facilitate the student's work at the beginning of the semester.

Questionnaires have been prepared for each selection. For the longer selections, the questionnaires have been somewhat arbitrarily divided into several parts, which might correspond to the average class assignments.

The vocabulary is complete and especially designed for the use of students in intermediate classes. All idioms have been cross-indexed and most of the irregular verbs are listed.

In the general Introduction will be found opinions and judgments of some well-known English and American critics or authors concerning the French authors included in this volume.

It is the editor's hope that college students will not only enjoy reading this text, but that the selections in themselves will give them an incentive to pursue their study of French literature.

Joseph D. Gauthier, S.J.

⚜⚜⚜

# TABLE OF CONTENTS

# PART TWO

## *Poetry*

# PART THREE

## *Thought*

❧❧❧

# INTRODUCTION

## *Opinions of Well-known English and American Writers*

In this Introduction we have gathered the judgments of well-known English and American critics and men of letters concerning the writers included in this text. We believe that American students who penetrate the domain of French literature for the first time might prefer to know what impression this literature has made on famous writers of their own tongue.

### PART ONE

#### Remarks on the Medieval Farce

Selection: *La farce du pâté et de la tarte* (p. 3)

The need of laughter is ever present in mankind and its satisfaction assumes many forms. In the field of the theater, Greek and Latin comedies amused people, but their satirical treatment of the political life and manners of the day gave food for thought: they were a pitiless mirror of human nature. For the lighter hours of existence, however, there were coarser comic plays or buffooneries which made people laugh for the simple pleasure of laughing. Anything was used for that purpose: mimicry, slapstick, puns and jokes, displays of human stupidity in situations that were frequently unbelievable.

The lower type of theatrical amusement was warmly appreciated by the common people; it survived the fall of the Roman Empire and pagan civilization, while great comedy suffered an eclipse of several centuries.

The rise of Christianity did not completely check that type of amusement. When indefatigable pious souls staged Biblical events in plays requiring several days for a single performance (mystery plays), they offered as relaxation some kind of comic interlude named, by analogy, a farce (the basic meaning of the word *farce* is "stuffing").

Whether played between the acts or as a separate entertainment, farces were very popular. However, out of thousands performed in France from the twelfth to the sixteenth century, hardly more than a score have come down to us in manuscript. The best-known French farces of the fifteenth century are *Le cuvier* and *Maître Pierre Pathelin.* The latter presents a penniless lawyer, Pathelin, who, after succeeding in buying a few yards of fine cloth on a mere promise of payment, jumps into bed and feigns delirium when Guillaume, the merchant, comes to Pathelin's house to collect his money. Guillaume is temporarily deceived, for he cannot believe that such a sick man could have been in his shop that same day. Later, Guillaume goes to court to complain against his shepherd Agnelet who has killed some of his lambs. He is amazed to see in court Pathelin, clad in the unpaid-for material. Somewhat incoherently, Guillaume explains to the judge the situation of Agnelet's lambs and Pathelin's cloth. The judge, very much confused, questions the shepherd, but the latter, well coached by his lawyer, feigns stupidity and answers every question with a "baa", imitating the bleating of the sheep. The case is dismissed. Pathelin now asks Agnelet for the reward for his services, but Agnelet answers his demands with a series of "baa's". The deceiver has himself been deceived.

The farce did not die after the revival of great comedy in the seventeenth and eighteenth centuries. Molière wrote farces such as *Le médecin malgré lui*. Some of his great plays contain farcical elements, as, for instance the *mamamouchi* incident in *Le bourgeois gentilhomme*. The farce is so tenacious that it still amuses people everywhere. We have an example of its modern French form in the play of Courteline, *La paix chez soi*.

## Alain-René Lesage (1668-1747)

Selection: *Un parasite* (p. 35)

L. Cazamian on Lesage:

"Lesage disclaims any purpose but that of realism. In the Preface to his most successful work, *Gil Blas de Santillane*, he declares: 'Je ne me suis proposé que de représenter la vie des hommes telle qu'elle est.' Spain is the background of his novel, and no doubt he intends to lose none of the opportunities of exoticism such a theme must offer. But his object remains man in general: 'On voit partout les mêmes vices et les mêmes originaux. . . . J'avoue que je n'ai pas toujours exactement suivi les mœurs espagnoles.' In fact, the Spanish *roman picaresque*, the influence of which in France and Europe can be traced from a far earlier period, is the pattern upon which the technique of *Gil Blas* is modelled.

"The book was universally acknowledged to be very amusing in the eighteenth century, and it has kept a distinguished place in post-classical fiction. It owes this to the charm of its slightly cynical wit, heightened by the deft touch of a style that cannot yet be indebted to Voltaire, but is not unworthy of being compared with his. *Gil Blas* is in several respects a younger, lighter sketch of *Candide*, with a less bitter philosophy of life. It will clothe cruel realities in transparent understatement; its softer irony has at times a distinctly humourous flavor."[1]

[1] L. Cazamian, *A History of French Literature*.

## Jean-Jacques Rousseau (1712-1778)
### Selection: *Souvenirs de jeunesse* (p. 41)

Edward Weatherly on Rousseau:

"A French writer has said that Jean-Jacques Rousseau's life was a novel until he reached the age of forty. After that it shaded into tragedy. Rousseau was born June 28, 1712, in Geneva, then the center of a tiny city-state. The early death of his mother and the forced exile of his father after a quarrel with a French officer left him to the care of an uncle, who arranged for the little formal education that he received. . . .

"In 1742, Rousseau went to Paris and soon entered a brilliant group of writers and thinkers, including Fontenelle, Marivaux and Diderot. His first literary work of importance was the article on music, in which he had some skill, for the celebrated Encyclopedia . . .

"His growing literary success began to be overshadowed by his frequently groundless suspicions of his friends, which later developed into a persecution mania. After living in several places during these years, he settled at Montmorency, just outside Paris, in 1757, and in the next five years completed many of his most important literary works . . .

"In June, 1762, he fled to Switzerland to escape arrest. When persecution followed him there, he went to England, but a growing persecution mania led him to suspect his innocent friend, David Hume, and he returned secretly to France. After traveling extensively he went to Paris, where he was cordially received and where he lived in comparative harmony until just before his death in 1778. During these years he completed his *Confessions*, which he had begun much earlier.

"Rousseau's work has been of profound importance in the development of European thought. Much of our present political and educational theory has been influenced by his writing. As a work of pure literature, however, his *Confessions* are probably his greatest achievement."[1]

[1] Edward H. Weatherly, et al., *The Heritage of European Literature*.

## Alfred de Musset (1810-1857)

Selections: *Fantasio* (p. 53); *Rappelle-toi*, *La poésie* (pp. 258-260)

Henry James on Musset:

"He (Musset) was beyond question one of the first poets of our day. If the poetic force is measured by the *quality* of the inspiration—by its purity, intensity and closely personal savour—Alfred de Musset's place is surely very high. He was, so to speak, a thoroughly *personal* poet. He was not the poet of nature, of the universe, of reflection, of morality, of history; he was the poet simply of a certain order of personal emotions, and his charm is in the frankness and freedom, the grace and harmony, with which he expresses these emotions. The affairs of the heart—these were his province; in no other verses has the heart spoken more characteristically . . .

"He has passion. There is in most poetry a great deal of reflection, of wisdom, of grace, of art, of genius; but (especially in English poetry) there is little of this peculiar property of Musset's. When it occurs we feel it to be extremely valuable; it touches us beyond anything else. . . .

"His verse is not chiselled and pondered, and in spite of an ineffable natural grace it lacks the positive qualities of cunning workmanship . . . To our own sense Musset's exquisite feeling makes up for one-half the absence of finish, and the ineffable grace we spoke of just now makes up for the other half. His sweetness of passion, of which the poets who have succeeded him have so little, is a more precious property than their superior science. His grace is often something divine; it is in his grace that we must look for his style."[1]

## Honoré de Balzac (1799-1850)

Selection: *Le colonel Chabert* (p. 98)

George Moore on Balzac:

"The works of no other writer offer so complete a representation of the spectacle of civilised life as the Human Comedy. That sensa-

[1] Henry James, *French Poets and Novelists.*

tion of endless extent and ceaseless agitation, which is life, the Human Comedy produces exactly. If we think of its fifty volumes, we are impressed with the same perplexed sense of turmoil and variety as when we climb out of the slum of personal interest and desires, and from a height of the imagination look down upon life, seeing image succeeding image and yet things remaining the same, seeing things tumbling forward, hastening always, passing away, and leaving no trace. The Human Comedy justifies its name; it is the only literature that reproduces the endless agitation and panoramic movement of civilised life. To do this may not be the final achievement, the highest artistic aim: I contest not the point, I state a fact: alone among writers Balzac has succeeded in doing this.

"Balzac's empire is wider than Shakespeare's; his subjects are more numerous, and his sovereignty not quite so secure. But between him and any other writer working in prose fiction there is little comparison. He peopled his vast empire with surely a greater number of souls and ideas than did Dickens or Thackeray, or Fielding, or George Eliot, or Turgueneff, or Tolstoi. On this point there can be no difference of opinion and he spoke truly when he said: 'The world belongs to me because I understand it'."[1]

## Prosper Mérimée (1803-1870)
## Selection: *Carmen* (p. 139)

Walter Pater on Mérimée:

"Mérimée, a literary artist, was not a man who used two words where one would do better, and he shines especially in those brief compositions which, like a minute intaglio, reveal at a glance his wonderful faculty of design and proportion in the treatment of his work, in which there is not a touch but counts. That is an art of which there are few examples in English; our somewhat diffuse, or slipshod, literary language hardly lending itself to the concentration of thought and expression, which are of the essence of such writing. It is otherwise in French, and if you wish to know what art of that kind can come to, read Mérimée's litte romances. . . .

"In his infallible self-possession, you might fancy him a mere

[1] George Moore, *Impressions and Opinions.*

man of the world, with a special aptitude for matters of fact. Though indifferent in politics, he rises to social, to political eminence; but all the while he is feeding all his scholarly curiosity, his imagination, the very eye, with the, to him ever delightful, relieving, reassuring, spectacle of those straightforward forces in human nature, which are also matters of fact. There is the formula of Mérimée! the enthusiastic amateur of rude, crude, naked forces in men and women wherever it could be found; himself carrying ever, as a mask, the conventional attire of the modern world—carrying it with infinite, contemptuous grace, as if that, too, were an all-sufficient end in itself."[1]

## Anatole France (François-Anatole Thibault) (1844-1924)
## Selection: *Pensées de Riquet* (p. 181)

Morris Bishop on Anatole France:

"Anatole France (an assumed name; his real name was François-Anatole Thibault) was the son of a Paris bookseller. A dreamy, distraught child, he made a poor school record. He did literary odd jobs for booksellers and periodicals, and held minor posts in public libraries. He wrote Parnassian poetry, meritorious but chill. His first novel, *Le crime de Sylvestre Bonnard*, appeared when he was thirty-seven . . . His literary production took many forms; of these the most durable are his fiction and his criticism . . .

"The charm of Anatole France's work resides in the revelation of his mind. Erudite, intelligent, insatiably curious, particularly about religion, thoroughly skeptical and yet sympathetic, a passionate lover of beauty, he is the perfect example of the *fin-de-siècle* dilettante . . .

"Around 1900, young Frenchmen, and young Americans and Englishmen, simply adored Anatole France. His smiling skepticism seemed the perfect response to the suspect affirmations of the orthodox and the traditionalists. But at his funeral a band of surrealists distributed a vicious attack on his reputation. After his death his literary rating plunged to a startling low. Today he seems to be rising in critical esteem . . ."[2]

[1] Walter Pater, *Miscellaneous Studies.*
[2] Morris Bishop, *A Survey of French Literature.*

Jules Romains (Louis Farigoule) (1885-        )
Selection: *Promenade et préoccupations du chien Macaire* (p. 184)

Denis Saurat on Jules Romains:

"Jules Romains is primarily a poet, but he has made his most comprehensive effort in the novel, though the dramatic form (not perhaps the drama) is familiar to him and he can be very successful in it. He belonged in his early years to a group of young poets known as 'le groupe de l'Abbaye', with Duhamel, Chennevière, Vildrac, which has been more or less described by Duhamel in one of the Pasquier novels. They were poets who all (more or less also) found that poetry was not a career, even those that stayed in it. . . .

"Romain's poetic gift is at the bottom of all that is successful in his immense production, but it is obscured and may be unnoticed under the mass of his writing. In the novel, his truly amazing effort in *Les Hommes de bonne volonté*, a series of twenty-seven volumes, relegates to the second rank, as far as quantity in one novel goes, even Balzac himself, who does not connect his pieces so well, or Zola, whose artificiality in construction is too obvious nowadays. . . .

"But in all his exercises there is a queer inhuman quality in Jules Romains. Perhaps, again, this is a necessary element in all great poetry. Shakespeare is divinely indifferent to what happens to his characters, so he can wring our hearts like a malevolent god or enchant us with tales of a kind of love that is not for us. But Jules Romains, by putting this into prose, often loses contact with reality without soaring into the divine regions. Indeed he is apt to gravitate into a rather shoddy kind of infernal regions, as in some disquieting volumes of *Les Hommes de bonne volonté* . . .

"Yet he is a poet and always soars up again, and in his immense production seekers for treasure will be immensely rewarded."[1]

Georges Duhamel (1884-        )
Selection: *La dame en vert* (p. 194)

Denis Saurat on Duhamel:

"Duhamel in our time occupies this rare, and, in our time, this

[1] Denis Saurat, *Modern French Literature*.

perhaps unique, position: he is a great writer whose feelings, whose judgments are normal, are acceptable to the ordinary cultured man. This faculty of judging as the normal man judges is exercised at its most enjoyable strength in the *Salavin* series. As a literary creation of one single character there is probably nothing to rival *Salavin* since Balzac. . . .

"*La Vie des martyrs* was the first book that made him famous; it may also be the most lasting of his books. These impressions and stories of a doctor that worked just behind the front in the 1914 war are most deeply disturbing in their humanity. They convey the feeling that a certain intensity of suffering is unfair to human creatures, and yet that there are human beings, and in great numbers, that are so heroic as to retain possession of their souls in the utmost agony. A higher idea of human nature is driven into the reader by those well-nigh unbearable stories. . . .

"As a stylist he is therefore an unpretentious writer. He uses the French language that all use, and his art lies in the perfect adequacy of his expression to his subject matter. He looks for no special stylistic effects; he is just natural—which is the most difficult of all things to be."[1]

## Julien Green (1900- )
Selection: *Christine* (p. 200)

Samuel Stokes on Green:

"The origin of Green's interest in nuances, allusion, or power of suggestion lies in the element of mystery that naturally enshrouds everything that concerns the soul. The recurrence of the word mystery, now in connection with his critical standards, calls for a clarification of terminology. If his description of silence makes one think of mystical experience, we must distinguish between mystical and mysterious. Green helps greatly by asserting that a mystic sees clearly what he communicates with, whereas in mystery there is confusion. In the latter there is allusion which may lead to mystical experience but by no means inevitably. If there is a path from the mysterious to the mystical, it could be through visionary experience. . . .

[1] Denis Saurat, *Modern French Literature*.

"Allusion and silence . . . are only two of the qualities that Green attaches to mystery. Another important one is darkness. Throughout his work darkness pervades—be it time of day, colors, or moods. Therefore to find it in his criticism is not surprising and, thanks to the way he describes it, we can better understand why it is so important to him. . . .

"The connection between darkness, silence, and sadness is apparent enough for us to realize that the first, as an element of mystery, is natural to Green."[1]

## ALBERT CAMUS (1913-1960)
### Selection: *L'hôte* (p. 214)

ALBERT MAQUET ON CAMUS:

"I do not know if *L'Hôte* ('The Guest') has more right to our admiration than the other stories, but its simplicity of plot and the bitter-sweet poesy which it distills confer a beauty and yes, a soundness upon it which has a disintoxicating effect.

"The scene is a high Algerian plateau, to which winter has suddenly come in a blizzard, isolating a schoolhouse that clings to the side of a hill and is now deserted by its pupils. In this school, assaulted by the wind, there is a solitary man, the schoolmaster, fortunately with enough provisions to 'sustain a siege'. And now two men climb up the hill to his refuge: a gendarme with an Arab at the end of a rope. The Arab has killed a cousin in a quarrel over grain. He will have to be taken to a place twenty kilometers away. But since the gendarme is obliged to return immediately to his village, the order is given for the schoolmaster to substitute for him on this errand . . .

"His stupefaction knows no bounds when, after a few minutes, he perceives the Arab 'who was slowly walking along the road to the prison.'

"Back in his classroom, the schoolmaster reads the following inscription on the blackboard 'traced with chalk by an awkward hand: "You have handed over our brother. You will pay for it".'

"And this threat of an invisible witness, in which once more may be read the 'misunderstanding' makes him touch the bottom of his

[1] Samuel Stokes, *Julian Green and the Thorn of Puritanism.*

solitude and feel the immanence, in the midst of his realm of an inevitable exile. Without being either the slave or the master of anyone, and to safeguard the liberty of that innocence, he had offended his old friend, the gendarme; the Arab had chosen punishment, and he himself will be exposed, on the morrow, to unjustifiable reprisals. . . ."[1]

## PART TWO

### FRANÇOIS VILLON (1431-1465?)
Selection: *La ballade des pendus* (p. 236)

FORD MADOX FORD ON VILLON:

"Villon exemplifies the greatest truth that we can divine from the study of the art of poetry: it is from male suffering supported with dignity that the great poets drew the greatest of their notes—that sort of note of the iron voice of the tocsin calling to arms in the night that forms, as it were, the overtone of their charged words.

"Certainly the ballades are very often quoted, but one could scarcely read too often in a day of diappearing faith the supreme outcry of agonizing Christianity—'The Ballade of Hanged Men.'

"There may have been more affrighting words than this epitaph to the *codicille* of the *Great Testament*, but the note is the authentic one of the *Inferno* itself, and it was written by a man on what he considered to be the night before his execution. But consider, nevertheless, the sort of equanimity with which it is written, the deliberation of the choice of words, the absence of lamentation, the erectness, as it were, of the man's spine, the lack of any note of despair. And that brings us to the second note of the supreme tragic masterpiece. It will never be harrowing; it will always stimulate. When you read this epitaph you feel none of the sensation of depression and of diminished vitality such as you feel in reading works of an overcharged, piled-up and arbitrary gloom like Tolstoy's *Resurrection*. On the contrary, your heart beats faster and more strongly the moment you have the conception of this ragamuffin and thief, . . . cast for death because of an assault on a priest, and yet,

[1] Albert Maquet, *Albert Camus: The Invincible Summer.*

as it were, swinging his ragged cloak arrogantly in the face of destiny and calmly jotting down words which will never die.

"There is, indeed, nothing but stimulation in the thought and, at it, you may well quote in their literal sense Maubougon's immortally ironic words, 'Cela vous donne une fière idée de l'homme'."[1]

## JOACHIM DU BELLAY (1522-1560)
### Selection: *Heureux qui, comme Ulysse* (p. 240)

Although it is no doubt quite unfair to call du Bellay "the poet of one poem," as Walter Pater does in the following lines, we quote this passage because although it deals with the poem "D'un vanneur de blé aux vents", the same can be applied to the poem found in this collection.

WALTER PATER ON DU BELLAY:

"Du Bellay has almost been the poet of one poem; and this one poem of his is an Italian thing transplanted into that green country of Anjou; out of the Latin verses of Andrea Navagero, into French: but it is a thing in which the matter is almost nothing, and the form is almost everything; and the form of the poem as it stands, written in old French, is all Du Bellay's own. It is a song which the winnowers are supposed to sing as they winnow the corn, and they invoke the winds to lie lightly on the grain . . .

"That has, in the highest degree, the qualities, the value, of the whole Pleiad school of poetry, of the whole phase of taste from which that school derives—a certain silvery grace of fancy, nearly all the pleasure of which is in the surprise at the happy and dexterous way in which a thing slight in itself is handled. The sweetness of it is by no means to be got at by crushing, as you crush wild herbs to get at their perfume. One seems to hear the measured falling of the fans, with a child's pleasure on coming across the incident for the first time, in one of those great barns of Du Bellay's own country, *La Beauce*, the granary of France. A sudden light transfigures a trivial thing, a weather-vane, a windmill, a winnowing flail, the rust in the barn door; a moment—and the thing has vanished, because it was pure effect; but it leaves a relish behind it, a longing that the accident may happen again."[2]

[1] Ford Madox Ford, *The March of Literature.*

[2] Walter Pater, *The Renaissance; Studies in Art and Poetry.*

## Pierre de Ronsard (1524-1585)
### Selection: *Sur la mort de Marie* (p. 241)

Curtis Hidden Page on Ronsard:

"Ronsard is one of the few masters of the sonnet. It is probably safe to say that he uses it with more variety of effect than any other poet, and yet without seeming to force its character. He makes it descriptive, epigrammatic, epic, philosophic, elegiac, idyllic, dramatic; he even makes it purely lyrical.

"Then there are the lyrics—lyrics that have almost the cutting pathos of the Greek anthology in its regrets for fleeting youth and life, or the light sincerity of Herrick, or even snatches of that peculiar grace and haunting naturalness of exquisite melody which give to our early Elizabethans the sweetest note in all the gamut of song. Ronsard's mastery of form, in an almost unformed language, is marvelous. He was the first creator of more than a hundred different lyric stanzas—the most prolific inventor of rhythms, perhaps, in the history of poetry.

TO RONSARD

First celebrant of new-found Poesy,
Singer of life new-born in Europe's spring,
Lover of youth and love, thy passioning
Re-echoes in men's heart eternally.

Thy song's tense throbbings thrill us like the cry
Of Music's self that on a breaking string
Weeps the swift Fate of every beauteous thing,
And oh! the tears of it, that youth must die.

We too are young, Ronsard, and pledge thy name
To-day, O poet of roses, poet of flame,
Poet of youth eternal, poet of Love.

"My own swift-dying youth to thee I give,
To make men know thy living fame, and prove
Thy faith—that youth may die, but Song must live.[1]

[1] Curtis Hidden Page, *Songs and Sonnets of Pierre de Ronsard.*

## François de Malherbe (1555-1628)
### Selection: *Paraphrase du psaume CXLV* (p. 242)

L. Cazamian on Malherbe:

"Boileau's sigh of relief ('Enfin, Malherbe vint. . . .') has ceased to be passively condoned. The implied judgement is so grossly unjust to what preceded and what accompanied the champion of correctness and the rules. But while no longer seating him in a solitary eminence on a higher throne than any poet except the greatest, a candid critic must acknowledge his solid merit. His taste was not unimpeachable from the beginning . . .

"But when we turn to his own work we find it much better than his somewhat tame doctrine would lead us to expect. He has little free gift of inspiration and nearly always has some train of thought to follow. In what he has to say he uses mostly the type of rhetorical commonplaces dear to orators. But to the development of his theories he does nevertheless bring an instructive discretion and a gift of fit and felicitous phrasing, while his lines move with an unforced rhythm. Behind these estimable virtues there is more—a genuine sense of the stately march of grand stanzas, an intuitive perception of musical and evocative values, noble imagery, and at all times the creative gift not of a versifier but of a true poet. His longer odes hark back to Ronsard, with more elaboration but no less vigour. His personal lyrics have a dignified candour that happily diversifies the austerity of his talent. If the badge of classicism is the survival of a form that never loses its appeal, the best of Malherbe belongs indeed to the treasury of classic French poetry."[1]

## Jean de la Fontaine (1621-1695)
### Selection: *Le coche et la mouche* (p. 243)

Saintsbury on La Fontaine:

"The spirit of the Fabliaux had been dead, or at any rate dormant, since Marot and Rabelais; La Fontaine revived it. Even purists, like his friend Boileau, admitted a certain archaism in lighter poetry, and La Fontaine would in all probability have troubled himself very

[1] L. Cazamian, *A History of French Literature.*

little if they had not. His language is, therefore, more supple, varied, and racy than even that of Molière, and this is his first excellence. His second is a faculty of easy narration in verse, which is absolutely unequaled anywhere. His third distinguishing point is his power of insinuating, it may be a satirical point, it may be a moral reflection, which is also hardly equalled and as certainly unsurpassed . . .

"La Fontaine, instead of in the smallest degree degrading the beast-fable, has, on the contrary, exalted it to almost the highest point of which it is capable . . . It is, indeed, impossible to read the Fables without prejudice and not be captivated by them. As mere narratives they are charming, and the perpetual presence of an undercurrent of sly, good-humoured, satirical meaning relieves them from all charge of insipidity. La Fontaine, like Goldsmith, was with his pen in hand as shrewd and as deeply learned in human nature as without it he was simple and *naïf*."[1]

## VOLTAIRE (FRANÇOIS-MARIE AROUET) (1694-1778)
Selection: *Épigrammes* (p. 245); *Lettre à Jean-Jacques Rousseau*, *Lettre à M. Tronchin* (pp. 290-296)

KATHLEEN BUTLER ON VOLTAIRE:

"The literary estimate of Voltaire has undergone considerable change during the last thirty years or so, and there seems to be a general agreement that his chief title to literary fame rests on his *Lettres* and his *Histoire de Louis XIV*. Voltaire's correspondence (over ten thousand letters) fills twenty out of the fifty volumes of his complete works, and forms an admirable autobiography. Throughout his long life he corresponded regularly with friend and foe. Among the most important of his many correspondents were Frederick the Great, Catherine of Russia, Diderot, d'Alembert, Helvétius, Vauvenargues, Horace Walpole, Marmontel, Rousseau, La Harpe, Algarotti, Maffei, Goldoni and Madame du Deffand.

These letters are very interesting reading, for though a few of them are literary efforts composed with a view to publication, the majority are quite spontaneous, and reveal Voltaire's whole personality, his loves and hates, his general human kindliness, his loyalty to his friends, etc; in fact, that better side of his nature which finds

[1] George Saintsbury, *A Short History of French Literature.*

little expression in his other works. Moreover, they are a mine of information for the literary, social, and political history of the eighteenth century. Even his briefest and most hurried notes are little masterpieces of lucidity, simplicity, and the most delicate wit and irony. As fresh and lively as the correspondence of Madame de Sévigné, but wittier and more varied in subject-matter, Voltaire's letters are likely to outlive his other works. And this is saying much, for Voltaire was a versatile genius, who tried his hand at light verse, satire, epic, tragedy and comedy, the short story, history, philosophy, and literary criticism, and though none of his efforts place him indisputably in the first rank, in nearly every form he touched he holds a good second place."[1]

## Alphonse de Lamartine (1790-1869)
### Selection: *L'oraison dominicale* (p. 246)

Nitze and Dargan on Lamartine:

"The name of Alphonse de Lamartine opens the succession of great Romantic poets. To his noble and charming figure is attached the triple prestige of poet, idealist and statesman. He was of a versatile, sensitive and thoroughly aristocratic nature. Born at Mâcon, of an excellent patriarchal family, he always clung with a 'natural piety' to his early associations. His sensibility and Rousseautic readings made him a prey to melancholy in his adolescence. This tendency was increased by his unfortunate love-affair with Mme Julie Charles, who became the 'Elvire' of Lamartine's inspiration. What saddened the man deepened and purified the poet. The publication of the *Méditations poétiques* (1820) was an event: the work attracted the attention of Talleyrand, and Lamartine was appointed as secretary to the embassy at Naples. . . .

"The volume now called *Premières Méditations* marks the beginning of the new poetry. As Lanson has demonstrated, these lyrics usually have bookish sources (Petrarch, Rousseau, the Bible) and in form they show a continuity with neo-classical tradition rather than a distinct break. Their tremendous vogue was due primarily to the intimacy, the purity and plaintive sincerity of Lamartine's individual voice, which, like that of Rousseau, restored the ring of great

[1] Kathleen T. Butler, *A History of French Literature*.

emotion to literature. Hence the immediate effect of the volume on the tender-hearted. In spite of the fading influence of time, Lamartine's best stanzas still lie embedded, like perfect crystals, in the memories of many readers."[1]

## Victor Hugo (1802-1885)

### Selections: *Les Djinns*, *L'enfance*, *Il est si beau* (pp. 247-253)

Nitze and Dargan on Hugo:

"In many respects Hugo deserved his fame. He was an authentic genius and an indefatigable worker. His best writings are marked by a great imaginative flame and by an understanding of the heart of humanity. But in his own life his heart and his judgment likewise were often submerged by his ego. Friends fell away from him, women suffered from his treatment, he was unfaithful, quarrelsome, and very obstinate. His inordinate vanity has been made the subject of many stories; he actually thought that the city of Paris should be renamed in his honor. He loved his country and especially his children; but love, literature and politics became with Hugo occasions for self-aggrandizement, and because of his political veering, the charge has been made that he lacked sincerity both in his life and in his works. This is probably too severe, but steadfastness of thought and conduct was scarcely to be expected from Hugo's whirling brain and imagination. He is an echo of ideas rather than an originator. He is not to be greatly loved or trusted, but rather to be admired when properly set on his pedestal. That pedestal consists of nearly fifty volumes, many of which are masterpieces."[2]

## Alfred de Vigny (1797-1863)

### Selection: *Moïse* (p. 253)

Geoffrey Brereton on de Vigny:

"Alfred de Vigny is a sombre figure among the French Romantics. His stoic mistrust of life contrasts with the eager response of Lamar-

[1] Nitze and Dargan, *A History of French Literature from the Earliest Times to the Present.*
[2] *Ibid.*

tine and the confident assertiveness of Hugo. He was one of the great doubters of literature—with some reason . . .

"That Vigny's poetry would be pessimistic goes without saying. Pessimism was in his life and blood, as optimism was in Lamartine's. Both, in the final count, were equally irrational. Yet since Vigny has been called—by himself first and by most critics since—a philosophical poet, we must look at this 'philosophy' briefly before passing on to other aspects of his poems.

"At best it is not a doctrine, but only a groping for one. It starts from the fairly constant assumption that mankind are the victims of an inescapable fatality, that unhappiness is their normal lot, and that the nobler they are the more they will suffer . . .

"It is perfectly true that Vigny expressed his ideas through descriptions and symbols. It is also true that his work is rich in various text-book Romantic qualities—Orientalism, local colour (the sand and the lions) pushed sometimes as far as the grotesque (the ostrich-egg). But these features are incidental. With him, the visual image came first, coloured, solid, almost palpable. The rest was subservient to it . . .

"The characteristic of Vigny is that he was man enough to experience and state it (despair) without breaking down into the self-pity of the more feminine and certainly more superficial Musset; but, on the other hand, without the superhuman and clairvoyance of Baudelaire, who could see round corners in his own and other people's natures. Vigny's vision, in comparison, is a fixed beam meeting an immovable object. He may be classed as basically Romantic because that object is himself."[1]

## Théodore de Banville (1823-1891)
## Selection: *Ballade des pendus* (p. 260)

Aaron Schaffer on Banville:

"In the first place, it should be stated at the outset that Banville was primarily the poet of the sheer joy of living. To be sure, he soon learned full well that life grants with all too sparing a hand its moments of joy, and the note of disillusioned sadness is never long absent from his verses. But the point to be remembered is that he

[1] Geoffrey Brereton, *An Introduction to the French Poets.*

wanted passionately to experience the joy of living and to reproduce it in his poetry. Artistic to the very roots of his being, he found himself entirely out of tune with the money-grubbing materialism of his epoch and, like the Romanticists of whom he might be called a belated survivor, he sought to escape the time in which he lived and to find happiness in a role of his own creating . . .

"That Banville's poetry was no mere bubble upon the surface of the literature of his time is to be recognized from the following two facts: in the first place, his writing was marked by such a stamp of individuality that critics had to coin words to discuss it adequately and so, just as the peculiar flavor of the dialogue of Marivaux forced the invention of the term *marivaudage*, we have the noun *banvillerie* and especially the adjective *banvillesque* constantly cropping up in the contemporaneous criticisms of his work; in the second place, this indefinable 'banvillesqueness' was the object of imitation of many of the younger Parnassians, few of whom, to be sure, succeeded in capturing it for their own poetry. The *banvillesque* quality—a label which includes both rapier-like subtlety of expression and gleaming sparkle of content as well as acrobatic dexterity and sheer pagan love of form—is to be found in varying degree in almost everything that the poet wrote, prose as well as verse; the receipt for its distillation might best be sought in Banville's own *Petit traité de poésie française* (1872)."[1]

## CHARLES BAUDELAIRE (1821-1867)

### Selection: *L'invitation au voyage* (p. 262)

JAMES HUNEKER ON BAUDELAIRE:

"Music, spleen, perfumes—'color, sound, perfumes call to each other as deep to deep; perfumes like the flesh of children, soft as hautboys, green like the meadows'—criminals, outcasts, the charm of childhood, the horrors of love, pride, and rebellion, Eastern landscapes, cats, soothing and false; cats, the true companions of lonely poets; haunted clocks, shivering dusks, and gloomier dawns —Paris in a hundred phases—these and many other themes this strange-souled poet, this 'Dante, pacer of the shore', of Paris has celebrated in finely wrought verse and profound phrases. In a single

[1] Aaron Schaffer, *Parnassus in France.*

line he contrives atmosphere; the very shape of his sentence, the ring of the syllables, arouses the deepest emotion. A master of harmonic undertones is Baudelaire. His successors have excelled in making their music more fluid, more singing, more vaporous—all young French poets pass through their Baudelairian greensickness—but he alone knows the secrets of moulding those metallic, free sonnets, which have the resistance of bronze; and of the despairing music that flames from the mouths of lost souls, trembling on the wharves of hell. He is the supreme master of irony and troubled voluptuousness.

"Baudelaire is a masculine poet. He carved rather than sang; the plastic arts spoke to his soul. A lover and maker of images. Like Poe, his emotions transformed themselves into ideas . . . He had an unassuaged thirst for the absolute. The human soul was his stage, he its interpreting orchestra."[1]

## Paul Verlaine (1844-1896)

### Selections: *Chanson d'automne*, *Le ciel est par-dessus le toit* (pp. 264-266)

Harold Nicolson on Verlaine:

A sudden sense of intimacy is attained by the skilful use of association, by the vivid insertion of inanimate objects, trivial in themselves, but at the same time significant with derived emotions.

"The device of association is not, however, the only method by which Verlaine attains to the peculiar intimacy of his manner. He secures a similar effect by the garrulous confidences of his poems, by the way in which he renders the casual moods and habits of his life interesting and emotional. The troubles and pleasures of his daily experience, the rain and the sunshine, some trees shivering in a January wind, the warm feel of a south wall, the rattle of a train at night-time, the flare of gas-jets at street corners, the music of a merry-go-round, the silence of white walls, the drip of raindrops upon the tiles;—all these are set to plaintive music, are made to become an emotional reality . . .

"He knew full well that his peculiar poetic quality was not attuned to the grandiose, he knew that the deeper emotions would always elude him, and he preferred, therefore, to deal with the more

[1] James Huneker, *Essays.*

incidental sensations, and to reflect in them the passions and tragedies in which his life was involved. In this he was abundantly right: the minor key can convey its message only by the indirect method; in order to be wistful one must above all be elusive . . .

"At its best, his gift for treating emotionally the casual sensations of the moment is unequalled, and its influence on French poetry was to be immense."[1]

## FRANCIS JAMMES (1868-1938)

### Selection: *Prière pour aller au paradis avec les ânes* (p. 266)

GUSTAVE VAN ROOSBROECK ON JAMMES:

"Francis Jammes is the poet of simplicity. In him the spirit of St. Francis of Assisi is blended with some of the nature-feeling of Rousseau. Living calmly in his mountain village, Orthez, in the Pyrenees, he pities the struggling and anxious poets of Paris, whom, after his conversion, he never forgets in his prayers. He finds his happiness in his bees and his pipe, his mother, his dog, his flowers, and God. He wants to be humble like the stone mason, and his friends, the mules. The very human, the very simple and yet personal note of his poems was quite antipodic in 1893-96 when they first appeared, to the then prevailing esoteric, complex, and tortured manner of the Symbolists. Since that time the influence of Jammes has spread and, although he rejects all literary schools in favor of unvarnished sincerity, he has become, against his will, the chief of a Jammes School. His poetry is naïve. It lacks all verbal sonority, emphasis and declamation. Its naïveté is sincere, a direct expression of the poet, although some critics affect to see in his simplicity something like the last refuge of complexity."[2]

## PAUL CLAUDEL (1868-1955)

### Selections: *Magnificat*, *Paysage français* (pp. 267-269)

GEOFFREY BRERETON ON CLAUDEL:

"The huge accession of confidence and energy which religion brought to Claudel's writing is exteriorized in exuberance but never

[1] Harold Nicolson, *Paul Verlaine*.
[2] Gustave L. Van Roosbroeck, *An Anthology of Modern French Poetry*.

in the kind of megalomania so obtrusive in Hugo. Hugo seems to swell himself up to converse with God, while Claudel accepts with a natural exhilaration the premise that the Creator must be in all his creatures. If one recognizes God everywhere, there should be no conflict between the human ego and the divine, or between the inner and outer worlds. . . .

"Without rhyme or regular rhythms, it (language) moves forward under the pressure of the poet's 'inspiration', sweeping with it whatever associations and images occur to him at the moment. It is an extraordinarily turgid stream, this outpouring of Claudel's faith, and liable to take in anything, from the most simple play on words to the breathtaking metaphor. He is 'baroque' beyond the nightmares of the seventeenth-century classicists and it is useless to sift out the sublime from the trivial. His force is in the two combined . . .

"What he demands is spiritual insight—the approach through intuition and experience—rather than the approach through literature in its technical and 'hermetic' aspects. He therefore takes the kind of language which comes first to hand and requires the least premeditation and blows into it with the full force of his eloquence to create now gorgeous, now monstrous, serpentine shapes."[1]

## Blaise Pascal (1623-1662)
### Selection: *Pensées* (p. 273)

Morris Bishop on Pascal:

"Blaise Pascal was, simply, one of the greatest men that have ever lived. Having made the discovery of mathematics at the age of twelve, at sixteen he wrote a treatise on conic sections which is the herald of modern projective geometry. At nineteen he invented, constructed, and offered for sale the first calculating machine. He gave Pascal's Law to physics, proved the existence of the vacuum, and helped to establish the science of hydrodynamics. He created the mathematical theory of probability, in a discussion of the division of gamblers' stakes. His speculations were important in the early development of the infinitesimal calculus. After a night of religious revelation, when he was but thirty-one, he abandoned science, returning to it only to solve, as a diversion from the toothache, the problems of the cycloid. . . .

[1] Geoffrey Brereton, *An Introduction to the French Poets.*

"His prose style, novel in its strong simplicity, determined the shape and character of the French literary language. He devised a new method of teaching reading. He organized the first omnibus line. In the lucid moments of cruel illness, he wrote the *Pensées*, in preparation for an apology for Christianity, thoughts which have affected the mental cast of three centuries, thoughts which still stir and work and grow in modern minds. He died at 39. Here is the mind of genius, one of the authentic geniuses in human records. . . ."[1]

## JEAN DE LA BRUYÈRE (1645-1696)
## Selection: *Des biens de fortune* (p. 277)

L. CAZAMIAN ON LA BRUYÈRE:

"If one leaves out the 'symbolic' portraits, of a chiefly poetical value, La Bruyère shows himself a close and acutely penetrating painter; either assembling his experience into pregnant sketches of typical figures, or distilling it into remarks that convey an essence of reflection in a few words. The latter are often genuine 'maxims' of the La Rochefoucauld type pattern; expressed like his in epigrammatic, antithetical style; equally thought-provoking, but conveying a wisdom that, less systematic, keeps on the whole more closely to the truth . . .

"He is a classicist to the core; his art and style are instinct with an exacting sense of the just balance, the perfect phrase. Literature indeed, he thinks, can only be renewed through attention to form: 'Tout est dit, et l'on vient trop tard . . .' Immune from the pedantry of a perfunctory cult, he still worships at the shrine of the ancients, and refuses, in the quarrel, to throw his lot in with the moderns . . .

"The artist in him, with his gift of careful, sober writing, and his tendency to understatement, smacks far less of the 'precious', as has sometimes been said, than of the somewhat impoverished language of an overfastidious period. But his classical smoothness is free from the lingering tradition of oratory; his short sentences, spare, light, with a fondness for varied constructions, anticipate the quick, flashing style of Voltaire. For such a degree of deftness he is still too dignified, but his intuition points this way."[2]

[1] Morris Bishop, *Pascal, The Life of Genius.*
[2] L. Cazamian, *A History of French Literature.*

## Louis Bourdaloue (1632-1704)
### Selection: *Riches et pauvres* (p. 280)

L. Cazamian on Bourdaloue:

"The full greatness of Bossuet appeared only gradually to succeeding generations; and the scale of values attached to his works has altered with time's changing perspective. The historian, the polemist, the author of didactic or controversial writings, have receded into the background; their information is of course incomplete, and their zeal one-sided. Nowadays they are read only for pleasure—a somewhat austere gratification one must confess. The tendency is now to lay chief stress on the writer and the orator; and the poet present in Bossuet's *words* has been increasingly recognized . . .

"To us, looking back on an age when religious eloquence flourished more than ever before, or since, Bossuet stands obviously far above other contemporary preachers. Yet the audiences of the time gave an even warmer recognition to Bourdaloue. In him, a Jesuit, we have a keen student of the world, who conveys his knowledge of human nature in clear cogent disquisitions that answered the prevailing taste for moral analysis. Where Bossuet carried the argument to emotional heights, Bourdaloue riveted it on a more rational plane. Not that sinners were left off easily: his ethical standard is firm and exacting. The *Sermon sur l'ambition* probes the intricate recesses of social pride, at a time when precedence and rank were everything. That on *La pensée de la mort*, makes determined use of the distressing image of a corpse. All is logical, convincing—and cold."[1]

## François, duc de la Rochefoucauld (1613-1680)
### Selection: *Réflexions morales* (p. 282)

L. Cazamian on la Rochefoucauld:

"La Rochefoucauld, though not among the greatest, is one of the most typical writers of his age. What made him a quintessential classicist was not culture, for his knowledge of the ancients was

[1] L. Cazamian, *A History of French Literature.*

slight. But with unerring intuition, he fastened upon the most humanistic of subjects: human nature. He presented his experience of it impersonally, in the approved manner of the time; and for his means of expression he selected the highly condensed form of 'maxims' i.e. pointed remarks worded as briefly as possible . . .

"They have at bottom one object: an indictment of the cheap self-satisfaction of the unthinking person. The mood that begets them is not misanthropy, or pessimism. The writer owns to melancholy, but claims to keep an open mind. His point of view is the philosopher's, and what he seeks to establish is the truth of our moral state. . . .

"The classicism of La Rochefoucauld is not one of structural form; he hates pedants, to the extent of feeling comfortable in disorder. No attempt is made to correlate each critical remark explicitly with the underlying principle, of which indeed his occasional formulation seems to be purely haphazard; or to suggest a further proposition, more deeply hidden, though at times half revealed: the belief that the primacy of self is rooted in natural laws, that there is an organic background to character, so that our temperaments, our *humeurs*, rule us as through the demands of our self-interested personalities; a psychological point of view that owes much to Descartes, but substitutes irony for the philosopher's composure."[1]

## François de Salignac de la Mothe-Fénelon (1651-1715)
## Selection: *Inconvénients des éducations ordinaires* (p. 286)

L. Cazamian on Fénelon:

"Fénelon belongs even more markedly to the transition. Born in the middle of the seventeenth century, he lived well into the next, witnessing the sad end of a great reign and dying the same year as Louis XIV. Religious doubt has nothing to do with his awareness of change, for he was a Churchman and a devout believer. He held fast to the main tenets of tradition; but he had a supple, eager, and resolutely open mind, which made him a pioneer in several directions . . .

"A penetrating, fluid sweetness marred by no hint of negligence

[1] L. Cazamian, *A History of French Literature.*

or mawkishness is likewise the character of his style. He joins force with elegance, and his political treatises have a vigorous, moving eloquence. Writing was to him a gift, which he never abused . . .

"The *Éducation des filles* is still restricted in its outlook by a traditional notion of woman's part in life; but on the upbringing of children in general Fénelon writes with a concrete and liberal sense of the true process of education."[1]

## Antoine de Saint-Exupéry (1900-1944)
### Selection: *Dans la nuit, les voix ennemies* (p. 297)

Richard Rumbold and Lady Margaret Stewart on Saint-Exupéry:

"At the beginning of his literary career, he found it intensely difficult to translate inner emotional experience into objective narrative. 'I have begun a novel,' he had reported from Juby to a friend. 'You are going to be amused. I've already done a hundred pages, but am doubtful about them. I'm always running up against the abstract in myself. I have an appalling tendency towards the abstract. It comes perhaps from my eternal loneliness . . .[2]

"Although he acquired greater facility with practice, writing never at any time came easily to him. Being a subjective and lyrical writer, he was largely dependent on his moods of inspiration, and these, in turn, were subject to his highly variable states of mind. There were moments of exaltation when his pen would rush over the paper, hardly able to keep pace with the flow of thoughts and images; but they would be followed by hours of inertia and depression when the right word or phrase would come only after long trial and error. Then he would seek feverishly for a particular pen he had written so well with a few days before, or for the orange paper which might help him to 'unwind'; he would also drink cup after cup of very strong tea. The search for an artificial stimulus, which later became more and more evident in his life, shows also in his literary style with its tendency to exaggeration, flamboyance and a kind of rhapsodic overstatement."[2]

[1] L. Cazamian, *A History of French Literature*.
[2] Richard Rumbold and Lady Margaret Stewart, *The Winged Life*.

# I

# CONTEURS, ROMANCIERS, DRAMATURGES

⚜⚜⚜

Anonyme
1470?

# *La farce du pâté et de la tarte*

## PERSONNAGES

| | |
|---|---|
| PREMIER COQUIN | GAUTIER, *pâtissier* |
| SECOND COQUIN | MARION, *sa femme* |

*Le théâtre représente un faubourg du vieux Paris au quinzième siècle à l'époque du nouvel an. Au fond, de vieilles maisons. A gauche, une boutique avec cette enseigne au-dessus de la porte : Au Pâté d'Anguille, Gautier, pâtissier. A droite, un banc de pierre, à l'entrée d'une rue.*

## SCÈNE I

PREMIER COQUIN, SECOND COQUIN, *chacun d'un côté du théâtre*

PREMIER COQUIN

Ouiche!

*Il se met à marcher, les mains enfoncées dans ses poches.*

SECOND COQUIN

Qu'as-tu?

PREMIER COQUIN

Le froid me glace!
Je ne puis pas rester en place!
Ma veste est d'un pauvre tissu!

SECOND COQUIN

En effet, tu n'es pas...cossu.
Ni moi non plus. Mon cœur en saigne! 5
Nous sommes à la même enseigne.[1]
Tu pourrais prendre mon pourpoint;
Certes il ne te parerait point!
Ouiche!

*Il se met à marcher, les deux mains dans les poches.*

PREMIER COQUIN

Qu'as-tu? Le froid me glace!
Je ne puis pas rester en place. 10
Nous sommes pauvres besogneux.
Nous faisons la paire à nous deux.[2]
Ouiche!

*Même jeu*

[1] *à la même enseigne:* in the same predicament. *Enseigne* is the painting or figure at the entrance of an inn or a shop to indicate the nature of the shop or the name of the owner "We are all in the same business." [2] *à nous deux:* between us.

SECOND COQUIN

Qu'as-tu?

PREMIER COQUIN

Le froid me glace!
Je ne puis pas rester en place!
15 Ma veste est d'un pauvre tissu.
C'est que je suis fort peu cossu!

SECOND COQUIN

Et moi? Le suis-je davantage?
J'ai faim, j'ai froid, j'ai soif, j'enrage,
Car je n'ai pas un sou vaillant![1]
20 Il faut que je reste, bâillant,[2]
En attendant quelque pittance,
A moins d'encourir la potence
En . . . empruntant[3] de quoi dîner!
Ne peux-tu pas imaginer
25 Quelque moyen pour nous refaire?[4]

PREMIER COQUIN

Je trouve l'existence amère!
Quand pourrons-nous donc être saoûls?

SECOND COQUIN

Si tu trouvais quarante sous,
Les mettrais-tu dans une armoire?

PREMIER COQUIN

30 Tu ferais acte méritoire
Si tu me donnais un moyen!

[1] *un sou vaillant:* a single penny. [2] *bâillant:* yawning, gaping. [3] *empruntant:* borrowing, (here) stealing. [4] *se refaire = reprendre des forces,* i.e. *boire, manger.*

SECOND COQUIN

Eh! par ma foi! je ne vois rien!
Sinon d'aller en quelque auberge
Où pour la frime[1] on vous héberge. . . .

PREMIER COQUIN

En connais-tu?

SECOND COQUIN

Je n'en vois pas. 35
Partout on paye ses repas.

PREMIER COQUIN

Il faut donc aller de la sorte
En quémandant[2] de porte en porte!
*Il va frapper à la porte du pâtissier. Le* SECOND COQUIN *sort par la droite.*

## SCÈNE II

PREMIER COQUIN *et* GAUTIER, *le pâtissier*

GAUTIER, *ouvrant le volet de la porte*
Mon brave, je n'ai pas d'argent!
Ma femme n'est pas là! C'est elle
Qui porte toujours l'escarcelle.[3]
Mais reviens à la Trinité,[4]
Nous te ferons la charité. 5
*Il referme le volet. Le* PREMIER COQUIN *s'éloigne.*

[1] *pour la frime:* for nothing. [2] *en quémandant = en mendiant:* begging, soliciting. [3] *escarcelle:* a large purse or wallet hung at the waist and in use in medieval times. [4] *la Trinité:* Feast day in honor of the Holy Trinity. It falls on the first Sunday after Pentecost or Whitsunday.

## Scène III

SECOND COQUIN *et* MARION, *la pâtissière*

SECOND COQUIN, *Il s'approche tandis que le* PREMIER COQUIN *s'éloigne vers la gauche du théâtre*

Daignez me donner quelque aumône;
Le Seigneur bénira qui donne!
Je suis un pauvre malheureux.
Depuis hier j'ai le ventre creux!

MARION, *ouvrant le volet, d'une voix sèche*

5 Mon mari n'est pas là, brave homme!
Et je n'ai pas la moindre somme
Sur moi. Toujours il a l'argent.
Tu reviendras à la Saint-Jean:[1]
Nous pourrons faire quelque chose.
*Elle referme le volet.*

SECOND COQUIN

10 Dans ce métier, tout n'est pas rose.
Je laisse à mon ami ce soin,
Je vais attendre dans ce coin.
*Il s'assied sur le banc à droite.*

## Scène IV

MARION, *la pâtissière*; GAUTIER, *le pâtissier*; *et le* SECOND COQUIN, *dans le coin du théâtre*

GAUTIER

Femme! je vais dîner en ville;
Mais afin de partir tranquille,
Je veux qu'il soit bien arrêté,[2]

[1] *la Saint-Jean:* Feast day of Saint John the Baptist. [2] *arrêté:* clear, settled.

Femme, au sujet du gros pâté,
Qu'ici quelqu'un viendra le prendre 5
De ma part.[1] Il faut donc s'entendre.

MARION

Certes! car vous le savez bien,
Sans votre ordre, je ne fais rien.

GAUTIER

Comme tu ne sais pas bien lire,
Et que je ne sais pas écrire, 10
Je ne t'enverrai pas de mot;
Je choisirai quelque marmot,
Quelque valet pris[2] sur ma route!
Mais ne va pas lâcher[3] la croûte
Sottement au premier venu! 15
Pour être de toi reconnu,
Celui qui fera mon message,
Précaution qui paraît sage,
Devra te prendre par le doigt!
Du signe, femme, souviens-toi. 20
*Il s'éloigne.* MARION *rentre dans la maison.*

## SCÈNE V

PREMIER *et* SECOND COQUINS

PREMIER COQUIN

*Entrant par la gauche du théâtre, il considère un instant le* SECOND COQUIN, *qui reste immobile et songeur sur un banc de pierre.*

As-tu trouvé quelque pitance?

[1] *De ma part:* on my behalf; at my request, sent by me. [2] *pris:* engaged; hired casually. [3] *lâcher* = *donner:* release, relax, let go of.

SECOND COQUIN

Je réfléchis sur l'existence!
Je tombais presque en pâmoison[1]
Mais on m'a nourri de raison!
Et toi?

PREMIER COQUIN

De même.

SECOND COQUIN

5 Ami, l'aubaine
Me paraît maigre pour l'étrenne![2]
C'est le mari qui tient l'argent:
Il fait l'aumône à la Saint-Jean.

PREMIER COQUIN

C'est la femme qui tient la bourse!
10 Il paraît qu'elle était en course;[3]
Mais elle fait la charité
Tous les ans, à la Trinité.

SECOND COQUIN

Alors simple est notre partage,
Tu n'a pas reçu davantage
Que moi-même?

PREMIER COQUIN

15 J'ai toujours faim.

SECOND COQUIN

Et, pour avoir l'estomac plein,
Ferais-tu ce que je vais te dire?

[1] *pâmoison:* (*lit.*) into a convulsion, into a swoon, a faint. [2] *étrenne:* In France, gifts are exchanged on New Year's Day. The gift given on this occasion is called *étrenne*. [3] *était en course:* was out on business, shopping.

PREMIER COQUIN

Ce n'est pas le moment de rire!
Comment ne le ferais-je pas?

SECOND COQUIN

Eh bien, va-t'en donc de ce pas 20
Demander un pâté d'anguille
A cette marchande gentille. . . .
*A part*
Gentille! un guichet[1] de cachot
Est plus aimable! Mais il faut
Pourtant sortir de cette affaire! 25
*Haut*
Dis! Veux-tu faire bonne chère?
Va donc à cette porte encor![2]
Et cette fois frappe bien fort,
Ainsi que quelqu'un qui commande! . . .

PREMIER COQUIN

A quoi bon? Je sais quelle offrande 30
On me garde en cet endroit-ci!
Rien . . . ou des coups! Merci! merci!

SECOND COQUIN, *se rengorgeant*

Tu sais bien que je suis un sage.
Peux-tu douter de mon message?
Sans crainte et d'un air effronté,[3] 35
Va-t'en demander le pâté!
Mais écoute cette parole,
Sans quoi tu joueras mal ton rôle:
A la marchande sans retard

[1] *guichet* = *une petite porte ou fenêtre:* a wicket, a spyhole, a grille. [2] *encor* = *encore.*
[3] *effronté* = *audacieux:* shameless, impudent, bold.

40 Tu diras: « Je viens de la part
De maître Gautier, chère dame!
Il m'a dit que je vous réclame
Le gros pâté que vous savez.
Donnez-le moi, car vous l'avez!
45 On l'attend pour se mettre à table. . . »
Et comme signe véritable,
Pour montrer que c'est bien à toi[1]
De l'emporter, prends-lui le doigt!
Va! tu verras si je t'abuse![2]

PREMIER COQUIN

50 Ma foi! je vais tenter la ruse!
Mais si le mari n'était pas
Encor parti pour ce repas
Dont tu parles?

SECOND COQUIN

Si! tout à l'heure
Il est sorti de sa demeure!

PREMIER COQUIN

55 Ah! Je vais lui serrer le doigt!

SECOND COQUIN

Et la dame, comme elle doit,
Ne fera faute[3] à la promesse:
Nous aurons mets de haute graisse[4]
Avant la Saint-Jean. Qu'en dis-tu?

PREMIER COQUIN

60 Ma foi! je crains d'être battu!

[1] *à toi:* up to you, your duty. [2] *si je t'abuse:* if I am deceiving, deluding you. [3] *ne fera faute = ne manquera pas:* will not go back on, renege. [4] *de haute graisse:* A Rabelaisian expression meaning fat, plump, meaty.

Si par hasard notre commère[1]
Allait se douter de l'affaire. . . .

SECOND COQUIN

Eh! qui ne risque rien n'a rien!

PREMIER COQUIN

Je t'écoute:[2] c'est bien, c'est bien!
Je m'en vais frapper à la porte, 65
Et le pâté, je te l'apporte!
*Il va frapper à la boutique du* PÂTISSIER, *tandis que son camarade sort par la droite. — La pâtissière ouvre le volet.*

## SCÈNE VI

PREMIER COQUIN, MARION, *la pâtissière*

PREMIER COQUIN

Madame, je viens de la part
De votre mari. Sans retard
Il m'a dit de venir en hâte
Ici de peur qu'il ne se gâte
Vous demander le gros pâté 5
D'anguilles. — A votre santé
On le mangera.

MARION

Mais sans doute,
Avant de t'avoir mis en route,[3]
Il t'aura donné quelque mot
Afin que je sache s'il faut 10
A ta parole m'en remettre![4]

[1] *commère:* In medieval times, the expression meant "this good woman." Today, it means "gossip, busybody." [2] *Je t'écoute = Je te comprends:* I understand, obey, yield to you. [3] *Avant de t'avoir mis en route:* Before he let you start on your way. [4] *m'en remettre = croire:* rely on.

PREMIER COQUIN, *d'un air naïf*

Il ne m'a pas donné de lettre.
Mais il m'a dit que par le doigt
Je vous prenne, et qu'ainsi l'on doit
15 Reconnaître que le message
Est vrai. Car il serait dommage
Que d'autres gens que vos amis
Mangeassent[1] le pâté promis!
Donnez le doigt, que je le touche.

MARION, *Elle va chercher le pâté*

20 Certes, l'eau nous vient à la bouche
En regardant ce pâté-là!
Je vais le mettre dans un plat!

PREMIER COQUIN

Oh! madame, c'est inutile:
J'en aurai soin, soyez tranquille!

MARION, *à qui le* COQUIN *a voulu prendre le doigt*

25 C'est bien! c'est bien! — Le beau pâté!
De crainte qu'il ne soit gâté
Je le couvre d'une serviette. . . .
Surtout n'en perds pas une miette!
*Elle lui donne le pâté enveloppé.*

PREMIER COQUIN

Nous aurons soin de tout manger!

MARION

Tu dis?

PREMIER COQUIN, *s'éloignant*

30 Je dis: Pas de danger!

1 *mangeassent:* imperfect subjunctive of *manger:* should eat.

J'en aurai soin, ma chère dame,
Ainsi qu'un chrétien de son âme!
MARION *rentre dans la boutique et referme son volet.*

## SCÈNE VII

PREMIER COQUIN, *seul*

Bien! mais c'eût été[1] plus gentil
De me dire: Bon appétit!
Ne suis-je pas un bon compère?[2]
Me voici bien pourvu, j'espère!
Ce pâté d'aspect savoureux. 5
Ce pâté riche et bienheureux,
Ce pâté de noble tournure.
Ce pâté douce nourriture,
Ce pâté, très seigneurial,
Ce pâté, de parfum royal! 10
Ce pâté, digne d'un chanoine.
A damner le grand saint Antoine![3]
Ce beau pâté, digne des dieux,
Ce pâté, calme et radieux,
Ce pâté, gros comme le Louvre, 15
Pour lui mon estomac s'entr'ouvre!
Il est à nous, il est à moi,
Ah! je l'embrasserais, ma foi!
*Il le pose avec précaution par terre et s'incline avec respect.*
Sire pâté, je vous salue!
*Le* SECOND COQUIN *est entré pendant que le* PREMIER *prononçait les derniers mots de son monologue.*

[1] *c'eut été = cela aurait été:* it would have been. [2] *compère:* comrade, crony.
[3] *Saint Antoine:* (251-356) One of the best known of the Desert Fathers. He had retired to the desert in Upper Egypt and led an eremitical life. He resisted a large number of temptations. His feast is kept on January 17.

## Scène VIII

PREMIER *et* SECOND COQUINS

SECOND COQUIN

Ma foi! je n'ai pas la berlue![1]
C'est bien toi! Mais que fais-tu là?

PREMIER COQUIN, *avec ampleur*

Voici le pâté sur un plat!
Auprès d'un mets de telle graisse
5 Ne faut-il pas que l'on s'empresse?[2]

SECOND COQUIN

Eh bien! t'ai-je conseillé mal?
Nous allons faire un vrai régal!
Tu t'en es tiré comme un maître.

PREMIER COQUIN

Te doutais-tu[3] qu'il pourrait être
Si gros?

SECOND COQUIN

10 J'en suis émerveillé.

PREMIER COQUIN

Allons. C'est assez babillé![4]
*Ils s'éloignent par la gauche avec le pâté, tandis que le* PÂTISSIER *arrive par la droite.*

[1] *la berlue:* mirage, hallucination: my eyes are not deceiving me. [2] *s'empresse:* hasten, lose no time. [3] *Te doutais-tu?* Did you have any idea? [4] *babillé:* chatter, prattle, babble.

## Scène IX

GAUTIER, *le pâtissier, seul, furieux*

Quoi! se peut-il[1] que de la sorte
On laisse devant une porte,
Sans lui répondre, un invité
Qui doit apporter un pâté?
On était convenu de l'heure; 5
Je pars à temps de ma demeure;
J'arrive et frappe. . . . On n'ouvre pas
Ils sont absents! Et le repas?
J'agite le marteau![2] . . . Je sonne!
Je répète mon nom! . . . Personne! 10
Mais je saurai bien me venger!
*D'un ton radouci, en souriant*
En attendant je vais manger
Mon pâté. Cela me console.
La pâte en doit être bien molle.
Bien tendre et, pour nous régaler, 15
Nous allons tous deux avaler,
— Comme époux qui font bon ménage,[3]
Quoique anciens[4] dans le mariage, —
Avec ma femme, ce produit
De mon art.
*Il frappe à la porte, d'abord doucement, puis s'impatiente et redouble les coups.*
Est-ce qu'aujourd'hui 20
On[5] doit me laisser dans la rue?

[1] *se peut-il:* is it possible? [2] *J'agite le marteau = Je frappe à la porte* (*lit.*) *marteau:* hammer. [3] *faire bon ménage:* to live happily together. [4] *anciens = de longue date:* of long standing. [5] *on:* everybody.

## Scène X

GAUTIER, MARION

MARION, *ouvrant*

Eh! Pourquoi cette voix bourrue?[1]
Vous voici déjà de retour?
Vous avez fait un repas court!

GAUTIER

Là-bas, je n'ai trouvé personne.

MARION

Et vos amis?

GAUTIER

5 Je vous étonne.
C'est pourtant ainsi! Les amis
Ont oublié le jour promis!
Mais la chose m'est bien égale!
Sans eux, femme, l'on se régale.
10 Nous allons dîner tous les deux.

MARION

Cela me semble hasardeux!
Car nous aurons bien maigre chère![2]
Rien qu'une tarte!

GAUTIER

Hé! Ma commère!
Comptez-vous pour rien le pâté?

MARION

15 Quoi! Ne vous l'a-t-il pas porté,
Celui qui vint ici le prendre?

[1] *bourrue:* gruff, rough, surly. [2] *maigre chère:* a scanty meal, short rations.

GAUTIER

Que voulez-vous me faire entendre?
Quelqu'un de ma part est venu?

MARION

De votre part! . . . Un inconnu. . . .

GAUTIER, *l'interrompant brusquement*

Un inconnu! Quoi! Triple sotte! 20
Mais attendez que je vous frotte
Le dos[1] à grands coups de bâton!
Quoi! Vis-à-vis de moi peut-on
Se montrer aussi téméraire?

MARION

Comme vous aviez dit de faire 25
Il m'a serré le petit doigt.

GAUTIER

C'est malgré lui qu'un mari doit
En venir à battre[2] sa femme. . . .
Mais il le faut pourtant, chère âme,
Et je vais chercher un bâton! 30
Me prenez-vous pour un mouton?

MARION

Voyons! Pourquoi tout ce tapage.
Ne tenez pas pareil langage!
Vous savez bien que le pâté. . . .

GAUTIER

Tu l'as mangé!

[1] *je vous frotte le dos:* (*familiar*) I rain blows on your back. [2] *en venir à battre* = *être réduit à battre.*

MARION

35 Quel emporté![1]

GAUTIER

Si! si! tu l'as mangé, gourmande!
Et c'est pourquoi je te gourmande.[2]
Allons! Je vais prendre un bâton!
Vous en aurez sur le menton!

MARION

40 Vous voilà comme un diable à quatre![3]
Vous osez parler de me battre. . . .

GAUTIER

Eh bien, dites la vérité!
Qu'avez-vous fait de ce pâté?
Je. . . .

MARION

Vous êtes un misérable!

GAUTIER, *de plus en plus furieux*

Je. . . .

MARION, *élevant aussi le ton de plus en plus*

45 Truand, scélérat pendable!
Coquin, mari sans foi ni loi![4]
Vous osez vous moquer de moi
En venant de faire ripaille. . . .[5]

GAUTIER

Vous vous tairez!

[1] *emporté:* quick-tempered man. [2] *je te gourmande = je te réprimande:* I scold you.
[3] *un diable à quatre:* a madman. [4] *sans foi ni loi = sans religion ni conscience.*
[5] *de faire ripaille = de faire grande chère, de vous régaler:* feasting.

MARION

Menteur! Canaille!

GAUTIER, *se contenant d'abord*

Qu'avez-vous fait de mon pâté? 50
Ah! Vous aurez le dos frotté![1]

MARION

Ne voulez-vous donc pas m'entendre?
Je vous dis qu'on l'est venu prendre
Tout à l'heure de votre part!

GAUTIER

Suis-je donc un sot par hasard, 55
Ou bien quelque animal stupide?
J'enrage! J'ai le ventre vide!
Rien à se mettre sous la dent!

*Ils rentrent tous deux dans la boutique et referment la porte. On entend crier* MARION, *qui reçoit une vive correction.*[2]

## Scène XI

PREMIER *et* SECOND COQUINS

PREMIER COQUIN, *d'un air rassasié, parlant avec lenteur*

Écoute, mon ami; pendant
Qu'en me promenant je digère. . . .
Sais-tu ce que tu devrais faire?

SECOND COQUIN

Parle.

PREMIER COQUIN

Je ne peux plus souffler. . . .

[1] *le dos frotté:* a beating. [2] *une vive correction* = *une forte correction corporelle.*

SECOND COQUIN

5 Quel plaisir ce fut d'avaler
Semblable croûte! Que t'en semble?[1]

PREMIER COQUIN

Parbleu! Nous avons fait ensemble
Un vrai repas de Bourguignon.[2]
Mais nous aurions bien du guignon[3]
10 Si nous n'avions quelque tarte
Encore, avant qu'elle ne parte
Chez quelque bourgeois trop heureux
Pour juger les mets savoureux!
Et, ma foi! ce serait dommage!

SECOND COQUIN

15 C'est fort bien dit! Je rends hommage
Au talent de maître Gautier.

PREMIER COQUIN

Moi! J'en ferai mon cuisinier. . . .
Si j'ai jamais une cuisine!
Mais va! . . . C'est la maison voisine.
20 Frappe fort, comme j'ai fait, moi;
En te présentant, par le doigt
Saisis la femme et lui demande
La tarte. Elle me semblait grande
Quand j'ai tout à l'heure emporté
25 De la boutique le pâté.
C'est une tarte appétissante!

[1] *Que t'en semble? = Qu'en penses-tu?* [2] *Bourguignon = un habitant de la Bourgogne. Bourgogne* (Burgundy) was one of the ancient provinces in the east of France. A powerful duchy, it did not become part of the kingdom of France until 1477. It is known for its fine wine and good food. [3] *nous aurions du guignon = nous aurions de la mauvaise chance:* we would have bad luck.

SECOND COQUIN

C'est bon, va-t'en! Je me présente.

PREMIER COQUIN

Mais souviens-toi de partager!
Chacun doit son morceau manger
Et ne jamais oublier l'autre! 30
Mon gain, le tien doit être nôtre!

SECOND COQUIN

C'est convenu. Chacun aura
Sa part de ce qu'on gagnera!
Va-t'en m'attendre.

*Tandis qu'ils se séparent, on entend* MARION *qui crie dans la coulisse.*[1]

MARION

Holà! ma mère! 35
Aïe! quelle existence amère!
Je suis morte! A coups de bâton
Il m'a tuée! Aïe! Peut-on
Traiter sa femme de la sorte!

## SCÈNE XII

LE SECOND COQUIN, *puis* MARION

SECOND COQUIN, *frappant à la porte*

Holà! madame! Ouvrez la porte!

MARION

Que voulez-vous?

[1] *la coulisse:* the wings of a theatre; off stage.

SECOND COQUIN

Je viens ici,
Comme le pâté, prendre aussi
La tarte, qui doit être cuite.
5 Je dois l'emporter tout de suite,
Comme signe certain je dois,
Madame, vous prendre les doigts:
Vous pouvez croire à mon message. . . .

MARION

Mais oui, tu me parais très sage.[1]
*A part*
10 La tarte sera de ton goût.
*Haut*
Mais il faut bien songer à tout.
Ne dois-tu pas porter à boire?

SECOND COQUIN

C'est vrai! Je manque de mémoire!
Donnez-moi de ce petit vin[2]
15 Qu'on fit en quatorze cent vingt. . . .
Oh! Que belles étaient les treilles
En ce temps!

MARION

Combien de bouteilles?

SECOND COQUIN

Deux.

MARION

Je vais vous en chercher trois.

[1] *sage = raisonnable, prudent.* [2] *ce petit vin:* this nice wine.

SECOND COQUIN, *à part*

Nous ferons un festin de rois!

MARION

Attendez un moment, mon brave,[1] 20
Le temps de descendre à la cave.
*Elle rentre dans la boutique.*

## SCÈNE XIII

LE SECOND COQUIN, *d'abord seul, puis* GAUTIER

SECOND COQUIN

On me traite en enfant gâté!
*Pendant qu'il dit ce vers,* GAUTIER, *le pâtissier, sort de la maison, s'approche de lui par derrière, sans bruit, et lui applique brusquement une vigoureuse taloche.*[2]

GAUTIER, *d'un ton sombre*

Qu'avez-vous fait de mon pâté. . . .
Qu'ici vous êtes venu prendre? . . .
Réponds, ou je te ferai pendre!

SECOND COQUIN, *après avoir considéré* GAUTIER *d'un air piteux, en frottant la partie atteinte.*[3]

Messire, on vous aura conté 5
Des mensonges! Car, de pâté,
Je n'en ai jamais pris!

GAUTIER

Canaille!
*Il lui donne des coups de bâton.*

[1] *mon brave = mon brave (homme):* my good man. [2] *taloche:* clout on the head.
[3] *la partie atteinte = la partie frappée.*

SECOND COQUIN, *qui tourne en rond sans pouvoir fuir*
Ah! Permettez que je m'en aille!

GAUTIER

Cela t'aurait trop peu coûté![1]
*Il continue à battre.*
10 Tu ne m'as pas pris de pâté?

SECOND COQUIN

De grâce, cessez de me battre!
Si! si! j'en ai pris deux! trois! quatre!
Et cinq, si vous voulez!

GAUTIER

Non pas!
Pas cinq! J'avais pour ce repas,
15 Où l'on devait m'attendre en ville,
Préparé de ma main habile
Un seul! Un superbe pâté!
Et c'est toi qui l'as emporté!
Réponds! Il faut qu'on me le rende!

SECOND COQUIN

20 C'est une difficulté grande!
Car, s'il était vraiment à vous. . . .

GAUTIER

Je m'en vais redoubler de coups!
Tu te souviendras de la danse,[2]
Scélérat, gibier de potence!
25 Dis, qu'as-tu fait de mon pâté?
*Il menace toujours de son bâton.*

[1] *Cela t'aurait trop peu coûté:* You would get away with this too easily (*lit.* too cheaply). [2] *la danse:* the good beating.

SECOND COQUIN

Ce n'est pas moi qui l'ai goûté;
Sachez que c'est mon camarade;
Si vous cessez cette brimade,[1]
Je vous dirai tout gentiment.
*Le* PÂTISSIER *abaisse son bâton.*
Vous saurez donc, maître, comment 30
Je vins vous demander l'aumône
Bien humblement, hélas! Personne
Ne compatit à mon malheur!
Je m'éloignais, plein de douleur,
Quand, en partant dîner en ville, 35
Vous avez dit, en homme habile,
A votre femme qu'il fallait
Remettre sans faute au valet
Qui viendrait en faire demande,
De votre part, le pâté. Grande 40
Alors fut ma tentation.
J'avais très bonne intention,
Mais la faim, hélas! fut plus forte:
Mon compagnon vint à la porte. . .
Comme il m'avait bien écouté, 45
Il me rapporta le pâté!

GAUTIER

Ah! vous faites tous deux la paire!
Scélérats, mais je vais vous faire
Pendre bien court à Montfaucon![2]

[1] *brimade:* Originally, rough jokes played on underclassmen or recruits. By extension, persecution, hazing, beating. [2] *Montfaucon:* place formerly outside of Paris, between La Villette and the Buttes Chaumont, famous for its gallows built in the XIIIth century.

SECOND COQUIN

50 L'œil éveillé, comme un faucon,
Mon camarade, pas moi, maître,
Pensa qu'on pourrait se repaître[1]
D'une tarte après le pâté!

GAUTIER, *levant son bâton*

Est-on[2] à ce point effronté?

SECOND COQUIN

55 Il l'avait vu à l'étalage
Lorsqu'il fit son premier message!. . .
Il m'avait chargé du second.
Mais avec ce doux compagnon
Nous faisons un juste partage!

GAUTIER

60 Canaille! En l'écoutant j'enrage!
Eh bien, puisque vous partagez
Les aubaines que vous mangez,
Va-t'en chercher ton camarade,
Qu'il ait sa part de bastonnade!
65 C'est ton devoir, et c'est son droit!
Ou dans un lacet bien étroit[3]
Je te ferai passer la tête.

SECOND COQUIN

Je le fais! Car c'est très honnête.[4]
Pourquoi sa part n'aurait-il pas,
70 Comme il eut sa part du repas?

[1] *se repaître = se nourrir, se rassasier.* [2] *Est-on = Se peut-il qu'on soit?* [3] *un lacet étroit = un cordon étroit:* the hangman's noose. [4] *honnête = conforme à la justice:* right.

GAUTIER

Vas-y, canaille, ou je t'assomme!

SECOND COQUIN

Je vous le dis, — foi d'honnête homme![1]
Je vais l'envoyer près de vous
Vous demander sa part de coups.

GAUTIER

Il l'aura sans qu'il la demande! 75
*Il rentre chez lui.*

## Scène XIV

PREMIER *et* SECOND COQUINS

PREMIER COQUIN

Eh bien, et la tarte d'amande?

SECOND COQUIN

Elle est d'amande? . . . C'est fort bien!
Mais c'est la femme qui la tient!
Elle n'a pas voulu m'entendre:
« C'est le messager qui vint prendre 5
Le pâté, dit-elle, qui doit
Venir la saisir par le doigt. »
Vas-y donc pour avoir la tarte!

PREMIER COQUIN

Il faut de nouveau que je parte
En chasse? Attends, j'y vais, j'y vais! 10
Le pâté n'était pas mauvais!

[1] *foi d'honnête homme* = *foi d'un homme vertueux:* word of honor.

SECOND COQUIN

Va donc chercher la tarte en hâte.

PREMIER COQUIN

Ce pâtissier pétrit la pâte
Avec beaucoup d'habileté
15 Si j'en juge par le pâté
Il doit avoir la main légère.[1]

*Le* SECOND COQUIN *se frotte les épaules en faisant la grimace.*

Quel doux repas nous allons faire!

SECOND COQUIN

Oui! La main légère, en effet.
*A part*
J'ai senti l'accueil[2] qu'il m'a fait.
*Il sort.*

## Scène XV

PREMIER COQUIN, MARION, *puis* GAUTIER

PREMIER COQUIN, *après avoir frappé bruyamment à la porte, à* MARION *qui vient lui ouvrir.*

Holà! Dépêchez-vous, madame!
C'est votre mari qui réclame
Cette tarte que vous savez![3]
Donnez vite, car vous devez
5 L'avoir dès longtemps[4] préparée.

[1] *la main légère:* Note the play on words in this verse and the next; *main légère* skillful hand in baking; *avoir la main légère* to be quick to chastise. [2] *accueil* reception, greeting. [3] *que vous savez:* which you know about. [4] *dès longtemps* = *depuis longtemps.*

MARION

Ne restez donc pas à l'entrée
De la boutique, ainsi debout.
Sans doute vous venez du bout
De la ville, et vous devez être
Fatigué. Reposez-vous, maître. 10
*Il n'entre pas. Elle lui apporte un siège.*

PREMIER COQUIN

Pour votre obligeance, merci,
Je suis pressé.

MARION, *plaçant un siège derrière lui*

Mais si! mais si!
Je vais aller quérir la tarte!

PREMIER COQUIN, *s'asseyant*

Bien! Mais, avant que je reparte,
Songez si vous n'oubliez rien! 15

MARION

Non! non! Je vous servirai bien
Et vous recevrez davantage
Que vous ne demandez, je gage!

PREMIER COQUIN, *haut, mais à part*

Bon! J'aurai quelque rogaton![1]

GAUTIER, *apparaissant avec Marion*

Vous aurez cent coups de bâton! 20

PREMIER COQUIN, *qui s'est levé brusquement*

Je ne vous comprends pas, messire!
Que voulez-vous?

[1] *rogaton = restes d'un repas:* scraps of food.

GAUTIER, *montrant son bâton*

Je vais l'écrire
Sur votre dos avec ceci.

PREMIER COQUIN

Seigneur! Ayez de moi merci![1]
25 Je suis un pauvre misérable!

GAUTIER

Je vais vous donner sur le râble[2]
Cent bons coups de ce bâton-là!
Vous ne songiez pas à ce plat!

MARION

Vous m'avez fait frotter les côtes![3]
30 Mais sur les branches les plus hautes
D'un beau gibet on vous pendra!

GAUTIER, *le frappant*

Voici la tarte, scélérat
Affreux coquin! voleur infâme!
*Il lui administre une correction.*

PREMIER COQUIN

Aïe! Aïe! Je vais rendre l'âme![4]

MARION

35 Du pâté tu te souviendras!
*Ils rentrent tous les deux dans la maison, laissant le pauvre diable qui se frotte piteusement les membres.*

[1] *merci = pitié:* have mercy on me. [2] *râble = partie d'un animal qui s'étend depuis le bas des épaules jusqu'à la queue.* Slang when applied to a person. [3] *frotter les côtes:* get a thrashing. [4] *rendre l'âme = expirer.*

## Scène XVI

PREMIER *et* SECOND COQUINS

PREMIER COQUIN, *au second qui entre*

Tu m'a fourré dans de beaux draps![1]
Tu voulais donc me faire battre?
Il frappe comme un diable à quatre!

SECOND COQUIN

Ne devions-nous pas partager?
Du pâté je t'ai fait manger; 5
Devais-je oublier le partage?
D'ailleurs j'en reçus davantage!

PREMIER COQUIN

Oui! mais frappait-il aussi fort?

SECOND COQUIN

Parbleu! Je m'en ressens encor!

PREMIER COQUIN

Laissons cela![2]

SECOND COQUIN

Mais quelle emplette![3] 10

PREMIER COQUIN

Écoute! J'avais en cachette,[4]
Tantôt su mettre de côté
La moitié de notre pâté,
Tandis que tu mangeais si vite!

[1] *de beaux draps* = *une position bien fâcheuse.* [2] *Laissons cela!* = *Oublions la chose dont on vient de parler!* [3] *quelle emplette!* what a bargain! [4] *en cachette* = *en secret.*

15 Maintenant que me voilà quitte[1]
Avec l'autre: sans rien voler,
Mangeons donc pour nous consoler.

Arrangé en français moderne par G. Gassies
(des Brulies) — Librairie Delagrave, 1934

QUESTIONNAIRE

1. A quelle date se passe la farce? 2. Décrivez le décor de la scène. 3. Quel enseigne voit-on sur la scène? 4. Qu'est-ce qu'une anguille? 5. Qu'est-ce qu'un coquin? 6. Est-ce que les deux coquins sont riches? 7. De quoi souffrent-ils? 8. Comment vont-ils résoudre leur problème? 9. Où va le pâtissier? 10. Pourquoi est-il inquiet?

11. Quel signe donne-t-il à sa femme? 12. Est-ce que les deux coquins ont réussi à trouver un repas? 13. A quelle occasion le pâtissier donne-t-il l'aumône? Et sa femme? 14. Est-ce que Marion est gentille? 15. Que propose le second coquin? 16. Pourquoi le premier coquin craint-il d'aller chez le pâtissier? 17. Est-ce que Marion donne le pâté sans poser de questions? 18. Pourquoi le pâtissier n'a-t-il pas écrit un mot? 19. Avec quoi Marion enveloppe-t-elle le pâté? 20. A quoi le premier coquin compare-t-il le pâté?

21. Est-ce que le pâtissier a bien dîné? 22. Pourquoi est-il en colère? 23. Comment va-t-il se consoler? 24. Qu'est-ce que Marion lui apprend? 25. Comment est-ce que le pâtissier punit sa femme? 26. Est-ce que les deux coquins ont mangé à leur faim? 27. Que voudrait maintenant le premier coquin? 28. Quelle ruse propose-t-il à son compagnon? 29. Est-ce que Marion reçoit le second coquin d'une aimable façon? 30. Qu'est-ce que le second coquin reçoit au lieu de la tarte?

31. De quoi le pâtissier menace-t-il le second coquin? 32. Comment le second coquin explique-t-il sa conduite? 33. Qu'est-ce

[1] *quitte = libéré de ce que je devais.*

que le pâtissier exige du second coquin? 34. Quelles explications le second coquin donne-t-il au premier coquin? 35. Est-ce que Marion reçoit bien le premier coquin? 36. Est-ce que le pâtissier reçoit bien le premier coquin? 37. Comment les deux coquins se consolent-ils? 38. Qu'est-ce qu'une farce? 39. Quel est le but d'une farce? 40. Quelle morale peut-on tirer de cette farce-ci?

⚜ ⚜ ⚜

# ALAIN-RENÉ LESAGE

1668-1747

## *Un parasite*

Je demandai à souper dès que je fus dans l'hôtellerie. C'était un jour maigre:[1] on m'accomoda des œufs. Lorsque l'omelette qu'on me faisait fut en état de m'être servie, je m'assis tout seul à une table. Je n'avais pas encore mangé le premier morceau, que l'hôte entra suivi de l'homme qui l'avait arrêté dans la rue. Ce cavalier[2] portait une longue rapière, et pouvait bien avoir trente ans. Il s'approcha de moi d'un air empressé.

« Seigneur écolier, me dit-il, je viens d'apprendre que vous êtes le seigneur Gil Blas de Santillane,[3] l'ornement d'Oviédo[4] et le flambeau[5] de la philosophie. Est-il bien possible que vous soyez ce savantissime,[6] ce bel esprit[7] dont la réputation est si grande en ce pays-ci? Vous ne savez pas, continua-t-il en s'adressant à l'hôte et à l'hôtesse, vous ne savez pas ce que vous possédez: vous avez un trésor dans votre maison: vous voyez dans ce jeune gentilhomme la huitième merveille[8] du monde. »

[1] *maigre = un jour d'abstinence.* Day on which the Roman Catholic Church forbids the use of fleshmeat. [2] *cavalier:* horseman. [3] *Santillane:* a town in northern Spain. [4] *Oviédo:* a town in northern Spain, formerly the capital of the Kingdom of the Asturias. [5] *le flambeau = la torche:* the dazzling light. [6] *savantissime:* most learned. [7] *bel esprit:* wit. [8] *la huitième merveille:* The seven wonders of the ancient world represented seven masterpieces of architecture and sculpture that aroused universal admiration, e.g. the Pyramids, the hanging gardens of Semiramis and the Colossus of Rhodes.

Puis, se tournant de mon côté et me jetant les bras au cou: « Excusez mes transports, ajouta-t-il, je ne suis point maître de la joie que votre présence me cause. »

Je ne pus lui répondre sur-le-champ, parce qu'il me tenait si serré, que je n'avais pas la respiration libre; et ce ne fut qu'après que j'eus la tête dégagée de l'embrassade,[1] que je lui dis:

« Seigneur cavalier, je ne croyais pas mon nom connu à Peñaflor. »[2]

— Comment, connu? reprit-il sur le même ton; nous tenons registre de tous les grands personnages qui sont à vingt lieues à la ronde. Vous passez ici pour un prodige; et je ne doute pas que l'Espagne ne se trouve un jour aussi vaine de vous avoir produit que la Grèce d'avoir vu naître ses sept sages. »[3]

Ces paroles furent suivies d'une nouvelle accolade, qu'il me fallut encore essuyer[4] au hasard d'avoir le sort d'Antée.[5] Pour peu que j'eusse eu d'expérience,[6] je n'aurais pas été la dupe de ses démonstrations ni de ses hyperboles;[7] j'aurais bien connu, à ses flatteries outrées,[8] que c'était un de ces parasites que l'on trouve dans toutes les villes, et qui, dès qu'un étranger arrive, s'introduisent auprès de lui pour remplir leur ventre à ses dépens; mais ma jeunesse et ma vanité m'en firent juger tout autrement. Mon admirateur me parut un fort honnête homme, et je l'invitai à souper avec moi.

« Ah! très volontiers, s'écria-t-il; je sais trop bon gré à mon étoile de m'avoir fait rencontrer l'illustre Gil Blas de Santillane,

[1] *l'embrassade:* his embrace. [2] *Peñaflor:* a village near Oviédo. [3] *sept sages:* name given to seven philosophers and statesmen of ancient Greece. According to tradition, the seven would be Thales of Miletus, Pittacos, Bias, Cleobule, Myson, Chilon and Solon. [4] *essuyer:* endure. [5] *Antée:* Antaeus, a giant, son of Neptune and of Earth. He was invincible as long as his feet touched the ground. In order to overcome him, Hercules had to lift him and crush him in his arms. [6] *pour peu que j'eusse eu d'expérience:* If I had had the least experience. [7] *hyperboles = exagérations.* [8] *outrées = exagérées.*

pour ne pas jouir de ma bonne fortune le plus longtemps que je pourrai. Je n'ai pas de grand appétit, poursuivit-il; je vais me mettre à table pour vous tenir compagnie seulement, et je mangerai quelques morceaux par complaisance. »[1]

En parlant ainsi, mon panégyriste[2] s'assit vis-à-vis de moi. On lui apporta un couvert. Il se jeta d'abord sur l'omelette avec tant d'avidité qu'il semblait n'avoir mangé de trois jours. A l'air complaisant dont il s'y prenait, je vis bien qu'elle serait bientôt expédiée. J'en ordonnai une seconde, qui fut faite si promptement qu'on nous la servit comme nous achevions, ou plutôt comme il achevait de manger la première. Il y procédait pourtant d'une vitesse toujours égale, et trouvait moyen, sans perdre un coup de dent,[3] de me donner louanges sur louanges; ce qui me rendait fort content de ma petite personne. Il buvait aussi fort souvent: tantôt c'était à ma santé, et tantôt à celle de mon père et de ma mère, dont il ne pouvait assez vanter le bonheur d'avoir un fils tel que moi. En même temps, il versait du vin dans mon verre, et m'excitait à lui faire raison.[4]

Je ne répondais point mal aux santés qu'il me portait; ce qui, avec ses flatteries, me mit insensiblement de si belle humeur que, voyant notre seconde omelette à moitié mangée, je demandai à l'hôte s'il n'avait pas de poisson à nous donner. Le seigneur Corcuelo, qui, selon toutes les apparences, s'entendait[5] avec le parasite, me répondit:

« J'ai une truite excellente; mais elle coûtera cher à ceux qui la mangeront: c'est un morceau trop friand pour vous.

« Qu'appelez-vous trop friand? dit alors mon flatteur d'un ton de voix élevée; vous n'y pensez pas, mon ami; apprenez

[1] *par complaisance = par obligeance:* just to be polite. [2] *panégyriste = celui qui loue avec excès.* [3] *sans perdre un coup de dent:* without missing a mouthful (*un coup de dent:* a bite). [4] *lui faire raison = boire à sa santé:* to respond to his toast. [5] *s'entendait avec:* connived with.

que vous n'avez rien de trop bon pour le seigneur Gil Blas de Santillane, qui mérite d'être traité comme un prince."

Je fus bien aise qu'il eût relevé les dernières paroles de l'hôte, et il ne fit en cela que me prévenir. Je m'en sentais offensé, et je dis fièrement à Corcuelo:

« Apportez-nous votre truite, et ne vous embarrassez pas du reste. »

L'hôte, qui ne demandait pas mieux, se mit à l'apprêter, et ne tarda guère à nous la servir. A la vue de ce nouveau plat, je vis briller une grande joie dans les yeux du parasite, qui fit paraître une nouvelle complaisance, c'est-à-dire qu'il donna sur[1] le poisson comme il avait donné sur les œufs. Il fut pourtant obligé de se rendre[2] de peur d'accident, car il en avait jusqu'à la gorge. Enfin, après avoir bu et mangé tout son soûl,[3] il voulut finir la comédie.

« Seigneur Gil Blas, me dit-il en se levant de table, je suis trop content de la bonne chère que vous m'avez faite pour vous quitter sans vous donner un avis important dont vous me paraissez avoir besoin. Soyez désormais en garde contre les louanges. Défiez-vous des gens que vous ne connaîtrez point. Vous en pourrez rencontrer d'autres qui voudront, comme moi, se divertir de votre crédulité, et peut-être pousser les choses encore plus loin; n'en soyez point la dupe, et ne vous croyez point, sur leur parole, la huitième merveille du monde. »

En achevant ces mots, il me rit au nez,[4] et s'en alla.

Je fus aussi sensible à cette baie[5] que je l'ai été dans la suite au plus grandes disgrâces[6] qui me sont arrivées. Je ne pouvais me consoler de m'être laissé tromper si grossièrement, ou, pour mieux dire, de sentir mon orgueil humilié.

[1] *donna sur = se précipita sur:* hastened to eat. [2] *se rendre = capituler (comme un combattant qui ne peut plus lutter).* [3] *tout son soûl:* his fill. [4] *il me rit au nez = il se moqua de moi ouvertement.* [5] *baie = mystification:* trick. *Baie* is derived from the verb *bayer* meaning to gape. The receiver of a *baie* remains openmouthed. [6] *disgrâces:* misfortunes.

« Eh quoi! dis-je, le traître s'est donc joué de moi? Il n'a tantôt abordé mon hôte que pour lui tirer les vers du nez,[1] ou plutôt ils étaient d'intelligence[2] tous deux. Ah! pauvre Gil Blas, meurs de honte d'avoir donné à ces fripons un juste sujet de te tourner en ridicule. Ils vont composer de tout ceci une belle histoire qui pourra bien aller jusqu'à Oviédo, et qui t'y fera beaucoup d'honneur. Tes parents se repentiront sans doute d'avoir tant harangué un sot: loin de m'exhorter à ne tromper personne, ils devaient me recommander de ne me pas laisser duper. »

Agité de ces pensées mortifiantes, enflammé de dépit, je m'enfermai dans ma chambre et me mis au lit; mais je ne pus dormir, et je n'avais pas encore fermé l'œil lorsque le muletier me vint avertir qu'il n'attendait plus que moi pour partir. Je me levai aussitôt; et pendant que je m'habillais, Corcuelo arriva avec un mémoire[3] de la dépense, dans lequel la truite n'était pas oubliée; et non seulement il m'en fallut passer par où il voulut,[4] mais j'eus encore le chagrin, en lui livrant mon argent, de m'apercevoir que le bourreau se ressouvenait de mon aventure. Après avoir bien payé un souper dont j'avais si mal profité, je me rendis chez le muletier avec ma valise, en donnant à tous les diables le parasite, l'hôte et l'hôtellerie.

From *Histoire de Gil Blas de Santillane*

QUESTIONNAIRE

1. Pourquoi Gil Blas fait-il maigre? 2. Quelle est l'occupation de Gil Blas? 3 Comment le cavalier a-t-il salué Gil Blas? 4. Où se trouvent Peñaflor? Oviédo? Santillane? 5. Qui étaient les sept sages? 6. Pourquoi Gil Blas invite-t-il le cavalier à souper

[1] *tirer les vers du nez = arracher un secret adroitement.* [2] *d'intelligence = de connivence.* [3] *mémoire:* memorandum, itemized bill. [4] *passer par où il voulut = accepter ce qu'il voulut.*

avec lui? 7. Qu'est-ce que le cavalier a mangé? 8. Quel avis le cavalier a-t-il donné à Gil Blas? 9. Quelles étaient les sept merveilles du monde? 10. Quelles seraient, à votre avis, les sept merveilles du monde actuel?

11. Quel reproche Gil Blas se fait-il après le souper? 12. Que veut dire le mot « parasite »? 13. Pourrait-on duper quelqu'un aujourd'hui de la même façon? 14. Quels sont vos sentiments envers Gil Blas? envers le cavalier? envers l'hôte?

❧❧❧

# JEAN-JACQUES ROUSSEAU

1712-1778

## *Souvenirs de jeunesse*

Je sentis avant de penser: c'est le sort commun de l'humanité. Je l'éprouvai plus qu'un autre. J'ignore ce que je fis jusqu'à cinq ou six ans; je ne sais comment j'appris à lire; je ne me souviens que de mes premières lectures et de leur effet sur moi: c'est le temps d'où je date sans interruption la conscience de moi-même. Ma mère avait laissé des romans.[1] Nous nous mîmes à les lire après souper, mon père et moi. Il n'était question d'abord que de m'exercer à la lecture par des livres amusants; mais bientôt l'intérêt devint si vif, que nous lisions tour à tour sans relâche, et passions les nuits à cette occupation. Nous ne pouvions jamais quitter qu'à la fin du volume. Quelquefois mon père, entendant le matin les hirondelles, disait tout honteux: Allons nous coucher; je suis plus enfant que toi.

En peu de temps j'acquis, par cette dangereuse méthode, non seulement une extrême facilité à lire et à m'entendre,[2] mais

[1] Rousseau's mother had died a few days after he was born on June 28, 1712. She had received a good education thanks to the special interest of the Protestant minister Samuel Bernard, her uncle. Rousseau tells us that she was endowed with many talents, could draw, sing, play the theorbo, and write acceptable verse. The novels which she left were those of the sentimental "*précieux*" writers of the seventeenth century: d'Urfé, La Calprenède, Mlle de Scudéry, etc. [2] *m'entendre* = *me comprendre* = *m'analyser*.

une intelligence unique à mon âge sur les passions. Je n'avais aucune idée des choses, que[1] tous les sentiments m'étaient déjà connus. Je n'avais rien conçu, j'avais tout senti. Ces émotions confuses, que j'éprouvais coup sur coup,[2] n'altéraient point la raison que je n'avais pas encore; mais elles m'en formèrent une d'une autre trempe,[3] et me donnèrent de la vie humaine des notions bizarres et romanesques, dont l'expérience et la réflexion n'ont jamais bien pu me guérir. 5

Les romans finirent avec l'été de 1719.[4] L'hiver suivant, ce fut autre chose. La bibliothèque de ma mère épuisée, on eut 10 recours à la portion de celle de son père qui nous était échue.[5] Heureusement, il s'y trouva[6] de bons livres; et cela ne pouvait guère être autrement; cette bibliothèque ayant été formée par un ministre, à la vérité, et savant même, car c'était la mode alors, mais homme de goût et d'esprit. L'*Histoire de l'église et* 15 *de l'empire*, par Le Sueur;[7] le *Discours* de Bossuet[8] *sur l'histoire universelle*; les *hommes illustres*, de Plutarque;[9] l'*Histoire de Venise*, par Nani;[10] les *Métamorphoses* d'Ovide;[11] La Bruyère[12]; *Les Mondes*, de Fontenelle,[13] ses *Dialogues des Morts*, et quelques tomes de Molière,[14] furent transportés dans le cabinet de mon 20 père, et je les lui lisais tous les jours, durant son travail. J'y pris un goût rare et peut-être unique à cet âge. Plutarque sur-

[1] *que = alors que = et cependant.* [2] *coup sur coup:* in rapid succession. [3] *trempe = espèce; qualité.* [4] Rousseau was seven years old. [5] *échue:* (from *échoir*); fallen to our lot; come down to us. [6] *il s'y trouva = il y avait là.* [7] *Le Sueur:* (died 1681), French Protestant pastor and historian. [8] *Bossuet:* (1627-1704), bishop of Meaux, celebrated church orator, one of the great writers of his time. [9] *Plutarque:* Plutarch (46-120), famous Greek biographer. His main work "Parallel Lives," is entitled in the French translation "*Vies des Hommes illustres Grecs et Romains.*" [10] *Nani:* (1616-1678), Italian statesman and historian. [11] *Ovide:* Ovid (43 B.C.-17 A.D.), famous Roman poet. His "*Métamorphoses*" were known by every French school boy of Rousseau's time. [12] *La Bruyère:* (1645-1696), famous writer and moralist, author of the "*Caractères ou Portraits Moraux.*" [13] *Fontenelle:* (1657-1757), French author especially known for his *Entretiens sur la pluralité des Mondes*, a skillful work of scientific vulgarisation. He also wrote *Nouveaux Dialogues des Morts.* [14] *Molière:* (1622-1673), the greatest comic writer of all time.

tout devint ma lecture favorite. Le plaisir que je prenais à le relire sans cesse me guérit un peu des romans. De ces intéressantes lectures, des entretiens[1] qu'elles occasionnaient entre mon père et moi, se forma cet esprit libre et républicain, ce
5 caractère indomptable et fier, impatient de joug et de servitude, qui m'a tourmenté tout le temps de ma vie dans les situations les moins propres à lui donner l'essor. Sans cesse occupé de Rome et d'Athènes, vivant pour ainsi dire avec leurs grands hommes, né moi-même citoyen d'une république,[2] et fils d'un
10 père dont l'amour de la patrie était la plus forte passion, je m'en enflammais à son exemple;[3] je me croyais Grec ou Romain; je devenais le personnage dont je lisais la vie: le récit des traits de constance et d'intrépidité qui m'avaient frappé me rendait les yeux étincelants et la voix forte. Un jour que je
15 racontais à table l'aventure de Scaevola,[4] on fut effrayé de me voir avancer et tenir la main sur un réchaud pour représenter son action.

J'avais les défauts de mon âge; j'étais babillard, gourmand, quelquefois menteur. J'aurais volé des fruits, des bonbons, de
20 la mangeaille; mais jamais je n'ai pris plaisir à faire du mal, du dégât, à charger[5] les autres, à tourmenter de pauvres animaux.

Comment serais-je devenu méchant, quand je n'avais sous les yeux que des exemples de douceur, et autour de moi que[6] les meilleures gens du monde? Mon père, ma tante, ma mie,[7] mes
25 parents, nos amis, nos voisins, tout ce qui m'environnait ne m'obéissait pas à la vérité,[8] mais m'aimait, et moi je les aimais de même. Mes volontés étaient si peu excitées et si peu con-

[1] *entretiens* = *conversations.* [2] The Republic of Geneva. [3] *à son exemple* = *comme lui* (*en suivant son exemple*). [4] *Scaevola:* A legendary Roman hero who volunteered to kill the king Porsena who was besieging Rome. Having failed, and threatened with torture or death, he thrust his right hand into the fire blazing upon an altar and held it there until it was consumed, showing thus his contempt for suffering and death. Scaevola means "left-handed." [5] *charger* = *accuser.* [6] *que* = *je n'avais que.* [7] *ma mie:* (*obsolete*) my nurse. The name used to be given to nurses or governesses. [8] *à la vérité* = *il est vrai*; *vraiment.*

trariées, qu'il ne me venait pas dans l'esprit d'en avoir. Je puis jurer que jusqu'à mon asservissement sous un maître, je n'ai pas su ce que c'était qu'une fantaisie. Hors le temps que je passais à lire ou écrire auprès de mon père, et celui où ma mie me menait promener, j'étais toujours avec ma tante, à la voir broder, à l'entendre chanter, assis ou debout à côté d'elle, et j'étais content. Son enjouement, sa douceur, sa figure agréable, m'ont laissé de si fortes impressions, que je vois encore son air, son regard, son attitude: je me souviens de ses petits propos caressants; je dirais[1] comment elle était vêtue et coiffée, sans oublier les deux crochets que ses cheveux noirs faisaient sur ses tempes, selon la mode de ce temps-là.

Je suis persuadé que je lui dois le goût ou plutôt la passion pour la musique, qui ne s'est bien développée en moi que longtemps après. Elle savait une quantité prodigieuse d'airs et de chansons qu'elle chantait avec un filet de voix[2] fort douce. La sérénité d'âme de cette excellente fille éloignait d'elle et de tout ce qui l'environnait la rêverie et la tristesse. L'attrait que son chant avait pour moi fut tel que non seulement plusieurs de ses chansons me sont toujours restées dans la mémoire, mais qu'il m'en revient[3] même, aujourd'hui que je l'ai perdue, qui, totalement oubliées depuis mon enfance, se retracent[4] à mesure que je vieillis, avec un charme que je ne puis exprimer. Dirait-on[5] que moi, vieux radoteur, rongé de soucis et de peines, je me surprends quelquefois à pleurer comme un enfant en marmottant ces petits airs d'une voix déjà cassée et tremblante? Il y en a un surtout qui m'est bien revenu tout entier quant à l'air; mais la seconde moitié des paroles s'est constamment refusée[6] à tous mes efforts pour me la rappeler, quoiqu'il m'en revienne confusément les rimes. Voici le commencement et ce que j'ai pu me rappeler du reste:

[1] *dirais = pourrais dire aujourd'hui.* [2] *un filet de voix = une voix assez faible.* [3] *il m'en revient = il y en a qui me reviennent; plusieurs me reviennent.* [4] *se retracent = se retrouvent.* [5] *Dirait-on = Peut-on imaginer.* [6] *s'est refusée = a résisté.*

Tircis, je n'ose
Écouter ton chalumeau
Sous l'ormeau;
Car on en cause
5 Déjà dans notre hameau.
. . . . . . . . . . . . .
. . . . . . . . . . un berger
. . . . . . . . . . s'engager
. . . . . . . . . . sans danger,
10 Et toujours l'épine est sous la rose.[1]

Je cherche où est le charme attendrissant que mon cœur trouve à cette chanson: c'est un caprice auquel je ne comprends rien; mais il m'est de toute impossibilité de la chanter jusqu'à la fin sans être arrêté par mes larmes. J'ai cent fois projeté 15 d'écrire à Paris pour faire chercher le reste des paroles, si tant est que[2] quelqu'un les connaisse encore. Mais je suis presque sûr que le plaisir que je prends à me rappeler cet air s'évanouirait en partie, si j'avais la preuve que d'autres que ma pauvre tante Suson[3] l'ont chanté.

20 Telles furent les premières affections de mon entrée à la vie: ainsi commençait à se former ou à se montrer en moi ce cœur à la fois si fier et si tendre, ce caractère efféminé, mais pourtant indomptable, qui, flottant toujours entre la faiblesse et le courage, entre la mollesse et la vertu, m'a jusqu'au bout mis en 25 contradiction avec moi-même, et a fait[4] que l'abstinence et la jouissance, le plaisir et la sagesse, m'ont également échappé.

[1] The full text of this song is as follows: *Tircis, je n'ose / Écouter ton chalumeau / Sous l'ormeau; / Car on en cause / Déjà dans notre hameau. / Un cœur s'expose / A trop s'engager / Avec un berger; / Et toujours l'épine est sous la rose.* (Rousseau remembered this poem very imperfectly. Tircis is a poetic name given shepherds in idyllic literature. The character appears in Virgil's seventh eclogue.) [2] *si tant est que = si toutefois il est possible que.* [3] Rousseau was extremely fond of this aunt, Suson Rousseau, who became later Madame Gouceru. Until her death in 1774, in spite of his constant financial difficulties, he provided her with a small pension. [4] *a fait = a produit le fait.*

Ce train d'éducation[1] fut interrompu par un accident dont les suites ont influé sur le reste de ma vie. Mon père eut un démêlé avec un M. Gautier, capitaine en France et apparenté dans le Conseil.[2] Ce Gautier, homme insolent et lâche, saigna du nez, et, pour se venger, accusa mon père d'avoir mis l'épée à la main dans la ville.[3] Mon père, qu'on voulut envoyer en prison, s'obstinait à vouloir que, selon la loi, l'accusateur y entrât aussi bien que lui: n'ayant pu l'obtenir, il aima mieux sortir de Genève, et s'expatrier pour le reste de sa vie, que de céder sur un point où l'honneur et la liberté lui paraissaient compromis.

Je restai sous la tutelle de mon oncle Bernard, alors employé aux fortifications de Genève.[4] Sa fille aînée était morte, mais il avait un fils de même âge que moi.[5] Nous fûmes mis ensemble à Bossey,[6] en pension chez le ministre Lambercier,[7] pour y apprendre avec le latin tout le menu fatras[8] dont on l'accompagne sous le nom d'éducation.

Deux ans passés au village adoucirent un peu mon âpreté romaine, et me ramenèrent à l'état d'enfant. A Genève, où l'on ne m'imposait rien, j'aimais l'application, la lecture; c'était presque mon seul amusement; à Bossey, le travail me fit aimer les jeux qui lui servaient de relâche. La campagne était pour moi si nouvelle, que je ne pouvais me lasser d'en jouir. Je pris pour elle un goût si vif, qu'il n'a jamais pu s'éteindre.

M. Lambercier était un homme fort raisonnable, qui, sans

[1] *Ce train d'éducation* = *Le cours de mon éducation.* [2] *le Conseil:* the City Council of Geneva. [3] Duels were severely punished. [4] Gabriel Bernard, a brother of Rousseau's mother; an engineer who had served in the German and the Hungarian armies. [5] Abraham Bernard, who was born at the end of 1711. [6] A small village in Savoie. It belonged then to the Republic of Geneva. [7] A Swiss Protestant minister who was in charge of the church at Bossey. [8] *le menu fatras:* the trash. Rousseau was a severe critic of the principles of education followed in his day and advocated a complete revolution in the field of pedagogy. See especially his *Émile.*

négliger notre instruction, ne nous chargeait point de devoirs extrêmes. La preuve qu'il s'y prenait bien[1] est que, malgré mon aversion pour la gêne, je ne me suis jamais rappelé avec dégoût mes heures d'étude, et que, si je n'appris pas de lui beaucoup de
5 choses, ce que j'appris je l'appris sans peine et n'en ai rien oublié.

La simplicité de cette vie champêtre me fit un bien[2] d'un prix inestimable en ouvrant mon cœur à l'amitié. Jusqu'alors je n'avais connu que des sentiments élevés, mais imaginaires.
10 L'habitude de vivre ensemble dans un état paisible m'unit tendrement à mon cousin Bernard. En peu de temps j'eus pour lui des sentiments plus affectueux que ceux que j'avais eus pour mon frère,[3] et qui ne se sont jamais effacés. C'était un grand garçon fort efflanqué, fort fluet, aussi doux d'esprit que
15 faible de corps, et qui n'abusait pas[4] trop de la prédilection qu'on avait pour lui dans la maison comme fils de mon tuteur. Nos travaux, nos amusements, nos goûts, étaient les mêmes: nous étions seuls, nous étions du même âge, chacun des deux avait besoin d'un camarade; nous séparer était, en quelque
20 sorte, nous anéantir. Quoique nous eussions peu d'occasions de faire preuve de notre attachement l'un pour l'autre, il était extrême, et non seulement nous ne pouvions vivre un instant séparés, mais nous n'imaginions pas que nous puissions jamais l'être.[5] Dans nos études, je lui soufflais sa leçon quand il hési-
25 tait; quand mon thème[6] était fait, je l'aidais à faire le sien, et, dans nos amusements, mon goût plus actif lui servait toujours de guide. Enfin nos deux caractères s'accordaient si bien, et l'amitié qui nous unissait était si vraie, que, dans plus de cinq

[1] *il s'y prenait bien = sa méthode était bonne:* he went about it in the right way. [2] *me fit un bien:* was a blessing (*literally:* did me good). [3] Rousseau's older and only brother François had left his father's home at the age of seventeen, when Rousseau himself was only ten years old, and he had never been heard from again. [4] *n'abusait pas = ne profitait pas:* did not take advantage. [5] *l'être = être séparés.* [6] *thème:* translation (from one's own to a foreign language).

ans que nous fûmes presque inséparables, tant à Bossey qu'à Genève, nous nous battîmes souvent, je l'avoue, mais jamais on n'eut besoin de nous séparer, jamais une de nos querelles ne dura plus d'un quart d'heure, et jamais une seule fois nous ne portâmes[1] l'un contre l'autre aucune accusation. Ces remarques sont, si l'on veut, puériles, mais il en résulte pourtant un exemple peut-être unique depuis qu'il existe des enfants.

La manière dont je vivais à Bossey me convenait si bien, qu'il ne lui a manqué que[2] de durer plus longtemps pour fixer absolument mon caractère. Les sentiments tendres, affectueux, paisibles, en faisaient le fond. Je crois que jamais individu de notre espèce n'eut naturellement moins de vanité que moi. J'étais doux; mon cousin l'était; ceux qui nous gouvernaient l'étaient eux-mêmes. Pendant deux ans entiers je ne fus ni témoin ni victime d'un sentiment violent. Tout nourrissait[3] dans mon cœur les dispositions qu'il reçut de la nature. Je ne connaissais rien d'aussi charmant que de voir tout le monde content de moi et de toute chose. Je me souviendrai toujours qu'au temple, répondant au catéchisme, rien ne me troublait plus, quand il m'arrivait d'hésiter, que de voir sur le visage de Mlle Lambercier[4] des marques d'inquiétude et de peine.[5] Cela seul m'affligeait plus que la honte de manquer[6] en public, qui m'affectait pourtant extrêmement; car, quoique peu sensible aux louanges, je le[7] fus toujours beaucoup à la honte, et je puis dire ici que l'attente des réprimandes de Mlle Lambercier me donnait moins d'alarmes que la crainte de la chagriner.

J'étudiais un jour seul ma leçon dans la chambre contiguë à la cuisine. La servante avait mis sécher à la plaque[8] les peignes

[1] *portâmes = fîmes.* [2] *il ne lui a manqué que:* the only thing it lacked was (*il:* there; *lui:* for this existence). [3] *nourrissait = entretenait; encourageait.* [4] Gabrielle Lambercier was the sister of the minister. [5] *peine = tristesse.* [6] *manquer = manquer de mémoire; ne pas savoir ma leçon.* [7] *le = sensible.* [8] *la plaque:* (local expression) the warming shelves. This was a recess cut in the thick wall of the kitchen chimney and often opening in the next room. It had shelves upon which were placed objects which one desired to keep warm or to dry.

de Mlle Lambercier. Quand elle revint les prendre, il s'en trouva[1] un dont tout un côté de dents était brisé. A qui s'en prendre[2] de ce dégât? personne autre que moi n'était entré dans la chambre. On m'interroge: je nie d'avoir touché le
5 peigne. M. et Mlle Lambercier se réunissent, m'exhortent, me pressent, me menacent; je persiste avec opiniâtreté; mais la conviction[3] était trop forte, elle l'emporta sur toutes mes protestations, quoique ce fût pour la première fois qu'on m'eût trouvé tant d'audace à mentir. La chose fut prise au
10 sérieux;[4] elle méritait de l'être. La méchanceté, le mensonge, l'obstination, parurent également dignes de punition. On écrivit à mon oncle Bernard; il vint. Mon pauvre cousin était chargé d'un autre délit, non moins grave; nous fûmes enveloppés dans la même exécution.[5] Elle fut terrible.
15 On ne put m'arracher l'aveu qu'on exigeait. Repris[6] à plusieurs fois et mis dans l'état le plus affreux, je fus inébranlable. J'aurais souffert la mort, et j'y étais résolu. Il fallut que la force même cédât au diabolique entêtement d'un enfant, car on n'appela pas autrement ma constance. Enfin je sortis de
20 cette cruelle épreuve en pièces, mais triomphant.

Il y a maintenant près de cinquante ans de cette aventure, et je n'ai pas peur d'être aujourd'hui puni derechef pour le même fait; eh bien, je déclare à la face du ciel que j'en étais innocent, que je n'avais ni cassé, ni touché le peigne, que je n'avais pas
25 approché de la plaque, et que je n'y avais pas même songé. Qu'on ne me demande pas[7] comment ce dégât se fit: je l'ignore et ne puis le comprendre; ce que je sais très certainement, c'est que j'en étais innocent.

Qu'on se figure[8] un caractère timide et docile dans la vie

[1] *il s'en trouva:* there happened to be. [2] *A qui s'en prendre = Qui accuser.* [3] *la conviction (qu'ils avaient de ma culpabilité).* [4] *prise au sérieux = considérée grave.* [5] *exécution = punition; châtiment.* [6] *Repris = Châtié; Battu.* [7] *Qu'on ne me demande pas = Ne me demandez pas.* [8] *Qu'on se figure = On peut imaginer* or *Imaginez.*

ordinaire, mais ardent, fier, indomptable dans les passions, un enfant toujours gouverné par la voix de la raison, toujours traité avec douceur, équité, complaisance, qui n'avait pas même l'idée de l'injustice, et qui, pour la première fois, en éprouve une si terrible de la part précisément des gens qu'il chérit et 5 qu'il respecte le plus: quel renversement d'idées! quel désordre de sentiments! quel bouleversement dans son cœur, dans sa cervelle, dans tout son petit être intelligent et moral! Je dis qu'on s'imagine tout cela, s'il est possible, car pour moi, je ne me sens pas capable de démêler, de suivre la moindre trace 10 de ce qui se passait alors en moi.

Je n'avais pas encore assez de raison pour sentir combien les apparences me condamnaient, et pour me mettre à la place des autres. Je me tenais à la mienne, et tout ce que je sentais, c'était la rigueur d'un châtiment effroyable pour un crime que 15 je n'avais pas commis. La douleur du corps, quoique vive, m'était peu sensible;[1] je ne sentais que l'indignation, la rage, le désespoir. Mon cousin, dans un cas à peu près semblable, et qu'on avait puni d'une faute involontaire comme d'un acte prémédité, se mettait en fureur à mon exemple, et se mon- 20 tait, pour ainsi dire, à mon unisson.[2] Tous deux dans le même lit nous nous embrassions avec des transports convulsifs, nous étouffions, et quand nos jeunes cœurs un peu soulagés pouvaient exhaler leur colère, nous nous levions sur notre séant,[3] et nous nous mettions tous deux à crier cent fois de toute 25 notre force: *Carnifex! carnifex! carnifex!*[4]

Je sens en écrivant ceci que mon pouls s'élève encore; ces moments me seront toujours présents quand je vivrais[5] cent mille ans. Ce premier sentiment de la violence et de l'injustice est resté si profondément gravé dans mon âme, que toutes 30

[1] *peu sensible = presque indifférente* (*literally:* hardly felt). [2] *se montait ... à mon unisson = sa colère devenait aussi grande que la mienne.* [3] *nous nous levions sur notre séant:* we sat up. [4] *carnifex* (Latin) = *bourreau* tormentor; torturer. [5] *quand je vivrais = même si je vivais.*

les idées qui s'y rapportent me rendent ma première émotion, et ce sentiment, relatif à moi dans son origine, a pris une telle consistance[1] en lui-même, et s'est tellement détaché de tout intérêt personnel, que mon cœur s'enflamme au spectacle ou au récit de toute action injuste, quel qu'en soit l'objet et en quelque lieu qu'elle se commette, comme si l'effet en retombait sur moi. Quand je lis les cruautés d'un tyran féroce, je partirais volontiers pour aller poignarder ce misérable, dussé-je[2] cent fois y périr. Je me suis souvent mis en nage[3] à poursuivre à la course[4] ou à coups de pierre[5] un coq, une vache, un chien, un animal que je voyais en tourmenter un autre, uniquement parce qu'il se sentait le plus fort. Ce mouvement[6] peut m'être naturel, et je crois qu'il l'est; mais le souvenir profond de la première injustice que j'ai soufferte y fut trop longtemps et trop fortement lié pour ne l'avoir pas beaucoup renforcé.

Là fut le terme de la sérénité de ma vie enfantine. Dès ce moment je cessai de jouir d'un bonheur pur, et je sens aujourd'hui même que le souvenir des charmes de mon enfance s'arrête là.

From *Les confessions*

## QUESTIONNAIRE

1. Quand et comment la mère de Jean-Jacques Rousseau est-elle morte? 2. Comment Rousseau et son père passaient-ils leurs soirées? 3. Quelle sorte de romans lisaient-ils? 4. Quel a été l'effet de ces lectures sur le jeune Rousseau? 5. Quels autres livres l'enfant s'est-il mis à lire plus tard? 6. Quelle était alors sa lecture favorite? 7. Comment ces dernières lectures ont-elles affecté son esprit? 8. Que savez-vous de la légende de Scaevola? 9. Quels défauts le jeune Rousseau avait-il? 10. Qu'est-ce qui rendait sa vie heureuse?

[1] *consistance = importance; valeur.* [2] *dussé-je = même si je devais.* [3] *mis en nage = mis en transpiration:* got into a sweat. [4] *à la course = en courant après eux.* [5] *à coups de pierre = en leur jetant des pierres.* [6] *mouvement = sentiment; émotion.*

11. Comment décrit-il sa tante? 12. Comment cette tante a-t-elle surtout influencé l'enfant? 13. Quelle chanson Rousseau se rappelle-t-il? 14. Quel contraste Rousseau découvrait-il déjà dans son caractère? 15. Qu'est-il arrivé au père de l'enfant? 16. Où a-t-on envoyé le jeune Rousseau en pension? 17. Pourquoi l'enfant était-il si heureux chez le pasteur Lambercier? 18. Comment décrit-il son cousin Bernard? 19. Les deux enfants s'entendaient-ils bien? 20. Qu'est-ce que c'est qu'une plaque?

21. Qu'était-il arrivé à l'un des peignes? 22. Pourquoi le jeune Rousseau a-t-il été si sévèrement puni? 23. Qui était coupable du dégât? 24. Quelle révolution le châtiment immérité a-t-il produite dans les sentiments du jeune Rousseau? 25. Pourquoi son cousin a-t-il été châtié lui aussi? 26. Comment la colère des deux enfants s'est-elle manifestée? 27. Quel a été plus tard l'effet de cet événement sur les idées de Rousseau? 28. Pourquoi Rousseau dit-il que la sérénité de sa vie d'enfant s'arrête à ce moment-là?

⚜⚜⚜

# ALFRED DE MUSSET

1810-1857

## *Fantasio*

COMÉDIE EN DEUX ACTES

*Publiée en 1834, représentée à la Comédie-Française le 18 août 1866*

### PERSONNAGES

LE ROI DE BAVIÈRE
ELSBETH, *sa fille*
FANTASIO
LA GOUVERNANTE
LE PRINCE DE MANTOUE
MARINONI, *aide de camp du* PRINCE
RUTTEN, *confident du* ROI

SPARK, HARTMAN, FACIO — *amis de* FANTASIO
UN OFFICIER
UN TAILLEUR
DEUX PAGES
DES PORTEURS

# ACTE PREMIER

## SCÈNE I

*A la cour*

LE ROI, *entouré de ses courtisans*; RUTTEN

LE ROI. Mes amis, je vous ai annoncé, il y a déjà longtemps, les fiançailles de ma chère Elsbeth avec le prince de Mantoue.[1] Je vous annonce aujourd'hui l'arrivée de ce prince; ce soir peut-être, demain au plus tard, il sera dans ce palais. Que ce soit un jour de fête pour tout le monde; que les prisons s'ouvrent, et que le peuple passe la nuit dans les divertissements. Rutten, où est ma fille? 5
*Les courtisans se retirent.*

RUTTEN. Sire, elle est dans le parc avec sa gouvernante.

LE ROI. Pourquoi ne l'ai-je pas encore vue aujourd'hui? Est-elle triste ou gaie de ce mariage qui s'apprête? 10

RUTTEN. Il m'a paru que le visage de la princesse était voilé de quelque mélancolie. Quelle est la jeune fille qui ne rêve[2] pas la veille de ses noces? La mort de Saint-Jean l'a contrariée. 15

LE ROI. Y penses-tu? La mort de mon bouffon! Bossu et presque aveugle!

RUTTEN. La princesse l'aimait.[3]

LE ROI. Dis-moi, Rutten, tu as vu le prince; quel homme est-ce? Hélas! je lui donne ce que j'ai de plus précieux au monde, et je ne le connais point. 20

RUTTEN. Je suis demeuré fort peu de temps à Mantoue.

[1] *Mantoue:* Mantua in North Italy. First a marquisat, it later became a duchy but was never raised to a principality. [2] *rêve:* daydream. [3] *l'aimait:* was fond of him.

LE ROI. Parle franchement. Par quels yeux puis-je voir la vérité si ce n'est par les tiens?

RUTTEN. En vérité, sire, je ne saurais rien dire sur le caractère et l'esprit du noble prince.

5 LE ROI. En est-il ainsi? Tu hésites, toi, courtisan! Me serais-je trompé, mon ami? aurais-je fait en lui un mauvais choix?

RUTTEN. Sire, le prince passe pour le meilleur des rois.

LE ROI. La politique est une fine toile d'araignée, dans laquelle se débattent bien des pauvres mouches mutilées; je ne 10 sacrifierai le bonheur de ma fille à aucun intérêt.

*Ils sortent.*

## SCÈNE II

*Une rue*

SPARK, HARTMAN *et* FACIO, *buvant autour d'une table*

HARTMAN. Puisque c'est aujourd'hui le mariage de la princesse, buvons, fumons, et tâchons de faire du tapage.

15 FACIO. Il serait bon de nous mêler à tout ce peuple qui court les rues.

SPARK. Allons donc! fumons tranquillement.

HARTMAN. Je ne ferai rien tranquillement un jour de fête. Où diable est donc Fantasio?

20 SPARK. Attendons-le; ne faisons rien sans lui.

FACIO. Bah! il nous retrouvera toujours. Il est à se griser[1] dans quelque trou de la rue Basse. Holà! un dernier coup![2]

*Il lève son verre.*

UN OFFICIER, *entrant*. Messieurs, je viens vous prier de vouloir 25 bien aller plus loin, si vous ne voulez point être dérangés dans votre gaieté.

HARTMAN. Pourquoi, mon capitaine?

[1] *Il est à se griser = Il est (occupé) à se griser:* he is busy getting drunk. [2] *coup:* drink.

L'OFFICIER. La princesse est dans ce moment sur la terrasse que vous voyez, et vous comprenez aisément qu'il n'est pas convenable que vos cris arrivent jusqu'à elle.

FACIO. Voilà qui est intolérable!

SPARK. Qu'est-ce que cela nous fait de rire ici ou ailleurs? 5

HARTMAN. Qui est-ce qui nous dit qu'ailleurs il nous sera permis de rire? Vous verrez qu'il sortira un drôle en habit vert[1] de tous les pavés de la ville, pour nous prier d'aller rire dans la lune.

*Entre* MARINONI, *couvert d'un manteau.* 10

SPARK. La princesse n'a jamais fait un acte de despotisme de sa vie. Si elle ne veut pas qu'on rie, c'est qu'elle est triste, ou qu'elle chante; laissons-la en repos.

FACIO. Humph! voilà un manteau rabattu[2] qui flaire quelque nouvelle. 15

MARINONI, *approchant.* Je suis étranger, messieurs; à quelle occasion cette fête?

SPARK. La princesse Elsbeth se marie.

MARINONI. Ah! ah! c'est une belle femme, à ce que je présume?

HARTMAN. Comme vous êtes un bel homme, vous l'avez dit. 20

MARINONI. Aimée de son peuple, si j'ose le dire, car il me paraît que tout est illuminé.

HARTMAN. Tu ne te trompes pas, brave étranger.

MARINONI. Je voulais demander par là si la princesse est la cause de ces signes de joie. 25

HARTMAN. L'unique cause, puissant rhéteur. Nous aurions beau nous marier tous,[3] il n'y aurait aucune espèce de joie dans cette ville ingrate.

MARINONI. Heureuse la princesse qui sait se faire aimer de son peuple! 30

[1] *en habit vert = en uniforme vert.* [2] *voilà un manteau rabattu = voilà un étranger.* The cut of Marinoni's cloak, with a turned-down collar, would identify him as a stranger to the locale. [3] *Nous aurions beau nous marier tous = Même si nous nous mariions tous.*

HARTMAN. Des lampions allumés ne font pas le bonheur d'un peuple, cher homme primitif. Cela n'empêche pas la princesse d'être fantasque comme une bergeronnette.[1]

MARINONI. En vérité! vous avez dit fantasque?

5 HARTMAN. Je l'ai dit, cher inconnu, je me suis servi de ce mot.

MARINONI *salue et se retire.*

FACIO. Le voilà qui nous quitte pour aborder un autre groupe. Il sent[2] l'espion d'une lieue.

HARTMAN. Il ne sent rien du tout; il est bête à faire plaisir.[3]

10 SPARK. Voilà Fantasio qui arrive.

HARTMAN. Qu'a-t-il donc? Ou je me trompe fort, ou quelque lubie mûrit dans sa cervelle.

FACIO. Eh bien! ami, que ferons-nous de cette soirée?

FANTASIO, *entrant.* Tout absolument, hors un roman nouveau.

15 FACIO. Je disais qu'il faudrait nous lancer dans cette canaille et nous divertir un peu.

FANTASIO. L'important serait d'avoir des nez de carton et des pétards.

HARTMAN. Prendre la taille aux filles, tirer les bourgeois par la

20 queue[4] et casser les lanternes. Allons, partons, voilà qui est dit. Viens donc, Fantasio.

FANTASIO. Je n'en suis pas,[5] je n'en suis pas.

HARTMAN. Pourquoi?

FANTASIO. Donnez-moi un verre de ça.

25 *Il boit.*

HARTMAN. Tu as le mois de mai sur les joues.

FANTASIO. C'est vrai; et le mois de janvier dans le cœur. Ma tête est comme une vieille cheminée sans feu: il n'y a que du vent et des cendres. Ouf! *Il s'assoit.* Que cela m'ennuie

[1] *bergeronette:* wagtail, a small bird, nervous in its movements. Also, an old diminutive of *bergère*, shepherdess. [2] *sent:* a play on the word *sentir* (*lit.:* to smell of); to have the appearance of. [3] *bête à faire plaisir:* delightfully stupid. [4] *la queue:* pigtail; queue of hair. [5] *Je n'en suis pas = Je ne suis pas de la partie:* I am not going.

que tout le monde s'amuse! Je voudrais que ce grand ciel si lourd fût un immense bonnet de coton,[1] pour envelopper jusqu'aux oreilles cette sotte ville et ses sots habitants. Allons, voyons, dites-moi, de grâce, un calembour usé, quelque chose de bien rabattu.[2] 5

HARTMAN. Pourquoi?

FANTASIO. Pour que je rie. Je ne ris plus de ce qu'on invente; peut-être que je rirai de ce que je connais.

HARTMAN. Tu me parais un peu misanthrope et enclin à la mélancolie. 10

FACIO. Oui ou non, es-tu des nôtres?

FANTASIO. Je suis des vôtres, si vous êtes des miens; restons un peu ici à parler de choses et d'autres, en regardant nos habits neufs.

FACIO. Non, ma foi. Si tu es las d'être debout, je suis las d'être 15 assis; il faut que je m'évertue[3] en plein air.

FANTASIO. Je ne saurais m'évertuer. Je vais fumer sous ces marronniers, avec ce brave Spark, qui va me tenir compagnie. N'est-ce-pas, Spark?

SPARK. Comme tu voudras. 20

HARTMAN. En ce cas, adieu. Nous allons voir la fête.

HARTMAN *et* FACIO *sortent.* — FANTASIO *s'assied avec* SPARK

FANTASIO. Comme ce soleil couchant est manqué![4] La nature est pitoyable ce soir. Regarde-moi un peu cette vallée là-bas, ces quatre ou cinq méchants nuages qui grimpent 25 sur cette montagne. Je faisais des paysages comme celui-là quand j'avais douze ans, sur la couverture de mes livres de classe.

SPARK. Quel bon tabac! quelle bonne bière!

FANTASIO. Je dois bien t'ennuyer, Spark. 30

[1] *bonnet de coton:* long nightcap. [2] *rabattu = souvent répété:* stale, worn-out, trite. [3] *que je m'évertue = que je fasse de grands efforts pour arriver à un but, que je remue.* [4] *manqué = défectueux:* unsuccessful. Fantasio sees nature and the sunset as a badly painted picture.

SPARK. Non; pourquoi cela?

FANTASIO. Toi, tu m'ennuies horriblement. Cela ne te fait rien de voir tous les jours la même figure? Que diable Hartman et Facio s'en vont-ils faire dans cette fête?

5 SPARK. Ce sont deux gaillards actifs, et qui ne sauraient rester en place.

FANTASIO. Quelle admirable chose que les Mille et une Nuits![1] O Spark, mon cher Spark, si tu pouvais me transporter en Chine! Si je pouvais seulement sortir de ma peau

10 pendant une heure ou deux! Si je pouvais être ce monsieur qui passe!

SPARK. Cela me paraît assez difficile.

FANTASIO. Je suis sûr que cet homme-là a dans la tête un millier d'idées qui me sont absolument étrangères; son essence

15 lui est particulière. Hélas! tout ce que les hommes se disent entre eux se ressemble; les idées qu'ils échangent sont presque toujours les mêmes dans toutes leurs conversations; mais dans l'intérieur de toutes ces machines isolées, quels replis,[2] quels compartiments secrets! C'est

20 tout un monde que chacun porte en lui! un monde ignoré, qui naît et qui meurt en silence! Quelles solitudes que tous ces corps humains!

SPARK. Bois donc, désœuvré, au lieu de te creuser la tête.[3]

FANTASIO. Il n'y a qu'une chose qui m'ait amusé depuis trois

25 jours; c'est que mes créanciers ont obtenu un arrêt contre moi, et que si je mets les pieds dans ma maison, il va arriver quatre estafiers qui me prendront au collet.

SPARK. Voilà qui est fort gai, en effet.

FANTASIO. Te figures-tu que mes meubles se vendent demain

30 matin? Nous en achèterons quelques-uns, n'est-ce-pas?

SPARK. Manques-tu d'argent, Henri? Veux-tu ma bourse?

[1] *les Mille et une Nuits:* Arabian nights. [2] *replis:* recesses. [3] *te creuser la tête = te fatiguer à penser:* to rack your brains.

FANTASIO. Imbécile! si je n'avais pas d'argent, je n'aurais pas de dettes, j'ai envie de prendre pour maîtresse une fille d'opéra.[1]

SPARK. Cela t'ennuiera à périr.

FANTASIO. Pas du tout; mon imagination se remplira de pirouettes et de souliers de satin blanc. . . . Remarques-tu une chose, Spark? C'est que nous n'avons point d'état; nous n'exerçons aucune profession. 5

SPARK. C'est là ce qui t'attriste?

FANTASIO. Il n'y a point de maître d'armes[2] mélancolique. 10

SPARK. Tu me fais l'effet d'être revenu de[3] tout.

FANTASIO. Ah! pour être revenu de tout, mon ami, il faut être allé dans bien des endroits.

SPARK. Eh bien donc?

FANTASIO. Eh bien donc! où veux-tu que j'aille? Regarde cette vieille ville enfumée; il n'y a pas de places, de rues, de ruelles où je n'aie rôdé trente fois; il n'y a pas de pavés où je n'aie traîné ces talons usés, pas de maisons où je ne sache quelle est la fille ou la vieille femme dont la tête stupide se dessine éternellement à la fenêtre; je ne saurais faire un pas sans marcher sur mes pas d'hier; eh bien! mon cher ami, cette ville n'est rien auprès de[4] ma cervelle. Tous les recoins m'en sont cent fois plus connus; toutes les rues, tous les trous de mon imagination sont cent fois plus fatigués; je m'y suis promené en cent fois plus de sens, dans cette cervelle délabrée, moi son seul habitant! Et je n'ose seulement pas maintenant y entrer comme un voleur, une lanterne sourde à la main. 15 20 25

SPARK. Je ne comprends rien à ce travail perpétuel sur toi-même; moi, quand je fume, par exemple, ma pensée se 30

[1] *une fille d'opéra:* a ballet dancer. [2] *maître d'armes:* fencing master. [3] *être revenu* = *être dégoûté, être blasé.* In the next line, Fantasio gives this word its literal meaning. [4] *auprès de* = *en comparaison avec.*

fait fumée de tabac; quand je bois, elle se fait vin d'Espagne ou bière de Flandre; quand je baise la main de ma maîtresse elle[1] entre par le bout de ses doigts effilés pour se répandre dans tout son être sur des courants électriques; il me faut le parfum d'une fleur pour me distraire, et de tout ce que renferme l'universelle nature, le plus chétif objet suffit pour me changer en abeille et me faire voltiger çà et là avec un plaisir toujours nouveau.

FANTASIO. Tranchons le mot,[2] tu es capable de pêcher à la ligne.

SPARK. Si cela m'amuse, je suis capable de tout.

FANTASIO. Même de prendre la lune avec les dents?

SPARK. Cela ne m'amuserait pas.

FANTASIO. Ah! ah! qu'en sais-tu? Prendre la lune avec les dents n'est pas à dédaigner. Allons jouer au trente-et-quarante.[3]

SPARK. Non, en vérité.

FANTASIO. Pourquoi?

SPARK. Parce que nous perdrions notre argent.

FANTASIO. Ah! mon Dieu! qu'est-ce que tu vas imaginer là? Tu ne sais quoi inventer pour te torturer l'esprit. Tu vois donc tout en noir,[4] misérable? Perdre notre argent! tu n'as donc dans le cœur ni foi en Dieu ni espérance? tu es donc un athée épouvantable, capable de me dessécher le cœur et de me désabuser de tout, moi qui suis plein de sève et de jeunesse?

*Il se met à danser.*

SPARK. En vérité, il y a de certains moments où je ne jurerais pas que tu n'es pas fou.

FANTASIO, *dansant toujours.* — Qu'on me donne une cloche! une cloche de verre!

SPARK. A propos de quoi une cloche?

[1] *elle = ma pensée.* [2] *Tranchons le mot:* In other words. [3] *trente-et-quarante = jeu de cartes et de hasard.* [4] *Tu vois tout en noir = Tu vois tout sous un aspect mélancolique.*

FANTASIO. Jean-Paul[1] n'a-t-il pas dit qu'un homme absorbé par une grande pensée est comme un plongeur sous sa cloche, au milieu du vaste Océan? Mais, je n'ai point de cloche, Spark, point de cloche, et je danse sur le vaste Océan.

SPARK. Fais-toi journaliste ou homme de lettres, Henri; c'est encore le plus efficace moyen qui nous reste de désopiler la misanthropie et d'amortir l'imagination. 5

FANTASIO. Oh! je voudrais me passionner pour un homard à la moutarde, pour une grisette, pour une classe de minéraux! Spark! essayons de bâtir une maison à nous deux. 10

SPARK. Pourquoi n'écris-tu pas tout ce que tu rêves? Cela ferait un joli recueil.

FANTASIO. Un sonnet vaut mieux qu'un long poème, et un verre de vin vaut mieux qu'un sonnet.

*Il boit.* 15

SPARK. Pourquoi ne voyages-tu pas? Va en Italie.

FANTASIO. J'y ai été.

SPARK. Eh bien! est-ce tu ne trouves pas ce pays-là beau?

FANTASIO. Il y a une quantité de mouches grosses comme des hannetons qui vous piquent toute la nuit. 20

SPARK. Va en France.

FANTASIO. Il n'y a pas de bon vin du Rhin à Paris.

SPARK. Va en Angleterre.

FANTASIO. J'y suis. Est-ce que les Anglais ont une patrie? J'aime autant les voir ici que chez eux. 25

SPARK. Va donc au diable, alors!

FANTASIO. Oh! s'il y avait un diable dans le ciel! s'il y avait un enfer, comme je me brûlerais la cervelle pour aller voir tout ça! Quelle misérable chose que l'homme! ne pas pouvoir seulement sauter par sa fenêtre sans se casser les 30

[1] *Jean-Paul:* Johann Paul Friedrich Richter (1763-1825), German philosopher and humorist. Musset wrote two articles on Jean-Paul, published in *Le Temps*, in 1831.

jambes! être obligé de jouer du violon dix ans pour devenir un musicien passable! Apprendre pour être peintre, pour être palefrenier! Apprendre pour faire une omelette! Tiens, Spark, il me prend des envies de m'asseoir sur un
5 parapet, de regarder couler la rivière et de me mettre à compter un, deux, trois, quatre, cinq, six, sept, et ainsi de suite jusqu'au jour de ma mort.

SPARK. Ce que tu me dis là ferait rire bien des gens; moi, cela me fait frémir. L'éternité est une grande aire, d'où tous les
10 siècles, comme de jeunes aiglons, se sont envolés tour à tour pour traverser le ciel et disparaître; le nôtre est arrivé à son tour au bord du nid; mais on lui a coupé les ailes, et il attend la mort en regardant l'espace dans lequel il ne peut s'élancer.[1]

15 FANTASIO, *chantant.*

> Tu m'appelles ta vie, appelle-moi ton âme,
> Car l'âme est immortelle, et la vie est un jour. . . .

Connais-tu une plus divine romance[2] que cella-là, Spark? C'est une romance portugaise. Elle ne m'est jamais venue
20 à l'esprit sans me donner envie d'aimer quelqu'un.

SPARK. Qui, par exemple?

FANTASIO. Qui? je n'en sais rien; quelque belle fille toute ronde comme les femmes de Miéris;[3] quelque chose de doux comme le vent d'ouest, de pâle comme les rayons
25 de la lune; quelque chose de pensif comme ces petites servantes d'auberge des tableaux flamands[4] qui donnent le coup de l'étrier[5] à un voyageur à larges bottes, droit comme un piquet sur un grand cheval blanc. Quelle

[1] *s'élancer = se jeter en avant avec impétuosité:* to orbit, take its flight. [2] *romance:* love song. [3] *Miéris:* family name of Dutch painters of the 17th and 18th centuries. There were four Dutch painters bearing this name: François (1635-1681); his two sons: Jean (1660-1690) and Guillaume (1662-1747); the son of Guillaume, another François (1689-1783). [4] *flamands:* Musset does not distinguish between the Dutch and Flemish schools of painting, but uses *flamand* for both. [5] *le coup de l'étrier:* the last drink before riding away.

belle chose que le coup de l'étrier! une jeune femme sur le pas de sa porte, le feu allumé qu'on aperçoit au fond de la chambre, le souper préparé, les enfants endormis; toute la tranquillité de la vie paisible et contemplative dans un coin du tableau! et là l'homme encore haletant, mais ferme sur sa selle, ayant fait vingt lieues, en ayant trente à faire; une gorgée d'eau-de-vie, et adieu. La nuit est profonde là-bas, le temps menaçant, la forêt dangereuse; la bonne femme le suit des yeux une minute, puis elle laisse tomber, en retournant à son feu, cette sublime aumône du pauvre: « Que Dieu le protège! »

SPARK. Si tu étais amoureux, Henri, tu serais le plus heureux des hommes.

FANTASIO. L'amour n'existe plus, mon cher ami. La religion, non plus; il n'y a plus d'autel, il n'y a plus d'amour. Vive la nature! il y a encore du vin.

*Il boit.*

SPARK. Tu vas te griser.

FANTASIO. Je vais me griser, tu l'as dit.

SPARK. Il est un peu tard pour cela.

FANTASIO. Qu'appelles-tu tard? Midi, est-ce tard? minuit, est-ce de bonne heure? Où prends-tu la journée?[1] Restons là, Spark, je t'en prie. Buvons, causons, analysons, déraisonnons, faisons de la politique; imaginons des combinaisons de gouvernement; attrapons tous les hannetons qui passent autour de cette chandelle, et mettons-les dans nos poches. Sais-tu que les canons à vapeur[2] sont une belle chose en matière de philanthropie?

SPARK. Comment l'entends-tu?

FANTASIO. Il y avait une fois un roi qui était très sage, très sage, très heureux, très heureux . . .

[1] *Où prends-tu la journée? = A quelle heure précise commence la journée?* [2] *canons à vapeur:* a pure fiction of Fantasio's imagination.

SPARK. Après?

FANTASIO. La seule chose qui manquait à son bonheur, c'était d'avoir des enfants. Il fit faire des prières publiques dans toutes les mosquées.

5 SPARK. A quoi veux-tu en venir?[1]

FANTASIO. Je pense à mes chères Mille et une Nuits. C'est comme cela qu'elles commencent toutes. Tiens, Spark, je suis gris. Il faut que je fasse quelque chose. Tra la, tra la! Allons, levons-nous! *Un enterrement passe.* Ohé! braves

10 gens, qui enterrez-vous là? Ce n'est pas maintenant l'heure d'enterrer proprement.[2]

LES PORTEURS. Nous enterrons Saint-Jean.

FANTASIO. Saint-Jean est mort? le bouffon du roi est mort? Qui a pris sa place? le ministre de la justice?

15 LES PORTEURS. Sa place est vacante, vous pouvez la prendre si vous voulez.

*Ils sortent.*

SPARK. Voilà une insolence que tu t'es bien attirée.[3] A quoi penses-tu, d'arrêter ces gens?

20 FANTASIO. Il n'y a rien là d'insolent. C'est un conseil d'ami que m'a donné cet homme, et que je vais suivre à l'instant.

SPARK. Tu vas te faire bouffon de la cour?

FANTASIO. Cette nuit même, si l'on veut de moi.[4] Puisque je ne puis coucher chez moi, je veux me donner la représenta-

25 tion de cette royale comédie[5] qui se jouera demain, et de la loge du roi lui-même.

SPARK. Comme tu es fin![6] On te reconnaîtra, et les laquais te mettront à la porte; n'es-tu pas filleul de la feue reine?[7]

FANTASIO. Comme tu es bête! Je me mettrai une bosse et une

[1] *A quoi veux-tu en venir?* What are you driving at? [2] *proprement = convenablement.* [3] *attirée = occasionée, méritée.* [4] *si l'on veut de moi = si l'on veut (se servir) de moi:* if they will have me. [5] *royale comédie:* the marriage of Elsbeth and the prince of Mantua. [6] *Comme tu es fin!:* (*Ironical*) How clever of you! [7] *la feue reine:* the recently deceased queen.

perruque rousse comme la portait Saint-Jean, et personne ne me reconnaîtra. *Il frappe à une boutique.* Hé! brave homme, ouvrez-moi, si vous n'êtes pas sorti, vous, votre femme et vos petits chiens!

UN TAILLEUR, *ouvrant la boutique.* Que demande votre Seigneurie? 5

FANTASIO. N'êtes-vous pas le tailleur de la cour?

LE TAILLEUR. Pour vous servir.

FANTASIO. Est-ce vous qui habilliez Saint-Jean?

LE TAILLEUR. Oui, monsieur. 10

FANTASIO. Vous le connaissiez? Vous savez de quel côté était sa bosse, comment il frisait sa moustache, et quelle perruque il portait?

LE TAILLEUR. Hé! hé! monsieur veut rire.

FANTASIO. Homme,[1] je ne veux point rire: entre dans ton 15 arrière-boutique, et si tu ne veux pas être empoisonné demain dans ton café au lait, songe à[2] être muet comme la tombe sur tout ce qui va se passer ici.

*Il sort avec le tailleur;* SPARK *le suit.*

## SCÈNE III

*Une auberge sur la route de Munich*

*Entrent le* PRINCE DE MANTOUE *et* MARINONI

LE PRINCE. Eh bien, colonel? 20

MARINONI. Altesse?

LE PRINCE. Eh bien, Marinoni?

MARINONI. Mélancolique, fantasque, d'une joie folle, soumise à son père, aimant beaucoup les pois verts.

[1] *Homme:* (*familiar*) The colloquial equivalent would be "Bud" or "Mac."
[2] *songe à:* be sure to.

LE PRINCE. Écris cela; je ne comprends clairement que les écritures moulées en bâtarde.[1]

MARINONI, *écrivant*. Mélanco . . .

LE PRINCE. Écris à voix basse: je rêve à un projet d'importance 5 depuis mon dîner.

MARINONI. Voilà, Altesse, ce que vous demandez.

LE PRINCE. C'est bien, je te nomme[2] mon ami intime; je ne connais pas dans tout mon royaume de plus belle écriture que la tienne. Assieds-toi à quelque distance. Vous pensez 10 donc, mon ami, que le caractère de la princesse, ma future épouse, vous est secrètement connu?

MARINONI. Oui, Altesse: j'ai parcouru les alentours du palais, et ces tablettes[3] renferment les principaux traits des conversations différentes dans lesquelles je me suis immiscé.[4]

15 LE PRINCE, *se mirant*.[5] Il me semble que je suis poudré comme un homme de la dernière[6] classe.

MARINONI. L'habit est magnifique.

LE PRINCE. Que dirais-tu, Marinoni, si tu voyais ton maître revêtir un simple frac[7] olive?

20 MARINONI. Son Altesse se rit de ma crédulité.

LE PRINCE. Non, colonel. Apprends que ton maître est le plus romanesque des hommes.

MARINONI. Romanesque, Altesse?

LE PRINCE. Oui, mon ami — je t'ai accordé ce titre —, l'im-25 portant projet que je médite est inoui dans ma famille; je prétends arriver à la cour du roi mon beau-père dans l'habillement d'un simple aide de camp; ce n'est pas assez d'avoir envoyé un homme de ma maison[8] recueillir les

[1] *moulées en bâtarde:* slanting writing, a cross between a round hand and a running hand. [2] *je te nomme:* I appoint you. [3] *tablettes:* originally sheets of ivory or parchment which were carried on one's person in order to jot down notes; a notebook. [4] *immiscé = mêlé; introduit; ingéré sans droit ou mal à propos:* to poke one's nose in. [5] *se mirant = se regardant dans une glace.* [6] *la dernière = la plus basse.* [7] *frac:* English "frock coat." [8] *ma maison = ma cour.*

bruits sur la future princesse de Mantoue, je veux encore observer par mes yeux.

MARINONI. Est-il vrai, Altesse?

LE PRINCE. Ne reste pas pétrifié. Un homme tel que moi ne doit avoir pour ami intime qu'un esprit vaste et entre- 5 prenant.

MARINONI. Une seule chose me paraît s'opposer au dessein de Votre Altesse.

LE PRINCE. Laquelle?

MARINONI. L'idée d'un tel travestissement ne pouvait appar- 10 tenir qu'au prince glorieux qui nous gouverne. Mais si mon gracieux souverain est confondu parmi l'état-major, à qui le roi de Bavière fera-t-il les honneurs d'un festin splendide qui doit avoir lieu dans la grande galerie?

LE PRINCE. Tu as raison; si je me déguise, il faut que quelqu'un 15 prenne ma place. Cela est impossible, Marinoni; je n'avais pas pensé à cela.

MARINONI. Pourquoi impossible, Altesse?

LE PRINCE. Je puis bien abaisser la dignité princière jusqu'au grade de colonel; mais comment peux-tu croire que je 20 consentirais à élever jusqu'à mon rang un homme quelconque? Penses-tu d'ailleurs que mon futur beau-père me le pardonnerait?

MARINONI. Le roi passe pour un homme de beaucoup de sens et d'esprit, avec une humeur agréable. 25

LE PRINCE. Ah! ce n'est pas sans peine que je renonce à mon projet. Pénétrer dans cette cour nouvelle sans faste et sans bruit, observer tout, approcher de la princesse sous un faux nom, et peut-être m'en faire aimer![1] . . . Oh! je m'égare; cela est impossible. . . . Marinoni, mon ami, 30 essaye mon habit de cérémonie; je ne saurais y résister.[2]

[1] *m'en faire aimer = me faire aimer de la princesse:* to have the princess fall in love with me. [2] *y résister = résister à mon projet:* give up my plan.

MARINONI, *s'inclinant.* Altesse!

LE PRINCE. Penses-tu que les siècles futurs oublieront une pareille circonstance?

MARINONI. Jamais, gracieux prince.

5 LE PRINCE. Viens essayer mon habit.

*Ils sortent.*

## ACTE DEUXIÈME

### SCÈNE I

*Le jardin du roi de Bavière*

LA GOUVERNANTE. Mes pauvres yeux en ont pleuré, pleuré un torrent du ciel.[1]

ELSBETH. Tu es si bonne! Moi aussi j'aimais Saint-Jean; il
10 avait tant d'esprit! Ce n'était point un bouffon ordinaire.

LA GOUVERNANTE. Dire que[2] le pauvre homme est allé là-haut[3] la veille de vos fiançailles! Lui qui ne parlait que de vous à dîner et à souper, tant que le jour durait. Un garçon si gai, si amusant, qu'il faisait aimer la laideur.

15 ELSBETH. Ne me parle pas de mon mariage; c'est encore là un plus grand malheur.

LA GOUVERNANTE. Ne savez-vous pas que le prince de Mantoue arrive aujourd'hui? On dit que c'est un Amadis.[4]

ELSBETH. Que dis-tu là, ma chère? Il est horrible et idiot, tout
20 le monde le sait déjà ici.

LA GOUVERNANTE. En vérité? on m'avait dit que c'était un Amadis.

[1] *un torrent du ciel:* her tears are described as a cloudburst. [2] *Dire que:* When one thinks that. [3] *là-haut = au ciel:* to his reward. [4] *Amadis:* hero of a Spanish romance of chivalry written by Garcia Ardénez de Montalvo (1519). Amadis is the prototype of chivalrous heroes because of his unwavering loyalty to his lady, his bravery and his handsome appearance.

ELSBETH. Je ne demandais pas un Amadis, ma chère; mais cela est cruel, quelquefois, de n'être qu'une fille de roi. Mon père est le meilleur des hommes; le mariage qu'il prépare assure la paix de son royaume; il recevra en récompense la bénédiction d'un peuple; mais moi, hélas! j'aurai la sienne, et rien de plus. 5

LA GOUVERNANTE. Comme vous parlez tristement!

ELSBETH. Si je refusais le prince, la guerre serait bientôt recommencée; quel malheur que ces traités de paix se signent toujours avec des larmes! Je voudrais être une forte tête,[1] et me résigner à épouser le premier venu, quand cela est nécessaire en politique. Être la mère d'un peuple, cela console les grands cœurs, mais non les têtes faibles. Je ne suis qu'une pauvre rêveuse; peut-être la faute en est-elle[2] à tes romans, tu en as toujours dans tes poches. 10 15

LA GOUVERNANTE. Seigneur! n'en dites rien.

ELSBETH. J'ai peu connu la vie, et j'ai beaucoup rêvé.

LA GOUVERNANTE. Si le prince de Mantoue est tel que vous le dites, Dieu ne laissera pas cette affaire-là s'arranger, j'en suis sûre. 20

ELSBETH. Tu crois! Dieu laisse faire les hommes, ma pauvre amie, et il ne fait guère plus de cas de[3] nos plaintes que du bêlement d'un mouton.

LA GOUVERNANTE. Je suis sûre que, si vous refusiez le prince, votre père ne vous forcerait pas. 25

ELSBETH. Non, certainement il ne me forcerait pas; et c'est pour cela que je me sacrifie. Veux-tu que j'aille dire à mon père d'oublier sa parole,[4] et de rayer d'un trait de plume son nom respectable sur un contrat qui fait des milliers d'heureux? Qu'importe qu'il fasse une malheureuse? Je laisse mon bon père être un bon roi. 30

[1] *une forte tête:* a strong-minded person. [2] *la faute en est-elle à tes romans = la faute vient de tes romans.* [3] *ne fait guère plus de cas de = ne s'intéresse pas plus à.* [4] *parole = promesse verbale formelle.*

LA GOUVERNANTE. Hi! hi!

*Elle pleure.*

ELSBETH. Ne pleure pas sur moi,[1] ma bonne;[2] tu me ferais peut-être pleurer moi-même, et il ne faut pas qu'une royale fiancée ait les yeux rouges. Ne t'afflige pas de tout cela. Après tout, je serai une reine, c'est peut-être amusant; je prendrai peut-être goût à mes parures, que sais-je? à mes carrosses, à ma nouvelle cour; heureusement qu'il y a pour une princesse autre chose dans le mariage qu'un mari. Je trouverai peut-être le bonheur au fond de ma corbeille de noces.[3]

LA GOUVERNANTE. Vous êtes un vrai agneau pascal.

ELSBETH. Tiens, ma chère, commençons toujours par en rire, quitte à en pleurer[4] quand il en sera temps. On dit que le prince de Mantoue est la plus ridicule chose du monde.

LA GOUVERNANTE. Si Saint-Jean était là!

ELSBETH. Ah! Saint-Jean! Saint-Jean!

LA GOUVERNANTE. Vous l'aimiez beaucoup, mon enfant.

ELSBETH. Cela est singulier; son esprit m'attachait à lui avec des fils imperceptibles qui semblaient venir de mon cœur; sa perpétuelle moquerie de mes idées romanesques me plaisait à l'excès, tandis que je ne puis supporter qu'avec peine des gens qui abondent dans mon sens;[5] je ne sais pas ce qu'il y avait autour de lui,[6] dans ses yeux, dans ses gestes, dans la manière dont il prenait son tabac. C'était un homme bizarre; tandis qu'il me parlait, il me passait devant les yeux[7] des tableaux délicieux; sa parole donnait la vie comme par enchantement aux choses les plus étranges.

[1] *sur moi = à cause de moi.* [2] *ma bonne = ma bonne (gouvernante):* my dear. [3] *corbeille de noces:* formerly, the bridegroom sent jewels and ornaments to the bride in a richly decorated basket (*corbeille*). [4] *quitte à en pleurer:* even if we have to cry about it. [5] *des gens qui abondent dans mon sens:* people who always agree with me. [6] *autour de lui:* around him; about him. [7] *il me passait devant les yeux: il* is impersonal. "There passed before my eyes."

LA GOUVERNANTE. C'était un vrai Triboulet.[1]

ELSBETH. Je n'en sais rien; mais c'était un diamant d'esprit.

LA GOUVERNANTE. Voilà des pages qui vont et viennent; je crois que le prince ne va pas tarder à se montrer; il faudrait retourner au palais pour vous habiller. 5

ELSBETH. Je t'en supplie, laisse-moi un quart d'heure encore; va préparer ce qu'il me faut: hélas! ma chère, je n'ai plus longtemps à rêver.

LA GOUVERNANTE. Seigneur! est-il possible que ce mariage se fasse, s'il vous déplaît? Un père sacrifier sa fille! le roi 10 serait un véritable Jephté,[2] s'il le faisait.

ELSBETH. Ne dis pas de mal de mon père; va, ma chère, prépare ce qu'il me faut.

*La* GOUVERNANTE *sort.*

ELSBETH, *seule.* Il me semble qu'il y a quelqu'un derrière ces 15 bosquets. Est-ce le fantôme de mon pauvre bouffon que j'aperçois dans ces bluets, assis sur la prairie? Répondez-moi; qui êtes-vous? que faites-vous là à cueillir ces fleurs.

*Elle s'avance vers un tertre.* 20

FANTASIO, *assis, vêtu en bouffon, avec une bosse et une perruque.* Je suis un brave[3] cueilleur de fleurs, qui souhaite le bonjour à vos beaux yeux.

ELSBETH. Que signifie cet accoutrement? qui êtes-vous pour venir parodier[4] sous cette large perruque un homme que 25 j'ai aimé? Êtes-vous écolier en bouffonneries?

FANTASIO. Plaise à[5] Votre Altesse sérénissime, je suis le nouveau bouffon du roi; le majordome m'a reçu favorable-

[1] *Triboulet:* a court jester of Louis XII and Francis I. Hugo used Triboulet in his play *Le roi s'amuse* (1832). [2] *Jephté:* Jephthah, one of the judges of Israel. Before setting out for battle with the Ammonites, he had vowed the sacrifice of the first person he would meet upon his return if he were victorious. His only daughter came to meet him and was sacrificed to fulfill the vow. [3] *brave = honnête, simple.* [4] *parodier = imiter.* [5] *Plaise à:* May it please.

ment; et je cueille modestement des fleurs en attendant qu'il me vienne de l'esprit.

ELSBETH. Cela me paraît douteux, que vous cueilliez jamais cette fleur-là.[1]

5 FANTASIO. Pourquoi? l'esprit peut venir à un homme vieux, tout comme à une jeune fille. Cela est si difficile quelquefois de distinguer un trait spirituel d'une grosse sottise! Beaucoup parler, voilà l'important! Le plus mauvais tireur de pistolet peut attraper la mouche,[2] s'il tire sept 10 cent quatre-vingts coups à la minute, tout aussi bien que le plus habile homme qui n'en tire qu'un ou deux bien ajustés. Je ne demande qu'à être nourri convenablement pour[3] la grosseur de mon ventre, et je regarderai mon ombre au soleil pour voir si ma perruque 15 pousse.

ELSBETH. En sorte que vous voilà revêtu des dépouilles de Saint-Jean? Vous avez raison de parler de votre ombre; tant que vous aurez ce costume, elle lui ressemblera toujours, je crois, plus que vous.

20 FANTASIO. Je fais en ce moment une élégie qui décidera de mon sort.

ELSBETH. En quelle façon?

FANTASIO. Elle prouvera clairement que je suis le premier homme du monde, ou bien elle ne vaudra rien du tout. 25 Je suis en train de bouleverser l'univers pour le mettre en acrostiche;[4] la lune, le soleil et les étoiles se battent pour entrer dans mes rimes, comme des écoliers à la porte d'un théâtre de mélodrame.

ELSBETH. Pauvre homme! quel métier tu entreprends! faire de 30 l'esprit à tant par heure! N'as-tu ni bras ni jambes, et ne

[1] *cette fleur-là* = *la fleur de l'esprit.* [2] *attraper la mouche:* hit the bull's eye. [3] *pour* = *en proportion de.* [4] *acrostiche:* a poetic composition in which the first letters of each verse read vertically form the title of the poem.

ferais-tu pas mieux de labourer[1] la terre que ta propre cervelle?

FANTASIO. Pauvre petite! quel métier vous entreprenez! épouser un sot que vous n'avez jamais vu! . . . N'avez-vous ni cœur ni tête, et ne feriez-vous pas mieux de vendre vos robes que votre corps? 5

ELSBETH. Voilà qui est hardi, monsieur le nouveau venu!

FANTASIO. Comment appelez-vous cette fleur là, s'il vous-plaît?

ELSBETH. Une tulipe. Que veux-tu prouver?

FANTASIO. Une tulipe rouge, ou une tulipe bleue? 10

ELSBETH. Bleue, à ce qu'il me semble.

FANTASIO. Point du tout, c'est une tulipe rouge.

ELSBETH. Veux-tu mettre un habit neuf à une vieille sentence?[2] Tu n'en as pas besoin pour dire que des goûts et des couleurs il ne faut pas discuter. 15

FANTASIO. Je ne dispute pas; je vous dis que cette tulipe est une tulipe rouge, et cependant je conviens qu'elle est bleue.

ELSBETH. Comment arranges-tu cela?

FANTASIO. Comme votre contrat de mariage. Qui peut savoir 20 sous le soleil s'il est né bleu ou rouge? Les tulipes elles-mêmes n'en savent rien. Les jardiniers et les notaires font des greffes si extraordinaires, que les pommes deviennent des citrouilles. Cette tulipe que voilà[3] s'attendait bien à être rouge; mais on l'a mariée; elle est tout étonnée d'être 25 bleue: c'est ainsi que le monde entier se métamorphose sous les mains de l'homme; et la pauvre dame nature[4] doit se rire parfois au nez de bon cœur, quand elle mire dans ses lacs et dans ses mers son éternelle mascarade. Croyez-vous que ça sentît la rose dans le paradis de Moïse? 30

[1] *labourer:* to till, especially, to plough land. [2] *sentence* = *maxime*. The *vieille sentence* in this case is "De gustibus et coloribus non disputandum." [3] *que voilà* = *que vous voyez là*. [4] *dame nature:* Mother Nature.

Çà ne sentait que le foin vert. La rose est fille de la civilisation; c'est une marquise comme vous et moi.

ELSBETH. La pâle fleur de l'aubépine peut devenir une rose, et un chardon peut devenir un artichaut; mais une fleur ne
5 peut en devenir une autre: ainsi qu'importe à la nature? On ne la change pas, on l'embellit ou on la tue. La plus chétive violette mourrait plutôt que de céder si l'on voulait, par des moyens artificiels, altérer sa forme.

FANTASIO. C'est pourquoi je fais plus de cas d'une violette que
10 d'une fille de roi.

ELSBETH. Il y a de certaines choses que les bouffons eux-mêmes n'ont pas le droit de railler; fais-y attention. Si tu as écouté ma conversation avec ma gouvernante, prends garde à tes oreilles.[1]

15 FANTASIO. Non pas à mes oreilles, mais à ma langue. Vous vous trompez de sens;[2] il y a une erreur de sens dans vos paroles.

ELSBETH. Ne me fais pas de calembour, si tu veux gagner ton argent, et ne me compare pas à des tulipes, si tu ne veux
20 gagner autre chose.

FANTASIO. Qui sait? un calembour console de bien des chagrins, et jouer avec les mots est un moyen comme un autre de jouer avec les pensées, les actions et les êtres. Tout est calembour[3] ici-bas,[4] et il est aussi difficile de comprendre
25 le regard d'un enfant de quatre ans, que le galimatias de trois drames modernes.

ELSBETH. Tu me fais l'effet de regarder le monde à travers un prisme tant soit peu[5] changeant.

FANTASIO. Chacun a ses lunettes; mais personne ne sait au
30 juste[6] de quelle couleur en sont les verres. Qui est-ce

[1] *prends garde à tes oreilles:* watch out lest someone slap your ears. [2] *sens:* Fantasio puns on the word *sens*, i.e. one of the five senses and sense as opposed to nonsense. [3] *calembour:* pun. [4] *ici-bas = dans ce bas monde.* [5] *tant soit peu:* rather, somewhat. [6] *au juste = exactement.*

qui pourra me dire au juste si je suis heureux ou malheureux, bon ou mauvais, triste ou gai, bête ou spirituel?

ELSBETH. Tu es laid, du moins; cela est certain.

FANTASIO. Pas plus certain que votre beauté. Voilà votre père qui vient avec votre futur mari. Qui est-ce qui peut 5 savoir si vous l'épouserez?

*Il sort.*

ELSBETH. Puisque je ne puis éviter la rencontre du prince de Mantoue, je ferai aussi bien d'aller au-devant de lui.

*Entrent* LE ROI, MARINONI *sous le costume de prince et* LE 10 PRINCE *vêtu en aide de camp.*

LE ROI. Prince, voici ma fille. Pardonnez-lui cette toilette de jardinière; vous êtes ici chez un bourgeois qui en gouverne d'autres, et notre étiquette est aussi indulgente pour nous-mêmes que pour eux. 15

MARINONI. Permettez-moi de baiser cette main charmante, madame, si ce n'est pas une trop grande faveur pour mes lèvres.

LA PRINCESSE. Votre Altesse m'excusera si je rentre au palais. Je la verrai, je pense, d'une manière plus convenable à la présentation de ce soir. 20

*Elle sort.*

LE PRINCE. La princesse a raison; voilà une divine pudeur.

LE ROI, *à* MARINONI. Quel est donc cet aide de camp qui vous suit comme votre ombre? Il m'est insupportable de l'entendre ajouter une remarque inepte à tout ce que nous 25 disons. Renvoyez-le, je vous en prie.

MARINONI *parle bas au* PRINCE.

LE PRINCE, *de même.* C'est fort adroit de ta part de lui avoir persuadé de m'éloigner; je vais tâcher de joindre la princesse et de lui toucher quelques mots délicats sans 30 faire semblant de rien.[1]

*Il sort.*

[1] *faire semblant de rien = prendre un air indifférent pour tromper.*

LE ROI. Cet aide de camp est un imbécile, mon ami; que pouvez-vous faire de cet homme-là?

MARINONI. Hum! hum! Poussons quelques pas plus avant, si Votre Majesté le permet; je crois apercevoir un kiosque
5 tout à fait charmant dans ce bocage.

*Ils sortent.*

## SCÈNE II

*Une autre partie du jardin*

LE PRINCE, *entrant.* Mon déguisement me réussit à merveille; j'observe, et je me fais aimer. Jusqu'ici tout va au gré[1] de mes souhaits; le père me paraît un grand roi, quoique
10 trop sans façon,[2] et je m'étonnerais si je ne lui avais plu tout d'abord. J'aperçois la princesse qui rentre au palais; le hasard me favorise singulièrement. ELSBETH *entre;* LE PRINCE *l'aborde.* Altesse, permettez à un fidèle serviteur de votre futur époux de vous offrir les félicitations sincères
15 que son cœur humble et dévoué ne peut contenir en vous voyant. Heureux les grands de la terre! Ils peuvent vous épouser, moi je ne le puis pas; cela m'est tout à fait impossible; je suis d'une naissance obscure; je n'ai pour tout bien[3] qu'un nom redoutable à l'ennemi; un cœur pur
20 et sans tache bat sous ce modeste uniforme; je suis un pauvre soldat criblé de balles des pieds à la tête; je n'ai pas un ducat; je n'ai pas un cœur de femme à presser sur mon cœur; je suis maudit et silencieux.

ELSBETH. Que me voulez-vous, mon cher monsieur? Êtes-
25 vous fou, ou demandez-vous l'aumône?

LE PRINCE. Qu'il me serait difficile de trouver des paroles pour exprimer ce que j'éprouve! Je vous ai vue passer toute

[1] *au gré de* = *selon.* [2] *sans façon* = *sans cérémonie:* informal. [3] *pour tout bien:* as my only possession.

seule dans cette allée; j'ai cru qu'il était de mon devoir de me jeter à vos pieds, et de vous offrir ma compagnie jusqu'à la poterne.

ELSBETH. Je vous suis obligée; rendez-moi le service de me laisser tranquille. 5

*Elle sort.*

LE PRINCE, *seul.* Aurais-je eu tort de l'aborder? Il le fallait cependant, puisque j'ai le projet de la séduire sous mon habit supposé.[1] Oui, j'ai bien fait de l'aborder. Cependant elle m'a répondu d'une manière désagréable. Je n'aurais peut-être pas dû lui parler si vivement. Il le fallait pourtant bien,[2] puisque son mariage est presque assuré, et que je suis censé devoir supplanter Marinoni, qui me remplace. J'ai eu raison de lui parler vivement. Mais la réponse est désagréable. Aurait-elle un cœur dur et faux? Il serait bon de sonder adroitement la chose. 15

*Il sort.*

## SCÈNE III

*Une antichambre*

FANTASIO, *couché sur un tapis.* Quel métier délicieux que celui de bouffon! J'étais gris, je crois, hier soir, lorsque j'ai pris ce costume et que je me suis présenté au palais; mais, en vérité, jamais la saine raison ne m'a rien inspiré qui valût cet acte de folie. J'arrive, et me voilà reçu, choyé, enregistré, et ce qu'il y a de mieux encore, oublié. Je vais et viens dans ce palais comme si je l'avais habité toute ma vie. Tout à l'heure, j'ai rencontré le roi; il n'a pas même eu la curiosité de me regarder; son bouffon étant mort, on lui a dit; « Sire, en voilà un autre. » C'est admirable! 25

[1] *habit supposé* = *déguisement.* [2] *Il le fallait pourtant bien* = *C'était absolument nécessaire.*

Dieu merci, voilà ma cervelle à l'aise, je puis faire toutes les balivernes possibles sans qu'on me dise rien pour m'en empêcher; je suis un des animaux domestiques du roi de Bavière, et si je veux, tant que je garderai ma bosse et ma perruque, on me laissera vivre jusqu'à ma mort entre un épagneul et une pintade. En attendant, mes créanciers peuvent se casser le nez contre ma porte tout à leur aise. Je suis aussi bien en sûreté ici, sous cette perruque, que dans les Indes occidentales.

N'est-ce pas la princesse que j'aperçois dans la chambre voisine, à travers cette glace? Elle rajuste son voile de noces; deux longues larmes coulent sur ses joues; en voilà une qui se détache comme une perle et qui tombe sur sa poitrine. Pauvre petite! j'ai entendu ce matin sa conversation avec sa gouvernante; en vérité, c'était par hasard; j'étais assis sur le gazon, sans autre dessein que celui de dormir. Maintenant, la voilà qui pleure et qui ne se doute guère que je la vois encore. Ah! si j'étais un écolier de rhétorique,[1] comme je réfléchirais profondément sur cette misère couronnée, sur cette pauvre brebis à qui on met un ruban rose au cou pour la mener à la boucherie![2] Cette petite fille est sans doute romanesque; il lui est cruel d'épouser un homme qu'elle ne connaît pas. Cependant elle se sacrifie en silence. Que le hasard est capricieux! il faut que je me grise, que je rencontre l'enterrement de Saint-Jean, que je prenne son costume et sa place, que je fasse enfin la plus grande folie de la terre, pour venir voir tomber, à travers cette glace, les deux seules larmes que cette enfant versera peut-être sur son triste voile de fiancée!

*Il sort.*

[1] *un écolier de rhétorique* = a boy in the last year of a secondary school called "la rhétorique" in which the main study is philosophy. [2] *la boucherie* = *lieu où se vend la viande et où on dépèce les animaux;* (fig.) massacre.

## Scène IV

*Une allée du jardin*

LE PRINCE, MARINONI

LE PRINCE. Tu n'es qu'un sot, colonel.

MARINONI. Votre Altesse se trompe sur mon compte de la manière la plus pénible.

LE PRINCE. Tu es un maître butor.[1] Ne pouvais-tu pas empêcher cela? Je te confie le plus grand projet qui se soit enfanté[2] 5 depuis une suite d'années incalculables, et toi, mon meilleur ami, mon plus fidèle serviteur, tu entasses bêtises sur bêtises. Non, non, tu as beau dire,[3] cela n'est point pardonnable.

MARINONI. Comment pouvais-je empêcher Votre Altesse de 10 s'attirer les désagréments qui sont la suite nécessaire du rôle supposé qu'elle joue? Vous m'ordonnez de prendre votre nom et de me comporter en véritable prince de Mantoue. Puis-je empêcher le roi de Bavière de faire un affront à mon aide de camp? Vous aviez tort de vous 15 mêler de nos affaires.

LE PRINCE. Je voudrais bien[4] qu'un maraud comme toi se mêlât de me donner des ordres.

MARINONI. Considérez, Altesse, qu'il faut cependant que je sois le prince ou que je sois l'aide de camp. C'est par 20 votre ordre que j'agis.

LE PRINCE. Me dire que je suis un impertinent en présence de toute la cour, parce que j'ai voulu baiser la main de la princesse! Je suis prêt à lui déclarer la guerre, et à retourner dans mes États pour me mettre à la tête de mes armées. 25

[1] *butor = homme stupide.* [2] *qui se soit enfanté = qu'on ait créé (enfanter = donner naissance à).* [3] *tu as beau dire:* whatever your explanation may be. [4] *Je voudrais bien:* I should like to see.

MARINONI. Songez donc, Altesse, que ce mauvais compliment[1] s'adressait à l'aide de camp et non au prince. Prétendez-vous qu'on vous respecte sous ce déguisement?

LE PRINCE. Il suffit. Rends-moi mon habit.

5 MARINONI, *ôtant l'habit.* Si mon souverain l'exige, je suis prêt à mourir pour lui.

LE PRINCE. En vérité, je ne sais que résoudre. D'un côté, je suis furieux de ce qui m'arrive, et, d'un autre, je suis désolé de renoncer à mon projet. La princesse ne paraît pas
10 répondre indifféremment aux mots à double entente[2] dont je ne cesse de la poursuivre. Déjà je suis parvenu deux ou trois fois à lui dire à l'oreille des choses incroyables. Viens, réfléchissons à tout cela.

MARINONI, *tenant l'habit.* Que ferai-je, Altesse?

15 LE PRINCE. Remets-le, remets-le, et rentrons au palais.

*Ils sortent.*

## SCÈNE V

LA PRINCESSE ELSBETH, LE ROI

LE ROI. Ma fille, il faut répondre franchement à ce que je vous demande: ce mariage vous deplaît-il?

ELSBETH. C'est à vous, Sire, de répondre vous-même. Il me
20 plaît, s'il vous plaît; il me déplaît, s'il vous déplaît.

LE ROI. Le prince m'a paru être un homme ordinaire, dont il est difficile de rien dire. La sottise de son aide de camp lui fait seule tort[3] dans mon esprit; quant à lui, c'est peut-être un bon prince, mais ce n'est pas un homme élevé.[4] Il
25 n'y a rien en lui qui me repousse ou qui m'attire. Que puis-je te dire là-dessus? Le cœur des femmes a des secrets que je ne puis connaître; elles se font[5] des héros

[1] *ce mauvais compliment = ces paroles désobligeantes.* [2] *à double entente = à double interprétation.* [3] *lui fait tort:* is against him. [4] *homme élevé = homme de grand caractère.* [5] *elles se font = elles choisissent = elles imaginent.*

parfois si étranges, elles saisissent si singulièrement un ou deux côtés d'un homme qu'on leur présente, qu'il est impossible de juger pour elles, tant qu'on n'est pas guidé par quelque point tout à fait sensible.[1] Dis-moi donc clairement ce que tu penses de ton fiancé. 5

ELSBETH. Je pense qu'il est prince de Mantoue, et que la guerre recommencera demain entre lui et vous, si je ne l'épouse pas.

LE ROI. Cela est certain, mon enfant.

ELSBETH. Je pense donc que je l'épouserai, et que la guerre sera finie. 10

LE ROI. Que les bénédictions de mon peuple te rendent grâces[2] pour ton père! O ma fille chérie! je serais heureux de cette alliance; mais je ne voudrais pas voir dans ces beaux yeux cette tristesse qui dément leur résignation. Réfléchis encore quelques jours. 15

*Il sort. — Entre Fantasio.*

ELSBETH. Te voilà, pauvre garçon! comment te plais-tu ici?

FANTASIO. Comme un oiseau en liberté.

ELSBETH. Tu aurais mieux répondu, si tu avais dit: comme un oiseau en cage. Ce palais en est une assez belle; cependant c'en est une. 20

FANTASIO. La dimension d'un palais ou d'un chambre ne fait pas l'homme plus ou moins libre. Le corps se remue où il peut; l'imagination ouvre quelquefois des ailes grandes comme le ciel dans un cachot grand comme la main. 2

ELSBETH. Ainsi donc, tu es un heureux fou?

FANTASIO. Très heureux. Je fais la conversation avec les petits chiens et les marmitons. Il y a là un roquet[3] pas plus haut que cela dans la cuisine, qui m'a dit des choses charmantes.

[1] *point tout à fait sensible = quelque chose qui vous frappe nettement.* [2] *grâces = remerciements:* gratitude. [3] *roquet = petit chien.*

ELSBETH. En quel langage?

FANTASIO. Dans le style le plus pur. Il ne ferait pas une seule faute de grammaire dans l'espace d'une année.

ELSBETH. Pourrais-je entendre quelques mots de ce style?

5 FANTASIO. En vérité, je ne le voudrais pas; c'est une langue qui est particulière. Il n'y a que les roquets qui la parlent; les arbres et les grains de blé eux-mêmes la savent aussi; mais les filles de roi ne la savent pas. A quand votre noce?

ELSBETH. Dans quelques jours tout sera fini.

10 FANTASIO. C'est-à-dire tout sera commencé. Je compte vous offrir un présent de ma main.[1]

ELSBETH. Quel présent? Je suis curieuse de cela.

FANTASIO. Je compte vous offrir un joli petit serin empaillé qui chante comme un rossignol.

15 ELSBETH. Comment peut-il chanter, s'il est empaillé?

FANTASIO. Il chante parfaitement.

ELSBETH. En vérité, tu te moques de moi avec un rare acharnement.

FANTASIO. Point du tout. Mon serin a une petite serinette[2] dans 20 le ventre. On pousse tout doucement un petit ressort sous la patte gauche, et il chante tous les opéras nouveaux, exactement comme Mlle Grisi.[3]

ELSBETH. C'est une invention de ton esprit, sans doute?

FANTASIO. En aucune façon. C'est un serin de cour; il y a 25 beaucoup de petites filles très bien élevées qui n'ont pas d'autres procédés que celui-là. Elles ont un petit ressort sous le bras gauche, un joli petit ressort en diamant fin comme la montre d'un petit-maître.[4] Le gouverneur ou

[1] *de ma main = que j'ai fait moi-même.* [2] *serinette:* a tiny mechanical organ used to train canaries to sing. [3] *Mlle Grisi:* Giulia Grisi (1811-1869). An Italian prima donna. She sang with great success at the Théâtre Italien in Paris from 1832 to 1848. Her second husband was a famous tenor, Mario, Marquis of Candia. Her sister, Ernesta, also a famous singer, married Théophile Gautier. [4] *petit-maître = jeune homme élégant aux manières prétentieuses.*

la gouvernante fait jouer[1] le ressort, et vous voyez aussitôt les lèvres s'ouvrir avec le sourire le plus gracieux; une charmante cascatelle[2] de paroles mielleuses sort avec le plus doux murmure; et toutes les convenances sociales, pareilles à des nymphes légères, se mettent aussitôt à dansoter sur la pointe du pied autour de la fontaine merveilleuse. Le prétendu[3] ouvre des yeux ébahis; l'assistance chuchote avec indulgence, et le père, rempli d'un secret contentement, regarde avec orgueil les boucles d'or de ses souliers.

ELSBETH. Tu parais revenir volontiers sur de certains sujets. Dis-moi, bouffon, que t'ont donc fait ces pauvres jeunes filles, pour que tu en fasses si gaiement la satire? Le respect d'aucun devoir ne peut-il trouver grâce[4] devant toi?

FANTASIO. Je respecte fort la laideur; c'est pourquoi je me respecte moi-même si profondément.

ELSBETH. Tu parais quelquefois en savoir plus que tu n'en dis. D'où viens-tu donc? et qui es-tu? pour que, depuis un jour que tu es ici, tu saches déjà pénétrer des mystères que les princes eux-mêmes ne soupçonneront jamais. Est-ce à moi que s'adressent tes folies, ou est-ce au hasard que tu parles?

FANTASIO. C'est au hasard, je parle beaucoup au hasard: c'est mon plus cher confident.

ELSBETH. Il semble en effet t'avoir appris ce que tu ne devrais pas connaître. Je croirais volontiers que tu épies mes actions et mes paroles.

FANTASIO. Dieu le sait. Que vous importe?

ELSBETH. Plus que tu ne peux penser. Tantôt dans cette chambre, pendant que je mettais mon voile, j'ai entendu mar-

[1] *fait jouer = presse sur* (*lit.* causes to work). [2] *cascatelle = petite cascade.* [3] *prétendu = celui qui doit se marier, le fiancé.* [4] *trouver grâce = être favorablement accueilli.*

cher tout à coup derrière la tapisserie. Je me trompe fort si ce n'était pas toi qui marchais.

FANTASIO. Soyez sûre que cela reste entre votre mouchoir et moi. Je ne suis pas plus indiscret que je ne suis curieux. Quel plaisir pourraient me faire vos chagrins? Quel chagrin pourraient me faire vos plaisirs? Vous êtes ceci, et moi cela. Vous êtes jeune, et moi je suis vieux; belle, et je suis laid; riche, et je suis pauvre. Vous voyez bien qu'il n'y a aucun rapport entre nous. Que vous importe que le hasard ait croisé sur sa grande route deux roues qui ne suivent pas la même ornière, et qui ne peuvent marquer sur la même poussière? Est-ce ma faute s'il m'est tombé, pendant que je dormais, une de vos larmes sur la joue?

ELSBETH. Tu me parles sous la forme d'un homme que j'ai aimé, voilà pourquoi je t'écoute malgré moi. Mes yeux croient voir Saint-Jean; mais peut-être n'es-tu qu'un espion?

FANTASIO. A quoi cela me servirait-il? Quand il serait vrai que votre mariage vous coûterait quelques larmes, et quand je l'aurais appris par hasard, qu'est-ce que je gagnerais à l'aller raconter? On ne me donnerait pas une pistole pour cela, et on ne vous mettrait pas au cabinet noir.[1] Je comprends très bien qu'il doit être assez ennuyeux d'épouser le prince de Mantoue; mais, après tout, ce n'est pas moi qui en suis chargé. Demain ou après-demain vous serez partie pour Mantoue avec votre robe de noce, et moi je serai encore sur ce tabouret avec mes vieilles chausses. Pourquoi voulez-vous que je vous en veuille?[2] Je n'ai pas de raison pour désirer votre mort; vous ne m'avez jamais prêté d'argent.

[1] *cabinet noir:* a dark room or closet where naughty children were locked up as a punishment. [2] *Pourquoi voulez-vous que je vous en veuille?* Note two idiomatic meanings of *vouloir: voulez-vous* = *croyez-vous? en vouloir à* = *souhaiter du mal à.*

ELSBETH. Mais si le hasard t'a fait voir ce que je veux qu'on ignore, ne dois-je pas te mettre à la porte, de peur de nouvel accident?

FANTASIO. Avez-vous le dessein de me comparer à un confident de tragédie,[1] et craignez-vous que je ne suive votre ombre 5 en déclamant? Ne me chassez pas, je vous en prie. Je m'amuse beaucoup ici. Tenez, voilà votre gouvernante qui arrive avec des mystères plein ses poches. La preuve que je ne l'écouterai pas, c'est que je m'en vais à l'office manger une aile de pluvier que le majordome a mise de 10 côté pour sa femme.

*Il sort.*

LA GOUVERNANTE, *entrant.* Savez-vous une chose terrible, ma chère Elsbeth?

ELSBETH. Que veux-tu dire? tu es toute tremblante. 15

LA GOUVERNANTE. Le prince n'est pas le prince, ni l'aide de camp non plus.[2] C'est un vrai conte de fées.

ELSBETH. Quel imbroglio me fais-tu là?

LA GOUVERNANTE. Chut! chut! C'est un des officiers du prince lui-même qui vient de me le dire. Le prince de Mantoue 20 est un véritable Almaviva;[3] il est déguisé et caché parmi les aides de camp; il a voulu sans doute chercher à vous voir et à vous connaître d'une manière féerique. Il est déguisé, le digne seigneur, il est déguisé comme Lindor;[4] celui qu'on vous a présenté comme votre futur époux 25 n'est qu'un aide de camp nommé Marinoni.

ELSBETH. Cela n'est pas possible!

LA GOUVERNANTE. Cela est certain, certain mille fois. Le digne

[1] *confident de tragédie:* A secondary character in classical tragedy in whom the hero or heroine confides his or her thoughts and anxieties. [2] *ni l'aide de camp non plus = et l'aide de camp n'est pas un aide de camp non plus.* [3] *Almaviva:* character in Beaumarchais' plays, *Le barbier de Séville* and *Le mariage de Figaro.* The Count Almaviva is the prototype of the seductive nobleman. [4] *Lindor:* In Beaumarchais' play *Le barbier de Séville,* Count Almaviva, under the name of Lindor and disguised as a music teacher, pays court to Rosine.

homme est déguisé, il est impossible de le reconnaître; c'est une chose extraordinaire.

ELSBETH. Tu tiens cela, dis-tu, d'un officier?

LA GOUVERNANTE. D'un officier du prince. Vous pouvez le lui demander à lui-même.

ELSBETH. Et il ne t'a pas montré parmi les aides de camp le véritable prince de Mantoue?

LA GOUVERNANTE. Figurez-vous qu'il en tremblait lui-même, le pauvre homme, de ce qu'il me disait. Il ne m'a confié son secret que parce qu'il désire vous être agréable, et qu'il savait que je vous préviendrais. Quant à Marinoni, cela est positif; mais, pour ce qui est du prince véritable, il ne me l'a pas montré.

ELSBETH. Cela me donnerait quelque chose à penser, si c'était vrai. Viens, amène-moi cet officier.

*Entre un* PAGE.

LA GOUVERNANTE. Qu'y a-t-il, Flamel? Tu parais hors d'haleine.

LE PAGE. Ah, madame! c'est une chose à en mourir de rire. Je n'ose parler devant Votre Altesse.

ELSBETH. Parle; qu'y a-t-il encore de nouveau?

LE PAGE. Au moment où le prince de Mantoue entrait à cheval dans la cour, à la tête de son état-major, sa perruque s'est enlevée dans les airs, et a disparu tout à coup.

ELSBETH. Pourquoi cela? Quelle niaiserie!

LE PAGE. Madame, je veux mourir si ce n'est pas la vérité. La perruque s'est enlevée en l'air au bout d'un hameçon. Nous l'avons retrouvée dans l'office, à côté d'une bouteille cassée; on ignore qui a fait cette plaisanterie. Mais le prince n'en est pas moins furieux, et il a juré que si l'auteur n'en est pas puni de mort, il déclarera la guerre au roi votre père, et mettra tout à feu et à sang.[1]

ELSBETH. Viens écouter toute cette histoire, ma chère. Mon

[1] *mettra tout à feu et à sang = détruira tout le pays.*

sérieux commence à m'abandonner. *Entre un autre* PAGE.

ELSBETH. Eh bien! quelle nouvelle?

LE PAGE. Madame, le bouffon du roi est en prison: c'est lui qui a enlevé la perruque du prince.

ELSBETH. Le bouffon en prison? et sur l'ordre du prince? 5

LE PAGE. Oui, Altesse.

ELSBETH. Viens, chère mère,[1] il faut que je lui parle.

*Elle sort avec sa* GOUVERNANTE.

## SCÈNE VI

LE PRINCE, MARINONI

LE PRINCE. Non, non, laisse-moi me démasquer.[2] Il est temps que j'éclate. Cela ne se passera pas ainsi. Feu et sang! une 10 perruque royale au bout d'un hameçon! Sommes-nous chez les barbares, dans les déserts de la Sibérie? Y a-t-il encore sous le soleil quelque chose de civilisé et de convenable? J'écume de colère, et les yeux me sortent de la tête. 15

MARINONI. Vous perdrez tout par cette violence.

LE PRINCE. Et ce père, ce roi de Bavière, ce monarque vanté dans tous les almanachs[3] de l'année passée! cet homme qui a un extérieur si décent, qui s'exprime en termes si mesurés, et qui se met à rire en voyant la perruque de son 20 gendre voler dans les airs! Car enfin, Marinoni, je conviens que c'est ta perruque qui a été enlevée; mais n'est-ce pas toujours celle du prince de Mantoue, puisque c'est lui que l'on croit voir en toi? Quand je pense que si c'eût été moi, en chair et en os, ma perruque aurait peut-être. . . . 25 Ah! il y a une Providence; lorsque Dieu m'a envoyé tout d'un coup l'idée de me travestir; lorsque cet éclair a

[1] *chère mère:* the governess is like a mother to Elsbeth. [2] *laisse-moi me démasquer = laisse-moi faire connaître qui je suis.* [3] *almanachs = calendriers.* Calendars used to give all kinds of information.

traversé ma pensée: « il faut que je me travestisse », ce fatal événement était prévu par le destin. C'est lui qui a sauvé de l'affront le plus intolérable la tête qui gouverne mes peuples. Mais, par le ciel! tout sera connu. C'est trop 5 longtemps trahir ma dignité. Puisque les majestés divines et humaines sont impitoyablement violées et lacérées, puisqu'il n'y a plus chez les hommes de notions du bien et du mal, puisque le roi de plusieurs milliers d'hommes éclate de rire comme un palefrenier à la vue d'une perru- 10 que, Marinoni, rends-moi mon habit.

MARINONI, *ôtant son habit.* Si mon souverain le commande, je suis prêt à souffrir pour lui mille tortures.

LE PRINCE. Je connais ton dévouement. Viens, je vais dire au roi son fait[1] en propres termes.[2]

15 MARINONI. Vous refusez la main de la princesse? elle vous a cependant lorgné[3] d'une manière évidente pendant tout le dîner.

LE PRINCE. Tu crois? Je me perds dans un abîme de perplexités. Viens toujours, allons chez le roi.

20 MARINONI, *tenant l'habit.* Que faut-il faire, Altesse?

LE PRINCE. Remets-le pour un instant. Tu me le rendras tout à l'heure; ils seront bien plus pétrifiés en m'entendant prendre le ton qui me convient, sous ce frac de couleur foncée.

25 *Ils sortent.*

## SCÈNE VII

*Une prison*

FANTASIO, *seul.* Je ne sais s'il y a une Providence, mais c'est amusant d'y croire. Voilà pourtant une pauvre petite

[1] *son fait = ma pensée:* what I think of him. [2] *en propres termes:* in the terms it deserves. [3] *lorgné = regardé du coin de l'œil.*

princesse qui allait épouser à son corps défendant[1] un animal immonde, un cuistre de province, à qui le hasard a laissé tomber une couronne sur la tête, comme l'aigle d'Eschyle sa tortue.[2] Tout était préparé; les chandelles allumées, le prétendu poudré, la pauvre petite confessée. Elle avait essuyé les deux charmantes larmes que j'ai vues couler ce matin. Rien ne manquait pour que le malheur de sa vie fût en règle.[3] Il y avait dans tout cela la fortune de deux royaumes, la tranquillité de deux peuples; et il faut que j'imagine de me déguiser en bossu, pour venir me griser derechef[4] dans l'office de notre bon roi, et pour pêcher au bout d'une ficelle la perruque de son cher allié! En vérité, lorsque je suis gris, je crois que j'ai quelque chose de surhumain. Voilà le mariage manqué[5] et tout remis en question. Le prince de Mantoue a demandé ma tête en échange de sa perruque. Le roi de Bavière a trouvé la peine un peu forte, et n'a consenti qu'à la prison. Le prince de Mantoue, grâce à Dieu, est si bête, qu'il se ferait plutôt couper en morceaux que d'en démordre;[6] ainsi la princesse reste fille, du moins pour cette fois. S'il n'y a pas là le sujet d'un poème épique en douze chants, je ne m'y connais pas. Pope et Boileau[7] ont fait des vers admirables sur des sujets bien moins importants. Ah! si j'étais poète, comme je peindrais la scène de cette perruque voltigeant dans les airs! Mais celui qui est capable de faire de pareilles choses dédaigne de les écrire. Ainsi la postérité s'en passera.

[1] *à son corps défendant = malgré elle, à contrecœur.* [2] *sa tortue:* Aeschylus' death, according to a legend, was due to the fall of a turtle on his bald head. An eagle mistaking the bald head for a stone dropped the turtle in order to break it. [3] *en règle:* all settled. [4] *derechef = de nouveau.* [5] *manqué = qui n'aura pas lieu.* [6] *en démordre = se rétracter.* [7] *Pope et Boileau: Alexander Pope* (1680-1744). English poet and philosopher. The allusion here may be to his poem "The Rape of the Lock". — *Nicolas Boileau-Despréaux* (1636-1711). French poet and critic. His mock-heroic poem "Le Lutrin" would exemplify Fantasio's remark.

*Il s'endort. Entrent* ELSBETH *et sa* GOUVERNANTE, *une lampe à la main.*

ELSBETH. Il dort; ferme la porte doucement.

LA GOUVERNANTE. Voyez; cela n'est pas douteux. Il a ôté sa perruque postiche, sa difformité a disparu en même temps; le voilà tel qu'il est, tel que ses peuples le voient sur son char de triomphe; c'est le noble prince de Mantoue.

ELSBETH. Oui, c'est lui; voilà ma curiosité satisfaite; je voulais voir son visage, et rien de plus; laissez-moi me pencher sur lui. *Elle prend la lampe.* Psyché,[1] prends garde à ta goutte d'huile.

LA GOUVERNANTE. Il est beau comme un vrai Jésus.[2]

ELSBETH. Pourquoi m'as-tu donné à lire tant de romans et de contes de fées? Pourquoi as tu semé dans ma pauvre pensée tant de fleurs étranges et mystérieuses?

LA GOUVERNANTE. Comme vous voilà émue sur la pointe de vos petits pieds!

ELSBETH. Il s'éveille; allons-nous-en.

FANTASIO, *s'éveillant.* Est-ce un rêve? Je tiens le coin d'une robe blanche.

ELSBETH. Lâchez-moi; laissez-moi partir.

FANTASIO. C'est vous, princesse! Si c'est la grâce[3] du bouffon du roi que vous m'apportez si divinement, laissez-moi remettre ma bosse et ma perruque; ce sera fait dans un instant.

LA GOUVERNANTE. Ah! prince, qu'il vous sied mal[4] de nous tromper ainsi! Ne reprenez pas ce costume; nous savons tout.

[1] *Psyché:* According to Apuleius, Psyche lighted a lamp to gaze upon the face of her lover whom she had never seen and who was Eros, or Cupid, the god of love. A drop of warm oil fell on his chest and awakened him, whereupon he disappeared. [2] *un vrai Jésus:* The Infant Jesus; the Bambino. Allusion to some of the representations of the Christ-Child which show Him as an overly pretty baby. [3] *grâce = pardon.* [4] *il vous sied mal = il n'est pas convenable.*

FANTASIO. Prince? où en voyez-vous un?

LA GOUVERNANTE. A quoi sert-il de dissimuler?

FANTASIO. Je ne dissimule pas le moins du monde; par quel hasard m'appelez-vous prince?

LA GOUVERNANTE. Je connais mes devoirs envers Votre Altesse. 5

FANTASIO. Madame, je vous supplie de m'expliquer les paroles de cette honnête dame. Y a-t-il réellement quelque méprise extravagante, ou suis-je l'objet d'une raillerie?

ELSBETH. Pourquoi le demander, lorsque c'est vous-même qui raillez? 10

FANTASIO. Suis-je donc un prince, par hasard?

ELSBETH. Qui êtes-vous, si vous n'êtes pas le prince de Mantoue?

FANTASIO. Mon nom est Fantasio; je suis un bourgeois de Munich. 15

*Il lui montre une lettre.*

ELSBETH. Un bourgeois de Munich? Et pourquoi êtes-vous déguisé? Que faites-vous ici?

FANTASIO. Madame, je vous supplie de me pardonner.

*Il se jette à genoux.* 20

ELSBETH. Que veut dire cela? Relevez-vous, et sortez d'ici! Je vous fais grâce d'une punition que vous mériteriez peut-être. Qui vous a poussé à cette action?

FANTASIO. Je ne puis dire le motif qui m'a conduit ici.

ELSBETH. Vous ne pouvez le dire? et cependant je veux le savoir. 25

FANTASIO. Excusez-moi, je n'ose l'avouer.

LA GOUVERNANTE. Sortons, Elsbeth, ne vous exposez pas à entendre des discours indignes de vous. Cet homme est un voleur, ou un insolent qui va vous parler d'amour. 30

ELSBETH. Je veux savoir la raison qui vous a fait prendre ce costume.

FANTASIO. Je vous supplie, épargnez-moi.

ELSBETH. Non, non! parlez, ou je ferme cette porte sur vous pour dix ans.

FANTASIO. Madame, je suis criblé de dettes;[1] mes créanciers ont obtenu un arrêt contre moi; à l'heure où je vous
5 parle, mes meubles sont vendus, et si je n'étais dans cette prison, je serais dans une autre. On a dû venir m'arrêter hier au soir; ne sachant où passer la nuit, ni comment me soustraire aux poursuites des huissiers, j'ai imaginé de prendre ce costume et de venir me réfugier aux pieds du
10 roi; si vous me rendez la liberté, on va me prendre au collet;[2] mon oncle est un avare qui vit de pommes de terre et de radis, et qui me laisse mourir de faim dans tous les cabarets du royaume. Puisque vous voulez le savoir, je dois vingt mille écus.

15 ELSBETH. Tout cela est-il vrai?

FANTASIO. Si je mens, je consens à les payer.

*On entend un bruit de chevaux.*

LA GOUVERNANTE. Voilà des chevaux qui passent; c'est le roi en personne. Si je pouvais faire signe à un page! *Elle*
20 *appelle par la fenêtre.* Holà! Flamel, où allez-vous donc?

LE PAGE, *en dehors.* Le prince de Mantoue va partir.

LA GOUVERNANTE. Le prince de Mantoue?

LE PAGE. Oui, la guerre est déclarée. Il y a eu entre lui et le roi une scène épouvantable devant toute la cour; le mariage
25 de la princesse est rompu.

ELSBETH. Entendez-vous cela, monsieur Fantasio? vous avez fait manquer mon mariage.

LA GOUVERNANTE. Seigneur mon Dieu! le prince de Mantoue s'en va, et je ne l'aurai pas vu!

30 ELSBETH. Si la guerre se déclare, quel malheur!

FANTASIO. Vous appelez cela un malheur, Altesse? Aimeriez-

[1] *criblé de dettes = très endetté.* [2] *me prendre au collet = me saisir par le cou = m'arrêter.*

vous mieux un mari qui prend fait et cause[1] pour sa perruque? Eh! Madame, si la guerre est déclarée, nous saurons quoi faire de nos bras; les oisifs de nos promenades mettront leurs uniformes; moi-même je prendrai mon fusil de chasse, s'il n'est pas encore vendu. Nous irons faire un tour d'Italie, et, si vous entrez jamais à Mantoue, ce sera comme une véritable reine, sans qu'il y ait besoin pour cela d'autres cierges que nos épées.

ELSBETH. Fantasio, veux-tu rester le bouffon de mon père? Je te paie tes vingt mille écus . . .

FANTASIO. Je le voudrais de grand cœur, mais en vérité, si j'y étais forcé, je sauterais par la fenêtre pour me sauver un de ces jours.

ELSBETH. Pourquoi? tu vois que Saint-Jean est mort; il nous faut absolument un bouffon.

FANTASIO. J'aime ce métier plus que tout autre; mais je ne puis faire aucun métier. Si vous trouvez que cela vaille vingt mille écus de vous avoir débarrassée du prince de Mantoue, donnez-les-moi et ne payez pas mes dettes. Un gentilhomme sans dettes ne saurait où se présenter. Il ne m'est jamais venu à l'esprit de me trouver sans dettes.

ELSBETH. Eh bien! je te les donne; mais prends les clefs de mon jardin: le jour où tu t'ennuieras d'être poursuivi par tes créanciers, viens te cacher dans les bluets où je t'ai trouvé ce matin; aie soin de prendre ta perruque et ton habit bariolé; ne parais jamais devant moi sans cette taille[2] contrefaite et ces grelots d'argent, car c'est ainsi que tu m'as plu; tu redeviendras mon bouffon pour le temps qu'il te plaira de l'être, et puis tu iras à tes affaires. Maintenant tu peux t'en aller, la porte est ouverte.

LA GOUVERNANTE. Est-il possible que le prince de Mantoue soit parti sans que je l'aie vu!

[1] *qui prend fait et cause = qui est prêt à se battre.* [2] *cette taille = ce corps.*

QUESTIONNAIRE

*Acte premier*

1. Qu'est-ce que le roi annonce à la cour? 2. Comment le roi signale-t-il l'importance de l'arrivée du prince? 3. La princesse semble-t-elle gaie? 4. Qui était Saint-Jean? 5. Qu'est-ce que le roi désire que Rutten lui dise? 6. Quelle est l'opinion de son peuple sur le prince? 7. Le roi trouve-t-il les problèmes politiques faciles? 8. Que font les compagnons de Fantasio pour célébrer la fête? 9. Où se trouvent-ils? 10. Quelle opinion expriment-ils sur la princesse?

11. Qui est Marinoni? 12. Quel rôle joue-t-il en abordant les compagnons de Fantasio? 13. Pouvez-vous résumer le caractère de la princesse d'après les propos des compagnons de Fantasio? 14. Quel jeu propose Fantasio? 15. Pourquoi en veut-il aux bourgeois? 16. Est-ce que Fantasio est poète? Ou est-ce un pessimiste? 17. Fantasio semble s'ennuyer dans sa ville et dans la vie. Savez-vous s'il reflète ici la pensée d'Alfred de Musset? 18. Que veut dire « les Mille et une Nuits »? 19. Pourquoi ce livre a-t-il fort impressionné Fantasio? 20. Quel ennui sérieux a Fantasio?

21. Est-ce que Fantasio regrette de ne pas avoir de profession? 22. Quel contraste peut-on trouver entre Spark et Fantasio? 23. Lequel est le plus poétique? 24. Par quels moyens Spark essaie-t-il de distraire Fantasio? 25. Pourquoi Fantasio rejette-t-il la pensée de devenir journaliste? 26. Est-ce que voyager plaît à Fantasio? Quelles sont ses observations sur l'Italie, l'Allemagne, l'Angleterre, la France? 27. Que veut dire Spark en parlant du siècle où il vit? 28. Quel rêve Fantasio se fait-il de la vie? 29. Croit-il à quelque chose? 30. Quelle évidence concrète se présente à Fantasio?

31. D'où lui vient l'idée de remplacer Saint-Jean? 32. Quels dangers court-il à ce jeu? 33. Que nous apprend la scène entre le prince et Marinoni? 34. Est-ce que les faits établis par Marinoni sont exacts? 35. Quel projet le prince a-t-il conçu? 36. Connaissez-vous d'autres pièces de théâtre où les personnages se dégui-

sent? 37. A la fin du premier acte, que savons-nous des personnages?

*Acte deuxième*

1. Quels sont les malheurs d'Elsbeth? 2. Est-elle d'accord avec son père sur le mariage proposé? 3. Quelle est son opinion du prince? 4. Est-ce qu'Elsbeth a raison de rêver à un fiancé? 5. Qui l'a habituée à rêver? 6. Agit-elle comme une princesse de roman? 7. Qui se moquait des idées romanesques d'Elsbeth? 8. Quels propos lui tient Fantasio? 9. Que dit-il au sujet du mariage qu'on propose? 10. Quelle comparaison fait-il dans sa conversation avec Elsbeth?

11. Comment expliquez-vous que Fantasio ose dire les choses qu'il dit à la princesse? 12. Quelles sont les impressions du prince? A-t-il réussi à découvrir quelque chose grâce à son déguisement? 13. Que pense-t-il au sujet de sa conversation avec la princesse? 14. Fantasio semble être content de lui-même. A-t-il réussi à trouver ce qu'il cherchait? 15. N'est-il pas aussi romanesque qu'Elsbeth en se laissant émouvoir par les larmes de celle-ci? Ou est-il mû par la pitié? 16. Le prince est fort mécontent de Marinoni. Qu'est-ce qui s'est passé qui explique sa mauvaise humeur? 17. Diriez-vous que le roi est convaincu de la nécessité de ce mariage? Et Elsbeth? 18. Fantasio parle maintenant d'animaux. Pourquoi choisit-il le roquet, le serin, le rossignol? 19. Qu'est-ce qu'un serin de cour? Est-ce qu'Elsbeth est un serin de cour? 20. Quelle leçon Fantasio veut-il donner à Elsbeth?

21. Elsbeth a-t-elle compris la comparaison? Est-elle vexée? 22. Quel rapprochement Elsbeth fait-elle entre Fantasio et Saint-Jean? Est-ce là la raison pour laquelle elle n'est pas vexée? 23. Quelles nouvelles apporte la gouvernante? Et le page? 24. Qu'est-ce que le roi doit décider maintenant? 25. Est-ce que le prince de Mantoue a bien pris la plaisanterie? Est-ce que c'était bien sa perruque ou celle de Marinoni déguisé en prince? 26. Est-ce que Fantasio est content de son aventure? Pour qui a-t-il sacrifié sa liberté? A-t-il eu raison? 27. Comparez le Fantasio de la prison

au Fantasio du premier acte. 28. Qu'est-ce qu'Elsbeth s'était imaginé? 29. Quelle explication est-ce que Fantasio donne de sa conduite? 30. Elsbeth accepte-t-elle l'explication de Fantasio?
31. Désire-t-elle encore ses services après qu'elle a appris les raisons de sa présence à la cour? 32. Comment se termine la pièce? 33. Voyez-vous des ressemblances entre de Musset et Shakespeare? 34. Est-ce que cette pièce est classique ou romantique?

# HONORÉ DE BALZAC

## 1799-1850

## *Le colonel Chabert*

### I

Vers une heure du matin, un étrange vieillard vint frapper à la porte de maître[1] Derville. Il ne fut pas médiocrement étonné de trouver le premier clerc[2] occupé à ranger sur la table de la salle à manger de son patron de nombreux dossiers.

— Ma fois, monsieur, j'ai cru que vous plaisantiez hier en m'indiquant une heure si matinale pour une consultation, dit le vieillard.

— M. Derville a choisi cette heure pour examiner votre cause, répondit le clerc, en ordonner la conduite, en disposer les *défenses*.[3] Sa prodigieuse intelligence est plus libre en ce moment. Vous êtes, depuis qu'il est avoué, le troisième exemple d'une consultation donnée à cette heure nocturne.

Le vieillard resta silencieux, et sa bizarre figure prit une expression si dépourvue[4] d'intelligence que le clerc, après l'avoir regardé, ne s'occupa plus de lui. Quelques instants après, Derville rentra, mis[5] en costume de bal. Le jeune avoué

[1] *maître:* a title given in France to lawyers, attorneys, and notaries. Derville is an attorney at law. [2] *le premier clerc = le maître clerc:* the principal managing clerk, first assistant. [3] *disposer les "defenses":* decide on the line of arguments which he will submit to the court. (The lawyer is requested to do this before the trial opens.) [4] *dépourvue:* devoid. [5] *mis = habillé, vêtu.*

demeura pendant un moment stupéfait en voyant le singulier client qui l'attendait. Le vieillard était aussi parfaitement immobile que peut l'être une figure en cire. Cette immobilité n'aurait peut-être pas été un sujet d'étonnement, si elle n'eût[1]
5 complété le spectacle surnaturel que présentait l'ensemble du personnage. Celui-ci était sec et maigre. Son front, caché sous les cheveux de sa perruque, lui donnait quelque chose de mystérieux. Le visage, pâle et livide, semblait mort. Le cou était serré par une mauvaise cravate de soie noire. Les bords du
10 chapeau qui couvrait le front du vieillard projetaient un sillon noir sur le haut du visage. Cet effet bizarre faisait ressortir les rides de cette physionomie cadavéreuse. Mais un observateur aurait trouvé en cet homme les signes d'une douleur profonde, les indices d'une misère qui avait dégradé[2] ce visage,
15 comme les gouttes d'eau tombées du ciel sur un beau marbre l'ont à la longue défiguré.

En voyant l'avoué, l'inconnu se leva pour saluer le jeune homme. Le cuir qui garnissait l'intérieur de son chapeau était sans doute fort gras, sa perruque y resta collée sans qu'il s'en
20 aperçût, et laissa voir à nu son crâne horriblement mutilé par une cicatrice.

— Monsieur, lui dit Derville, à qui ai-je l'honneur de parler?

— Au colonel Chabert.

25 — Lequel?

— Celui qui est mort à Eylau,[3] répondit le vieillard.

En entendant cette singulière phrase, le clerc et l'avoué se jetèrent un regard qui signifiait: « C'est un fou! »

— Monsieur, reprit le colonel, je désirerais ne confier qu'à
30 vous le secret de ma situation.

[1] *si elle n'eût = si elle n'avait pas.* [2] *dégradé = détérioré.* [3] *Eylau:* a Prussian city where Napoleon I defeated the Prussians and Russians in February 1807. The victory was largely due to a magnificent charge in which Murat led the French cavalry against the center of the Russian forces.

Derville fit un signe à son clerc qui disparut.

— Monsieur, reprit l'avoué, au milieu de la nuit les minutes me sont précieuses. Ainsi, soyez bref et concis. Allez au fait[1] sans digression. Je vous demanderai moi-même les éclaircissements qui me sembleront nécessaires. Parlez. 5

— Monsieur, dit le défunt,[2] peut-être savez-vous que je commandais un régiment de cavalerie à Eylau. J'ai été pour beaucoup dans le succès de la célèbre charge que fit Murat,[3] et qui décida de la victoire. Malheureusement pour moi, ma mort est un fait historique consigné dans les *Victoires et conquêtes*,[4] où elle est rapportée en détail: deux officiers russes, deux vrais géants, m'attaquèrent à la fois. L'un d'eux m'appliqua sur la tête un coup de sabre qui m'ouvrit profondément le crâne. Je tombai de cheval. Ma mort fut annoncée à l'empereur, qui, par prudence (il m'aimait un peu,[5] le patron![6]), voulut savoir s'il n'y aurait pas quelque chance de sauver l'homme auquel il était redevable de[7] cette vigoureuse attaque. Il envoya deux chirurgiens en leur disant: « Allez donc voir si, par hasard, mon pauvre Chabert vit encore. » Ces sacrés[8] carabins[9] se dispensèrent sans doute de me tâter le pouls et dirent que j'étais bien mort. 10 15 20

En entendant son client s'exprimer avec une lucidité parfaite, le jeune avoué se mit la tête dans la main et regarda le colonel fixement.

— Savez-vous monsieur, lui dit-il en l'interrompant, que je suis l'avoué de la comtesse Ferraud, veuve du colonel Chabert? 25

[1] *Allez au fait:* State your business. [2] *le défunt = le mort:* the dead man. [3] *Murat:* Napoleon I's great cavalry leader. He married Napoleon's youngest sister and became king of Naples in 1808. He was arrested and shot in Italy in 1815. [4] "*Victoires et conquêtes*": an enormous compilation in thirty-four volumes dealing chiefly with the Napoleonic wars. It has really no historic value. [5] *un peu = vraiment.* [6] *le patron:* the master, the "governor." [7] *il était redevable de = il devait:* he owed, was under obligation for. [8] *sacrés:* blasted; damned (when this adjective precedes the noun). [9] *carabins:* sawbones, a term of disparagement applied to students of medicine and occasionally to surgeons.

— Ma femme! Oui, monsieur. Après cent démarches[1] infructueuses, je me suis déterminé à venir vous trouver. Je vous parlerai de mes malheurs plus tard. Laissez-moi d'abord vous établir les faits, vous expliquer plutôt comme ils ont dû
5 se passer.[2] Donc, monsieur, les blessures que j'ai reçues auront probablement produit une crise analogue à une maladie nommée, je crois, catalepsie.[3] Autrement, comment concevoir que j'aie été, suivant l'usage de la guerre, dépouillé de mes vêtements et jeté dans la fosse aux soldats[4] par les gens chargés
10 d'enterrer les morts?

Lorsque je revins à moi,[5] monsieur, je voulus[6] me mouvoir et ne trouvai point d'espace. En ouvrant les yeux, je ne vis rien. La rareté de l'air m'éclaira sur ma position. Je compris que là où j'étais, l'air ne se renouvelait point et que j'allais
15 mourir. Mes oreilles tintèrent violemment. J'entendis, ou je crus entendre des gémissements poussés par le monde de cadavres au milieu duquel je gisais. Mais il y avait quelque chose de plus horrible que les cris, un silence que je n'ai jamais retrouvé nulle part, le vrai silence du tombeau. Je ne sais
20 pas aujourd'hui comment j'ai pu parvenir à percer la couverture de chair qui mettait une barrière entre la vie et moi. Enfin je vis le jour,[7] mais à travers la neige, monsieur! En ce moment, je m'aperçus que j'avais la tête ouverte. Par bonheur, mon sang ou celui de mes camarades m'avait, en se coagulant, comme
25 enduit[8] d'un emplâtre naturel. Le peu de chaleur qui me restait ayant fait fondre la neige autour de moi, je me trouvai au centre d'une petite ouverture par laquelle je criai aussi longtemps que je pus. Bref, monsieur, je fus enfin dégagé[9] par une

[1] *démarches* = *visites* (with a definite purpose in view). [2] *comme ils ont dû se passer* = *comment ils se sont probablement passés.* [3] *catalepsie:* catalepsy is characterized by rigidity of the muscular system. [4] *la fosse aux soldats:* the soldier's common grave. [5] *revins à moi* = *repris connaissance:* came to. [6] *je voulus* = *j'essayai de.* [7] *le jour* = *la lumière du jour.* [8] *m'avait . . . comme enduit* = *m'avait . . . en quelque sorte enduit:* had practically covered me with. [9] *dégagé* = *délivré.*

femme assez hardie ou assez curieuse pour s'approcher de ma tête, qui semblait avoir poussé hors de terre comme un champignon. Cette femme alla chercher son mari, et tous deux me transportèrent dans leur pauvre baraque. Il paraît que j'eus une rechute de catalepsie. 5

Je suis resté pendant six mois entre la vie et la mort, ne parlant pas, ou déraisonnant quand je parlais. Enfin mes hôtes me firent admettre à l'hôpital d'Heilsberg.[1] Six mois après, quand, un beau matin, je me souvins d'avoir été le colonel Chabert, tous mes camarades de chambrée se mirent à rire. 10 Heureusement pour moi, le chirurgien s'était intéressé à son malade. Ce brave homme fit constater,[2] dans les formes juridiques voulues[3] par le droit du pays, la manière miraculeuse dont j'étais sorti de la fosse des morts, le jour et l'heure où j'avais été trouvé par ma bienfaitrice et par son mari; le genre, 15 la position exacte de mes blessures, en joignant à ces différents procès-verbaux une description de ma personne. Eh bien, monsieur, je n'ai ni ces pièces[4] importantes, ni la déclaration que j'ai faite chez un notaire d'Heilsberg, en vue d'établir mon identité! Depuis le jour où je fus chassé de cette ville par les 20 événements de la guerre, j'ai constamment erré comme un vagabond, mendiant mon pain, traité de[5] fou lorsque je racontais mon aventure, et sans avoir ni trouvé ni gagné un sou pour me procurer les actes qui pouvaient prouver mes dires.[6] Souvent, on me riait au nez dès que je prétendais[7] être le colonel 25 Chabert. Ces rires, ces doutes me mettaient dans une fureur qui me nuisit et me fit même enfermer comme fou à Stuttgart.[8] Après deux ans de détention, je fus convaincu de l'impossibilité de ma propre aventure, je devins triste, résigné, tran-

[1] *Heilsberg:* a small town about 20 miles from Eylau. [2] *fit constater:* had placed on record. [3] *voulues = exigées:* required. [4] *pièces = documents.* [5] *traité de = appelé.* [6] *dires = déclarations:* assertions. [7] *prétendais = maintenais:* claimed. [8] *Stuttgart:* an important city in southwestern Germany, not far from Alsace.

quille, et renonçai à me dire[1] le colonel Chabert, afin de pouvoir sortir de prison et revoir la France. Oh! monsieur, revoir Paris! c'était un délire[2]. . . .

— Monsieur, dit l'avoué, vous brouillez toutes mes idées. 5 Je crois rêver en vous écoutant. De grâce,[3] arrêtons-nous pendant un moment.

— Vous êtes, dit le colonel d'un air mélancolique, la seule personne qui m'ait si patiemment écouté. Aucun homme de loi n'a voulu m'avancer dix napoléons[4] afin de faire venir d'Alle- 10 magne les pièces nécessaires pour commencer mon procès. . . .

— Quel procès? dit l'avoué.

— Mais, monsieur, la comtesse Ferraud n'est-elle pas ma femme? Elle possède trente mille livres de rente[5] qui m'appartiennent, et ne veut pas me donner deux liards.[6] Quand je dis 15 ces choses à des avoués, quand je propose, moi, mendiant, de plaider contre un comte et une comtesse, ils m'éconduisent. J'ai été enterré sous des morts; mais, maintenant, je suis enterré sous des vivants, sous des actes, sous la société tout entière qui veut me faire rentrer sous terre!

20 — Monsieur, veuillez[7] poursuivre maintenant, dit l'avoué.

— *Veuillez*, s'écria le malheureux vieillard en prenant la main du jeune homme, voilà le premier mot de politesse que j'entends depuis . . .

Le colonel pleura. La reconnaissance étouffa sa voix. Cette 25 pénétrante et indicible éloquence qui est dans le regard, dans

[1] *à me dire* = *à dire que j'étais.* [2] *délire* = *enthousiasme.* [3] *De grâce* = *Je vous en prie.* [4] *napoléon:* name give during the Empire to gold pieces of 20 francs (about 4 dollars at the time); they were called "louis" during the Monarchy. [5] *trente mille livres de rente:* 30,000 francs income, or about 6,000 dollars at that time. This was then a very large sum. The "livre" is no longer a coin; it has been replaced by the franc, but the term is still used in speaking of personal incomes. [6] *liards:* farthings. The coin itself is no longer in existence. The term is used to express figuratively a coin of the smallest possible value. [7] *veuillez:* (a polite form of address) be good enough to.

le geste, dans le silence même, acheva de convaincre Derville et le toucha vivement.

— Écoutez, monsieur, dit-il à son client, j'ai gagné ce soir trois cents francs au jeu; je puis bien employer la moitié de cette somme à faire le bonheur d'un homme. Je commen- 5 cerai les poursuites[1] nécessaires pour vous procurer les pièces dont vous me parlez, et, jusqu'à leur arrivée, je vous remettrai cent sous[2] par jour. Si vous êtes le colonel Chabert, vous saurez pardonner la modicité du prêt à un jeune homme qui a sa fortune à faire. Poursuivez.[3] 10

Les paroles du jeune avoué furent comme un miracle pour cet homme rebuté pendant dix années par sa femme, par la justice, par la société entière. Aussi la reconnaissance du pauvre homme était-elle[4] trop vive pour qu'il pût l'exprimer.

— Où en[5] étais-je? dit le colonel. 15

— A Stuttgart. Vous sortiez de prison, répondit l'avoué.

— Je ne finirais pas, monsieur, s'il fallait vous raconter tous les malheurs de ma vie de mendiant. Les souffrances morales, auprès desquelles pâlissent les douleurs physiques, excitent cependant moins de pitié, parce qu'on ne les voit 20 point. J'entrai dans Paris, en même temps que les Cosaques.[6] Pour moi, c'était douleur sur douleur. En voyant les Russes en France, je ne pensais plus que je n'avais ni souliers aux pieds ni argent dans ma poche.

Je ne sais quelle maladie me prit quand je traversai le fau- 25 bourg Saint-Martin.[7] Je tombai presque évanoui à la porte d'un marchand de fer. Quand je me réveillai j'étais dans un lit de

[1] *poursuites:* proceedings. [2] *je vous remettrai cent sous = je vous donnerai cinq francs* (The *sou* = five centimes or one twentieth of one franc). [3] *Poursuivez = Continuez votre récit.* [4] *était-elle:* interrogative order of words because the sentence begins with *aussi* meaning "consequently." [5] *Où en = A quel point de mon récit.* [6] *les Cosaques:* the Cossacks. After the defeat of Napoleon at Waterloo, Wellington's army occupied Paris on July 7, 1815. Later the forces of the allies, Russian cavalry among them, also occupied France. [7] *faubourg Saint-Martin:* an old quarter of Paris in the northeast part of the city.

l'Hôtel-Dieu.[1] Là, je restai pendant un mois assez heureux. Je fus bientôt renvoyé; j'étais sans argent, mais bien portant[2] et sur le bon pavé de Paris. Avec quelle joie et quelle promptitude j'allai rue du Mont-Blanc, où ma femme devait être logée
5 dans un hôtel[3] à moi! Bah! la rue du Mont-Blanc était devenue la rue de la Chaussée-d'Antin.[4] Je n'y vis plus mon hôtel, il avait été vendu, démoli. Ignorant que ma femme fût mariée à M. Ferraud, je ne pouvais obtenir aucun renseignement. Enfin je me rendis chez un vieil avocat qui jadis était chargé
10 de mes affaires. Le bonhomme était mort après avoir cédé sa clientèle à un jeune homme. Celui-ci m'apprit, à mon grand étonnement, l'ouverture de ma succession,[5] sa liquidation, le mariage de ma femme, et la naissance de ses deux enfants. Quand je lui dis être le colonel Chabert, il se mit à rire si
15 franchement, que je le quittai sans lui faire la moindre observation.

Alors, monsieur, sachant où demeurait ma femme, je m'acheminai vers son hôtel, le cœur plein d'espoir. Eh bien, dit le colonel avec un mouvement de rage concentrée, je n'ai pas
20 été reçu. Pour voir la comtesse rentrant du bal ou du spectacle, au matin, je suis resté pendant des nuits entières collé contre la borne[6] de sa porte cochère.[7] Mon regard plongeait dans cette voiture qui passait devant mes yeux avec la rapidité de l'éclair et où j'entrevoyais à peine cette femme qui est mienne et qui
25 n'est plus à moi! Oh! dès ce jour, j'ai vécu pour la vengeance, s'écria le vieillard d'une voix sourde en se dressant tout à coup devant Derville. Elle sait que j'existe; elle a reçu de moi, depuis mon retour, deux lettres écrites par moi-même. Elle ne

[1] *l'Hôtel-Dieu:* probably the oldest hospital in Europe. [2] *bien portant = en bonne santé.* [3] *hôtel = maison:* mansion. [4] The name had been changed after the fall of Napoleon. It was then one of the most fashionable streets in Paris. [5] *l'ouverture de ma succession:* the settlement of my estate. [6] *la borne:* stone facing or buttress intended to prevent the carriage wheels from scraping against the building. [7] *porte-cochère:* large door or gate through which a carriage can enter the inner court.

m'aime plus! Moi, j'ignore si je l'aime ou si je la déteste! Elle ne m'a pas seulement fait parvenir[1] le plus léger secours! Par moments, je ne sais plus que devenir!

A ces mots, le vieux soldat retomba sur sa chaise et redevint immobile. Derville resta silencieux, occupé à contempler son client. 5

— L'affaire est grave, dit-il enfin machinalement. Même en admettant l'authenticité des pièces qui doivent se trouver à Heilsberg, il ne m'est pas prouvé que nous puissions triompher tout d'abord. Il faut réfléchir à tête reposée[2] sur une semblable 10 cause, elle est tout exceptionnelle. Il faudra peut-être transiger.

— Transiger! répéta le colonel Chabert. Suis-je mort ou suis-je vivant?

— Monsieur, reprit l'avoué, vous suivrez, je l'espère, mes conseils. Votre cause sera ma cause. Vous vous apercevrez 15 bientôt de l'intérêt que je prends à votre situation. En attendant, je vais vous donner un mot pour mon notaire,[3] qui vous remettra cinquante francs tous les dix jours. Il ne serait pas convenable que vous vinssiez chercher ici des secours. Je donnerai à ces avances la forme d'un prêt. Vous avez des 20 biens[4] à recouvrer, vous êtes riche.

Cette dernière délicatesse[5] arracha des larmes au vieillard. Derville se leva brusquement, car il n'était peut-être pas de coutume qu'un avoué parut s'émouvoir; il passa dans son cabinet, d'où il revint avec une lettre non cachetée qu'il remit 25 au comte Chabert. Lorsque le pauvre homme la tint entre ses doigts, il sentit deux pièces d'or à travers le papier.

— Voulez-vous me désigner les actes, me donner le nom de la ville, du royaume? dit l'avoué.

[1] *fait parvenir* = *envoyé.* [2] *à tête reposée* = *avec calme.* [3] *notaire:* A French *notaire* is a legal officer of considerable importance not to be compared to an American notary public. Practically all official deeds (sales, donations, wills, marriage contracts, etc.) are prepared and legalized by the *notaire.* [4] *des biens* = *une fortune.* [5] *délicatesse* = *sentiment délicat.*

Le colonel dicta les renseignements, puis il prit son chapeau d'une main, regarda Derville, lui tendit l'autre main, une main calleuse, et lui dit d'une voix simple:

— Ma foi, monsieur, après l'empereur, vous êtes l'homme 5 auquel je devrai le plus! Vous êtes *un brave*.[1]

L'avoué frappa la main du colonel, le reconduisit jusque sur l'escalier et l'éclaira.

— Boucard, dit Derville à son maître clerc, je viens d'entendre une histoire qui me coûtera peut-être vingt-cinq louis. 10 Si je suis volé, je ne regretterai pas mon argent, j'aurai vu le plus habile comédien de notre époque.

## II

Environ trois mois après cette consultation, le notaire chargé de payer la demi-solde[2] que l'avoué faisait à son singulier client vint le voir pour conférer sur une affaire grave, et commença 15 par lui reclamer six cents francs donnés au vieux militaire.

— Tu t'amuses donc à entretenir[3] l'ancienne armée? lui dit en riant ce notaire, nommé Crottat.

— Je te remercie, mon cher maître, répondit Derville, de me rappeler cette affaire-là. Je crains déjà d'avoir été la dupe 20 de mon patriotisme.

Au moment où Derville achevait sa phrase, il vit sur son bureau les paquets de lettres que son maître clerc y avait mis. Ses yeux furent frappés à l'aspect des timbres oblongs, carrés, triangulaires, rouges, bleus, apposés sur une lettre par les postes 25 prussienne, autrichienne, bavaroise et française.

— Ah! dit-il en riant, voici le dénoûment de la comédie, nous allons voir si je suis attrapé.[4]

[1] *un brave:* a real man (usually applied to a soldier). [2] *demi-solde:* allowance (literally, "half-pay" because the amount probably corresponded to that given to an officer not on active service who was entitled to half his regular salary). [3] *entretenir = payer les dépenses de.* [4] *si je suis attrapé = si j'ai été trompé.*

Il prit la lettre et l'ouvrit. Le notaire de Berlin auquel s'était adressé l'avoué lui annonçait que les actes dont les expéditions[1] étaient demandées lui parviendraient quelques jours après cette lettre d'avis.[2] Les pièces étaient, disait-il, parfaitement en règle. En outre, il lui mandait[3] que presque tous les témoins des faits consacrés par les procès-verbaux[4] existaient à Prussich-Eylau et que la femme à laquelle M. le comte Chabert devait la vie vivait encore dans un des faubourgs d'Heilsberg.

— Ceci devient sérieux, s'écria Derville. Mais, reprit-il en s'adressant au notaire, je vais avoir besoin de renseignements qui doivent être en ton étude.[5] N'est-ce pas chez toi que s'est faite la succession Chabert?[6]

— Oui, répondit Crottat, il s'agit de Rose Chapotel, épouse et veuve de Hyacinthe, dit Chabert, comte de l'Empire,[7] grand officier[8] de la Légion d'honneur. Ils s'étaient mariés sans contrat, ils étaient donc communs en biens.[9] Autant que je puis m'en souvenir, l'actif[10] s'élevait à six cent mille francs. Avant son mariage, le comte Chabert avait fait un testament en faveur des hospices[11] de Paris, par lequel il leur attribuait le quart de la fortune qu'il posséderait au moment de son décès.

— Ainsi la fortune personnelle du comte Chabert ne se monterait qu'à trois cent mille francs?

— Par conséquent! mon vieux![12] répondit Crottat.

Le comte Chabert, dont l'adresse se lisait[13] au bas de la pre-

[1] *expéditions = copies officielles.* [2] *lettre d'avis:* notification. [3] *mandait = annonçait.* [4] *procès-verbaux:* official reports. [5] *étude:* the office of a lawyer or of a notary. [6] *que s'est faite la succession Chabert:* that the Chabert estate was settled. [7] *comte de l'Empire:* Napoleon had founded a new imperial nobility. [8] *grand officier:* a very high rank in the Legion of Honor, a meritorious order founded by Napoleon to reward military and civil services. [9] *communs en biens:* a marriage contract states the amount of property possessed separately by bride and bridegroom and their respective rights over it. In this case, as there was no contract, Chabert and his wife had their property and income in common. [10] *l'actif:* the assets. [11] *hospices:* charitable homes and hospitals. [12] *mon vieux:* old man. [13] *se lisait = était écrite:* could be read.

mière quittance qu'il avait remise au notaire, demeurait dans le faubourg Saint-Marceau,[1] chez un vieux maréchal des logis de la garde impériale, devenu nourrisseur[2] et nommé Vergniaud. Arrivé là, en regardant de tous les côtés, l'avoué
5 finit par trouver la maison, si toutefois ce nom convient à l'une de ces masures qui ne sont comparables à rien, pas même aux plus chétives habitations de la campagne, dont elles ont la misère sans en avoir la poésie. Un mur était garni de cabanes grillagées[3] où des lapins faisaient leurs nombreuses familles.
10 A droite se trouvait la vacherie, à gauche, étaient une basse-cour, une écurie et un toit à cochons.[4] Les poules, effarouchées à l'approche de Derville, s'envolèrent en criant, et le chien de garde aboya.

— L'homme qui a décidé le gain de la bataille d'Eylau
15 serait là![5] se dit Derville en saisissant d'un coup d'œil l'ensemble de ce spectacle ignoble.

Le colonel apparut sur le seuil de sa porte.

— Pourquoi ne m'avez-vous pas écrit? dit-il à Derville. Allez le long de la vacherie! Tenez, là, le chemin est pavé,
20 s'écria-t-il en remarquant l'indécision de l'avoué, qui ne voulait pas se mouiller les pieds dans le fumier. En sautant de place en place, Derville arriva sur le seuil de la porte par où le colonel était sorti. Chabert parut désagréablement affecté d'être obligé de le recevoir dans la chambre qu'il occupait. En effet, Derville
25 n'y aperçut qu'une seule chaise. Le lit du colonel consistait en quelques bottes de paille sur lesquelles son hôtesse avait étendu deux ou trois lambeaux de vieilles tapisseries. Le plancher était tout simplement en terre battue. Deux mauvaises paires de bottes gisaient dans un coin. Sur la table, les *Bulletins*

[1] *faubourg Saint-Marceau:* now Saint-Marcel, it was a poor outlying district in the southeastern part of Paris. [2] *nourrisseur:* dairyman. [3] *cabanes grillagées:* hutches with chicken-wire fronts. [4] *toit à cochons:* pigsty. [5] *L'homme . . . serait là! = Est-il croyable que l'homme qui a rendu possible la victoire d'Eylau soit là!*

*de la grande armée*[1] étaient ouverts et paraissaient être la lecture du colonel, dont la physionomie était calme et sereine au milieu de cette misère.

— Mais colonel, vous êtes horriblement mal ici? Pourquoi n'avez-vous donc pas voulu venir dans Paris,[2] où vous auriez pu vivre aussi peu chèrement[3] que vous vivez ici, mais où vous auriez été mieux?

— Mais, répondit le colonel, les braves gens chez lesquels je suis m'avaient recueilli, nourri *gratis* depuis un an! comment les quitter au moment où j'avais un peu d'argent? Puis le père est un vieux *égyptien* . . .[4]

— Il aurait bien pu vous mieux loger, pour votre argent, lui.

— Bah! dit le colonel, ses enfants couchent comme moi sur la paille! Sa femme et lui n'ont pas un lit meilleur: ils sont bien pauvres, voyez-vous! Mais, si je recouvre ma fortune. . . . Enfin, suffit!

— Colonel, je dois recevoir demain ou après vos actes d'Heilsberg. Votre libératrice vit encore! Mais votre affaire est excessivement compliquée.

— Elle me paraît, dit le soldat, parfaitement simple. On m'a cru mort, me voilà! Rendez-moi ma femme et ma fortune; donnez-moi le grade de général auquel j'ai droit.

— Les choses ne vont pas ainsi dans le monde judiciaire, reprit Derville. Écoutez-moi. Vous êtes le comte Chabert, je le veux bien,[5] mais il s'agit de le prouver judiciairement à des gens qui vont avoir intérêt à nier votre existence. Ainsi,

[1] A collection of the official accounts of Napoleon's campaigns from 1805 to 1812 which had first appeared in the government newspaper of the time, the *Moniteur Universel*. [2] At the time of this story the faubourg Saint-Marcel was not part of Paris. [3] *aussi peu chèrement* = *à aussi bon marché:* as cheaply. [4] *égyptien:* in 1798 Bonaparte's army had taken Alexandria and Cairo. French soldiers of his army were referred to as Egyptians. [5] *je le veux bien* = *je l'admets.*

vos actes seront discutés. Cette discussion entraînera des procès coûteux, qui traîneront en longueur,[1] quelle que soit l'activité que j'y mette. Mais supposons tout au mieux; admettons qu'il soit reconnu promptement par la justice que vous êtes le colonel Chabert. Savons-nous comment sera jugée la question soulevée par la bigamie fort innocente de la comtesse Ferraud? Vous n'avez pas eu d'enfants de votre mariage, et M. le comte Ferraud en a deux du sien; les juges peuvent déclarer nul le mariage où se rencontrent les liens les plus faibles, au profit du mariage qui en comporte de plus forts, du moment qu'il y a eu bonne foi chez les contractants. Vous aurez contre vous votre femme et son mari, deux personnes puissantes qui pourront influencer les tribunaux. Le procès a donc des éléments de durée.

— Et ma fortune?

— Vous vous croyez[2] donc une grande fortune?

— N'avais-je pas trente mille livres de rente?

— Mon cher colonel, vous aviez fait, en 1799, avant votre mariage, un testament qui léguait le quart de vos biens aux hospices.

— C'est vrai.

— Eh bien, vous censé[3] mort, n'a-t-il pas fallu procéder à un inventaire, à une liquidation afin de donner ce quart aux hospices? Votre femme ne s'est pas fait scrupule de tromper les pauvres. L'inventaire, où sans doute elle s'est bien gardée de mentionner l'argent comptant,[4] les pierreries, où elle aura produit peu d'argenterie, et où le mobilier a été estimé à deux tiers au-dessous du prix réel, a établi six cent mille francs de valeurs.[5] Pour sa part, votre veuve avait droit à la moitié. Tout a été vendu, racheté par elle, elle a bénéficié sur tout, et

[1] *traîneront en longueur:* will drag along endlessly. [2] *Vous vous croyez* = *Vous croyez que vous avez.* [3] *censé* = *supposé.* [4] *argent comptant:* liquid assets. [5] *a établi . . . valeurs:* showed assets amounting to 600,000 francs.

les hospices ont eu leurs soixante-quinze mille francs.[1] Maintenant, à quoi avez-vous droit? A trois cent mille francs seulement, moins les frais.[2]

— Et vous appelez cela la justice? dit le colonel ébahi.

— Mais certainement . . . 5

— Elle est belle!

— Elle est ainsi, mon pauvre colonel. Écoutez-moi. Dans ces circonstances, je crois qu'une transaction serait, et pour vous et pour votre femme, le meilleur dénoûment du procès. Je compte aller voir aujourd'hui même madame la comtesse 10 Ferraud, mais je n'ai pas voulu faire cette démarche sans vous en prévenir.

— Mon procès est-il gagnable?

— Sur tous les chefs,[3] répondit Derville. Mais, mon cher colonel Chabert, vous ne faites pas attention à une chose. Je 15 ne suis pas riche. Si les tribunaux vous accordent une *provision*, c'est-à-dire, une somme à prendre par avance sur votre fortune, ils ne l'accorderont qu'après avoir reconnu vos qualités de comte Chabert, grand officier de la Légion d'honneur. Mais, jusque-là, ne faut-il pas plaider, payer des avocats,[4] 20 et vivre? Les frais se monteront à plus de douze ou quinze mille francs. Je ne les ai pas, moi. Et vous! où les trouverez-vous?

— J'irai, s'écria le colonel, au pied de la colonne de la place Vendôme,[5] je crierai là: « Je suis le colonel Chabert qui a 25

[1] Chabert's share is half of the total assets of 300,000 francs, of which one fourth or 75,000 francs were to be given to charitable institutions. [2] *les frais:* the costs (resulting from the liquidation of the estate). [3] *chefs = points importants.* [4] Derville is an *avoué*, an attorney at law or solicitor. He prepares a lawsuit but does not take it to court. This is entrusted to the *avocat*, lawyer or barrister. [5] *colonne de la place Vendôme:* a column erected in the Place Vendôme in Paris to commemorate Napoleon's victories in 1805. It was coated with bronze plates made by melting 1,200 Russian and Austrian cannons. However, at the time of this story, Napoleon's statue, which topped the column, had been removed and replaced by a huge fleur-de-lis, emblem of the French kings.

enfoncé le grand carré des Russes à Eylau! » Le bronze,[1] lui! me reconnaîtra.

— Et l'on vous mettra sans doute à Charenton.[2]

A ce nom redouté, l'exaltation[3] du militaire tomba.

5 En reconnaissant les symptômes d'un profond abattement chez son client, Derville lui dit:

— Prenez courage, la solution de cette affaire ne peut que vous être favorable. Seulement, examinez si vous pouvez me donner toute votre confiance, et accepter aveuglément le 10 résultat que je croirai le meilleur pour vous.

— Faites comme vous voudrez, dit Chabert.

— Oui, mais vous vous abandonnez à moi comme un homme qui marche à la mort?

— Ne vais-je pas rester sans état,[4] sans nom? Est-ce tolé-15 rable?

— Je ne l'entends pas ainsi,[5] dit l'avoué. Nous poursuivrons à l'amiable[6] un jugement pour annuler votre acte de décès et votre mariage, afin que vous repreniez vos droits. Vous serez même, par l'influence du comte Ferraud, porté sur les cadres 20 de l'armée[7] comme général, et vous obtiendrez sans doute une pension.

— Allez donc! répondit Chabert, je me fie entièrement à vous.

— Je vous enverrai une procuration[8] à signer, dit Derville. 25 Adieu, bon courage! S'il vous faut de l'argent, comptez sur moi.

Chabert serra chaleureusement la main de Derville, et resta le dos appuyé contre la muraille, sans avoir la force de le suivre autrement que des yeux.

[1] *le bronze:* the bronze of which the column is made. [2] *Charenton:* an insane asylum. [3] *exaltation = excitation mentale.* [4] *état = état civil:* legal status. [5] *Je ne l'entends pas ainsi = Ce n'est pas ce que je propose.* [6] *à l'amiable:* by mutual consent. [7] *porté sur les cadres de l'armée:* reinstated in the army. [8] *procuration:* power of attorney.

## III

— Il y a quelque chose de bien singulier dans la situation de M. le comte Ferraud, se dit Derville en sortant d'une longue rêverie, au moment où son cabriolet s'arrêtait rue de Varennes,[1] à la porte de l'hôtel Ferraud. Comment n'est-il pas encore pair de France?[2] Sans doute ne peut-il entrer que subrepticement[3] dans la Chambre haute. Mais, si son mariage était cassé, ne pourrait-il faire passer sur sa tête,[4] à la grande satisfaction du roi, la pairie d'un de ces vieux sénateurs qui n'ont que des filles?[5] Voilà certes une bonne bourde à mettre en avant pour effrayer notre comtesse, se dit-il en montant le perron.

Il fut reçu par madame Ferraud dans une jolie salle à manger où elle déjeunait en jouant avec un singe attaché par une chaîne à une espèce de petit poteau garni de bâtons en fer. La comtesse était enveloppée dans un élégant peignoir. Elle était fraîche et rieuse. L'argent, le vermeil, le nacre, étincelaient sur la table, et il y avait autour d'elle des fleurs curieuses plantées dans de magnifiques vases de porcelaine. En voyant la femme du comte Chabert au sein du luxe, tandis que le malheureux vivait chez un pauvre nourrisseur au milieu des bestiaux, l'avoué se dit:

— La morale de ceci est qu'une jolie femme ne voudra jamais reconnaître son mari dans un homme en perruque de chiendent et en bottes percées.

— Bonjour, monsieur Derville, dit-elle en continuant à faire prendre du café au singe.

[1] One of the most aristocratic streets of the Paris of that time, on the "left bank." [2] *pair de France:* member of the House of Peers (Chambre haute). This body had been created by Louis XVIII. The title was hereditary. [3] *subrepticement:* by some devious way. [4] *faire passer sur sa tête = hériter.* [5] The idea is of course that his first marriage having been annulled, he could have married the daughter of one of these senators.

— Madame, dit-il, je viens causer avec vous d'une affaire assez grave.

— J'en suis *désespérée*,[1] M. le comte est absent. . . .

— J'en suis enchanté, moi, madame. Il serait *désespérant*[2]
5 qu'il assistât à notre conférence. Écoutez, madame, un mot suffira pour vous rendre sérieuse. Le comte Chabert existe.

— Est-ce en disant de semblables bouffonneries que vous voulez me rendre sérieuse? dit-elle en partant d'un éclat de rire.

10 — Madame, répondit Derville avec une gravité froide et perçante, vous ignorez l'étendue des dangers qui vous menacent. Je ne vous parlerai pas de l'incontestable authenticité des pièces, ni de la certitude des preuves qui attestent l'existence du comte Chabert. Je ne suis pas homme à me charger
15 d'une mauvaise cause, vous le savez.

— De quoi prétendez-vous[3] donc me parler?

— Ni du colonel, ni de vous. Je ne vous parlerai pas non plus des lettres que vous avez reçues de votre premier mari avant la célébration de votre mariage avec votre second.

20 — Cela est faux! dit-elle, je n'ai jamais reçu de lettres du comte Chabert; et, si quelqu'un dit être le colonel, ce n'est qu'un intrigant. Le colonel peut-il ressusciter, monsieur? Bonaparte m'a fait complimenter[4] sur sa mort par un aide de camp, et je touche encore aujourd'hui trois mille francs de
25 pension accordée à sa veuve.

— La preuve de la remise de la première lettre existe, madame, elle contenait des valeurs. . . .[5]

— Oh! pour des valeurs, elle n'en contenait pas.

— Vous avez donc reçu cette première lettre, reprit Derville
30 en souriant. Vous êtes déjà prise dans le premier piège que

[1] *J'en suis désespérée = Je le regrette infiniment.* [2] *désespérant = très regrettable.* [3] *prétendez-vous = voulez-vous.* [4] *m'a fait complimenter = m'a fait exprimer ses condoléances.* [5] *des valeurs:* securities (bonds, stocks, etc.).

vous tend un avoué, et vous croyez pouvoir lutter avec la justice. . . .

— La comtesse rougit, pâlit, se cacha la figure dans les mains. Puis, elle reprit avec le sang-froid naturel à ces sortes de femmes: 5

— Puisque vous êtes l'avoué du prétendu Chabert, faites-moi le plaisir de . . . .

— Madame, dit Derville en l'interrompant, je suis encore en ce moment votre avoué comme celui du colonel. Croyez-vous que je veuille perdre une clientèle aussi précieuse que la 10 vôtre? Mais vous ne m'écoutez pas. . . .

— Parlez, monsieur, dit-elle gracieusement.

— Votre fortune vous venait de M. le comte Chabert, et vous l'avez repoussé. Votre fortune est colossale,[1] et vous le laissez mendier. Madame, les avocats sont bien éloquents 15 lorsque les causes sont éloquentes par elles-mêmes: il se rencontre[2] ici des circonstances capables de soulever contre vous l'opinion publique.

— Mais, monsieur, dit la comtesse, en admettant que M. Chabert existe, les tribunaux maintiendront mon second 20 mariage à cause des enfants, et j'en serai quitte pour[3] rendre deux cent vingt-cinq mille francs à M. Chabert.

— Madame, nous ne savons pas de quel côté les tribunaux verront la question sentimentale. Si, d'une part, nous avons une mère et ses enfants, nous avons de l'autre un homme acca- 25 blé de malheurs, vieilli par[4] vous, par vos refus. Si vous êtes représentée sous d'odieuses couleurs, vous pourriez avoir un adversaire auquel vous ne vous attendez pas. Là, madame, est ce danger dont je voudrais vous préserver.

— Un nouvel adversaire, dit-elle; qui? 30

[1] The amount of Chabert's estate was considerable for that time and Count Ferraud's fortune was also large. [2] *il se rencontre = il se trouve, il y a.* [3] *j'en serai quitte pour = je n'aurai qu'à.* [4] *vieilli par:* grown old because of.

— M. le comte Ferraud, madame.

— M. Ferraud a pour moi un trop vif attachement, et, pour la mère de ses enfants, un trop grand respect. . . .

— En ce moment, M. Ferraud n'a pas la moindre envie de 5 rompre votre mariage et je suis persuadé qu'il vous adore: mais, si quelqu'un venait lui dire que son mariage peut être annulé, que sa femme sera traduite en criminelle au banc de[1] l'opinion publique. . . .

— Il me défendrait, monsieur.

10 — Non, madame.

— Quelle raison aurait-il de m'abandonner, monsieur?

— Mais celle d'épouser la fille unique d'un pair de France, dont la pairie lui serait transmise par ordonnance du roi. . . .

15 La comtesse pâlit.

— Nous y sommes,[2] se dit en lui-même Derville. Bien, je te tiens,[3] l'affaire du pauvre colonel est gagnée. — D'ailleurs madame, reprit-il à haute voix, il aurait d'autant moins de remords, qu'un homme couvert de gloire, général, comte, 20 grand officier de la Légion d'honneur, ne serait pas un pis aller,[4] et, si cet homme lui redemande sa femme. . . .

— Assez! assez, monsieur! dit-elle. Je n'aurai jamais que vous pour avoué. Que faire?

— Transiger! dit Derville.

25 — M'aime-t-il encore? dit-elle.

— Mais je ne crois pas qu'il puisse en être autrement.

A ce mot, la comtesse dressa la tête, et un éclair d'espérance brilla dans ses yeux.

— J'attendrai vos ordres, madame, pour savoir s'il faut vous 30 signifier nos actes,[5] ou si vous voulez venir chez moi pour

[1] *traduite en criminelle au banc de:* arraigned as a criminal before the tribunal of. [2] *Nous y sommes = J'ai trouvé le point faible.* [3] *je te tiens = je vous ai (tiens) en mon pouvoir.* [4] *un pis aller:* the worst possible substitute; an unworthy makeshift. [5] *vous signifier nos actes:* serve you with papers.

arrêter[1] les bases d'une transaction, dit Derville en saluant la comtesse.

## IV

Huit jours après les deux visites que Derville avait faites, et par une belle matinée du mois de juin, les anciens époux partirent des deux points les plus opposés de Paris pour venir 5 se rencontrer dans l'étude de leur avoué commun. Les avances[2] faites par Derville au colonel Chabert lui avaient permis d'être vêtu selon son rang. Il avait la tête couverte d'une perruque appropriée à sa physionomie, il était habillé de drap bleu, et portait le sautoir[3] rouge des grands officiers de la 10 Légion d'honneur. Il avait retrouvé son ancienne élégance martiale. Il se tenait droit. Quand il descendit de sa voiture pour monter chez Derville, il sauta légèrement comme aurait pu faire un jeune homme. A peine était-il entré, qu'un joli coupé tout armorié[4] arriva. Madame la comtesse Ferraud en 15 sortit dans une toilette simple, mais habilement calculée pour montrer la jeunesse de sa taille. Elle avait une jolie capote doublée de rose qui encadrait parfaitement sa figure.

Derville avait consigné le colonel dans la chambre à coucher, quand la comtesse se présenta. 20

— Madame, lui dit-il, ne sachant pas s'il vous serait agréable de voir M. le comte Chabert, je vous ai séparés. Si cependant vous désiriez. . . .

— Monsieur, c'est une attention dont je vous remercie.

— J'ai préparé la minute d'un acte[5] dont les conditions 25 pourront être discutées par vous et par M. Chabert. J'irai

[1] *arrêter = établir:* settle. [2] *Les avances = Les avances d'argent, les prêts.* [3] *sautoir = cordon:* a ribbon passed around the neck and meeting in a point on the chest where it supports the insignia of the order. [4] *armorié:* blazoned, bearing a coat of arms (here, the crest to which the count Ferraud was entitled). [5] *la minute d'un acte:* the draft of a document.

alternativement de vous à lui, pour vous présenter, à l'un et à l'autre, vos raisons respectives.

— Voyons, monsieur, dit la comtesse en laissant échapper un geste d'impatience.

5 Derville lut:

« Entre les soussignés,

« M. Hyacinthe, dit *Chabert*, comte, maréchal de camp[1] et grand officier de la Légion d'honneur, demeurant à Paris, rue du Petit-Banquier, d'une part;

10 « Et la dame Rose Chapotel, épouse de M. le comte Chabert, ci-dessus nommé, . . . »

— Passez, dit-elle, arrivons aux conditions.

— Madame, dit l'avoué, le préambule explique succinctement la position dans laquelle vous vous trouvez l'un et 15 l'autre. Puis, par l'article 1$^{er}$, vous reconnaissez, en présence de trois témoins, que l'individu désigné dans les actes joints au sous-seing,[2] est le comte Chabert, votre premier époux. Par l'article 2, le comte Chabert, dans l'intérêt de votre bonheur, s'engage à[3] ne faire usage de ses droits que dans les cas 20 prévus par l'acte lui-même. — Et ces cas, dit Derville en faisant une sorte de parenthèse, ne sont autres que la nonexécution des clauses de cette convention secrète. — De son côté, reprit-il, M. Chabert consent à poursuivre de gré à gré[4] avec vous un jugement qui annulera son acte de décès et 25 prononcera la dissolution de son mariage.

— Cela ne me convient pas du tout, dit la comtesse étonnée, je ne veux pas de procès. Vous savez pourquoi.

— Par l'article 3, dit l'avoué en continuant avec un flegme imperturbable, vous vous engagez à constituer au nom d'Hya- 30 cinthe, comte Chabert, une rente viagère[5] de vingt-quatre

[1] *maréchal de camp:* brigadier general (this is the rank to which Chabert is entitled). [2] *sous-seing:* private deed, signed declaration. [3] *s'engage à = promet de.* [4] *de gré à gré = d'accord:* by agreement. [5] *rente viagère:* annuity.

mille francs, mais dont le capital vous sera dévolu[1] à sa mort. . .

— Mais c'est beaucoup trop cher! dit la comtesse.

— Pouvez-vous transiger à meilleur marché?

— Peut-être.

— Que voulez-vous donc, madame? 5

— Je veux . . . je ne veux pas de procès; je veux. . . .

— Qu'il reste mort, dit vivement Derville en l'interrompant.

— Monsieur, dit la comtesse, s'il faut vingt-quatre mille livres de rente, nous plaiderons. . . . 10

— Oui, nous plaiderons, s'écria d'une voix sourde le colonel, qui ouvrit la porte et apparut tout à coup devant sa femme.

— C'est lui! se dit en elle-même la comtesse.

— Trop cher! reprit le vieux soldat. Je vous ai donné près d'un million, et vous marchandez[2] mon malheur. Eh bien, je 15 vous veux maintenant, vous et votre fortune. Nous sommes communs en biens, notre mariage n'a pas cessé. . . .

— Mais monsieur n'est pas le colonel Chabert, s'écria la comtesse en feignant la surprise.

— Ah! dit le vieillard d'un ton profondément ironique, 20 voulez-vous des preuves? Je vous ai connue au Palais-Royal. . .[3]

La comtesse pâlit.

— De grâce, monsieur, dit-elle, à l'avoué, trouvez bon[4] que je quitte la place. Je ne suis pas venue ici pour entendre de semblables horreurs. 25

Elle se leva et sortit. Le colonel eut un violent accès de rage.

— Eh bien, colonel, n'avais-je pas raison en vous priant de ne pas venir? Je suis maintenant certain de votre identité.

[1] *vous sera dévolu* = *vous reviendra.* [2] *vous marchandez:* you speculate on, you haggle over. [3] *au Palais-Royal:* in the Palais-Royal district. This section of Paris, at the time of this story, had been the center of gay and somewhat disreputable life. The Palais-Royal proper, built by Cardinal Richelieu, was once occupied by the regent-queen Anne of Austria, mother of Louis XIV; hence its name. [4] *trouvez bon* = *permettez.*

Quand vous vous êtes montré, la comtesse a fait un mouvement dont la pensée n'était pas équivoque. Mais vous avez perdu votre procès, votre femme sait que vous êtes méconnaissable!

5 — Je la tuerai. . . .

— Folie! Vous serez pris et guillotiné comme un misérable.[1] Laissez-moi réparer vos sottise, grand enfant! Allez-vous-en.

Le pauvre colonel obéit à son jeune bienfaiteur et sortit en 10 lui balbutiant ses excuses. Il descendait lentement les marches de l'escalier noir, perdu dans de sombres pensées, lorsqu'il entendit, en parvenant au dernier palier, le frôlement d'une robe, et sa femme apparut.

— Venez, monsieur, lui dit-elle en lui prenant le bras.

15 L'action de la comtesse, l'accent de sa voix redevenue gracieuse, suffirent pour calmer la colère du colonel, qui se laissa mener jusqu'à la voiture.

— Eh bien, montez donc! dit la comtesse.

Et il se trouva, comme par enchantement, assis près de sa 20 femme dans le coupé.

— Où va madame? demanda le valet.

— A Groslay,[2] dit-elle.

Les chevaux partirent et traversèrent tout Paris.

— Monsieur. . .,[3] dit la comtesse au colonel d'un son de 25 voix qui révélait une de ces émotions rares dans la vie, et par lesquelles tout en nous est agité.

Le vieux soldat tressaillit en entendant ce seul mot, ce premier, ce terrible « Monsieur! » Ce mot comprenait tout. Il fallait être une comédienne pour jeter tant d'éloquence, tant de 30 sentiments dans un mot. Le colonel eut mille remords de ses

[1] *misérable:* scoundrel. [2] A village on the outskirts of the forest of Montmorency (about 9 miles north of Paris) where the Ferrauds had a summer house. [3] In the aristocracy a certain formality existed between husband and wife. When they lived together his wife probably adressed Chabert as *Monsieur.*

soupçons, de ses demandes, de sa colère, et baissa les yeux pour ne pas laisser deviner son trouble.[1]

— Monsieur, reprit la comtesse après une pause imperceptible, je vous ai bien reconnu!

— Rosine, dit le vieux soldat, ce mot contient le seul baume qui pût me faire oublier mes malheurs. 5

Deux grosses larmes roulèrent toutes chaudes sur les mains de sa femme, qu'il pressa pour exprimer une tendresse paternelle.

— Monsieur, reprit-elle, comment n'avez-vous pas deviné 10 qu'il me coûtait[2] horriblement de paraître devant un étranger dans une position aussi fausse que la mienne? Vous m'absoudrez, j'espère, de mon indifférence apparente pour les malheurs d'un Chabert à l'existence duquel je ne devais pas croire. J'ai reçu vos lettres, dit-elle vivement en lisant sur les 15 traits de son mari l'objection qui s'y exprimait, mais elles me parvinrent treize mois après la bataille d'Eylau; elles étaient ouvertes, salies, l'écriture en était méconnaissable, et j'ai dû croire, après avoir obtenu la signature de Napoléon sur mon nouveau contrat de mariage, qu'un adroit intrigant voulait 20 se jouer de moi.[3] Pour ne pas troubler le repos de M. le comte Ferraud, j'ai dû prendre des précautions contre un faux Chabert. N'avais-je pas raison, dites?

— Oui, tu as[4] eu raison; c'est moi qui suis un sot, un animal, une bête, de n'avoir pas su mieux calculer les conséquences 25 d'une situation semblable. Mais où allons-nous? dit le colonel en se voyant à la barrière[5] de la Chapelle.

— A ma campagne, près de Groslay, dans la vallée de Montmorency. Là, monsieur, nous réfléchirons ensemble au

[1] *son trouble = son émotion.* [2] *il me coûtait = il m'était pénible.* [3] *se jouer de moi = me tromper:* take advantage of me. [4] It will be noted that Chabert uses the *tu* form to express affection or emotion, and comes back to the more distant *vous* in less emotional moments. [5] *barrière = porte,* the exit from Paris at the extreme north in the direction of Montmorency.

parti[1] que nous devons prendre. Je connais mes devoirs. Si je suis à vous en droit, je ne vous appartiens plus en fait. N'instruisons pas le public de cette situation qui pour moi présente un côté ridicule, et sachons garder notre dignité. Vous m'aimez encore, reprit-elle en jetant sur le colonel un regard triste et doux; mais, moi, n'ai-je pas été autorisée à former d'autres liens? En cette singulière position, une voix secrète me dit d'espérer en votre bonté, qui m'est si connue. Je me confie à la noblesse de votre caractère. Je vous l'avouerai, j'aime M. Ferraud. Je me suis crue en droit[2] de l'aimer. Je ne rougis pas de cet aveu devant vous; s'il vous offense, il ne nous déshonore point.

Le colonel fit un signe de main à sa femme, pour lui imposer silence, et ils restèrent sans proférer un seul mot pendant une demi-lieue.

— Rosine!

— Monsieur?

— Les morts ont donc bien tort de revenir?

— Oh! monsieur, non, non! Ne me croyez pas ingrate. Seulement, vous trouvez une amante,[3] une mère, là où vous aviez laissé une épouse. S'il n'est plus en mon pouvoir de vous aimer, je sais tout ce que je vous dois et puis vous offrir encore toutes les affections d'une fille.

— Rosine, reprit le vieillard d'une voix douce, je n'ai plus aucun ressentiment contre toi. Je ne suis pas assez peu délicat[4] pour exiger les semblants de l'amour chez une femme qui n'aime plus.

La comtesse lui lança un regard empreint d'une telle reconnaissance que le pauvre Chabert aurait voulu rentrer dans sa fosse d'Eylau. Certains hommes ont une âme assez forte pour

[1] *au parti* = *à la décision.* [2] *Je me suis crue en droit* = *J'ai cru que j'avais le droit.* [3] *une amante:* a woman in love (with her present husband). [4] *peu délicat* = *grossier, vulgaire.*

de tels dévouements, dont la récompense se trouve pour eux dans la certitude d'avoir fait le bonheur d'une personne aimée!

— Mon ami, nous parlerons de tout ceci plus tard et à cœur reposé,[1] dit la comtesse. 5

Enfin les deux époux arrivèrent à un grand parc situé dans la petite vallée qui sépare les hauteurs de Margency[2] du joli village de Groslay. La comtesse possédait là une délicieuse maison où le colonel vit, en arrivant, tous les apprêts que nécessitaient son séjour et celui de sa femme. Malgré son peu 10 de défiance, il ne put s'empêcher de dire à sa femme:

— Vous étiez donc bien sûre de m'emmener ici?

— Oui, répondit-elle, si je trouvais le colonel Chabert dans le plaideur.[3]

L'air de vérité qu'elle sut mettre dans cette réponse dissipa 15 les légers soupçons que le colonel eut honte d'avoir conçus. Pendant trois jours, la comtesse fut admirable près de son premier mari. Par de tendres soins et par sa constante douceur, elle semblait vouloir effacer le souvenir des souffrances qu'il avait endurées, se faire pardonner les malheurs que, suivant 20 ses aveux, elle avait innocemment causés. Elle voulait l'intéresser à sa situation, et l'attendrir assez pour s'emparer de son esprit et disposer souverainement de lui.

Le soir du troisième jour, pour se trouver un moment à l'aise, elle monta chez elle,[4] s'assit à son secrétaire, déposa le 25 masque de tranquillité qu'elle conservait devant le comte Chabert, et se mit à finir une lettre qu'elle écrivait à Delbecq, son homme d'affaires, à qui elle disait de venir aussitôt la trouver à Groslay. A peine avait-elle achevé qu'elle entendit dans le corridor le bruit des pas du colonel, qui, tout inquiet, 30 venait la retrouver.

[1] *à cœur reposé* = *quand nous serons plus calmes.* [2] A little village located about two miles northwest of Groslay. [3] *plaideur:* litigant. [4] *chez elle* = dans sa chambre.

— Hélas! dit-elle à haute voix, je voudrais être morte! Ma situation est intolérable. . . .

— Eh bien, qu'avez-vous donc? demanda le bonhomme.

— Rien, rien, dit-elle.

5 Elle se leva, laissa le colonel, descendit et alla s'asseoir sur un banc du parc où elle était assez en vue pour que le colonel vînt l'y trouver aussitôt qu'il le voudrait. Le colonel accourut et s'assit près d'elle.

— Rosine, lui dit-il, qu'avez-vous?

10 Elle ne répondit pas. L'air était pur et le silence profond.

— Vous ne me répondez pas? demanda le colonel à sa femme.

— Mon mari . . . dit la comtesse, qui s'arrêta, fit un mouvement et s'interrompit pour lui demander en rougissant: — 15 Comment dirai-je en parlant de M. le comte Ferraud?

— Nomme-le ton mari, ma pauvre enfant, répondit le colonel avec un accent de bonté; n'est-ce pas le père de tes enfants?

— Eh bien, reprit-elle, s'il me demande ce que je suis venue 20 faire ici, s'il apprend que je m'y suis enfermée avec un inconnu, que lui dirai-je? Écoutez, monsieur, reprit-elle en prenant une attitude pleine de dignité, décidez de mon sort, je suis résignée à tout. . . .

— Ma chère, dit le colonel en s'emparant des mains de sa 25 femme, j'ai résolu de me sacrifier entièrement à votre bonheur. . . .

— Cela est impossible, s'écria-t-elle. Songez donc que vous devriez alors renoncer à vous-même, et d'une manière authentique. . . .[1]

30 — Comment, dit le colonel, ma parole ne vous suffit pas? Le mot *authentique* tomba sur le cœur du vieillard et y réveilla des défiances involontaires. Il jeta sur sa femme un regard qui

[1] *authentique = définitive, légale.*

la fit rougir, elle baissa les yeux, et il eut peur de se trouver obligé de la mépriser. Pourtant, la bonne harmonie se rétablit aussitôt entre eux. Voici comment. Un cri d'enfant retentit au loin.

— Jules, laissez votre sœur tranquille! s'écria la comtesse.

— Quoi! vos enfants sont ici? dit le colonel.

— Oui, mais je leur ai défendu de vous importuner.

— Qu'ils viennent donc, dit-il.

La petite fille accourait pour se plaindre de son frère.

— Maman!

— Maman!

— C'est lui qui. . . .

— C'est elle. . . .

Les mains étaient étendues vers la mère, et les deux voix enfantines se mêlaient. Ce fut un tableau souriant et délicieux.

— Pauvres enfants! s'écria la comtesse en ne retenant plus ses larmes, il faudra les quitter; à qui le jugement les donnera-t-il? On ne partage pas un cœur de mère, je les veux, moi!

— Est-ce vous qui faites pleurer maman? dit Jules en jetant un regard de colère au colonel.

— Taisez-vous, Jules! s'écria la mère d'un air impérieux.

Les deux enfants restèrent debout et silencieux, examinant leur mère et l'étranger avec curiosité.

— Oh! oui, reprit-elle, si l'on me sépare du comte, qu'on me laisse les enfants, et je serai soumise à tout. . . .

Ce fut un mot décisif qui obtint tout le succès qu'elle avait espéré.

— Oui, s'écria le colonel comme s'il achevait une phrase mentalement commencée, je dois rentrer sous terre. Je me le suis déjà dit.

— Puis-je accepter un tel sacrifice? répondit la comtesse. Si quelques hommes sont morts pour sauver l'honneur de leur maîtresse, ils n'ont donné leur vie qu'une fois. Mais, ici, vous donneriez votre vie tous les jours! Non, non, cela est impossible. S'il ne s'agissait que de votre existence, ce ne serait rien; mais signer que vous n'êtes pas le colonel Chabert, reconnaître que vous êtes un imposteur, le dévouement humain ne saurait aller jusque-là. Songez-donc! Non. Sans mes pauvres enfants, je me serais déjà enfuie avec vous au bout du monde. . . .

— Mais, reprit Chabert, est-ce que je ne puis vivre ici, dans votre petit pavillon,[1] comme un de vos parents?

La comtesse fondit en larmes. Il y eut entre la comtesse Ferraud et le colonel un combat de générosité d'où le soldat sortit vainqueur.

## V

Un soir, il prit la résolution de rester mort, et demanda comment il fallait s'y prendre[2] pour assurer irrévocablement le bonheur de cette famille.

— Faites comme vous voudrez! lui répondit la comtesse, je vous déclare que je ne me mêlerai en rien de cette affaire. Je ne le dois pas.

Delbecq, l'homme d'affaires de la comtesse, était arrivé. Suivant les instructions verbales de la comtesse, l'intendant avait su gagner la confiance du vieux militaire. Le lendemain matin donc, le colonel Chabert partit avec lui pour Saint-Leu-Taverny,[3] où Delbecq avait fait préparer chez le notaire un acte conçu en termes si crus, que le colonel sortit brusquement de l'étude après en avoir entendu la lecture.

— Mille tonnerres! je serais un joli coco![4] Mais je passerais pour un faussaire! s'écria-t-il.

Le colonel s'enfuit, emporté par mille sentiments contraires.

[1] *pavillon:* a small house on the grounds. [2] *comment il fallait s'y prendre* = *ce qu'il fallait faire:* how to go about it. [3] *Saint-Leu-Taverny* or *Saint-Leu-La Forêt:* a town about 8 miles north of Groslay. [4] *un joli coco* (ironical) = *un misérable:* a scoundrel.

Il redevint défiant, s'indigna, se calma tour à tour. Enfin il entra dans le parc de Groslay par la brèche d'un mur, et vint à pas lents se reposer et réfléchir à son aise dans un cabinet pratiqué sous un kiosque.[1] L'allée étant sablée, la comtesse, qui était assise dans le petit salon, à l'étage supérieur de cette espèce de pavillon, n'entendit pas le colonel, car elle était trop préoccupée du succès de son affaire. Le vieux soldat n'aperçut pas non plus sa femme au-dessus de lui dans le petit pavillon.

— Eh bien, monsieur Delbecq, a-t-il signé? demanda la comtesse à son intendant qu'elle vit seul sur le chemin.

— Non, madame. Je ne sais même pas ce que notre homme est devenu. Le vieux cheval s'est cabré.

— Il faudra donc finir par le mettre à Charenton, dit-elle, puisque nous le tenons.

Le colonel sortit du kiosque, fut en un clin d'œil devant l'intendant, auquel il appliqua la plus belle paire de soufflets.

— Ajoute que les vieux chevaux savent ruer! lui dit-il.

La vérité s'était montrée. Le mot de la comtesse et la réponse de Delbecq avaient dévoilé le complot dont il allait être la victime. Les soins qui lui avaient été prodigués étaient une amorce pour le prendre dans un piège. Donc, ni paix ni trêve pour lui! Dès ce moment, il fallait entrer dans une vie de procès. Mais, où trouver l'argent nécessaire pour payer les frais? Il lui prit[2] un si grand dégoût de la vie, que, s'il avait eu des pistolets, il se serait brûlé la cervelle.[3] Enfin, il monta dans le petit salon où il trouva sa femme assise sur une chaise. La comtesse examinait le paysage et gardait une contenance pleine de calme en montrant cette impénétrable physionomie que savent prendre les femmes déterminées à

[1] *un kiosque:* a small open pavilion. [2] *Il lui prit = Il fut saisi de:* There came to him. [3] *il se serait brûlé la cervelle = il se serait tiré un coup de pistolet dans la tête* (*literally:* he would have burned out his brains).

tout. Néanmoins, malgré son assurance apparente, elle ne put s'empêcher de frissonner en voyant devant elle son vénérable bienfaiteur, debout, les bras croisés, la figure pâle, le front sévère.

5 — Madame, dit-il après l'avoir regardée fixement pendant un moment et l'avoir forcée à rougir, madame, je ne vous maudis pas, je vous méprise. Maintenant, je remercie le hasard qui nous a désunis. Je ne sens même pas un désir de vengeance, je ne vous aime plus. Je ne veux rien de vous. Vivez tranquille 10 sur la foi de ma parole, elle vaut mieux que les griffonnages de tous les notaires de Paris. Je ne réclamerai jamais le nom que j'ai peut-être illustré.[1] Adieu. . . .

La comtesse se jeta aux pieds du colonel, et voulut[2] le retenir en lui prenant les mains, mais il la repoussa avec dégoût en lui 15 disant :

— Ne me touchez pas.

La comtesse fit un geste intraduisible lorsqu'elle entendit le bruit des pas de son mari. Puis, avec la profonde perspicacité que donne une haute scélératesse ou le féroce égoïsme du 20 monde, elle crut pouvoir vivre en paix sur la promesse et le mépris de ce loyal soldat.

Chabert disparut en effet.

Six mois après cet événement, Derville, qui n'entendait plus parler ni du colonel Chabert ni de la comtesse Ferraud pensa 25 qu'il était survenu[3] sans doute entre eux une transaction, que, par vengeance, la comtesse avait fait dresser[4] dans une autre étude. Alors, un matin, il supputa les sommes avancées au dit Chabert, y ajouta les frais, et pria la comtesse Ferraud de réclamer[5] à M. le comte Chabert le montant de ce mémoire,[6]

[1] *illustré = rendu célèbre.* [2] *voulut = essaya de.* [3] *il était survenu:* there had occurred. [4] *avait fait dresser = avait fait rédiger:* had had drafted. [5] *réclamer = demander instamment.* [6] *mémoire:* bill.

en présumant qu'elle savait où se trouvait son premier mari.

Le lendemain même, l'intendant du comte Ferraud écrivit à Derville ce mot désolant:[1]

« Monsieur,

« Madame la comtesse Ferraud me charge de vous prévenir que votre client avait complètement abusé de votre confiance, et que l'individu qui disait être le comte Chabert a reconnu avoir indûment pris de fausses qualités.[2]

« Agréez, etc.

« Delbecq »

— On rencontre des gens qui sont aussi, ma parole d'honneur! par trop bêtes,[3] s'écria Derville. Voilà une affaire qui me coûte plus de deux billets de mille francs.

Quelque temps après la réception de cette lettre, Derville cherchait au Palais un avocat auquel il voulait parler. Le hasard voulut[4] qu'il entrât à la sixième chambre[5] au moment où le président condamnait comme vagabond le nommé Hyacinthe à deux mois de prison, et ordonnait qu'il fût ensuite conduit au dépôt de mendicité[6] de Saint-Denis,[7] sentence qui équivaut à une détention perpétuelle. Au nom d'Hyacinthe, Derville regarda le délinquant assis entre deux gendarmes sur le banc des prévenus,[8] et reconnut, dans la personne du condamné, son faux colonel Chabert.

Le vieux soldat était calme, immobile, presque distrait.[9] Son regard avait une expression de stoïcisme qu'un magistrat n'aurait pas dû méconnaître.[10] Mais, dès qu'un homme tombe entre les mains de la justice, il n'est plus qu'un être moral, une question de droit ou de fait, comme aux yeux des statisticiens

[1] *désolant:* pitiful. [2] *qualités = titres.* [3] *par trop bêtes = trop stupides.* [4] *voulut = décida:* would have it. [5] *sixième chambre:* police court VI (In large cities there are several police court judges, each presiding over a *chambre* or court.) [6] *dépôt de mendicité:* workhouse (to which inveterate vagrants were sent, sometimes for the rest of their lives). [7] A very old suburb of Paris, 5 miles to the north. [8] *prévenus = accusés.* [9] *distrait:* listless; inattentive. [10] *n'aurait pas dû méconnaître = aurait dû prendre en considération.*

il devient un chiffre. Quand le soldat fut reconduit au greffe,[1] Derville le rejoignit et l'y contempla pendant quelques instants, ainsi que les curieux mendiants parmi lesquels il se trouvait.

— Me reconnaissez-vous? dit Derville au vieux soldat en se
5 plaçant devant lui.

— Oui, monsieur, répondit Chabert en se levant.

— Si vous êtes un honnête homme, reprit Derville à voix basse, comment avez-vous pu rester mon débiteur.

Le vieux soldat rougit.

10 — Quoi! madame Ferraud ne vous a pas payé? s'écria-t-il à haute voix.

— Payé? . . . dit Derville. Elle m'a écrit que vous étiez un intrigant.

Le colonel leva les yeux par un sublime mouvement d'hor-
15 reur, d'imprécation, comme pour en appeler au Ciel de cette tromperie nouvelle.

— Monsieur, dit-il, obtenez des gendarmes la faveur de me laisser entrer au bureau, je vais vous signer un mandat[2] qui sera certainement acquitté.[3]

20 Sur un mot dit par Derville au brigadier,[4] il lui fut permis d'emmener son client dans le bureau, ou Hyacinthe écrivit quelques lignes adressées à la comtesse Ferraud.

— Envoyez cela chez elle, dit le soldat, et vous serez remboursé de vos frais et de vos avances. Croyez, monsieur, que,
25 si je ne vous ai pas témoigné la reconnaissance que je vous dois pour vos bons offices, elle n'en est pas moins là, dit-il en se mettant la main sur le cœur. Oui, elle est là, pleine et entière. Mais que peuvent les malheureux? Ils aiment, voilà tout.

30 — Comment, lui dit Derville, n'avez-vous pas stipulé pour vous quelque rente?

[1] *greffe:* recorder's office; office of the court clerk. [2] *un mandat = un billet:* an order; a note. [3] *acquitté = payé.* [4] *brigadier:* sergeant (in the State police).

— Ne me parlez pas de cela! répondit le vieux militaire. Vous ne pouvez pas savoir jusqu'où va mon mépris pour cette vie extérieure[1] à laquelle tiennent la plupart des hommes. J'ai subitement été pris d'une maladie, le dégoût de l'humanité. Quand je pense que Napoléon est à Sainte-Hélène,[2] tout ici-bas m'est indifférent. Je ne puis plus être soldat, voilà tout mon malheur. Enfin, ajouta-t-il, il vaut mieux avoir du luxe dans ses sentiments que sur ses habits. Je ne crains, moi, le mépris de personne.

Et le colonel alla se remettre sur son banc.

Derville sortit. Quand il revint à son étude, il envoya Godeschal, son second clerc, chez la comtesse Ferraud, qui, à la lecture du billet, fit immédiatement payer la somme due à l'avoué du comte Chabert.

## VI

En 1840,[3] vers la fin du mois de juin, Godeschal, devenu avoué, allait à Ris,[4] en compagnie de Derville, son prédécesseur. Lorsqu'ils parvinrent à l'avenue qui conduit de la grande route à Bicêtre,[5] ils aperçurent sous un des ormes du chemin un de ces vieux pauvres chenus et cassés qui ont obtenu le bâton de maréchal des[6] mendiants. Ce vieillard avait une physionomie attachante.[7] Il était vêtu de cette robe de drap

[1] *extérieure:* wordly. [2] Napoleon I was a prisoner on St. Helena from 1815 to the date of his death in 1821. The island is situated in the Atlantic between southwest Africa and Brazil. [3] This novel was written in 1832, and Balzac had first given that date for this episode. In a later edition, however, he changed it to 1840, placing these events about 25 years later than those related before. [4] *Ris* or *Ris-Orangis* is a small town about 16 miles south of Paris. [5] *Bicêtre:* a suburb of Paris on the way to Ris-Orangis. It is famous for its asylum for aged and insane men. The name is supposed to be a corruption of Winchester. The establishment was founded in 1285 by Jean de Pontoise, Bishop of Winchester. [6] *le bâton de maréchal des = le plus haut titre parmi* (a baton was the insignia of the highest ranking officer, the Marshal). [7] *attachante = attirante, intéressante.*

rougeâtre que l'hospice accorde à ses hôtes, espèce de livrée[1] horrible.

— Tenez, Derville, dit Godeschal, à son compagnon de voyage, voyez donc ce vieux. Et cela[2] vit, et cela est heureux 5 peut-être!

Derville prit son lorgnon, regarda le pauvre, laissa échapper un mouvement de surprise et dit:

— Ce vieux-là, mon cher, est tout un poème. As-tu rencontré quelquefois la comtesse Ferraud?

10 — Oui, c'est une femme d'esprit et très agréable; mais un peu trop dévote, dit Godeschal.

— Ce vieux bicêtrien[3] est son mari légitime, le comte Chabert, l'ancien colonel; elle l'aura sans doute fait placer là.

Ce début ayant excité la curiosité de Godeschal, Derville lui 15 raconta l'histoire qui précède. Deux jours après, en revenant à Paris, les deux amis jetèrent un coup d'œil sur Bicêtre, et Derville proposa d'aller voir le colonel Chabert. A moitié chemin de l'avenue, les deux amis trouvèrent assis sur la souche d'un arbre abattu le vieillard, qui tenait à la main un bâton 20 et s'amusait à tracer des raies sur le sable.

— Bonjour, colonel Chabert, lui dit Derville.

— Pas Chabert! pas Chabert! je me nomme Hyacinthe, répondit le vieillard. Je ne suis plus un homme, je suis le numero 164, septième salle, ajouta-t-il en regardant Derville 25 avec une anxiété peureuse, avec une crainte de vieillard et d'enfant. — Vous allez voir le condamné à mort? dit-il après un moment de silence. Il n'est pas marié, lui! Il est bien heureux.

— Pauvre homme, dit Godeschal. Voulez-vous de l'ar-30 gent pour acheter du tabac?

Avec toute la naïveté d'un gamin de Paris, le colonel tendit

[1] *livrée = uniforme* (usually for servants). [2] *cela:* used to refer to a person in a disparaging way. [3] *bicêtrien:* inmate (of Bicêtre).

avidement la main à chacun des deux inconnus, qui lui donnèrent une pièce de vingt francs; il les remercia par un regard stupide, en disant:

— Braves troupiers!

Il se mit au port d'armes,[1] feignit de les coucher en joue,[2] et s'écria en souriant :

— Feu des deux pièces![3] vive Napoléon!

Et il décrivit en l'air avec sa canne une arabesque[4] imaginaire.

— Le genre de sa blessure l'aura fait tomber en enfance,[5] dit Derville.

— Lui en enfance! s'écria un vieux bicêtrien qui les regardait. Ah! il y a des jours où il ne faut pas lui marcher sur le pied. C'est un vieux malin[6] plein de philosophie et d'imagination. Monsieur, en 1820, il était déjà ici. Un jour, un officier prussien vint à passer à pied. Nous étions nous deux, Hyacinthe et moi, sur le bord de la route. Cet officier causait en marchant avec un autre, lorsqu'en voyant l'ancien,[7] le Prussien, histoire de blaguer,[8] lui dit: « Voilà un vieux voltigeur[9] qui devait être à Rosbach.[10] — J'étais trop jeune pour y être, lui répondit-il; mais j'ai été assez vieux pour me trouver à Iéna. »[11] Pour lors,[12] le Prussien a filé, sans faire d'autres questions.

— Quelle destinée! s'écria Derville. Il vient mourir à l'hospice de la Vieillesse, après avoir, dans l'intervalle, aidé Napoléon à conquérir l'Égypte et l'Europe. — Savez-vous, mon cher, reprit Derville après une pause, qu'il existe dans

[1] *au port d'armes:* at shoulder arms. [2] *coucher en joue = viser:* to aim at. [3] The word *pièces* offers a pun with its double meaning of "piece of artillery" and "piece of money." The pun is continued with the *vive Napoléon* since a napoleon is also a coin and Chabert has just received two of them. [4] *une arabesque:* a flourish. [5] *enfance:* second childhood, dotage. [6] *un vieux malin:* a shrewd old fellow. [7] *l'ancien = le vieux soldat* (Chabert). [8] *histoire de blaguer = pour s'amuser.* [9] *voltigeur:* light infantryman. [10] *Rosbach* or *Rossbach* is a village in Saxony where the Prussian Army of Frederick the Great defeated the French and Austrians in 1757, therefore 63 years before this episode of our story takes place. [11] *Iéna:* city in central Germany, the site of a famous victory of Napoleon over the Prussians in 1806. [12] *Pour lors = Alors, Après cela.*

notre société trois hommes, le prêtre, le médecin et l'homme de justice, qui ne peuvent pas estimer le monde? Ils ont des robes noires, peut-être parce qu'ils portent le deuil de toutes les vertus, de toutes les illusions. Le plus malheureux des trois
5 est l'avoué. Quand l'homme vient trouver le prêtre, il arrive poussé par le repentir, par le remords, par des croyances qui le rendent intéressant, qui le grandissent, et consolent l'âme du médiateur. Mais, nous autres avoués,[1] nous voyons se répéter les mêmes sentiments mauvais, rien ne les corrige, nos études
10 sont des égouts qu'on ne peut pas curer. Combien de choses n'ai-je pas apprises en exerçant ma charge![2] Je ne puis vous dire tout ce que j'ai vu, car j'ai vu des crimes contre lesquels la justice est impuissante. Enfin, toutes les horreurs que les romanciers croient inventer sont toujours au-dessous de la
15 vérité. Vous allez connaître ces jolies choses-là, vous; moi, je vais vivre à la campagne avec ma femme. Paris me fait horreur.[3]

## QUESTIONNAIRE

### I

1. A quelle heure le Colonel Chabert s'est-il présenté chez Derville? 2. A qui donne-t-on le titre de « maître »? 3. Pourquoi Derville travaille-t-il à cette heure tardive? 4. Pourquoi Derville est-il resté stupéfait en voyant son nouveau client? 5. Faites la description physique du colonel. 6. Qu'est-il arrivé lorsque Chabert s'est découvert? 7. Pourquoi Derville a-t-il cru avoir affaire à un fou? 8. Qu'est-il arrivé au colonel pendant la bataille d'Eylau? 9. Pourquoi Chabert a-t-il été laissé pour mort sur le terrain? 10. Qu'avait-on fait de son corps?

11. Dans quelle situation Chabert s'est-il trouvé lorsqu'il est revenu à lui? 12. Qu'a-t-il dû faire pour tâcher de sortir de la

[1] *nous autres avoués:* attorneys like ourselves (*autres* has merely an emphatic value). [2] *ma charge* = *ma profession.* [3] *Paris me fait horreur:* I loathe Paris.

fosse? 13. Quelles circonstances lui ont permis d'échapper à la mort? 14. Par qui a-t-il été sauvé? 15. Qui s'est intéressé à lui à l'hôpital? 16. Quelles pièces importantes a-t-on fait établir? 17. Qu'a fait Chabert après être sorti de l'hôpital? 18. Qu'est-ce qui lui est arrivé à Stuttgart? 19. De quoi souffre surtout le colonel? 20. Quel procès Chabert veut-il intenter?

21. Qu'est-ce que maître Derville promet de faire? 22. A quelle époque Chabert est-il rentré dans Paris? 23. Par quels changements a-t-il été bouleversé? 24. Qu'a-t-il fait pour revoir sa femme? 25. Pourquoi l'affaire du colonel est-elle grave? 26. Quel avis Derville a-t-il donné? 27. Quelle preuve d'intérêt et de générosité Derville a-t-il donnée à Chabert? 28. Derville est-il absolument convaincu de la véracité de son client?

II

1. Quels documents sont arrivés d'Allemagne? 2. Qu'est-ce que Derville apprend concernant la liquidation de la succession Chabert? 3. Où Chabert demeurait-il à Paris? 4. Décrivez l'installation du nourrisseur Vergniaud. 5. D'où est sorti le colonel? 6. Quel reproche Chabert a-t-il fait à l'avoué? 7. Décrivez la chambre du colonel. 8. Comment Chabert passait-il le temps? 9. Pourquoi préférait-il habiter chez les Vergniaud? 10. Quelles bonnes nouvelles Derville apporte-t-il?

11. Quelles difficultés prévoit-il? 12. Comment la fortune à laquelle Chabert a droit est-elle réduite à trois cent mille francs? 13. Que conseille Derville? 14. Pourquoi Chabert veut-il aller au pied de la colonne Vendôme? 15. Qu'est-ce que Derville exige de son client? 16. Dans quel état d'esprit Chabert reste-t-il après cette entrevue?

III

1. Comment Derville pense-t-il pouvoir influencer la comtesse Ferraud? 2. Comment le comte Ferraud pourrait-il devenir pair de France? 3. Décrivez la salle où Derville a trouvé la comtesse.

4. Qu'est-ce que la comtesse a nié tout d'abord? 5. Comment s'est-elle laissé prendre à une ruse de Derville? 6. Pourquoi ne craint-elle pas un procès? 7. De quoi Derville menace-t-il Mme Ferraud? 8. La comtesse était-elle prête à accepter une transaction?

IV

1. Comment Chabert était-il vêtu lors de l'entrevue chez Derville? 2. Comment Derville avait-il arrangé cette réunion dans son étude? 3. Quelles sont les conditions que Derville propose à la comtesse? 4. Quelle objection la comtesse a-t-elle faite? 5. Comment la colère du colonel s'est-elle manifestée? 6. Pourquoi la comtesse est-elle sortie brusquement de l'étude? 7. Pourquoi Derville est-il mécontent? 8. Quelle nouvelle attitude la comtesse prend-elle en abordant Chabert dans l'escalier? 9. Quelles excuses offre-t-elle de son attitude précédente? 10. Où emmène-t-elle Chabert et pourquoi?

11. Qu'est-ce que la comtesse espère obtenir du colonel? 12. Quel est l'état d'esprit de Chabert? 13. A Groslay, comment la comtesse traite-t-elle son premier mari? 14. Quelle comédie joue-t-elle?

V

1. A quelle résolution Chabert était-il arrivé? 2. Qu'est-ce qui a contribué à l'affermir dans sa décision? 3. Pourquoi Delbecq était-il venu à Groslay? 4. Qu'est-ce que Delbecq a voulu lui faire signer? 5. Comment le colonel s'est-il aperçu de la duplicité de la comtesse? 6. Quel a été l'effet de cette révélation sur Chabert? 7. Qu'a-t-il déclaré à la comtesse? 8. Qu'a pensé la comtesse après le départ du colonel? 9. Comment Derville s'expliquait-il le silence de Chabert et de la comtesse? 10. Quelle réponse a-t-il reçue de Mme Ferraud?

11. Dans quelles circonstances Derville a-t-il revu Chabert? 12. Quelles sont maintenant les idées du colonel?

## VI

1. Où et combien d'années plus tard Derville a-t-il une dernière fois retrouvé Chabert? 2. Comment le colonel s'est-il comporté envers l'avoué? 3. Qu'est-ce qu'un vieux bicêtrien pense de Chabert? 4. Pourquoi Derville pense-t-il que les prêtres, les médecins et les hommes de justice deviennent inévitablement pessimistes? 5. Que dit-il avoir vu en exerçant sa charge d'avoué? 6. Pourquoi Derville a-t-il horreur de Paris?

⚜⚜⚜

# PROSPER MÉRIMÉE

## 1803-1870

## *Carmen*

### I

Je suis né à Elizondo, dans la vallée de Baztan.[1] Je m'appelle don José Lizzarrabengoa, et vous connaissez assez l'Espagne, monsieur, pour que mon nom vous dise aussitôt que je suis Basque[2] et vieux chrétien. Si je prends le *don*[3] c'est que j'en
5 ai le droit, et si j'étais à Elizondo je vous montrerais ma généalogie sur un parchemin. On voulait que je fusse d'église,[4] et l'on me fit étudier, mais je ne profitais guère. J'aimais trop à jouer à la paume, c'est ce qui m'a perdu. Quand nous jouons à la paume, nous autres Navarrais,[5] nous oublions tout. Un
10 jour que j'avais gagné, un gars de l'Alava[6] me chercha querelle;

[1] The hero, José, who has been condemned to the capital punishment, is telling the story of his life to the author who had met him while traveling in Spain in the autumn of 1830. *Elizondo* is a Basque village in the western Pyrenees. *Baztan* is the name of a river and of a valley in the same section. [2] The Basque country extends in the western section of the Pyrenees, both in Spain and France. The inhabitants are healthy mountaineers who speak a language entirely different from the romance languages such as Spanish or French. The Basques are known for their profound Catholic faith. [3] *don:* a Spanish title of courtesy given to members of the nobility or of the aristocracy. Today it accompanies only the first name. [4] *que je fusse d'église* = *que je devienne prêtre.* [5] *nous autres Navarrais:* we who live in Navarre. (The adjective *autres* only serves to put some emphasis on *nous*). Navarre was an old kingdom which contained the Basque country. There is still a province of Navarre in Spain. [6] *Alava* is a province in northern Spain.

nous prîmes nos *maquilas*,[1] et j'eus encore l'avantage; mais cela m'obligea de quitter le pays. Je rencontrai des dragons, et je m'engageai dans le régiment d'Almanza,[2] cavalerie. Les gens de nos montagnes apprennent vite le métier militaire. Je devins bientôt brigadier, et on me promettait de me faire maréchal des logis, quand, pour mon malheur, on me mit de garde à la manufacture de tabacs à Séville.[3] Quand ils sont de service,[4] les Espagnols jouent aux cartes, ou dorment; moi, je tâchais toujours de m'occuper. Je faisais une chaîne avec du fil de laiton pour tenir mon épinglette. Tout d'un coup les camarades disent : Voilà la cloche qui sonne; les filles vont rentrer à l'ouvrage. Vous saurez,[5] monsieur, qu'il y a bien quatre à cinq cents femmes occupées dans la manufacture. A l'heure où les ouvrières rentrent, après leur dîner, bien des jeunes gens vont les voir passer, et leur en content de toutes les couleurs.[6] Pendant que les autres regardaient, moi, je restais sur mon banc, près de la porte. J'étais jeune alors; je pensais toujours au pays,[7] et je ne croyais pas qu'il y eût de jolies filles sans jupes bleues et sans nattes tombant sur les épaules.[8] D'ailleurs, les Andalouses me faisaient peur; je n'étais pas encore fait[9] à leurs manières: toujours à railler, jamais un mot de raison. J'étais donc le nez sur ma chaîne, quand j'entends des bourgeois qui disaient: Voilà la gitanilla![10] Je levai les yeux, et je la vis. C'était un vendredi, et je ne l'oublierai jamais. Je vis cette Carmen que vous connaissez, chez qui je vous ai rencontré il y a quelques mois.

Elle avait un jupon rouge fort court qui laissait voir des bas

[1] *maquilas:* iron-tipped sticks (Basque). [2] *Almanza* is a Spanish city in south-eastern Spain. [3] Tobacco is a monopoly of the government in Spain. This explains the presence of the guard.—*Séville* is one of the most important and most beautiful cities of southern Spain. [4] *de service:* on duty of this sort. [5] *Vous saurez = Il faut que vous sachiez.* [6] *leur en content de toutes les couleurs = leur disent toutes sortes de choses (pas vraies).* [7] *au pays = à mon pays, au pays basque.* [8] This describes the provincial attire of Basque girls. [9] *fait = habitué.* [10] *gitanilla:* diminative of *gitana:* gypsy.

de soie blancs avec plus d'un trou, et des souliers mignons de maroquin rouge attachés avec des rubans couleur de feu. Elle écartait sa mantille afin de montrer ses épaules et un gros bouquet de cassie qui sortait de sa chemise. Elle avait une fleur 5 de cassie dans le coin de la bouche, et elle s'avançait en se balançant sur ses hanches comme une pouliche du haras de Cordoue.[1] Dans mon pays, une femme en ce costume aurait obligé le monde à se signer.[2] A Séville, chacun lui adressait quelque compliment gaillard sur sa tournure; elle répondait 10 à chacun, faisant les yeux en coulisse, le poing sur la hanche, effrontée comme une vraie bohémienne qu'elle était. D'abord elle ne me plut pas, et je repris mon ouvrage; mais elle, suivant l'usage des femmes et des chats qui ne viennent pas quand on les appelle et qui viennent quand on ne les appelle pas, s'arrêta 15 devant moi et m'adressa la parole:

— Compère, me dit-elle à la façon andalouse, veux-tu me donner ta chaîne pour tenir les clefs de mon coffre-fort?

— C'est pour attacher mon épinglette,[3] lui répondis-je.

— Ton épinglette! s'écria-t-elle en riant. Ah! monsieur fait 20 de la dentelle, puisqu'il a besoin d'épingles!

Tout le monde qui était là se mit à rire, et moi je me sentais rougir, et je ne pouvais trouver rien à lui répondre.

— Allons, mon cœur,[4] reprit-elle, fais-moi sept aunes de dentelle noire pour une mantille, épinglier de mon âme!

25 Et prenant la fleur de cassie qu'elle avait à la bouche, elle me la lança, d'un mouvement du pouce, juste entre les deux yeux. Monsieur, cela me fit l'effet d'une balle qui m'arrivait. . . . Je ne savais où me fourrer, je demeurais immobile comme une planche. Quand elle fut entrée dans la manufacture, je vis la 30 fleur de cassie qui était tombée à terre entre mes pieds; je ne

[1] *Cordoue:* Cordova, a small city in Andalusia noted for the breeding of horses and for the making of leather. [2] *se signer = faire le signe de croix.* [3] *épinglette:* priming-wire (*literally:* small pin, which makes Carmen's pun possible). [4] *mon cœur:* darling.

sais ce qui me prit,[1] mais je la ramassai sans que mes camarades s'en aperçussent et je la mis précieusement dans ma veste. Première sottise!

Deux ou trois heures après, j'y pensais encore, quand arrive dans le corps de garde un portier tout haletant, la figure renversée. Il nous dit que dans la grande salle des cigares il y avait une femme assassinée, et qu'il fallait y envoyer la garde. Le maréchal[2] me dit de prendre deux hommes et d'y aller voir. Je prends mes deux hommes et je monte. Figurez-vous, monsieur, qu'entré[3] dans la salle je trouve d'abord trois cents femmes, en chemise, ou peu s'en faut,[4] toutes criant, hurlant, gesticulant, faisant un vacarme à ne pas entendre Dieu tonner. D'un côté, il y en avait une, les quatre fers[5] en l'air, couverte de sang, avec un X sur la figure qu'on venait de lui marquer en deux coups de couteau. En face de la blessée, que secouraient les meilleures de la bande, je vois Carmen tenue par cinq ou six commères. La femme blessée criait : « Confession! confession! je suis morte! » Carmen ne disait rien; elle serrait les dents, et roulait des yeux comme un caméléon. « Qu'est-ce que c'est? » demandai-je. J'eus grand'peine à savoir ce qui s'était passé, car toutes les ouvrières me parlaient à la fois. Il paraît que la femme blessée s'était vantée d'avoir assez d'argent en poche pour acheter un âne au marché de Triana.[6] « Tiens, dit Carmen qui avait une langue, tu n'as donc pas assez d'un balai? »[7] L'autre, blessée du reproche, lui répond qu'elle ne se connaissait pas en balais, n'ayant pas l'honneur d'être bohémienne ni filleule de Satan, mais que mademoiselle Carmencita ferait bientôt connaissance avec son âne, quand M. le corrégidor la mènerait à la promenade avec deux laquais par derrière pour l'émou-

[1] *ce qui me prit = ce qui me fit faire cela.* [2] *maréchal = maréchal des logis:* sergeant. [3] *entré = après être entré.* [4] *peu s'en faut = à peu près:* nearly so. [5] *les quatre fers en l'air:* lying on her back (literally *fer* refers to a horseshoe). [6] *Triana:* a suburb of Seville. [7] The implication being that she ought to ride a broomstick.

cher.[1] « Eh bien, moi, dit Carmen, je te ferai des abreuvoirs à mouches sur la joue, et je veux y peindre un damier.[2] » Là-dessus, vli vlan! elle commence, avec le couteau dont elle coupait le bout des cigares, à lui dessiner des croix de Saint-
5 André[3] sur la figure.

Le cas était clair; je pris Carmen par le bras : — Ma sœur,[4] lui dis-je poliment, il faut me suivre. Elle me lança un regard comme si elle me reconnaissait; mais elle dit d'un air résigné: — Marchons. Où est ma mantille? Elle la mit sur sa tête de
10 façon à ne montrer qu'un seul de ses grands yeux, et suivit les deux hommes, douce comme un mouton. Arrivés au corps de garde, le maréchal des logis dit que c'était grave, et qu'il fallait la mener à la prison. C'était encore moi qui devais la conduire. Je la mis entre deux dragons, et je marchais derrière
15 comme un brigadier doit faire en semblable rencontre.[5] Nous nous mîmes en route pour la ville. D'abord la bohémienne avait gardé le silence; mais dans la rue du Serpent, — vous la connaissez, elle mérite bien son nom par les détours qu'elle fait, — dans la rue du Serpent,[6] elle commence par laisser
20 tomber sa mantille sur ses épaules, afin de me montrer son minois enjôleur, et, se tournant vers moi autant qu'elle pouvait, elle me dit :

— Mon[7] officier, où me menez-vous?

— A la prison, ma pauvre enfant, lui répondis-je le plus
25 doucement que je pus, comme un bon soldat doit parler à un prisonnier, surtout à une femme.

— Hélas! que deviendrai-je? Seigneur[8] officier, ayez pitié de moi. Vous êtes si jeune, si gentil! . . . Puis, d'un ton plus

[1] Condemned criminals were taken to their execution on donkey's back. [2] Spanish checkerboards are often painted in red and white colors. [3] The cross of St. Andrew has the shape of an X. [4] *ma sœur:* old girl, "sister". [5] *rencontre = situation, circonstance.* [6] The main street in Seville (Calle de las Sierpes). [7] The possessive is used in addressing a superior officer*: mon capitaine, mon colonel.* [8] *Seigneur:* Mr., Sir. Mérimée sometimes uses this word to express the Spanish "señor."

bas : Laissez-moi m'échapper, dit-elle, je vous donnerai un morceau de la *bar lachi*,[1] qui vous fera aimer de toutes les femmes.

La *bar lachi*, monsieur, c'est la pierre d'aimant, avec laquelle les bohémiens prétendent[2] qu'on fait quantité de sortilèges quand on sait s'en servir. Faites-en boire une pincée râpée dans un verre de vin blanc, elle[3] ne résiste plus. Moi, je lui répondis le plus sérieusement que je pus:

— Nous ne sommes pas ici pour dire des balivernes; il faut aller à la prison, c'est la consigne, et il n'y a pas de remède.

Nous autres gens du pays basque, nous avons un accent qui nous fait reconnaître facilement des Espagnols; en revanche il n'y en a pas un qui puisse seulement apprendre à dire *baï, jaona*.[4] Carmen donc n'eut pas de peine à deviner que je venais des Provinces.[5] Vous saurez,[6] monsieur, que les bohémiens parlent toutes les langues, et la plupart sont chez eux en Portugal, en France, dans les Provinces, en Catalogne,[7] partout; même avec les Maures et les Anglais, ils se font entendre.[8] Carmen savait assez bien le basque.

— *Laguna ene bihotsarena*, camarade de mon cœur, me dit-elle tout à coup, êtes-vous du pays?[9]

Notre langue, monsieur, est si belle, que, lorsque nous l'entendons en pays étranger, cela nous fait tressaillir. . .

Il reprit après un silence:

— Je suis d'Elizondo, lui répondis-je en basque, fort ému de l'entendre parler ma langue.

— Moi, je suis d'Etchalar,[10] dit-elle (C'est un pays[11] à quatre heures de chez nous.) J'ai été emmenée par des bohémiens à

[1] *bar lachi:* loadstone (Gypsy dialect). [2] *prétendent = assurent.* [3] *elle = la femme qu'on aime.* [4] *baï, jaona:* yes, sir (Basque). [5] *des Provinces:* from the Basque Provinces. [6] *Vous saurez = Il faut que vous sachiez.* [7] *Catalogne:* Catalonia, a district in the northeast of Spain. [8] *entendre = comprendre.* [9] *du pays = du pays basque.* [10] A Basque village in the Pyrenees. [11] *pays = village.*

Séville. Je travaillais à la manufacture pour gagner de quoi[1] retourner en Navarre, près de ma pauvre mère qui n'a que moi pour soutien, et un petit *barratcea*[2] avec vingt pommiers à cidre! Ah! si j'étais au pays, devant la montagne blanche!
5 On m'a insultée parce que je ne suis pas de ce pays de filous, marchands d'oranges pourries; et ces gueuses se sont mises toutes contre moi, parce que je leur ai dit que tous leurs *jaques*[3] de Séville, avec leurs couteaux, ne feraient pas peur à un gars de chez nous avec son béret bleu et son *maquila*. Camarade,
10 mon ami, ne ferez-vous rien pour une payse?[4]

Elle mentait, monsieur, elle a toujours menti. Je ne sais pas si dans sa vie cette fille-là a jamais dit un mot de vérité; mais quand elle parlait, je la croyais: c'était plus fort que moi. Elle estropiait le basque, et je la crus[5] Navarraise; ses yeux seuls et
15 sa bouche et son teint la disaient bohémienne. J'étais fou, je ne faisais plus attention à rien. Je pensais que, si des Espagnols s'étaient avisés de mal parler du pays, je leur aurais coupé la figure, tout comme elle venait de faire à sa camarade. Bref, j'étais comme un homme ivre; je commençais à dire des bêtises,
20 j'étais tout près d'en faire.

— Si je vous poussais, et si vous tombiez, mon pays,[6] reprit-elle en basque, ce ne seraient pas ces deux conscrits de Castillans[7] qui me retiendraient. . .

Ma foi, j'oubliai la consigne et tout, et je lui dis :

25 — Eh bien m'amie,[8] ma payse, essayez, et que Notre-Dame de la Montagne[9] vous soit en aide!

En ce moment, nous passions devant une de ces ruelles étroites comme il y en a tant à Séville. Tout à coup Carmen se

[1] *de quoi = assez pour.* [2] *barratcea = jardin* (Basque). [3] *jaques:* bullies (Spanish). [4] *une payse = une femme de votre pays:* fellow countrywoman. [5] *je la crus = je crus qu'elle était.* [6] *mon pays:* fellow countryman. [7] *de Castillans = de Castille; Castillans:* Castilian. The region of Castile occupies the center of Spain. [8] *m'amie* (old French) = *mon amie.* [9] *Notre-Dame de la Montagne:* Our Lady of the Mountain. A Basque place of pilgrimage.

retourne et me lance un coup de poing dans la poitrine. Je me laissai tomber exprès à la renverse. D'un bond, elle saute par-dessus moi et se met à courir en nous montrant une paire de jambes! ... On dit[1] jambes de Basque: les siennes en valaient bien d'autres ... aussi vite que bien tournées. ... Moi, je me relève aussitôt; mais je mets ma lance en travers de façon à barrer la rue, si bien que, de prime abord,[2] les camarades furent arrêtés au moment de la poursuivre. Puis je me mis moi-même à courir, et eux après moi; mais l'atteindre![3] Il n'y avait pas de risque, avec nos éperons, nos sabres et nos lances! En moins de temps que je n'en mets à vous le dire, la prisonnière avait disparu. D'ailleurs, toutes les commères du quartier favorisaient[4] sa fuite, et se moquaient de nous, et nous indiquaient la fausse voie. Après plusieurs marches et contre-marches, il fallut nous en revenir[5] au corps de garde sans un reçu du gouverneur de la prison.

Mes hommes, pour n'être pas punis, dirent que Carmen m'avait parlé basque; et il ne paraissait pas trop[6] naturel, pour dire la vérité, qu'un coup de poing d'une tant[7] petite fille eût terrassé facilement un gaillard de ma force. Tout cela parut louche ou plutôt trop clair. En descendant[8] la garde, je fus dégradé et envoyé pour un mois à la prison. C'était ma première punition depuis que j'étais au service. Adieu les galons de maréchal des logis que je croyais déjà tenir!

## II

Mes premiers jours de prison se passèrent fort tristement. En me faisant soldat, je m'étais figuré que je deviendrais tout au moins officier. Maintenant je me disais: Tout le temps

[1] *On dit* = *On parle de.* [2] *de prime abord* = *tout d'abord:* at the very start. [3] *l'atteindre* = *quant à l'atteindre.* [4] *favorisaient* = *aidaient.* [5] *nous en revenir:* get back (construction similar to *nous en aller*). [6] *trop* = *tout à fait.* [7] *tant* = *si.* [8] *descendant:* coming off.

que tu as servi sans punition, c'est du temps perdu. Te voilà mal noté; pour te remettre bien dans l'esprit[1] des chefs, il te faudra travailler dix fois plus que lorsque tu es venu comme conscrit! Et pourquoi me suis-je fait punir? Pour une coquine de bohémienne qui s'est moquée de toi, et qui, dans ce moment, est à[2] voler dans quelque coin de la ville. Pourtant je ne pouvais m'empêcher de penser à elle. Le croiriez-vous, monsieur? ses bas de soie troués qu'elle me faisait voir tout en plein[3] en s'enfuyant, je les avais toujours devant les yeux. Je regardais par les barreaux de la prison dans la rue, et, parmi toutes les femmes qui passaient, je n'en voyais pas une seule qui valût cette diable de fille-là. Et puis, malgré moi, je sentais la fleur de cassie qu'elle m'avait jetée, et qui, sèche, gardait toujours sa bonne odeur. . . . S'il y a des sorcières, cette fille-là en était une!

Un jour, le geôlier entre, et me donne un pain d'Alcala.[4]

— Tenez, me dit-il, voilà ce que votre cousine vous envoie.

Je pris le pain, fort étonné, car je n'avais pas de cousine à Séville. C'est peut-être une erreur, pensai-je en regardant le pain; mais il était si appétissant, il sentait si bon, que, sans m'inquiéter de savoir d'où il venait et à qui il était destiné, je résolus de le manger. En voulant le couper, mon couteau rencontra quelque chose de dur. Je regarde, et je trouve une petite lime anglaise qu'on avait glissée dans la pâte avant que le pain fût cuit. Il y avait encore dans le pain une pièce d'or de deux piastres.[5] Plus de[6] doute alors, c'était un cadeau de Carmen. Pour les gens de sa race, la liberté est tout, et ils mettraient le feu à une ville pour s'épargner un jour de prison. D'ailleurs, la commère était fine, et avec ce pain-là on se moquait[7] des geôliers. En une heure, le plus gros barreau était

[1] *te remettre bien dans l'esprit* = *regagner l'estime.* [2] *à* = *en train de.* [3] *tout en plein* = *clairement, totalement.* [4] A suburb of Seville famous for its delicious rolls and pastry. [5] *piastre:* piaster (at that time worth one dollar). [6] *Plus de* = *Il n'y avait plus de* [7] *on se moquait* = *on pouvait se moquer.*

scié avec la petite lime; et avec la pièce de deux piastres, chez le premier fripier, je changeais ma capote d'uniforme pour un habit bourgeois.[1] Mais je ne voulais pas m'échapper. J'avais encore mon honneur de soldat et déserter me semblait un grand crime. Seulement, je fus touché de cette marque de souvenir. Quand on est en prison, on aime à penser qu'on a dehors un ami qui s'intéresse à vous. La pièce d'or m'offusquait un peu, j'aurais bien[2] voulu la rendre; mais où trouver mon créancier? Cela ne me semblait pas facile.

Après la cérémonie de la dégradation, je croyais n'avoir plus rien à souffrir; mais il me restait encore une humiliation à dévorer: ce fut à ma sortie de prison, lorsqu'on me mit en faction comme un simple soldat.[3] Vous ne pouvez vous figurer ce qu'un homme de cœur éprouve en pareille occasion. Je crois que j'aurais aimé autant à être fusillé. Au moins on marche seul, en avant de son peloton; on se sent[4] quelque chose; le monde vous regarde.

Je fus mis en faction à la porte du colonel. C'était un jeune homme riche, bon enfant, qui aimait à s'amuser. Tous les jeunes officiers étaient chez lui et force[5] bourgeois, des femmes aussi, des actrices, à[6] ce qu'on disait. Pour moi, il me semblait que toute la ville s'était donné rendez-vous[7] à sa porte pour me regarder. Voilà qu'[8]arrive la voiture du colonel, avec son valet de chambre sur le siège. Qu'est-ce que je vois descendre? . . . la gitanilla. Elle était parée, cette fois, comme une châsse, pomponnée, attifée, tout or et tout rubans. Une robe à paillettes, des souliers bleus à paillettes aussi, des fleurs et des galons partout. Elle avait un tambour de basque à la main. Avec elle il y avait deux autres bohémiennes, une jeune et une vieille. Il y a toujours une vieille pour les mener; puis un vieux avec

[1] *bourgeois:* civilian. [2] *bien:* very much. [3] *simple soldat:* private. [4] *on se sent = on a le sentiment d'être.* [5] *force = beaucoup de.* [6] *à = d'après, selon.* [7] *s'était donné rendez-vous = avait décidé de se rencontrer.* [8] *Voilà qu' = Et alors.*

une guitare, bohémien aussi, pour jouer et les faire danser. Vous savez qu'on s'amuse souvent à faire venir des bohémiennes dans les sociétés,[1] afin de leur faire danser la *romalis*,[2] c'est leur danse, et souvent bien autre chose.[3]

5 Carmen me reconnut, et nous échangeâmes un regard. Je ne sais, mais, en ce moment, j'aurais voulu être à cent pieds sous terre.

— *Agur laguna*,[4] dit-elle. Mon officier, tu montes la garde comme un conscrit!

10 Et, avant que j'eusse trouvé un mot à répondre, elle était dans la maison.

Toute la société était dans le patio, et, malgré la foule, je voyais à peu près tout ce qui se passait à travers la grille.[5] J'entendais les castagnettes, le tambour, les rires et les bravos; 15 parfois j'apercevais sa tête quand elle sautait avec son tambour. Puis j'entendais encore des officiers qui lui disaient bien des choses qui me faisaient monter le rouge à la figure.[6] Ce qu'elle répondait, je n'en savais rien. C'est de ce jour-là, je pense, que je me mis à l'aimer pour tout de bon;[7] car l'idée me vint 20 trois ou quatre fois d'entrer dans le patio, et de donner de[8] mon sabre dans le ventre à tous ces freluquets qui lui contaient fleurettes.[9] Mon supplice dura une bonne heure;[10] puis les bohémiens sortirent et la voiture les ramena. Carmen, en passant, me regarda encore avec les yeux que vous savez, et 25 me dit très bas :

— Pays, quand on aime la bonne friture, on en va manger à Triana, chez Lillas Pastia.

Légère comme un cabri, elle s'élança dans la voiture, le

[1] *les sociétés = les réunions mondaines.* [2] *romalis* name of a Gypsy dance. [3] *bien autre chose = tout autre chose que danser.* [4] *Agur laguna = Bonjour, camarade* (Basque). [5] *la grille:* the wrought-iron gate (opening on the street but from which the inner court "patio" can be seen). [6] *monter le rouge à la figure = rougir:* blush. [7] *pour tout de bon = vraiment, profondément.* [8] *donner de = frapper avec.* [9] *lui contaient fleurettes = flirtaient avec elle.* [10] *une bonne heure = au moins une heure.*

cocher fouetta ses mules, et toute la bande joyeuse s'en alla je ne sais où.

Vous devinez bien qu'en descendant ma garde j'allai à Triana; mais d'abord je me fis raser et je me brossai comme pour un jour de parade. Elle était chez Lillas Pastia, un vieux 5 marchand de friture, bohémien, noir comme un Maure, chez qui beaucoup de bourgeois venaient manger du poisson frit, surtout, je crois, depuis que Carmen y avait pris ses quartiers.[1]

— Lillas, dit-elle sitôt qu'elle me vit, je ne fais plus rien de la journée. Demain il fera jour![2] Allons, pays, allons nous 10 promener.

Elle mit sa mantille devant son nez, et nous voilà dans la rue, sans savoir où j'allais.

— Mademoiselle, lui dis-je, je crois que j'ai à vous remercier d'un présent que vous m'avez envoyé quand j'étais en prison. 15 J'ai mangé le pain; la lime me servira pour affiler ma lance, et je la garde comme souvenir de vous; mais l'argent, le voilà.

— Tiens! Il a gardé l'argent, s'écria-t-elle en éclatant de rire. Au reste[3] tant mieux, car je ne suis guère en fonds. Allons, mangeons tout. Tu me régales. 20

Nous avions repris le chemin de Séville. A l'entrée de la rue du Serpent, elle acheta une douzaine d'oranges qu'elle me fit mettre dans mon mouchoir. Un peu plus loin, elle acheta encore un pain, du saucisson, une bouteille de manzanilla;[4] puis enfin elle entra chez un confiseur. Là, elle jeta sur le comp- 25 toir la pièce d'or que je lui avais rendue, une autre encore qu'elle avait dans sa poche, avec quelque argent blanc;[5] enfin elle me demanda tout ce que j'avais. Je n'avais qu'une piécette et quelques cuartos,[6] que je lui donnai, fort honteux de n'avoir

[1] *y avait pris ses quartiers = y venait danser régulièrement.* [2] *Demain il fera jour* (Spanish proverb: "Mañana sera otro día") Tomorrow is another day. [3] *au reste = après tout.* [4] *Manzanilla:* a village west of Seville. It gives its name to an excellent wine which is made there. [5] *argent blanc = pièces d'argent.* [6] *cuartos* (Spanish "quartos") copper coins.

pas davantage. Je crus qu'elle voulait emporter toute la boutique. Elle prit tout ce qu'il y avait de plus beau et de plus cher, *yemas*,[1] *turon*,[2] fruits confits, tant que l'argent dura. Tout cela, il fallut encore que je le portasse dans des sacs de papier. 5 Vous connaissez peut-être la rue du Candilejo. Nous nous arrêtâmes dans cette rue-là devant une vieille maison. Elle entra dans l'allée et frappa au rez-de-chaussée. Une bohémienne, vraie servante de Satan, vint nous ouvrir. Carmen lui dit quelques mots en romain.[3] La vieille grogna d'abord. Pour 10 l'apaiser, Carmen lui donna deux oranges et une poignée de bonbons et lui permit de goûter au vin. Puis elle lui mit sa mante sur le dos et la conduisit à la porte, qu'elle ferma avec la barre de bois. Dès que nous fûmes seuls, elle se mit à danser et à rire comme une folle, en chantant:

15 — Tu es mon *rom*, je suis ta *romi*.[4]

Moi, j'étais au milieu de la chambre, chargé de toutes ses emplettes, ne sachant où les poser. Elle jeta tout par terre, et me sauta au cou en me disant:

— Je paye mes dettes, je paye mes dettes! c'est la loi des 20 *calé*![5]

Ah! monsieur, cette journée-là! cette journée-là! quand j'y pense, j'oublie celle de demain.[6]

## III

Nous passâmes ensemble toute la journée, mangeant, buvant, et le reste. Quand elle eut mangé des bonbons comme 25 un enfant de six ans, elle en fourra des poignées dans la jarre d'eau de la vieille. « C'est pour lui faire du sorbet, » disait-elle. Elle écrasait des yemas en les lançant contre la muraille. « C'est

[1] *yemas:* (Spanish) candy made of sugar and of the beaten yolks of eggs. [2] *turon:* (Spanish *turron*) nougat. [3] *en romain:* in romani or Gypsy dialect. [4] *rom* (Gypsy dialect) = *mari; romi* = *femme.* [5] *calé:* (plural form, Gypsy dialect) Gypsies (*calo* is the masc. sing.; *cali* is the fem. sing.). [6] José is to be executed the next day.

pour que les mouches nous laissent tranquilles, » disait-elle. . . . Il n'y a pas de tour ni de bêtise qu'elle ne fît. Je lui dis que je voudrais la voir danser; mais où trouver des castagnettes? Aussitôt elle prend la seule assiette de la vieille, la casse en morceaux, et la voilà qui danse la romalis en faisant claquer les 5 morceaux de faïence aussi bien que si elle avait eu des castagnettes d'ébène ou d'ivoire. On ne s'ennuyait pas auprès de cette fille-là, je vous en réponds.[1] Le soir vint, et j'entendis les tambours qui battaient la retraite.

— Il faut que j'aille au quartier pour l'appel, lui dis-je. 10

— Au quartier? dit-elle d'un air de mépris; tu es donc un nègre, pour te laisser mener à la baguette? Tu es un vrai canari,[2] d'habit et de caractère. Va, tu as un cœur de poulet.

Je restai, résigné d'avance à la salle de police.[3] Le matin, 15 ce fut elle qui parla la première de nous séparer.

— Écoute, Joseito,[4] dit-elle; t'ai-je payé? D'après notre loi, je ne te devais rien, puisque tu es un *payllo*;[5] mais tu es un joli garçon, et tu m'as plu. Nous sommes quittes. Bonjour.

Je lui demandai quand je la reverrais. 20

— Quand tu seras moins niais, répondit-elle en riant. Puis, d'un ton plus sérieux: Sais-tu, mon fils,[6] que je crois que je t'aime un peu? Mais cela ne peut durer. Chien et loup ne font pas longtemps bon ménage. Peut-être que, si tu prenais la loi d'Égypte,[7] j'aimerais à devenir ta romi. Mais, ce sont des 25 bêtises: cela ne se peut pas. Tu as rencontré le diable, oui, le diable; il n'est pas toujours noir, et il ne t'a pas tordu le cou. Je suis habillée de laine, mais je ne suis pas mouton.[8] Allons,

[1] *je vous en réponds = je vous le garantis.* [2] Reference to the yellow uniform which Spanish dragoons wear. [3] *à la salle de police = à être mis en prison.* [4] *Joseito:* (Spanish diminutive of "José") Joe. [5] *payllo:* (Gypsy dialect) foreigner. [6] *mon fils:* my boy, sonny. [7] *d'Égypte = des Bohémiens:* of the Gypsies (The word gypsy is derived from "Egyptian." One of the suppositions concerning the origin of the tribe is that it came from Egypt.) [8] A Gypsy proverb.

adieu encore une fois. Ne pense plus à Carmencita,[1] ou elle te ferait épouser une veuve à jambes de bois.[2]

En parlant ainsi, elle défaisait la barre qui fermait la porte, et une fois dans la rue elle s'enveloppa dans sa mantille et me 5 tourna les talons.

Elle disait vrai.[3] J'aurais été sage de ne plus penser à elle; mais depuis cette journée dans la rue du Candilejo, je ne pouvais plus songer à autre chose. Je me promenais tout le jour, espérant la rencontrer. J'en demandais des nouvelles à la 10 vieille et au marchand de friture. L'un et l'autre répondaient qu'elle était partie pour Laloro,[4] c'est ainsi qu'ils appellent le Portugal. Probablement c'était d'après les instructions de Carmen qu'ils parlaient de la sorte, mais je ne tardai pas à savoir qu'ils mentaient. Quelques semaines après, je fus de 15 faction à une des portes de la ville. A peu de distance de cette porte, il y avait une brèche qui s'était faite dans le mur d'enceinte; on y travaillait pendant le jour, et la nuit on y mettait un factionnaire pour empêcher les fraudeurs. Pendant le jour, je vis Lillas Pastia passer et repasser autour du corps de garde 20 et causer avec quelques-uns de mes camarades; tous le connaissaient, et ses poissons et ses beignets encore mieux. Il s'approcha de moi et me demanda si j'avais des nouvelles de Carmen.

— Non, lui dis-je.

25 — Eh bien, vous en aurez, compère.

Il ne se trompait pas. La nuit, je fus mis de faction à la brèche. Dès que le brigadier se fut retiré, je vis venir à moi une femme. Le cœur me disait que c'était Carmen. Cependant je criai :

30 — Au large![5] On ne passe pas!

[1] *Carmencita:* Spanish diminutive of "Carmen". [2] The gallows was called the widow of the hanged criminal. [3] *vrai = la vérité.* [4] *Laloro:* (Gypsy dialect) the red land. [5] *Au large!* Stand off! Keep away!

— Ne faites donc pas le méchant, me dit-elle en se faisant connaître à moi.

— Quoi! vous voilà, Carmen!

— Oui, mon pays. Parlons peu, parlons bien. Veux-tu gagner un douro?[1] Il va venir des gens avec des paquets; 5 laisse-les faire.

— Non, répondis-je. Je dois les empêcher de passer; c'est la consigne,

— La consigne! la consigne! Tu n'y pensais pas rue du Candilejo. 10

— Ah! répondis-je, tout bouleversé par ce seul souvenir, cela valait bien la peine d'oublier la consigne; mais je ne veux pas de l'argent des contrebandiers.

— Voyons, si tu ne veux pas d'argent, veux-tu que nous allions encore dîner chez la vieille Dorothée? 15

— Non! dis-je à moitié étranglé par l'effort que je faisais. Je ne puis pas.

— Fort bien. Si tu es si difficile, je sais à qui m'adresser. J'offrirai à ton officier d'aller chez Dorothée. Il a l'air d'un bon enfant, et il fera mettre en sentinelle un gaillard qui ne verra 20 que ce qu'il faudra voir.[2] Adieu, canari. Je rirai bien le jour où la consigne sera de te pendre.

J'eus la faiblesse de la rappeler, et je promis de laisser passer toute la Bohême,[3] s'il le fallait, pourvu que j'obtinsse la seule récompense que je désirais. Elle me jura aussitôt de me tenir 25 parole[4] dès le lendemain, et courut prévenir ses amis, qui étaient à deux pas. Il y en avait cinq, tous bien chargés de marchandises anglaises. Carmen faisait le guet. Les fraudeurs firent leur affaire en un instant.

[1] *un douro:* (Spanish *duro*) a silver dollar. [2] *ce qu'il faudra voir = ce qu'on lui aura permis de voir.* [3] *toute la Bohême:* all gypsydom; the whole tribe. (One theory placed the origin of the Gypsies in Bohemia. Hence in French Gypsies are called "*Bohémiens.*") [4] *parole = sa promesse.*

Le lendemain, j'allai rue du Candilejo. Carmen se fit attendre,[1] et vint d'assez mauvaise humeur.

— Je n'aime pas les gens qui se font prier,[2] dit-elle. Tu m'as rendu un plus grand service la première fois, sans savoir si tu y
5 gagnerais quelque chose. Hier, tu as marchandé avec moi. Je ne sais pas pourquoi je suis venue, car je ne t'aime plus. Tiens, va-t'en, voilà un douro pour ta peine.

Je fus obligé de faire un effort violent sur moi-même pour ne pas la battre. Après nous être disputés pendant une heure, je
10 sortis furieux. J'errai quelque temps par la ville, marchant deçà et delà comme un fou; enfin j'entrai dans une église, et m'étant mis dans le coin le plus obscur, je pleurai à chaudes larmes. Tout d'un coup j'entends une voix:

— Larmes de dragon![3] j'en veux faire un philtre.
15 Je lève les yeux, c'était Carmen en face de moi.

— Eh bien, mon pays, m'en voulez-vous[4] encore? me dit-elle. Il faut bien que je vous aime, malgré que j'en aie,[5] car, depuis que vous m'avez quittée, je ne sais ce que j'ai. Voyons, maintenant c'est moi qui te demande si tu veux venir rue du
20 Candilejo.

Nous fîmes donc la paix; mais Carmen avait l'humeur comme est le temps chez nous. Jamais l'orage n'est si près dans nos montagnes que lorsque le soleil est le plus brillant. Elle m'avait promis de me revoir une autre fois chez Dorothée, et
25 elle ne vint pas.

Je cherchais Carmen partout où je croyais qu'elle pouvait être, et je passais vingt fois par jour dans la rue du Candilejo.

Un soir, j'étais chez Dorothée, lorsque Carmen entra suivie d'un jeune homme, lieutenant dans notre régiment.
30 — Va-t'en vite, me dit-elle en basque.

[1] *se fit attendre = tarda à venir.* [2] *qui se font prier = qu'il faut prier.* [3] *dragon* means both "dragoon" and "dragon". Carmen may be thinking of the *larmes de crocodile.* [4] *m'en voulez-vous = êtes-vous fâché contre moi.* [5] *malgré que j'en aie = malgré moi.*

Je restai stupéfait, la rage dans le cœur.

— Qu'est-ce que tu fais ici? me dit le lieutenant. Décampe, hors d'ici!

Je ne pouvais faire un pas; j'étais comme perclus. L'officier, en colère, voyant que je ne me retirais pas et que je n'avais même pas ôté mon bonnet de police,[1] me prit au collet et me secoua rudement. Je ne sais ce que je lui dis. Il tira son épée, et je dégaînai. La vieille me saisit le bras, et le lieutenant me donna un coup au front, dont je porte encore la marque. Je reculai, et d'un coup de coude je jetai Dorothée à la renverse; puis, comme le lieutenant me poursuivait, je lui mis la pointe au corps, et il s'enferra. Carmen alors éteignit la lampe, et dit dans sa langue à Dorothée de s'enfuir. Moi-même je me sauvai dans la rue et me mis à courir sans savoir où. Il me semblait que quelqu'un me suivait. Quand je revins à moi,[2] je trouvai que Carmen ne m'avait pas quitté.

— Grand niais de canari! me dit-elle, tu ne sais faire que des bêtises. Aussi bien,[3] je te l'ai dit que je te porterais malheur. Allons, il y a remède à tout quand on a pour bonne amie[4] une flamande de Rome.[5] Commence par mettre ce mouchoir sur la tête, et jette-moi ce ceinturon. Attends-moi dans cette allée. Je reviens dans deux minutes.

Elle disparut, et me rapporta bientôt une mante rayée qu'elle était allée chercher je ne sais où. Elle me fit quitter mon uniforme, et mettre la mante par-dessus ma chemise. Ainsi accoutré, avec le mouchoir dont elle avait bandé la plaie que j'avais à la tête, je ressemblais assez à un paysan valencien.[6] Puis elle me mena dans une maison assez semblable à celle de

[1] *bonnet de police:* fatigue cap. [2] *je revins à moi:* I took hold of myself. [3] *Aussi bien* = *D'ailleurs.* [4] *bonne amie:* girl friend, sweetheart. [5] *flamande de Rome:* (Gypsy dialect: "flamenco de Roma") Gypsy. "Roma" does not refer here to the papal city but to the nation of the "Romi" (the married people among the Gypsies). The first Gypsies who appeared in Spain probably came from Flanders; hence "flamenco," Fleming. [6] *valencien* = *de Valence:* Valencian.

Dorothée, au fond d'une petite ruelle. Elle et une autre bohémienne me lavèrent, me pansèrent, me firent boire je ne sais quoi; enfin on me mit sur un matelas et je m'endormis.

Probablement ces femmes avaient mêlé dans ma boisson 5 quelques-unes de ces drogues assoupissantes dont elles ont le secret, car je ne m'éveillai que fort tard le lendemain. J'avais un grand mal de tête et un peu de fièvre. Il fallut quelque temps pour que le souvenir me revînt de la terrible scène où j'avais pris part la veille. Après avoir pansé ma plaie, Carmen et son 10 amie échangèrent quelques mots de *chipe calli*,[1] qui paraissaient être une consultation médicale. Puis toutes les deux m'assurèrent que je serais guéri avant peu, mais qu'il fallait quitter Séville le plus tôt possible; car, si l'on m'y attrapait, j'y serais fusillé sans rémission.

15 — Mon garçon, me dit Carmen, il faut que tu fasses quelque chose; il faut que tu songes à gagner ta vie. Tu es trop bête pour voler *à pastesas*;[2] mais tu es leste et fort: si tu as du cœur,[3] va-t'en à la côte, et fais-toi contrebandier. Ne t'ai-je pas promis de te faire pendre? Cela vaut mieux que d'être fusillé. D'ail- 20 leurs, si tu sais t'y prendre,[4] tu vivras comme un prince, aussi longtemps que les gardes-côtes ne te mettront pas la main sur le collet.

Ce fut de cette façon engageante que cette diable de fille me montra la nouvelle carrière qu'elle me destinait. Elle me déter- 25 mina sans beaucoup de peine. Il me semblait que je m'unissais à elle plus intimement par cette vie de hasards et de rébellion. Désormais je crus m'assurer son amour. J'avais entendu souvent parler de quelques contrebandiers qui parcouraient l'Andalousie,[5] montés sur un bon cheval, l'espingole au 30 poing, leur maîtresse en croupe. Je me voyais déjà trottant

[1] *chipe calli:* Gypsy language (*literally: chipe*, language; *calli*, black). [2] *à pastesas* = *avec adresse.* [3] *du cœur* = *du courage.* [4] *t'y prendre:* how to go about it. [5] *Andalousie:* Andalusia, the largest province in southern Spain.

par monts et par vaux, avec la gentille bohémienne derrière moi.

— Si je te tiens jamais dans la montagne, lui disais-je, je serai sûr de toi!

— Ah! tu es jaloux, répondait-elle. Tant pis pour toi. Comment es-tu assez bête pour cela? Ne vois-tu pas que je t'aime, puisque je ne t'ai jamais demandé d'argent?

Lorsqu'elle parlait ainsi, j'avais envie de l'étrangler.

## IV

Carmen me procura un habit bourgeois, avec lequel je sortis de Séville sans être reconnu. J'allai à Jerez[1] avec une lettre de Pastia pour un marchand d'anisette chez qui se réunissaient des contrebandiers. On me présenta à ces gens-là, dont le chef, surnommé le Dancaïre,[2] me reçut dans sa troupe. Nous partîmes pour Gaucin,[3] où je retrouvai Carmen, qui m'y avait donné rendez-vous. Dans les expéditions, elle servait d'espion à nos gens, et de meilleur il n'y en eut jamais. Elle revenait de Gibraltar,[4] et déjà elle avait arrangé avec un patron de navire l'embarquement de marchandises anglaises que nous devions recevoir sur la côte. Nous allâmes les attendre près d'Estepona,[5] puis nous en cachâmes une partie dans la montagne; chargés du reste, nous nous rendîmes à Ronda.[6] Carmen nous y avait précédés. Ce fut elle encore qui nous indiqua le moment où nous entrerions en ville. Ce premier voyage et quelques autres après furent heureux. La vie de contrebandier me plaisait mieux que la vie de soldat; je faisais des cadeaux à Carmen. J'avais de l'argent et une maîtresse. Partout nous

[1] A Spanish city south of Seville, noted for its wine (sherry). [2] This name suggests a man who gambles for someone else. [3] A Spanish village 30 miles north of Gibraltar. [4] British city and stronghold at the southern extremity of Spain. [5] Small Spanish port east of Gibraltar. [6] Spanish city northeast of Gibraltar.

étions bien reçus; mes compagnons me traitaient bien, et même me témoignaient de la considération. La raison, c'était que j'avais tué un homme, et parmi eux il y en avait qui n'avaient pas un pareil exploit sur la conscience.

5 Mais ce qui me touchait davantage dans ma nouvelle vie, c'est que je voyais souvent Carmen. Elle me montrait plus d'amitié que jamais; cependant, devant les camarades, elle ne convenait pas qu'elle était ma maîtresse; et même, elle m'avait fait jurer par toutes sortes de serments de ne rien leur dire
10 sur son compte.[1] J'étais si faible devant cette créature, que j'obéissais à tous ses caprices. D'ailleurs, c'était la première fois qu'elle se montrait à moi avec la réserve d'une honnête femme, et j'étais assez simple pour croire qu'elle s'était véritablement corrigée de ses façons d'autrefois.

15 Notre troupe, qui se composait de huit ou dix hommes, ne se réunissait guère que dans les moments décisifs, et d'ordinaire nous étions dispersés deux à deux, trois à trois, dans les villes et les villages. Chacun de nous prétendait avoir un métier: celui-ci était chaudronnier, celui-là maquignon; moi, j'étais
20 marchand de merceries, mais je ne me montrais guère dans les gros endroits, à cause de ma mauvaise affaire de Séville. Un jour, ou plutôt une nuit, notre rendez-vous était au bas de Véger.[2] Le Dancaïre et moi nous nous y trouvâmes avant les autres. Il paraissait fort gai.

25 — Nous allons avoir un camarade de plus, me dit-il. Carmen vient de faire un de ses meilleurs tours. Elle vient de faire échapper son rom qui était au présidio[3] à Tarifa.[4]

Je commençais déjà à comprendre le bohémien, que parlaient presque tous mes camarades, et ce mot de rom me causa
30 un saisissement.

[1] *sur son compte = à propos d'elle:* about her. [2] *Véger:* Veger de la Frontera, a Spanish village northwest of Gibraltar. [3] *presidio:* (Spanish) military prison. [4] Spanish port and fortress west of Gibraltar.

— Comment! son mari! elle est donc mariée? demandai-je au capitaine.

— Oui, répondit-il, à Garcia le Borgne, un bohémien aussi futé qu'elle. Le pauvre garçon était aux galères. Carmen a si bien embobeliné[1] le chirurgien du presidio, qu'elle en a obtenu la liberté de son rom. Ah! cette fille-là vaut son pesant d'or. Il y a deux ans qu'elle cherche à le faire évader. Rien n'a réussi, jusqu'au moment où l'on s'est avisé de changer le major.[2] Avec celui-ci, il paraît qu'elle a trouvé bien vite le moyen de s'entendre.

Vous vous imaginez le plaisir que me fit cette nouvelle. Je vis bientôt Garcia le Borgne, noir de peau et plus noir d'âme; c'était le plus franc scélérat que j'aie rencontré dans ma vie. Carmen vint avec lui; et, lorsqu'elle l'appelait son rom devant moi, il fallait voir[3] les yeux qu'elle me faisait, et ses grimaces quand Garcia tournait la tête. J'étais indigné. Le matin, nous avions fait nos ballots, et nous étions déjà en route, quand nous nous aperçûmes qu'une douzaine de cavaliers étaient à nos trousses.[4] Le Dancaïre, Garcia, un joli garçon d'Ecija,[5] qui s'appelait le Remendado,[6] et Carmen ne perdirent pas la tête. Le reste avait abandonné les mulets, et s'était jeté dans les ravins où les chevaux ne pouvaient les suivre. Nous ne pouvions conserver nos bêtes, et nous nous hâtâmes de défaire le meilleur de notre butin, et de le charger sur nos épaules, puis nous essayâmes de nous sauver au travers des rochers par les pentes les plus raides. Nous jetions nos ballots devant nous, et nous les suivions de notre mieux en glissant sur les talons. Pendant ce temps-là l'ennemi nous canardait;[7] c'était la première fois que j'entendais siffler les balles, et cela ne me fit pas grand'chose. Quand on est en vue d'une femme, il n'y a pas

[1] *embobeliné* = *enjolé:* wheedled. [2] *major* = *médecin militaire.* [3] *il fallait voir* = *vous auriez dû voir.* [4] *à nos trousses:* at our heels. [5] A small Spanish city south of Cordova. [6] *Remendado:* A Spanish word meaning "spotty". [7] *nous canardait* = *tirait sur nous* (*literally:* shot at us from cover as they would have ducks).

de mérite à se moquer de la mort. Nous nous échappâmes, excepté le pauvre Remendado, qui reçut un coup de feu[1] dans les reins. Je jetai mon paquet, et j'essayai de le prendre.

— Imbécile! me cria Garcia, qu'avons-nous affaire d'une charogne? achève-le et ne perds pas les bas de coton.

— Jette-le! me criait Carmen.

La fatigue m'obligea de le déposer un moment à l'abri d'un rocher. Garcia s'avança, et lui lâcha[2] son espingole dans la tête.

— Bien habile qui le reconnaîtrait maintenant, dit-il en regardant sa figure que douze balles avaient mise en morceaux.

Voilà la belle vie que j'ai menée. Le soir, nous nous trouvâmes dans un hallier, épuisés de fatigue, n'ayant rien à manger et ruinés par la perte de nos mulets. Que fit cet infernal Garcia? Il tira un paquet de cartes de sa poche, et se mit à jouer avec le Dancaïre à la lueur d'un feu qu'ils allumèrent. Pendant ce temps-là, moi, j'étais couché, regardant les étoiles, pensant au Remendado, et me disant que j'aimerais autant être à sa place. Carmen était accroupie près de moi, et de temps en temps elle faisait un roulement de castagnettes en chantonnant. Puis, s'approchant comme pour me parler à l'oreille, elle m'embrassa, presque malgré moi, deux ou trois fois.

— Tu es le diable, lui disais-je.

— Oui, me répondait-elle.

Après quelques heures de repos, elle s'en fut à[3] Gaucin, et le lendemain matin un petit chevrier vint nous porter du pain. Nous demeurâmes là tout le jour, et la nuit nous nous rapprochâmes de Gaucin. Nous attendions des nouvelles de Carmen. Rien ne venait. Au jour,[4] nous voyons un muletier qui menait une femme bien habillée, avec un parasol, et une petite fille qui paraissait sa domestique. Garcia nous dit:

[1] *un coup de feu = une balle:* a shot, a bullet. [2] *lâcha:* emptied. [3] *elle s'en fut à = elle partit pour.* [4] *Au jour = A l'aurore:* At daybreak.

— Voilà deux mules et deux femmes que saint Nicolas[1] nous envoie; j'aimerais mieux quatre mules; n'importe, j'en fais mon affaire![2]

Il prit son espingole et descendit vers le sentier en se cachant dans les broussailles. Nous le suivions, le Dancaïre et moi, à peu de distance. Quand nous fûmes à portée, nous nous montrâmes, et nous criâmes au muletier de s'arrêter. La femme, en nous voyant, au lieu de s'effrayer, fait un grand éclat de rire.

— Ah! les *lillipendi*[3] qui me prennent pour une *erani*![4]

C'était Carmen, mais si bien déguisée, que je ne l'aurais pas reconnue parlant une autre langue. Elle sauta en bas de sa mule, et causa quelque temps à voix basse avec le Dancaïre et Garcia, puis elle me dit:

— Canari, nous nous reverrons avant que tu sois pendu. Je vais à Gibraltar pour les affaires d'Égypte. Vous entendrez bientôt parler de moi.

Nous nous séparâmes après qu'elle nous eut indiqué un lieu où nous pourrions trouver un abri pour quelques jours. Cette fille était la providence de notre troupe. Nous reçûmes bientôt quelque argent qu'elle nous envoya, et un avis qui valait mieux pour nous: c'était que tel jour partiraient deux milords anglais, allant de Gibraltar à Grenade par tel chemin. A bon entendeur, salut.[5] Ils avaient de belles et bonnes guinées.[6] Garcia voulait les tuer, mais le Dancaïre et moi nous nous y opposâmes. Nous ne leur prîmes que l'argent et les montres, outre les chemises, dont nous avions grand besoin.

On devient coquin sans y penser. Une jolie fille vous fait perdre la tête, on se bat pour elle, un malheur arrive, il faut

[1] *Saint Nicolas:* Saint Nicholas, Santa Claus. [2] *j'en fais mon affaire:* I'll take care of this. [3] *lillipendi* (Gypsy dialect) = *imbéciles*. [4] *erani* (Gypsy dialect) = *femme comme il faut:* respectable woman, lady. [5] *A bon entendeur, salut:* a word to the wise is sufficient (literally: *A bon entendeur* = *A celui qui a bien compris*). [6] *guinées:* guineas (= 21 shillings, at that time about 5 dollars. They are no longer coined.)

vivre à la montagne, et de contrebandier on devient voleur avant d'avoir réfléchi. Nous jugeâmes qu'il ne faisait pas bon[1] pour nous dans les environs de Gibraltar après l'affaire des milords, et nous nous enfonçâmes dans la sierra[2] de Ronda.
5 Nous n'entendions plus parler de Carmen. Le Dancaïre dit:

— Il faut qu'un de nous aille à Gibraltar pour en avoir des nouvelles; elle doit avoir préparé quelque affaire. J'irais bien, mais je suis trop connu à Gibraltar.

Le Borgne dit:

10 — Moi aussi, on m'y connaît, et comme je n'ai qu'un œil, je suis difficile à déguiser.

— Il faut donc que j'y aille? dis-je à mon tour, enchanté à la seule idée de revoir Carmen; voyons, que faut-il faire?

Les autres me dirent:

15 Lorsque tu seras à Gibraltar, demande sur le port où demeure une marchande de chocolat qui s'appelle la Rollona;[3] quand tu l'auras trouvée, tu sauras d'elle ce qui se passe là-bas.

Il fut convenu que je me rendrais à Gibraltar comme un marchand de fruits. A Ronda, un homme qui était à nous[4] m'avait 20 procuré un passeport; à Gaucin, on me donna un âne: je le chargeai d'oranges et de melons, et je me mis en route. Arrivé à Gibraltar, je trouvai qu'on y connaissait bien la Rollona, mais elle était morte ou elle était allée à *finibus terrae*,[5] et sa disparition expliquait, à mon avis, comment nous avions perdu notre 25 moyen de correspondre avec Carmen. Je mis mon âne dans une écurie, et, prenant mes oranges, j'allais par la ville comme pour les vendre, mais, en effet, pour voir si je ne rencontrerais pas quelque figure de connaissance.[6]

[1] *il ne faisait pas bon = il était dangereux de rester.* [2] *sierra:* (Spanish) mountain ridge (the word literally means "a saw"). [3] *la Rollona:* (Spanish) an adjective applied to a short plump woman: roly-poly. [4] *était à nous = appartenait à notre bande.* [5] *finibus terræ:* (Latin) *literally,* to the ends of the earth. It probably means here: "nobody knew where." [6] *quelque figure de connaissance = quelqu'un que je connaissais.*

## V

Après deux jours passés en courses inutiles, je n'avais rien appris touchant la Rollona ni Carmen, et je pensais à retourner auprès de mes camarades après avoir fait quelques emplettes, lorsqu'en me promenant dans une rue, au coucher du soleil, j'entends une voix de femme d'une fenêtre qui me dit: « Marchand d'oranges! . . . » Je lève la tête, et je vois à un balcon Carmen, accoudée avec un officier en rouge, épaulettes d'or, cheveux frisés, tournure d'un gros milord. Pour elle, elle était habillée superbement: un châle sur ses épaules, un peigne d'or, toute en soie. L'anglais, en baragouinant l'espagnol, me cria de monter, que madame voulait des oranges; et Carmen me dit en basque:

— Monte, et ne t'étonne de rien.

Rien, en effet, ne devait m'étonner de sa part. Je ne sais si j'eus plus de joie que de chagrin en la retrouvant. Il y avait à la porte un grand domestique anglais, poudré, qui me conduisit dans un salon magnifique. Carmen me dit en basque avec un clignement d'œil:

— Tu ne sais pas un mot d'espagnol, tu ne me connais pas.

Puis, se tournant vers l'Anglais:

— Je vous le disais bien, je l'ai tout de suite reconnu pour un Basque; vous allez entendre quelle drôle de langue. Comme il a l'air bête, n'est-ce pas? On dirait un chat surpris dans un garde-manger.

— Et toi, lui dis-je dans ma langue, tu as l'air d'une effrontée coquine, et j'ai bien envie de[1] te balafrer la figure devant ton galant.

— Mon galant! dit-elle, tiens, tu as deviné cela tout seul? Et tu es jaloux de cet imbécile-là? Tu es encore plus niais

[1] *j'ai bien envie de = je désire beaucoup.*

qu'avant nos soirées de la rue du Candilejo. Ne vois-tu pas, sot que tu es, que je fais en ce moment les affaires d'Égypte, et de la façon la plus brillante? Cette maison est à moi, les guinées de l'écrevisse[1] seront à moi; je le mène par le bout du nez; je
5 le mènerai d'où[2] il ne sortira jamais.

— Et moi, lui dis-je, si tu fais encore les affaires d'Égypte de cette manière-là, je ferai si bien que tu ne recommenceras plus.

— Ah! oui-dà![3] Es-tu mon rom, pour me commander? Le Borgne le trouve bon,[4] qu'as-tu à y voir? Ne devrais-tu pas
10 être bien content d'être le seul qui se puisse dire mon *minchorrô*?[5]

— Qu'est-ce qu'il dit? demanda l'Anglais.

— Il dit qu'il a soif et qu'il boirait bien un coup,[6] répondit Carmen.

15 Et elle se renversa sur un canapé en éclatant de rire à sa traduction.

Quand cette fille-là riait, il n'y avait pas moyen de parler raison. Tout le monde riait avec elle. Ce grand Anglais se mit à rire aussi, comme un imbécile qu'il était, et ordonna qu'on
20 m'apportât à boire.

Pendant que je buvais:

— Vois-tu cette bague qu'il a au doigt? dit-elle; si tu veux, je te la donnerai.

Moi je répondis:

25 — Je donnerais[7] un doigt pour tenir ton milord dans la montagne, chacun un maquila au poing.

— Maquila, qu'est-ce que cela veut dire? demanda l'Anglais.

— Maquila, dit Carmen riant toujours, c'est une orange. N'est-ce pas un bien drôle de mot pour une orange? Il dit qu'il
30 voudrait vous faire manger du maquila.

[1] *l'écrevisse = l'officier anglais:* the red coat (*literally:* the crayfish). [2] *d'où = à un endroit d'où.* [3] *oui-dà! = vraiment?:* Is that so? [4] *le trouve bon = approuve ce que je fais.* [5] *minchorrô* (Gypsy dialect) = *amant de cœur:* true love. [6] *il boirait bien un coup:* he would like to have a drink. [7] *donnerais = sacrifierais.*

— Oui? dit l'Anglais. Eh bien! apporte encore demain du maquila.

Pendant que nous parlions, le domestique entra et dit que le dîner était prêt. Alors l'Anglais se leva, me donna une piastre, et offrit son bras à Carmen, comme si elle ne pouvait pas marcher seule. Carmen, riant toujours, me dit: 5

— Mon garçon, je ne puis t'inviter à dîner; mais demain, dès que tu entendras le tambour pour la parade, viens ici avec des oranges. Tu trouveras une chambre mieux meublée que celle de la rue du Candilejo, et tu verras si je suis toujours ta 10 Carmencita. Et puis nous parlerons des affaires d'Égypte.

Je ne répondis rien, et j'étais dans la rue que l'Anglais me criait:

— Apportez demain du maquila! et j'entendais les éclats de rire de Carmen. 15

Je sortis ne sachant ce que je ferais, je ne dormis guère, et le matin je me trouvais si en colère contre cette traîtresse que j'avais résolu de partir de Gibraltar sans la revoir; mais, au premier roulement de tambour, tout mon courage m'abandonna: je pris ma natte d'oranges et je courus chez Carmen. 20 Sa jalousie[1] était entr'ouverte, et je vis son grand œil noir qui me guettait. Le domestique poudré m'introduisit aussitôt; Carmen lui donna une commission, et dès que nous fûmes seuls, elle partit d'un de ses éclats de rire de crocodile,[2] et se jeta à mon cou. Je ne l'avais jamais vue si belle. Parée comme 25 une madone, parfumée . . . des meubles de soie, des rideaux brodés! . . . ah! . . . et moi fait[3] comme un voleur que j'étais.

— Minchorrô! disait Carmen, j'ai envie de tout casser ici, de mettre le feu à la maison et de m'enfuir à la sierra.

Et c'étaient des tendresses! . . . et puis des rires! . . . et elle 30 dansait, et elle déchirait ses falbalas: jamais singe ne fit plus de

[1] *jalousie:* Venetian blind. [2] *de crocodile = qui cachaient ses vraies pensées* (Compare with *larmes de crocodile*). [3] *fait = habillé.*

gambades, de grimaces, de diableries. Quand elle eut repris son sérieux:[1]

— Écoute, me dit-elle, il s'agit de l'Égypte. Je veux qu'il[2] me mène à Ronda, où j'ai une sœur religieuse[3] . . . (Ici nouveaux 5 éclats de rire.) Nous passons par un endroit que je te ferai dire.[4] Vous tombez sur lui: pillé rasibus![5] Le mieux serait de l'escoffier, mais, ajouta-t-elle avec un sourire diabolique qu'elle avait dans de certains moments, et ce sourire-là, personne n'avait alors envie de l'imiter, — sais-tu ce qu'il faudrait faire? 10 Que le Borgne paraisse le premier. Tenez-vous un peu en arrière; l'Écrevisse est brave et adroit: il a de bons pistolets. . . . Comprends-tu? . . .

Elle s'interrompit par un nouvel éclat de rire qui me fit frissonner.

15 — Non, lui dis-je: je hais Garcia, mais c'est mon camarade. Un jour peut-être je t'en débarrasserai, mais nous réglerons nos comptes à la façon de mon pays. Je ne suis Égyptien que par hasard; et pour certaines choses, je serai toujours franc Navarrais.

20 Elle reprit:

— Tu es une bête, un niais, un vrai *payllo*. Tu es comme le nain qui se croit grand quand il a pu cracher loin.[6] Tu ne m'aimes pas, va-t'en.

Quand elle me disait: Va-t'en, je ne pouvais m'en aller. Je 25 promis de partir, de retourner auprès de mes camarades et d'attendre l'Anglais; de son côté, elle me promit d'être malade jusqu'au moment de quitter Gibraltar pour Ronda. Je demeurai encore deux jours à Gibraltar. Elle eut l'audace de me venir voir[7] déguisée dans mon auberge. Je partis; moi aussi j'avais

[1] *eut repris son sérieux* = *fut de nouveau sérieuse.* [2] *il* = *l'Anglais.* [3] *j'ai une sœur religieuse* = *une de mes sœurs est religieuse* (nun). [4] *je te ferai dire* = *quelqu'un ira t'indiquer.* [5] *pillé rasibus* = *il sera pillé totalement:* he'll be stripped clean. [6] The Gypsy proverb says: *La promesse d'un nain, c'est de cracher loin.* [7] *me venir voir* = *venir me voir.*

mon projet. Je retournai à notre rendez-vous, sachant le lieu et l'heure où l'Anglais et Carmen devaient passer. Je trouvai le Dancaïre et Garcia qui m'attendaient. Nous passâmes la nuit dans un bois auprès d'un feu de pommes de pin qui flambait à merveille. Je proposai à Garcia de jouer aux cartes. Il accepta. 5
A la seconde partie je lui dis qu'il trichait; il se mit à rire. Je lui jetai les cartes à la figure. Il voulut[1] prendre son espingole; je mis le pied dessus, et je lui dis: « On dit que tu sais jouer du couteau comme le meilleur jaque de Malaga,[2] veux-tu t'essayer avec moi? » Le Dancaïre voulut nous séparer. J'avais donné 10
deux ou trois coups de poing à Garcia. La colère l'avait rendu brave; il avait tiré son couteau, moi le mien. Nous dîmes tous deux au Dancaïre de nous laisser place libre et franc jeu. Il vit qu'il n'y avait pas moyen de nous arrêter, et il s'écarta. Garcia était déjà ployé en deux comme un chat prêt à s'élancer contre 15
une souris. Il tenait son chapeau de la main gauche pour parer, son couteau en avant. C'est leur garde andalouse. Moi, je me mis à la navarraise,[3] droit en face de lui, le bras gauche levé, la jambe gauche en avant, le couteau le long de la cuisse droite. Je me sentais plus fort qu'un géant. Il se lança sur moi comme 20
un trait; je tournai sur le pied gauche et il ne trouva plus rien devant lui: mais je l'atteignis à la gorge, et le couteau entra si avant,[4] que ma main était sous son menton. Je retournai la lame si fort qu'elle se cassa. C'était fini. La lame sortit de la plaie lancée par un bouillon[5] de sang gros comme le bras. Il 25
tomba sur le nez, raide comme un pieu.

— Qu'as-tu fait? me dit le Dancaïre.

— Écoute, lui dis-je: nous ne pouvions vivre ensemble. J'aime Carmen, et je veux être seul.[6] D'ailleurs, Garcia était un coquin, et je me rappelle ce qu'il a fait au pauvre Remen- 30

[1] *Il voulut* = *Il essaya de.* [2] A Spanish harbor northeast of Gibraltar. [3] *à la navarraise* = *selon la méthode des Navarrais.* [4] *avant* = *profondément, loin.* [5] *bouillon* = *flot:* stream. [6] *seul* = *le seul:* the only one.

dado. Nous ne sommes plus que deux, mais nous sommes de bons garçons. Voyons, veux-tu de moi pour ami, à la vie à la mort?

Le Dancaïre me tendit la main. C'était un homme de cin-5 quante ans.

— Au diable les amourettes! s'écria-t-il. Si tu lui avais demandé Carmen, il te l'aurait vendue pour une piastre. Nous ne sommes plus que deux; comment ferons-nous demain?

— Laisse-moi faire tout seul, lui répondis-je. Maintenant je 10 me moque du[1] monde entier.

Nous enterrâmes Garcia, et nous allâmes placer notre camp deux cents pas plus loin. Le lendemain, Carmen et son Anglais passèrent avec deux muletiers et un domestique. Je dis au Dancaïre:

15 — Je me charge de l'Anglais. Fais peur aux autres, ils ne sont pas armés.

L'Anglais avait du cœur. Si Carmen ne lui eût poussé le bras, il me tuait.[2] Bref, je reconquis Carmen en ce jour-là, et mon premier mot fut de lui dire qu'elle était veuve. Quand elle sut 20 comment cela s'était passé:

— Tu seras toujours un *lillipendi*! me dit-elle. Garcia devait te tuer.[3] Ta garde navarraise n'est qu'une bêtise, et il en a mis à l'ombre[4] de plus habiles que toi. C'est que son temps était venu. Le tien viendra.

25 — Et le tien, répondis-je, si tu n'es pas pour moi une vraie romi.

— A la bonne heure,[5] dit-elle; j'ai vu plus d'une fois dans du marc de café que nous devions finir ensemble. Bah! arrive qui plante![6]

[1] *je me moque de . . . = je défie le. . . .* [2] *Si Carmen ne lui eût poussé le bras, il me tuait* (literary form) = *Si Carmen ne lui avait pas poussé le bras, il m'aurait tué.* [3] *devait te tuer:* logically should have killed you (*literally:* was supposed to kill you). [4] *mis à l'ombre = tué.* [5] *A la bonne heure = C'est parfait; Très bien.* [6] *Bah! arrive qui plante!* (obsolete colloquial expression) = *Bah! advienne que pourra!* Oh well! come what may!

Et elle fit claquer ses castagnettes, ce qu'elle faisait toujours quand elle voulait chasser quelque idée importune.

## VI

La vie que nous menions dura assez longtemps. Le Dancaïre et moi nous nous étions associé quelques camarades plus sûrs que les premiers, et nous nous occupions de contrebande, 5 et aussi parfois, il faut bien l'avouer, nous arrêtions[1] sur la grande route, mais à la dernière extrémité, et lorsque nous ne pouvions faire autrement. D'ailleurs, nous ne maltraitions pas les voyageurs, et nous nous bornions à leur prendre leur argent. Pendant quelques mois je fus content de Carmen; elle conti- 10 nuait à nous être utile pour nos opérations, en nous avertissant des bons coups que nous pourrions faire. Elle se tenait, soit à Malaga, soit à Cordoue, soit à Grenade; mais, sur un mot de moi, elle quittait tout, et venait me retrouver dans une venta[2] isolée, ou même au bivouac. Une fois seulement, c'était à 15 Malaga, elle me donna quelque inquiétude. Je sus[3] qu'elle avait jeté son dévolu sur[4] un négociant fort riche, avec lequel probablement elle se proposait de recommencer la plaisanterie de Gibraltar. Malgré tout ce que le Dancaïre put me dire pour m'arrêter, je partis et j'entrai dans Malaga en plein jour, je 20 cherchai Carmen et je l'emmenai aussitôt. Nous eûmes une verte[5] explication.

— Sais-tu, me dit-elle, que, depuis que tu es mon rom pour tout de bon,[6] je t'aime moins que lorsque tu étais mon minchorrô? Je ne veux pas être tourmentée ni surtout comman- 25 dée. Ce que je veux, c'est être libre et faire ce qui me plaît. Prends garde de[7] me pousser à bout.[8] Si tu m'ennuies, je

[1] *nous arrêtions:* we held up people. [2] *venta* (Spanish) = *auberge:* country inn. [3] *Je sus* = *J'appris.* [4] *elle avait jeté son dévolu sur:* she had fixed her choice upon. [5] *verte* = *vive, violente.* [6] *pour tout de bon:* in real earnest. [7] *Prends garde de* = *Fais attention de ne pas.* [8] *à bout* = *trop loin.*

trouverai quelque bon garçon qui te fera comme tu as fait au Borgne.

Le Dancaïre nous raccommoda; mais nous nous étions dit des choses qui nous restaient sur le cœur et nous n'étions plus
5 comme auparavant. Peu après, un malheur nous arriva. La troupe[1] nous surprit. Le Dancaïre fut tué, ainsi que deux de mes camarades; deux autres furent pris. Moi, je fus grièvement blessé, et, sans mon bon cheval, je demeurais[2] entre les mains des soldats. Exténué de fatigue, ayant une balle dans le corps,
10 j'allai me cacher dans un bois avec le seul compagnon qui me restât. Je m'évanouis en descendant de cheval, et je crus que j'allais crever dans les broussailles comme un lièvre qui a reçu du plomb. Mon camarade me porta dans une grotte que nous connaissions, puis il alla chercher Carmen. Elle était à
15 Grenade, et aussitôt elle accourut. Pendant quinze jours, elle ne me quitta pas d'un instant. Elle ne ferma pas l'œil; elle me soigna avec une adresse et des attentions que jamais femme n'a eues pour l'homme le plus aimé. Dès que je pus me tenir sur mes jambes, elle me mena à Grenade dans le plus grand secret.
20 Les bohémiennes trouvent partout des asiles sûrs, et je passai plus de six semaines dans une maison, à deux portes du corrégidor qui me cherchait. Plus d'une fois, regardant derrière un volet, je le vis passer. Enfin je me rétablis; mais j'avais fait bien des réflexions sur mon lit de douleur, et je projetais de changer
25 de vie. Je parlai à Carmen de quitter l'Espagne, et de chercher à vivre honnêtement dans le Nouveau-Monde. Elle se moqua de moi.

— Nous ne sommes pas faits pour[3] planter des choux, dit-elle; notre destin, à nous, c'est de vivre aux dépens des
30 *payllos*. Tiens, j'ai arrangé une affaire avec Nathan ben-Joseph[4].

[1] *La troupe* = *Les soldats espagnols.* [2] *je demeurais* = *je serais demeuré* (*resté*). [3] *faits pour* = *propres à:* suited for. [4] *ben-Joseph:* Josephson ("*ben*" means "son" in Arab).

Il a des cotonnades qui n'attendent que toi pour passer.[1] Il sait que tu es vivant. Il compte sur toi. Que diraient nos correspondants de Gibraltar, si tu leur manquais de parole?

Je me laissai entraîner, et je repris mon vilain commerce. 5

Pendant que j'étais caché à Grenade, il y eut des courses de taureaux où Carmen alla. En revenant, elle parla beaucoup d'un picador[2] très adroit nommé Lucas. Elle savait le nom de son cheval, et combien lui coûtait sa veste brodée. Je n'y fis pas attention. Juanito, le camarade qui m'était resté, me dit, 10 quelques jours après, qu'il avait vu Carmen avec Lucas chez un marchand du Zacatin.[3] Cela commença à m'alarmer. Je demandai à Carmen comment et pourquoi elle avait fait connaissance avec le picador.

— C'est un garçon, me dit-elle, avec qui on peut faire une 15 affaire. Rivière qui fait du bruit a de l'eau ou des cailloux.[4] Il a gagné douze cents réaux[5] aux courses.[6] De deux choses l'une:[7] ou bien il faut avoir cet argent; ou bien, comme c'est un bon cavalier et un gaillard de cœur, on peut l'enrôler dans notre bande. Un tel et un tel sont morts, tu as besoin de les remplacer. 20 Prends-le avec toi.

— Je ne veux, répondis-je, ni de son argent, ni de sa personne, et je te défends de lui parler.

— Prends garde, me dit-elle; lorsqu'on me défie de faire une chose, elle est bientôt faite! 25

Heureusement le picador partit pour Malaga, et moi, je me mis en devoir de[8] faire entrer les cotonnades du juif. J'eus fort à faire dans cette expédition-là, Carmen aussi, et j'oubliai Lucas; peut-être aussi l'oublia-t-elle, pour le moment du moins. Nous

[1] *passer = passer en contrebande:* to be smuggled. [2] *picador:* (Spanish) a horseman armed with a spike in a bullfight. [3] *Zacatin:* a poor quarter in Granada. [4] A Gypsy proverb. [5] *réaux:* in Spanish *reales*, coins worth then about 25 cents. [6] *aux courses de taureaux:* at the bullfights. [7] *De deux choses l'une = Il faut choisir une des deux solutions.* [8] *je me mis en devoir de = je me préparai à.*

avions l'air d'amoureux de deux jours. Au moment de nous séparer, elle me dit:

— Il y a une fête à Cordoue, je vais la voir, puis je saurai les gens qui s'en vont avec de l'argent, et je te le dirai.

5 Je la laissai partir. Seul, je pensai à cette fête et à ce changement d'humeur de Carmen. Un paysan me dit qu'il y avait des taureaux[1] à Cordoue. Voilà mon sang qui bouillonne, et, comme un fou, je pars, et je vais à la place.[2] On me montra Lucas, et, sur le banc contre la barrière, je reconnus Carmen. 10 Il me suffit de la voir une minute pour être sûr de mon fait. Lucas, au premier taureau, fit le joli cœur,[3] comme je l'avais prévu. Il arracha la cocarde[4] du taureau et la porta à Carmen, qui s'en coiffa sur-le-champ. Le taureau se chargea de me venger. Lucas fut culbuté avec son cheval sur la poitrine, et le 15 taureau par-dessus tous les deux. Je regardai Carmen, elle n'était déjà plus à sa place. Il m'était impossible de sortir de celle où j'étais, et je fus obligé d'attendre la fin des courses. Alors j'allai à la maison où je savais que logeait Carmen, et je m'y tins coi[5] toute la soirée et une partie de la nuit. Vers deux heures 20 du matin Carmen revint, et fut un peu surprise de me voir.

— Viens avec moi, lui dis-je.

— Eh bien! dit-elle, partons!

J'allai prendre mon cheval, je la mis en croupe, et nous marchâmes tout le reste de la nuit sans nous dire un seul mot. Nous 25 nous arrêtames au jour dans une venta isolée, assez près d'un petit ermitage. Là je dis à Carmen:

— Écoute, j'oublie tout. Je ne te parlerai de rien; mais jure-moi une chose: c'est que tu vas me suivre en Amérique, et que tu t'y tiendras tranquille.[6]

[1] *des taureaux* = *des courses de taureaux*. [2] *la place:* the bull ring (in Spanish *Plaza de Toro*). [3] *fit le joli cœur:* played the gallant. [4] It is a gesture of utmost gallantry to tear this bow of ribbon from the hide of the bull and offer it to a lady. [5] *je m'y tins coi* = *j'y restai sans bouger*. [6] *tu t'y tiendras tranquille:* you will behave there.

— Non, dit-elle d'un ton boudeur, je ne veux pas aller en Amérique. Je me trouve bien ici.

— C'est parce que tu es près de Lucas; mais songes-y bien, s'il guérit, ce ne sera pas pour faire de vieux os.[1] Au reste, je suis las de tuer tous tes amants; c'est toi que je tuerai. 5

Elle me regarda fixement de son regard sauvage, et me dit:

— J'ai toujours pensé que tu me tuerais. La première fois que je t'ai vu, je venais de rencontrer un prêtre à la porte de ma maison. Et cette nuit, en sortant de Cordoue, n'as-tu rien vu? Un lièvre a traversé le chemin entre les pieds de ton cheval. 10 C'est écrit.[2]

— Carmencita, lui demandai-je, est-ce que tu ne m'aimes plus?

Elle ne répondit rien. Elle était assise les jambes croisées sur une natte et faisait des traits par terre avec son doigt. 15

— Changeons de vie,[3] Carmen, lui dis-je d'un ton suppliant. Allons vivre quelque part où nous ne serons jamais séparés. Tu sais que nous avons, pas loin d'ici, sous un chêne, cent vingt onces[4] enterrées. . . . Puis, nous avons des fonds encore chez le juif ben-Joseph. 20

Elle se mit à sourire, et me dit:

— Moi d'abord, toi ensuite. Je sais que cela doit arriver ainsi.

— Réfléchis, repris-je; je suis au bout de ma patience et de mon courage; prends ton parti[5] ou je prendrai le mien.

Je la quittai et j'allai me promener du côté de l'ermitage. Je 25 trouvai l'ermite qui priait. J'attendis que sa prière fût finie; j'aurais bien voulu prier, mais je ne pouvais pas. Quand il se releva, j'allai à lui.

— Mon père, lui dis-je, voulez-vous prier pour quelqu'un qui est en grand péril? 30

[1] *faire de vieux os* = *vivre longtemps.* [2] *C'est écrit:* It's written (in the book of fate). [3] *Changeons de vie* = *Commençons une autre vie.* [4] *onces:* ounces of gold. [5] *ton parti* = *ta décision.*

— Je prie pour tous les affligés, dit-il.

— Pouvez-vous dire une messe pour une âme qui va peut-être paraître devant son Créateur?

— Oui, répondit-il en me regardant fixement.

5 Et, comme il y avait dans mon air quelque chose d'étrange, il voulut[1] me faire parler:

— Il me semble que je vous ai vu, dit-il.

Je mis une piastre sur son banc.

— Quand direz-vous la messe? lui demandai-je.

10 — Dans une demi-heure. Le fils de l'aubergiste de là-bas va venir la servir. Dites-moi, jeune homme, n'avez-vous pas quelque chose sur la conscience qui vous tourmente? voulez-vous écouter les conseils d'un chrétien?

Je me sentais près de pleurer. Je lui dis que je reviendrais, 15 et je me sauvai. J'allai me coucher sur l'herbe jusqu'à ce que j'entendisse la cloche. Alors je m'approchai, mais je restai en dehors de la chapelle. Quand la messe fut dite,[2] je retournai à la venta. J'espérais que Carmen se serait enfuie; elle aurait pu prendre mon cheval et se sauver . . . mais je la retrouvai. 20 Elle ne voulait pas qu'on pût dire que je lui avais fait peur. Pendant mon absence, elle avait défait l'ourlet de sa robe pour en retirer le plomb.[3] Maintenant, elle était devant une table, regardant dans une terrine pleine d'eau le plomb qu'elle avait fait fondre, et qu'elle venait d'y jeter. Elle était si occupée 25 de sa magie qu'elle ne s'aperçut pas d'abord de mon retour. Tantôt elle prenait un morceau de plomb et le tournait de tous les côtés d'un air triste, tantôt elle chantait quelqu'une de ces chansons magiques où elles invoquent Marie Padilla,[4] la grande reine des bohémiens.

30 — Carmen, lui dis-je, voulez-vous venir avec moi?

[1] *il voulut = il essaya de.* [2] *fut dite = fut finie.* [3] *le plomb:* lead disks inserted in the hem of the skirt. [4] *Marie (Maria) Padilla,* mistress of Pedro the Cruel, King of Castile. She died in 1361.

Elle se leva, jeta sa sébile, et mit sa mantille sur sa tête comme prête à partir. On m'amena mon cheval, elle monta en croupe et nous nous éloignâmes.

— Ainsi, lui dis-je, ma Carmen, après un bout de chemin, tu veux bien me suivre, n'est-ce pas? 5

— Je te suis à la mort, oui, mais je ne vivrai plus avec toi.

Nous étions dans une gorge solitaire; j'arrêtai mon cheval.

— Est-ce ici? dit-elle.

Et d'un bond elle fut à terre. Elle ôta sa mantille, la jeta à ses pieds, et se tint immobile un poing sur la hanche, me regardant 10 fixement.

— Tu veux me tuer, je le vois bien, dit-elle; c'est écrit, mais tu ne me feras pas céder.

— Je t'en prie, lui dis-je, sois raisonnable. Écoute-moi! tout le passé est oublié. Pourtant, tu le sais, c'est toi qui m'as perdu;[1] 15 c'est pour toi que je suis devenu un voleur et un meurtrier. Carmen! ma Carmen! laisse-moi te sauver et me sauver avec toi.

— José, répondit-elle, tu me demandes l'impossible. Je ne t'aime plus; toi, tu m'aimes encore, et c'est pour cela que tu 20 veux me tuer. Je pourrais bien encore te faire quelque mensonge; mais je ne veux pas m'en donner la peine. Tout est fini entre nous. Comme mon rom, tu as le droit de tuer ta romi; mais Carmen sera toujours libre. Cali elle est née, cali elle mourra. 25

— Tu aimes donc Lucas? lui demandai-je.

— Oui, je l'ai aimé, comme toi, un instant, moins que toi peut-être. A présent, je n'aime plus rien, et je me hais pour t'avoir aimé.

Je me jetai à ses pieds, je lui pris les mains, je les arrosai de 30 mes larmes. Je lui rappelai tous les moments de bonheur que nous avions passés ensemble. Je lui offris de rester brigand pour

[1] *m'as perdu = m'as mené à ma ruine.*

lui plaire. Tout, monsieur, tout; je lui offris tout, pourvu qu'elle voulût m'aimer encore! Elle me dit:

— T'aimer encore, c'est impossible. Vivre avec toi, je ne le veux pas.

5 La fureur me possédait. Je tirai mon couteau. J'aurais voulu qu'elle eût peur et me demandât grâce, mais cette femme était un démon.

— Pour la dernière fois, m'écriai-je, veux-tu rester avec moi?

— Non! non! non! dit-elle en frappant du pied.

10 Et elle tira de son doigt une bague que je lui avais donnée, et la jeta dans les broussailles.

Je la frappai deux fois. C'était le couteau du Borgne que j'avais pris, ayant cassé le mien. Elle tomba au second coup sans crier. Je crois encore voir son grand œil noir me regarder 15 fixement; puis il devint trouble et se ferma. Je restai anéanti une bonne heure devant ce cadavre. Puis, je me rappelai que Carmen m'avait dit souvent qu'elle aimerait à être enterrée dans un bois. Je lui creusai une fosse avec mon couteau, et je l'y déposai. Je cherchai longtemps sa bague et je la trouvai 20 à la fin. Je la mis dans la fosse auprès d'elle avec une petite croix. Peut-être ai-je eu tort. Ensuite je montai sur mon cheval, je galopai jusqu'à Cordoue, et au premier corps de garde je me fis connaître. J'ai dit que j'avais tué Carmen; mais je n'ai pas voulu dire où était son corps. L'ermite était un saint homme. 25 Il a prié pour elle! Il a dit une messe pour son âme. . . .Pauvre enfant! Ce sont les *Calé* qui sont coupables pour l'avoir élevée ainsi.

## QUESTIONNAIRE

### I

1. Que savons-nous des origines de José? 2. Pourquoi José s'est-il engagé dans un régiment espagnol? 3. Quel était son grade

au commencement de ce récit? 4. Pourquoi y avait-il un poste de soldats à la manufacture de tabacs? 5. Que font les soldats quand ils sont de service? — Que faisait José? 6. Pourquoi José ne s'intéressait-il pas à la rentrée des ouvrières? 7. Qui a cependant attiré son attention? 8. Comment Carmen était-elle vêtue? 9. Quelle était son attitude? 10. Comment Carmen s'est-elle moquée de José?

11. Qu'a-t-elle fait de la fleur de cassie? — Qu'est-ce que José en a fait? 12. Pourquoi a-t-on envoyé José à l'intérieur de la manufacture? 13. Qu'était-il arrivé dans la grande salle de la manufacture? 14. Pourquoi la rixe avait-elle éclaté? 15. Qu'a-t-on fait de Carmen? 16. Quelles langues parlent les bohémiens? 17. Comment Carmen est-elle arrivée à apitoyer José? 18. Comment a-t-elle réussi à s'échapper? 19. De quoi José a-t-il été accusé? 20. Comment a-t-il été puni?

II

1. A quoi pensait José en prison? 2. Que lui a-t-on apporté du dehors? 3. José s'est-il servi de la lime? 4. Qu'est-ce qui a profondément humilié José après sa sortie de prison? 5. Qu'a-t-il vu quand il était en faction à la porte du colonel? 6. Comment Carmen était-elle vêtue? 7. Quelle insulte Carmen lui a-t-elle lancée? 8. Comment José pouvait-il suivre les détails de la fête? 9. Qu'est-ce qu'il a vu et entendu? 10. Pourquoi a-t-il compris alors qu'il aimait Carmen?

11. Où Carmen lui a-t-elle donné rendez-vous? 12. Qu'est-ce que Carmen a déclaré lorsqu'il est arrivé? 13. Qu'est-ce que José a rendu à Carmen? 14. Qu'est-ce que Carmen a acheté? 15. Où Carmen et José sont-ils allés? 16. Comment Carmen s'est-elle débarrassée de la vieille bohémienne? 17. Qu'a déclaré Carmen après le départ de la vieille?

III

1. Qu'à fait Carmen pour remplacer ses castagnettes? 2. Pourquoi José n'a-t-il pas répondu à l'appel ce soir-là? 3. Pourquoi

Carmen dit-elle que leur amour ne peut pas durer? 4. De quoi a-t-elle averti José? 5. Qu'a fait José pendant les journées suivantes? 6. Où a-t-il finalement revu Carmen? 7. Qu'est-ce que celle-ci lui a demandé de faire? 8. Pourquoi a-t-il cédé? 9. Qu'est-ce que Carmen lui a reproché, le lendemain, quand ils se sont retrouvés? 10. Qu'a fait José après l'avoir quittée?

11. Qu'est-ce que Carmen est venue lui avouer? 12. Avec qui José a-t-il trouvé Carmen, un soir, chez Dorothée? 13. Pourquoi une rixe a-t-elle éclaté? 14. Comment cette rixe a-t-elle fini? 15. Comment Carmen a-t-elle aidé José? 16. Qu'est-ce que Carmen lui a conseillé de faire et pourquoi? 17. Pourquoi José s'est-il décidé à suivre ces conseils?

## IV

1. Qu'est-ce que José est allé faire à Jerez? 2. Comment les contrebandiers organisaient-ils leur commerce illicite? 3. Pourquoi José était-il heureux? 4. Qu'est-ce qui lui plaisait dans l'attitude de Carmen? 5. Que faisaient les contrebandiers lorsqu'ils n'étaient pas réunis? 6. Qu'est-ce que le Dancaïre a appris un jour à José? 7. Comment Carmen se comportait-elle entre Garcia et José? 8. Qu'est-ce qui est arrivé à la bande du Dancaïre? 9. Qu'est-ce qui donnait du courage à José? 10. Comment a-t-il essayé de sauver Remendado?

11. Qu'a fait Garcia? 12. A quoi pensait José le soir de la bataille? 13. Quelle était l'attitude de Carmen? 14. Où celle-ci est-elle allée et pourquoi? 15. Dans quelles circonstances l'a-t-on retrouvée? 16. Comment, de Gibraltar, pouvait-elle aider les contrebandiers? 17. Pourquoi a-t-on décidé que José irait à Gibraltar? 18. Comment José est-il entré à Gibraltar et que faisait-il dans cette ville?

## V

1. Où et avec qui José a-t-il retrouvé Carmen? 2. Quelle explication Carmen a-t-elle donnée de sa conduite? 3. De quelle façon se moquait-elle de l'officier anglais? 4. Que pensait José

de tout cela? 5. Comment Carmen l'a-t-elle reçu le lendemain? 6. Quel plan avait-elle conçu au sujet de l'Anglais? 7. Quel rôle avait-elle réservé à Garcia dans cette aventure? 8. Pourquoi José a-t-il refusé de se prêter à cette fourberie? 9. En entendant le refus de José, à quel proverbe bohémien Carmen a-t-elle pensé? 10. Quel projet José avait-il formé en retournant vers ses camarades?

11. Comment la bataille entre José et Garcia a-t-elle éclaté? 12. Quelles ont été les réflexions du Dancaïre après le duel? 13. Quelles ont été les réflexions de Carmen lorsqu'elle a appris ce qui s'était passé? 14. Qu'est-il arrivé à l'Anglais? 15. Quelle superstition guide l'attitude de Carmen envers José?

## VI

1. Quelle vie la bande du Dancaïre continuait-elle à mener? 2. Que faisait Carmen? 3. Pourquoi aimait-elle moins José? 4. Qu'est-il arrivé à la bande? 5. Comment José a-t-il pu se rétablir? 6. Quelle nouvelle vie José aurait-il voulu entreprendre? 7. Pourquoi Carmen a-t-elle refusé de l'écouter? 8. Qui était Lucas? 9. Quelles excuses Carmen a-t-elle trouvées pour expliquer l'intérêt qu'elle portait à Lucas? 10. Quelle menace Carmen a-t-elle faite?

11. Pourquoi Carmen est-elle allée à Cordoue? 12. Que s'est-il passé pendant la course de taureaux? 13. Où et comment José a-t-il emmené Carmen? 14. Pourquoi Carmen pensait-elle que José la tuerait? 15. Qu'est-ce que José a proposé de nouveau à Carmen? 16. Qu'est-il allé faire à l'ermitage? 17. Qu'avait fait Carmen pendant l'absence de José? 18. Qu'a-t-elle déclaré à José? 19. Comment Carmen est-elle morte? 20. Qu'est-ce que José a fait de son corps et pourquoi?

⚜⚜⚜

# ANATOLE FRANCE

1844-1924

## *Pensées de Riquet*

I

Les hommes, les animaux, les pierres grandissent en s'approchant et deviennent énormes quand ils sont sur moi. Moi non. Je demeure toujours aussi grand partout où je suis.

II

Quand le maître me tend sous la table sa nourriture, qu'il
5 va mettre dans sa bouche, c'est pour me tenter et me punir si je succombe à la tentation. Car je ne puis croire qu'il se prive pour moi.

III

Je parle quand je veux. De la bouche du maître il sort aussi des sons qui forment des sens. Mais ces sens sont bien moins
10 distincts que ceux que j'exprime par les sons de ma voix. Dans ma bouche tout a un sens. Dans celle du maître il y a beaucoup de vains bruits. Il est difficile et nécessaire de deviner la pensée du maître.

IV

Une action pour laquelle on a été frappé est une mauvaise
15 action. Une action pour laquelle on a reçu des caresses ou de la nourriture est une bonne action.

## V

A la tombée de la nuit des puissances malfaisantes rôdent autour de la maison. J'aboie pour que le maître averti les chasse.

## VI

Un chien qui n'a pas de piété[1] envers les hommes et qui méprise les fétiches[2] assemblés dans la maison du maître mène 5 une vie errante et misérable.

## VII

Les hommes exercent cette puissance divine d'ouvrir toutes les portes. Je n'en puis ouvrir seul qu'un petit nombre. Les portes sont de grands fétiches qui n'obéissent pas volontiers aux chiens. 10

## VIII

La vie d'un chien est pleine de danger. Et pour éviter la souffrance, il faut veiller à toute heure, pendant les repas, et même pendant le sommeil.

## IX

On ne sait jamais si l'on a bien agi envers les hommes. Il faut les adorer sans chercher à les comprendre. Leur sagesse 15 est mystérieuse.

## X

Il y a des voitures que des chevaux traînent par les rues. Elles sont terribles. Il y a des voitures qui vont toutes seules en

[1] *piété = affection et respect.* [2] *fétiches = objets matériels, vénérés comme des idoles par les sauvages = objets pour lesquels on a une sorte de culte.*

soufflant très fort. Celles-là aussi sont pleines d'inimitié. Les hommes en haillons sont haïssables, et ceux aussi qui portent des paniers sur leur tête ou qui roulent des tonneaux.[1] Je n'aime pas les enfants qui, se cherchant, se fuyant, courent et poussent 5 de grands cris dans les rues. Le monde est plein de choses hostiles et redoutables.

QUESTIONNAIRE

1. Qu'est-ce qui étonne Riquet? 2. De quoi Riquet a-t-il peur quand on lui tend quelque nourriture sous la table? 3. Comment Riquet compare-t-il les paroles de son maître à ses aboiements? 4. Comment Riquet croit-il savoir quand il a bien ou mal agi? 5. Pourquoi Riquet aboie-t-il quand la nuit tombe? 6. Selon Riquet, quelle doit être l'attitude d'un bon chien envers son maître et les meubles de sa maison? 7. Pourquoi Riquet a-t-il tant de respect pour les portes? 8. Pourquoi Riquet est-il toujours en alerte? 9. Qu'est-ce qui reste mystérieux pour Riquet? 10. De quoi Riquet a-t-il surtout peur?

[1] *tonneaux:* barrels.

⚜⚜⚜

# JULES ROMAINS

1885-

## *Promenade et préoccupations du chien Macaire*

Chez les de Saint-Papoul, ce mercredi-là, un peu après huit heures du soir, le chien Macaire profita d'un mouvement qui se faisait[1] au bout du petit corridor pour s'échapper dans l'escalier de service, et descendre les étages.

Arrivé devant la loge du concierge, il faillit commettre une faute, qui était de gratter à la porte. La concierge serait venue ouvrir, et lui aurait donné un morceau de sucre. Mais il se rappela à temps que lors de sa dernière sortie,[2] quelques jours plus tôt, il avait usé du même manège,[3] et qu'en effet la concierge lui avait bien donné un morceau de sucre, mais qu'ensuite elle l'avait fait remonter là-haut, en le tirant par le collier un peu vivement.[4] 5 10

Il se glissa donc dans le vestibule, et alla s'asseoir contre la grosse porte cochère.[5] Il y avait entre le bas de la porte et le sol un espace large comme la patte. En penchant un peu la tête, Macaire reniflait aisément les odeurs qui lui arrivaient du dehors par cet intervalle.[6] Malheureusement il recevait aussi un courant d'air, qui, par ce soir de décembre, était humide et froid. 15

[1] *un mouvement qui se faisait* = *l'entrée ou la sortie de quelqu'un.* [2] *lors de sa dernière sortie* = *la dernière fois qu'il était sorti.* [3] *manège* = *procédé, conduite.* [4] *un peu vivement* = *avec une certaine violence.* [5] *porte cochère* = *grande porte à deux battants pour laisser pénétrer les voitures;* (now) main entrance. [6] *intervalle* = *espace.*

Les odeurs le déconcertaient encore un peu. La plus dépaysante[1] était celle qui venait du sol. Macaire n'arrivait pas à oublier le sol de la campagne, et son exhalaison, qui, suivant les lieux, surtout suivant les heures et les jours, est bien loin
5 d'être uniforme, mais qu'on finit par connaître assez pour ne plus avoir à s'en occuper dans la vie courante. Ce qui permet de porter toute son attention sur les odeurs plus accidentelles qui s'y enchevêtrent:[2] aromes d'aliments, fumets[3] de bêtes et bestioles, traces[4] de grands animaux et traces d'hommes.

10 Bien que le bas de la porte sentît la peinture, Macaire discernait sans peine l'émanation étrange du trottoir. Elle évoquait certaines pierres sur une colline chauffée au soleil, où il lui était arrivé de poursuivre des lézards. Mais le parfum de ces pierres était beaucoup plus simple.

15 A certains moments l'odeur de trottoir était dominée par une odeur de chaussures. Un homme approchait, à pas rapides, et l'on sentait considérablement ses pieds. A la campagne, les pieds marchent souvent dans des sabots; et des pieds dans des sabots sentent la sueur d'homme, le bois, l'herbe écrasée et le
20 fumier. Même lorsqu'ils[5] marchent dans des chaussures, on ne saurait les confondre avec ceux d'ici. L'étonnement de Macaire sur ce point était dû à la qualité spéciale des cuirs, aux teintures dont on les imprègne en cordonnerie fine, ainsi qu'à l'abondance et à la diversité du cirage.

25 Grâce à ce travail d'esprit, l'attente lui parut courte. Quelqu'un s'arrêta devant la porte; sonna. Le petit battant[6] s'ouvrit. Frôlant la jambe du monsieur, Macaire sauta dans la rue.

Il prit à droite sans hésiter. Le but où il allait lui apparaissait vivement. Pour retrouver l'itinéraire, il n'avait pas besoin de
30 réfléchir. Chaque morceau de chemin se proposait de lui-même

[1] *dépaysante = déroutante:* confusing (*lit.:* uncountrylike). [2] *s'y enchevêtrent:* get confused or mixed with it. [3] *fumets:* odeurs. [4] *traces = odeurs laissées par le passage.* [5] *ils = ces pieds.* [6] *le petit battant:* the *porte cochère* consists of two large sections. In one of these there often is a smaller door for visitors.

après le morceau précédent. Les points remarquables s'attiraient l'un l'autre.

Macaire trottait à petite allure, en remuant la queue, le nez tout près du sol. Ce n'est pourtant pas son odorat qui le guidait. Il se servait activement de ses yeux, et il avait appris déjà à ne pas se laisser troubler par les successions de clartés bizarrement déchiquetées[1] et d'ombres fausses que l'on traverse en longeant un trottoir de ville. Mais l'odorat prenait des plaisirs de rencontre;[2] s'amusait du détail des choses, de leur imprévu; provoquait ces mille pensées qui vous sollicitent,[3] et sans vous faire oublier votre chemin y introduisent des arrêts et des méandres divertissants.

Il avait tourné par la rue de Varenne,[4] à droite. Il se maintenait le plus près possible des maisons. D'abord parce que c'était la perspective du bas des murs qui s'était le mieux enregistrée dans sa mémoire; et qu'il n'avait qu'à la vérifier machinalement. Ensuite, parce que les murs, avec leurs anfractuosités, leurs ouvertures où l'on peut se jeter en cas de péril, lui donnaient l'impression d'un refuge latéral toujours disponible.

Il apercevait du coin de l'œil, très haut, le feu des réverbères suspendus dans la nuit. Quand il voyait l'un d'eux s'approcher, il faisait un crochet[5] pour aller en flairer la base. Tout en faisant ses zigzags, Macaire prenait garde aux passants et aux voitures. A la campagne, les hommes ne se déplacent jamais en si grand nombre. Quand par hasard ils se rassemblent dans un même lieu, comme un marché, ils y restent presque immobiles, ou ne bougent que lentement. Un trottoir de Paris est parcouru de pas rapides. Des pieds lancés avec force risquent à tout instant

[1] *bizarrement déchiquetées:* in strangely jagged patterns. [2] *de rencontre = que le hasard apportait.* [3] *sollicitent = attirent.* [4] *rue-de Varenne:* a street on the left bank in Paris (VIIme arrondissement). It runs from the Boulevard Raspail to the Boulevard des Invalides. Some interesting eighteenth century *hôtels* are to be found; among them, Hôtel Matignon, residence of the French Prime Minister, and Hôtel Biron, now known as the Musée Rodin. [5] *faisait un crochet = changeait subitement de direction.*

de vous atteindre. Quant aux voitures, Macaire avait bien cru comprendre que le bord du trottoir les empêche de quitter la chaussée; donc, qu'en se tenant assez loin, on ne risque pas de recevoir dans la tête un sabot de cheval, ni qu'une roue énorme vous monte sur les reins. Mais il n'était pas complètement rassuré. Et quand une voiture de livraison passait un peu près, tirée par ces gros chevaux qui volontiers piaffent et galopent, Macaire, effaçant le flanc,[1] se faisait le plus étroit possible le long de la muraille.

C'étaient pourtant les chevaux, et leurs voitures, qui, le jour où il avait tenté sa première promenade dans Paris, l'avaient préservé de se sentir tout à fait perdu. Malgré certaines différences locales, il y reconnaissait des existences familières.

Les autos au contraire lui semblaient carrément[2] hostiles. Non qu'elles lui fussent inconnues. Il en avait rencontré plusieurs pétaradant et puant sur les routes de son pays natal, ou arrêtées devant une maison. Il les avait examinées avec soin. Pas une seconde il ne les avait prises pour des êtres vivants. L'homme aime à croire que, devant les machines qu'il fabrique, les animaux sont dupes de cette illusion flatteuse pour son pouvoir créateur. Il oublie qu'il y a une odeur, et plus qu'une odeur, une émanation d'être vivant que rien n'imite. Peu importe qu'une auto coure, s'arrête, ait l'air de choisir son chemin, de vous éviter ou de vous chercher.[3] Puisqu'elle sent la lampe qui tire mal,[4] le ballon d'enfant, la chaussure, tout ce qu'on veut, sauf la chaleur de la chair. Et qu'au surplus[5] quelque chose, qui n'est pas votre odorat, vous assure qu'elle n'est pas de la race des Vivants. Macaire n'avait donc pas eu de peine à ranger les autos parmi les objets qui entourent l'homme,

[1] *effaçant le flanc* = in fencing, *effacer le corps* means to turn the body sideways. [2] *carrément* = *franchement*. [3] *de vous chercher* = *d'aller à votre rencontre*. [4] *qui tire mal:* which draws badly. [5] *qu'au surplus:* furthermore, moreover.

s'ajoutent à lui, le prolongent, et qui peuvent d'ailleurs devenir aussi redoutables que les êtres animés, quoique d'une autre façon: chaises, fouets, armoires, brouettes, charrues, machines à battre.[1]

Macaire avait quitté la rue de Varenne pour la rue du Bac,[2] qu'il trouvait beaucoup plus intéressante. Elle abondait en boutiques, dont les portes, pour la plupart, étaient ouvertes. Macaire pouvait y entrer, y faire quelques pas, poursuivre sur le carrelage une trace qu'il avait relevée sur le trottoir, parfois les odeurs suggéraient l'idée de nourritures innombrables. Les tentations étaient si diverses et si fortes qu'elles s'annulaient l'une autre, ou plutôt qu'elles produisaient une espèce de terreur d'ordre moral. A peine entré dans une épicerie, il se hâta d'en ressortir, et ne se sentit tranquille qu'une vingtaine de pas plus loin: il avait eu l'impression de s'introduire dans un buffet aux rayons chargés de victuailles, de s'enfoncer dans l'ivresse qui précède le crime.

Macaire aperçut enfin le lieu où il se rendait. Il remua la queue, accéléra l'allure, ne fit plus attention à aucune odeur. La porte était fermée: mais quelqu'un eut à l'ouvrir presque aussitôt. Macaire se faufila,[3] longea le comptoir sans s'arrêter, poussa du nez une petite porte de communication au battant libre.[4] Il y avait là une salle assez grande, et, assis à des tables qui entouraient un espace vide, une dizaine d'êtres humains, dont[5] deux femmes.

A peine Macaire atteignait-il la première table qu'une femme s'écria, d'un air de jubilation:

— Coquet! Voilà Coquet!

Macaire remua la queue. Il savait que dans ce milieu il s'appelait Coquet, et il en avait pris son parti.[6]

[1] *machine à battre:* threshing machine. [2] *rue du Bac:* a street on the left bank of Paris (VIIe arrondissement). It runs from the Pont Royal to the rue de Sèvres. [3] *se faufila = se glissa adroitement.* [4] *battant libre* = swinging door. [5] *dont = parmi lesquels.* [6] *pris son parti = s'y était résigné.*

Lors de ses premières visites, on lui avait répété sur tous les tons:

— Comment t'appelles-tu? Dis, comment t'appelles-tu?

Et les femmes demandaient aux hommes:

5 — Comment s'appelle-t-il?

Peut-être s'attendaient-elles, d'un côté ou de l'autre, au miracle d'une réponse. Quant à Macaire, il sentait bien qu'on lui posait une question, mais il ne saisit pas d'abord laquelle.

On insistait:

10 « Comment t'appeles-tu? » « Comment s'appelle-t-il? » Il se souvint d'avoir entendu ces mots d'autres fois, dans la bouche d'étrangers, de visiteurs. Alors quelqu'un de la maison répondait: « Macaire ». Il y avait donc un rapport entre cette question et son nom.

15 Ensuite les femmes avaient essayé sur lui tous les noms de chiens qui leur venaient à l'esprit. Cette kyrielle[1] d'interpellations: Coco, Azor, Bobby, Papillon, Kiky, l'ahurissait[2] bien un peu. Était-ce des injures? Était-ce des mots doux?[3] Le ton ne répondait[4] ni à l'un ni à l'autre. Il finit sinon par compren-20 dre, du moins par entrevoir de quoi il s'agissait. Quand on prononça: « Médor », il fit un remuement de queue, tout de suite arrêté. Mais au nom de « Coquet », il crut qu'il pouvait y aller plus franchement.

— C'est son nom! On a trouvé. Coquet! Coquet!

25 Macaire avait déjà observé que beaucoup de mots ne se prononcent pas à Paris comme en Périgord.[5] Coquet pouvait être une façon un peu ridicule de dire Macaire. Il remua donc la queue encore deux ou trois fois. Aucun doute ne subsistait

[1] *kyrielle = longue liste.* [2] *ahurissait = troublait.* [3] *mots doux = mots gentils, tendres.* [4] *ne répondait = ne correspondait.* [5] *Périgord:* formerly part of Guyenne, in southern France, noted for its truffles. Périgord became a part of France under Henri IV in 1607. Today it comprises the department of Dordogne and a part of the department of Lot-et-Garonne. French pronunciation is different in the South from what it is in Paris.

plus. C'est ainsi qu'il avait reçu le nom de Coquet dans ce café.

— Alors quoi, Coquet? Tu nous avais abandonnés? Voilà au moins trois jours qu'il n'est pas venu. C'est ta maîtresse qui t'enferme? Pauvre Coquet de mon cœur. Et elle doit te donner plus de coups de balai que de morceaux de sucre.

Car l'opinion s'était établie qu'il appartenait à une concierge du voisinage. Ainsi Macaire, chien des de Saint-Papoul, fréquentait chez[1] le bistrot, sous la fausse identité de Coquet, chien de concierge. Ce qui valait peut-être mieux.

— Tu aimes toujours le sucre? Fais le beau.[2] Oh! Ce qu'il le fait bien tout de même. Regardez-moi ça! Quel acrobate! Chéri, va.[3] Ce qui m'amuserait, moi, ça serait de savoir comment que tu t'y prends,[4] pour te débiner de[5] chez ta maîtresse. Il a l'air malin, vous savez. C'est très intelligent, ces chiens-là. Dis. Comment que tu fais, mon coco?[6] C'est peut-être quand le facteur apporte le courrier. Pfuit. Plus de Coquet. Mais qu'est-ce qui recoit la volée[7] en rentrant? C'est Coquet. Pauvre petit, faut bien lui donner sa part de café et de susucre,[8] pour que ça vaille la peine.[9] Tiens, va dire au monsieur qu'il te fasse boire le fond de de sa tasse.

De ces propos, sauf quelques points saillants, Macaire ne devinait que le sens général. En Périgord, il avait bien appris un certain nombre de locutions courantes, mais revêtues[10] des intonations de là-bas. Son lexique intérieur avait l'accent du Midi. Les mêmes mots, dits à la parisienne, ne se ressemblaient plus. Ajoutons que d'une région à l'autre, les phrases ont une tournure[11] différente, charrient[12] avec elles d'autres interjections,

[1] *fréquentait chez* = *visitait fréquemment.* [2] *fais le beau:* sit up! [3] *Chéri, va!:* What a darling he is! [4] *tu t'y prends:* you go about it. [5] *se débiner de* (slang) = *se sauver de.* [6] *mon coco:* my pet. [7] *la volée:* a thrashing. [8] *susucre* = *sucre.* [9] *ça vaille la peine:* it will be worth taking that chance. [10] *revêtues:* the same comparison can be retained in English, "clothed". [11] *une tournure* = *manière d'agencer les mots dans une phrase.* [12] *charrient:* include, contain.

d'autres mots bouche-trou.[1] Et aussi que les paysans n'ont pas l'habitude de tenir aux chiens de longs discours, ni de répéter pour se faire mieux comprendre. D'où[2] il résulte qu'à intelligence égale un chien élevé à la campagne possède un vocabu- 5 laire plus pauvre qu'un chien de Paris. Les premiers jours, Macaire avait souffert de cette infériorité. Mais il faisait des progrès rapides.

Il récolta cette fois cinq morceaux de sucre, et la valeur d'une demi-tasse de café. Il aimait le sucre, dont on le privait 10 chez les de Saint-Papoul, par ordre de Mlle Bernardine. Et le café noir lui procurait un commencement d'ivresse des plus agréables. . . . Mais plus encore que le sucre et le café, il aimait la promenade, et ce qu'il peut y avoir de modéré et de régulier dans l'aventure. Il ne se serait pas jeté au hasard dans les 15 quartiers[3] sans fond. Mais il trouvait que la vie d'appartement, dont il appréciait d'ailleurs le confort, devenait à la longue[4] étouffante et monotone. D'un autre côté, il avait horreur d'être promené au bout d'une laisse par un domestique. Une promenade libre, avec un itinéraire à peu près fixe, et un but, voilà 20 ce qui lui convenait. D'autant que le but était plein de charme. Outre les plaisirs de la gourmandise, Macaire y goûtait ceux d'un milieu très sociable, où son personnage prenait de l'importance. Il était, de nature, très sensible aux manières douces, aux caresses, aux intonations câlines. Mais surtout vaniteux. 25 Sans trop se rendre compte de son adresse à faire le beau — car l'esprit de comparaison critique est ce qui manque le plus aux bêtes — il jouissait fort des applaudissements. Chez les de Saint-Papoul, on lui en accordait peu. Il avait bien eu quelques succès à l'office.[5] Mais il n'en tirait pas grand orgueil, sachant 30 reconnaître dans les domestiques des êtres subalternes. Et

[1] *mots bouche-trou:* meaningless added words. [2] *D'où = de tout ceci.* [3] *les quartiers:* neighborhoods, districts. [4] *à la longue = avec le temps, finalement.* [5] *à l'office = à la cuisine.*

s'il ne confondait pas le public du petit café avec les sociétés brillantes qu'il entrevoyait parfois chez ses maîtres, malheureusement sans y être admis, il le situait à un rang des plus honorables. (Peut-être parce que les gens n'y faisaient rien que boire, bavarder, jouer aux cartes, dans un décor d'apparat, et qu'ils étaient obéis par des serviteurs.) 5

Malgré tous ces agréments, au bout de quelques minutes, il fut pris, comme chaque fois, d'inquiétude, et hanté avec une force croissante par l'idée du logis.[1] Personne ne l'avait encore sérieusement battu chez les de Saint-Papoul. Mais les corrections reçues en Périgord lui constituaient une provision de moralité pour le reste de sa vie. 10

D'ailleurs il n'était pas nécessaire de le battre pour le punir. Le ton grondeur de la voix l'affectait beaucoup, surtout quand il venait de ses maîtres proprement dits,[2] et non de quelqu'un de l'office. Il suffisait même, pour lui gâcher sa soirée, qu'on cessât de le regarder avec des yeux amis. 15

Comme le garçon entre-bâillait la porte et qu'au même moment les gens du café parlaient très haut ensemble, Macaire, glissant sous les tables, se retira d'une façon discrète. 20

From *Éros de Paris* (*Les hommes de bonne volonté*, IV, Flammarion)

QUESTIONNAIRE

1. Comment Macaire a-t-il pu s'échapper de la maison? 2. Où veut-il aller? 3. Pourquoi évite-t-il le concierge? 4. Quel temps fait-il ce soir-là? 5. Macaire était-il un chien de ville? 6. Quelles odeurs venaient du trottoir? 7. Quel souvenir évoquait le trottoir? 8. Quelles étaient les impressions de Macaire sur les chaussures? 9. Par quel hasard Macaire parvient-il à quitter la maison? 10. Que peut-on dire de la mémoire de Macaire?

[1] *l'idée du logis = l'idée de son logement habituel.* [2] *proprement dits = légitimes.*

11. Comment a-t-il reconnu son chemin? 12. Quels dangers menaçaient Macaire? 13. Quelles précautions prenait-il contre ces dangers? 14. Macaire considère certains objets comme hostiles. Lesquels? 15. Pourquoi trouve-t-il la rue du Bac plus intéressante que la rue de Varenne? 16. Quel est le lieu de son rendez-vous? 17. Comment s'adresse-t-on à Macaire? 18. Comment avait-on réussi à trouver un nom pour le chien? 19. Quelles observations Macaire fait-il sur le parler de Paris? 20. Pourquoi Macaire avait-il souffert quand il est arrivé à Paris?

21. Quel caractère possède Macaire? 22. Comment pouvait-on punir Macaire? 23. Quel genre de promenade Macaire aimait-il faire? 24. Comment l'auteur arrive-t-il à décrire toute l'aventure de Macaire par l'odorat et le goût? 25. Décrivez les amis que Macaire trouve au café. 26. Quelle est l'attitude de Macaire envers les domestiques? 27. Qui sont ses maîtres? Pouvez-vous commenter leur condition sociale?

⚜⚜⚜

# GEORGES DUHAMEL

1884-

## *La dame en vert*

Je ne saurais dire[1] pourquoi j'aimais Rabot.

Chaque matin, allant et venant dans la salle[2] pour les besoins du service, j'apercevais Rabot ou plutôt la tête de Rabot, moins encore: l'œil de Rabot, qui se dissimulait dans le pêle-mêle des draps. Il avait un peu l'air d'un cochon d'Inde[3] qui se muche[4] sous la paille et vous guette avec anxiété. 5

Chaque fois, en passant, je faisais à Rabot un signe familier qui consistait à fermer énergiquement l'œil gauche en serrant les lèvres. Aussitôt l'œil de Rabot se fermait en creusant mille petits plis dans sa face flétrie de malade; et c'était tout: nous avions échangé nos saluts et nos confidences. 10

Rabot ne riait jamais. C'était un ancien enfant de l'Assistance publique,[5] et l'on devinait qu'il n'avait pas dû têter à sa soif[6] quand il était petit; ces repas ratés en nourrice, ça ne se rattrape point.[7] 15

Rabot était rouquin, avec un teint blême éclaboussé de taches de son. Il avait si peu de cervelle, qu'il ressemblait tout ensemble à un lapin et à un oiseau. Dès qu'une personne étrangère lui adressait la parole,. sa lèvre du bas se mettait à

[1] *dire = exprimer, expliquer.* [2] *la salle = la salle de l'hôpital militaire.* [3] *un cochon d'Inde:* guinea pig. [4] *se muche = se cache, se réfugie.* [5] *de l'Assistance publique:* from a State orphanage. [6] *têter à sa soif = avoir assez de lait.* [7] *ça ne se rattrape point:* you never make up for them.

trembler et son menton se fripait comme une noix. Il fallait d'abord lui expliquer qu'on n'allait pas le battre.

Pauvre Rabot! Je ne sais ce que j'aurais donné pour le voir rire. Tout, au contraire, conspirait à le faire pleurer: il y avait les pansements affreux, interminables, qui se renouvelaient chaque jour depuis des mois; il y avait l'immobilité forcée, qui empêchait Rabot de jouer avec les camarades; il y avait surtout que Rabot ne savait jouer à rien et ne s'intéressait pas à grand'chose.

J'étais, je crois, le seul à pénétrer un peu dans son intimité; et je l'ai dit, cela consistait principalement à fermer l'œil gauche lorsque je passais à portée de[1] son lit.

Rabot ne fumait pas. Lorsqu'il y avait la distribution de cigarettes, Rabot prenait sa part et jouait un petit moment avec, en remuant ses grands doigts maigres, déformés par le séjour au lit. Des doigts de laboureur[2] malade, ça n'est pas beau; dès que ça perd sa corne[3] et son aspect robuste, ça ne ressemble à rien du tout.

Je crois que Rabot aurait bien voulu offrir aux voisins ses bonnes cigarettes; mais c'est si difficile de parler, surtout pour donner quelque chose à quelqu'un. Les cigarettes se couvraient donc de poussière sur la planchette,[4] et Rabot demeurait allongé sur le dos, tout mince et tout droit, comme un petit brin de paille emporté par le torrent de la guerre et qui ne comprend rien à ce qui se passe.

Un jour, un officier de l'État-Major[5] entra dans la salle et vint vers Rabot.

— C'est celui-là? dit-il. Eh bien! je lui apporte la médaille militaire et la croix de guerre.[6]

Il fit signer un petit papier à Rabot et le laissa en tête-à-tête

[1] *à portée de = près de.* [2] *laboureur:* farmer *lit.:* ploughman). [3] *corne:* callouses. [4] *la planchette:* his shelf. [5] *État-major = groupe d'officiers chargés d'assister un chef dans l'exercice de son commandement:* headquarters. [6] *la médaille militaire et la croix de guerre (décorations françaises).*

avec les joujoux.[1] Rabot ne riait pas; il avait placé la boîte devant lui, sur le drap, et il la regarda depuis neuf heures du matin jusqu'à trois heures de l'après-midi.

A trois heures, l'officier revint et dit:

— Je me suis trompé, il y a erreur. Ce n'est pas pour Rabot les décorations, c'est pour Raboux. 5

Alors, il reprit l'écrin, déchira le reçu et s'en alla.

Rabot pleura depuis trois heures de l'après-midi jusqu'à neuf heures du soir, heure à laquelle il s'endormit. Le lendemain, il se reprit à pleurer dès le matin. M. Gossin, qui est un bon chef, partit pour l'État-Major et revint avec une médaille et une croix qui ressemblaient tout à fait aux autres; il fit même signer un nouveau papier à Rabot. 10

Rabot cessa de pleurer. Une ombre demeura toutefois sur sa figure, une ombre qui manquait de confiance, comme s'il eût craint qu'un jour ou l'autre on vînt encore lui reprendre les bibelots.[2] 15

Quelques semaines passèrent. Je regardais souvent le visage de Rabot et je cherchais à m'imaginer ce que le rire pourrait en faire. J'y songeais en vain: il était visible que Rabot ne savait pas rire et qu'il n'avait pas une tête fabriquée pour ça. 20

C'est alors que survint la dame en vert.

Elle entra, un beau matin, par une des portes, comme tout le monde. Cependant, elle ne ressemblait pas à tout le monde: elle avait l'air d'un ange, d'une reine, d'une poupée. Elle n'était pas habillée comme les infirmières qui travaillent dans les salles, ni comme les mères et les femmes qui viennent visiter leur enfant ou leur mari quand ils sont blessés. Elles ne ressemblait même pas aux dames que l'on rencontre dans la rue. Elle était beaucoup plus belle, beaucoup plus majestueuse. Elle faisait plutôt penser à ces fées, à ces images splendides que l'on voit sur les grands calendriers en couleur et au-dessous 25 30

[1] *joujoux:* medals (*lit.:* toys). [2] *bibelots:* trinkets.

desquelles le peintre a écrit: « la Rêverie », ou « la Mélancolie », ou encore « la Poésie ».

Elle était entourée de beaux officiers bien vêtus, qui se montraient fort attentifs à ses moindres paroles et lui prodi-5 guaient les témoignages d'admiration les plus vifs.

— Entrez donc, madame, dit l'un d'eux, puisque vous désirez voir quelques blessés. . . .

Elle fit deux pas dans la salle, s'arrêta net et dit d'une voix profonde:

10 — Les pauvres gens!

Toute la salle dressa l'oreille et ouvrit l'œil. Méry posa sa pipe; Tarrissant changea ses béquilles de bras,[1] ce qui, chez lui, est un signe d'émotion; Domenge et Burnier s'arrêtèrent de jouer aux cartes et se collèrent leur jeu[2] contre l'estomac, 15 pour ne pas le laisser voir par distraction.[3] Poupot ne bougea pas, puisqu'il est paralysé, mais on vit bien qu'il écoutait de toutes ses forces.

La dame en vert alla d'abord vers Sorri, le nègre:

— Tu t'appelles Sorri? dit-elle en consultant la fiche.

20 Le noir remua la tête, la dame en vert poursuivit, avec des accents qui étaient doux et mélodieux, comme ceux des dames qui jouent sur le théâtre:

— Tu est venu te battre en France, Sorri, et tu as quitté ton beau pays, l'oasis fraîche et parfumée dans l'océan de 25 sable en feu. Ah! Sorri! qu'il sont beaux les soirs d'Afrique, à l'heure où la jeune femme revient le long de l'allée des palmiers, en portant sur sa tête, telle une statue sombre, l'amphore aromatique pleine de miel et de lait de coco.

Les officiers firent entendre un murmure charmé, et Sorri, 30 qui comprend le français, articula en hochant la tête:

— Coco. . . coco. . . .

[1] *changea . . . de bras:* moved from . . . one arm to the other. [2] *leur jeu = leurs cartes.* [3] *par distraction:* inadvertently.

Déjà la dame en vert glissait sur les dalles. Elle vint jusqu'à Rabot et se posa doucement au pied du lit, comme une hirondelle sur un fil télégraphique.

— Rabot, dit-elle, tu es un brave!

Rabot ne répondit rien; mais, à son ordinaire, il gara ses 5 yeux[1] comme un enfant qui craint de recevoir une claque.[2]

— Ah! Rabot, dit la dame en vert, quelle reconnaissance ne vous devons-nous pas, à vous autres qui nous gardez intacte notre douce France? Mais, Rabot, tu connais déjà la grande récompense: la gloire! L'ardeur enthousiaste du 10 combat! L'angoisse exquise de bondir en avant, baïonnette luisante au soleil; la volupté de plonger un fer vengeur dans le flanc sanglant de l'ennemi, et puis la souffrance, divine d'être endurée pour tous; la blessure sainte qui, du héros, fait un dieu! Ah! les beaux souvenirs, Rabot! 15

La dame en vert se tut et un silence religieux règna dans la salle.

C'est alors que se produisit un phénomène imprévu: Rabot cessa de ressembler à lui-même. Tous ses traits se crispèrent, se bouleversèrent d'une façon presque tragique. Un bruit 20 enroué sortit, par secousses, de sa poitrine squelettique et tout le monde dut reconnaître que Rabot riait.

Il rit pendant plus de trois quarts d'heure. La dame en vert était depuis longtemps partie que Rabot riait encore, par quintes,[3] comme on tousse, comme on râle. 25

Par la suite,[4] il y eut quelque chose de changé dans la vie de Rabot. Quand il était sur le point de pleurer et de souffrir, on pouvait encore le tirer d'affaire et lui extorquer un petit rire en disant à temps:

— Rabot! on va faire venir la dame en vert. 30

From *Civilisation* (1914-1917, Mercure de France.)

[1] *il gara ses yeux = il ferma les yeux à moitié.* [2] *une claque = coup donné avec le plat de la main:* slap. [3] *quinte (de toux):* fit (of coughing). [4] *Par la suite = Après cela.*

QUESTIONNAIRE

1. Qui raconte l'histoire? 2. Où se passe l'histoire? 3. Qui est Rabot? Que sait-on de lui? 4. Rabot était-il différent des autres blessés? 5. Que savait-on de l'enfance de Rabot? 6. Comment l'auteur pénétrait-il dans l'intimité de Rabot? 7. Qu'est-ce que c'est que la médaille militaire? La Croix de guerre? 8. Quel effet la remise des décorations avait-elle eu sur Rabot? 9. Quelle idée le médecin-chef a-t-il eue? A-t-il réussi à convaincre Rabot? 10. Décrivez l'arrivée de la dame en vert.

11. A-t-elle causé avec tous les blessés? Lesquels a-t-elle choisis? 12. Quel effet la visite de la dame en vert a-t-elle eu sur Rabot? 13. Qui était cette dame en vert? 14. Quelles sont les pensées de Rabot que son rire exprime? 15. Qu'est-ce que l'auteur pense de la guerre?

⚜⚜⚜

# JULIEN GREEN

1900-

## *Christine*

*She was a phantom of delight*
*When first she gleamed upon my sight;*
*A lovely apparition, sent*
*To be a moment's ornament.*
Wordsworth

La route de Fort-Hope suit à peu près la ligne noire des récifs dont elle est séparée par des bandes de terre plates et nues. Un ciel terne pèse sur ce triste paysage que ne relève l'éclat d'aucune végétation[1], si ce n'est, par endroits,[2] le vert indécis d'une herbe pauvre. On aperçoit au loin une longue 5 tache miroitante et grise: c'est la mer.

Nous avions coutume de passer l'été dans une maison bâtie sur une éminence, assez loin en arrière de la route. En Amérique où l'antiquité est de fraîche date,[3] elle était considérée comme fort ancienne et l'on voyait en effet, au milieu d'une 10 poutre de la façade, une inscription attestant qu'elle avait été construite en 1640, à l'époque où les Pèlerins établissaient à coups de mousquet le royaume de Dieu dans ces régions barbares. Fortement assise sur une base[4] de rochers, elle oppo-

[1] *que ne relève l'éclat d'aucune végétation = qu'aucune végétation n'embellit par son éclat.* [2] *si ce n'est par endroits = excepté ici et là.* [3] *est de fraîche date:* does not go back very far. [4] *une base = surface sur laquelle la maison est posée:* foundation.

sait à la frénésie des vents, qui soufflaient du large,[1] de solides parois en pierre unie et un pignon rudimentaire qui faisait songer à la proue d'un navire. En exergue[2] autour d'un œil-de-bœuf[3] se lisaient ces mots, gravés dans la matière la plus dure qui soit au monde, le silex de Rhode Island: *Espère en Dieu seul.*

Il n'est pas un aspect de la vieille maison puritaine dont mon esprit n'ait gardé une image distincte, pas un meuble dont ma main ne retrouverait tout de suite les secrets et les défauts, et j'éprouverais, je crois, les mêmes joies qu'autrefois et les mêmes terreurs à suivre les longs couloirs aux plafonds surbaissés, et à relire au-dessus des portes qu'un bras d'enfant fait mouvoir avec peine les préceptes en lettres gothiques, tirés des livres des *Psaumes.*

Je me souviens que toutes les pièces paraissaient vides, tant elles étaient spacieuses, et que la voix y avait un son qu'elle n'avait pas à la ville, dans l'appartement que nous habitions à Boston. Était-ce un écho? Elle[4] semblait frapper les murs et l'on avait l'impression que quelqu'un à côté reprenait[5] la fin des phrases. Je m'en amusais d'abord, puis j'en fis la remarque à ma mère qui me conseilla de ne pas y faire attention, mais j'eus l'occasion d'observer qu'elle-même parlait ici moins qu'elle n'en avait l'habitude et plus doucement.

L'été de ma treizième année fut marquée par un événement assez étrange et si pénible que je n'ai jamais pu me résoudre à en éclaircir tout le mystère, car il me semble qu'il devait contenir plus de tristesse encore que je ne l'ai cru. Ne vaut-il pas mieux, quelquefois, laisser la vérité tranquille? Et si cette prudence n'est pas belle, dans des cas comme celui qu'on va voir, elle est certainement plus sage qu'un téméraire esprit d'investigation. J'allais donc sur mes treize ans[6] quand ma

[1] *du large:* from the high sea. [2] *exergue = petit espace pour y mettre une inscription.* [3] *œil-de-bœuf = petite fenêtre ovale ou ronde.* [4] *elle = la voix.* [5] *reprenait = répétait.* [6] *J'allais donc sur mes treize ans = J'avais presque treize ans.*

mère m'annonca, un matin d'août, l'arrivée de ma tante Judith. C'était une personne plutôt énigmatique et que nous ne voyions presque jamais parce qu'elle vivait fort loin de chez nous, à Washington. Je savais qu'elle avait été fort malheureuse et que, pour des raisons qu'on ne m'expliquait pas, elle n'avait pu se marier. Je ne l'aimais pas. Son regard un peu fixe[1] me faisait baisser les yeux et elle avait un air chagrin qui me déplaisait. Ses traits étaient réguliers comme ceux de ma mère, mais plus durs, et une singulière expression de dégoût relevait les coins de sa bouche en un demi-sourire plein d'amertume.

Quelques jours plus tard, je descendis au salon où je trouvai ma tante en conversation avec ma mère. Elle n'était pas venue seule: une petite fille d'à peu près mon âge se tenait à son côté, mais le dos à la lumière, en sorte que tout d'abord je ne distinguai pas son visage. Ma tante parut contrariée[2] de me voir, et, tournant brusquement la tête vers ma mère, elle lui dit très vite quelques mots que je ne saisis pas, puis elle toucha l'épaule de la petite fille qui fit un pas vers moi et me salua d'une révérence. « Christine, dit alors ma mère, voici mon petit garçon. Il s'appelle Jean. Jean, donne la main à Christine; embrasse ta tante. »

Comme je m'approchais de Christine, je dus me retenir pour ne pas pousser un cri d'admiration. La beauté, même à l'âge que j'avais alors, m'a toujours ému des sentiments les plus forts et les plus divers et il en résulte une sorte de combat intérieur qui fait que je passe, dans le même instant, de la joie au désir et du désir au désespoir. Ainsi je souhaite et redoute à la fois de découvrir cette beauté qui doit me tourmenter et me ravir, et je la cherche, mais c'est avec une inquiétude douloureuse et l'envie secrète de ne pas la trouver. Celle de Christine me transporta.[3] A contrejour, ses yeux paraissaient

[1] *un peu fixe = immobile, qui reste attaché sur le même point.* [2] *contrariée = mécontente.* [3] *me transporta = m'enthousiasma, me ravit.*

noirs, agrandis par des ombres autour de ses paupières. La bouche accusait sur une peau mate et pure des contours[1] dessinés avec force. Une immense auréole de cheveux blonds semblait recueillir en ses profondeurs toute la lumière qui venait de la fenêtre et donnait au front et aux joues une teinte presque surnaturelle. Je contemplai en silence cette petite fille dont j'aurais été prêt à croire qu'elle était une apparition, si je n'avais pris dans ma main la main qu'elle m'avait tendue. Mes regards ne lui firent pas baisser les yeux; elle semblait, en vérité, ne pas me voir, mais fixer obstinément quelqu'un ou quelque chose derrière moi, au point que[2] je me retournai tout à coup. La voix de ma mère me fit revenir à moi[3] et j'embrassai ma tante qui se retira, accompagnée de Christine.

Aujourd'hui encore, il m'est difficile de croire à la vérité de ce que je vais écrire. Et cependant ma mémoire est fidèle et je n'invente rien. Je ne revis jamais Christine, ou tout au moins, je ne la revis qu'une ou deux fois et de la manière la plus imparfaite. Ma tante redescendit sans elle, nous prîmes notre repas sans elle et l'après-midi s'écoula sans qu'elle revînt au salon. Vers le soir, ma mère me fit appeler pour me dire que je coucherais, non au premier étage, comme je l'avais fait jusqu'alors, mais au deuxième et loin, par conséquent, des chambres d'invités où étaient Christine et ma tante. Je ne peux dire ce qui se passa en moi. Volontiers j'aurais cru que j'avais rêvé, et même, avec quelle joie n'aurais-je pas appris qu'il ne s'agissait que d'une illusion et que cette petite fille que je croyais avoir vue n'existait pas! Car il était bien autrement[4] cruel de penser qu'elle respirait dans la même demeure que moi et que j'étais privé de la voir. Je priai ma mère de me dire pourquoi Christine n'était pas descendue à déjeuner, mais elle prit

[1] *accusait . . . des contours = faisait ressortir . . . des contours.* [2] *au point que = à tel point que:* so much so that. [3] *revenir à moi = reprendre mes sens.* [4] *bien autrement = beaucoup plus.*

aussitôt un air sérieux et me répondit que je n'avais pas à le savoir et que je ne devais jamais plus parler de Christine à personne. Cet ordre étrange me confondit[1] et je me demandai un instant qui de ma mère ou de moi avait perdu le sens. Je retournai dans mon esprit[2] les mots qu'elle avait prononcés, 5 mais sans réussir à me les expliquer autrement que par un malicieux désir de me tourmenter. A dîner, ma mère et ma tante, pour n'être pas comprises de moi, se mirent à parler en français; c'est une langue qu'elles connaissaient bien mais dont je n'entendais pas un mot. Je me rendis compte cependant qu'il 10 était question de Christine, car son nom revenait assez souvent dans leurs propos. Enfin, cédant à mon impatience, je demandai avec brusquerie ce qu'il était advenu[3] de la petite fille et pourquoi elle ne paraissait ni à déjeuner, ni à dîner. La réponse me vint sous la forme d'un soufflet de ma mère qui me rappela 15 par ce moyen toutes les instructions qu'elle m'avait données. Quant à ma tante, elle fronça les sourcils d'une manière qui la rendit à mes yeux épouvantable à voir. Je me tus.

Mais qui donc était cette petite fille? Si j'avais été moins jeune et plus observateur, sans doute aurais-je remarqué ce 20 qu'il y avait de particulier dans ses traits. Ce regard fixe, ne le connaissais-je pas déjà? Et n'avais-je vu à personne cette moue indéfinissable qui ressemblait à un sourire et n'en était pas un? Mais je songeais à bien autre chose qu'à étudier le visage de ma tante et j'étais trop innocent pour découvrir un rapport entre 25 cette femme, qui me semblait à présent monstrueuse, et Christine.

Je passerai rapidement sur les deux semaines qui suivirent, pour en arriver au plus curieux de cette histoire. Le lecteur imaginera sans peine tout l'ennui de ma solitude jadis tran- 30 quille, maintenant insupportable, et mon chagrin de me sentir

[1] *me confondit = me frappa d'étonnement.* [2] *Je retournai dans mon esprit:* I considered over and over again. [3] *ce qu'il était advenu:* what had become.

séparé d'un être pour qui, me semblait-il, j'eusse de bon cœur[1] fait le sacrifice de ma vie. Plusieurs fois, errant autour de la maison, l'idée me vint d'attirer l'attention de Christine et de la faire venir à sa fenêtre, mais je n'avais pas plus tôt fait le geste 5 de lancer de petits cailloux contre ses carreaux qu'une voix sévère me rappelait au salon; une surveillance étroite s'exerçait sur moi, et mon plan avortait[2] toujours.

Je changeais, je devenais sombre et n'avais plus goût à rien. Je ne pouvais même plus lire ni rien entreprendre qui nécessitât 10 une attention soutenue. Une seule pensée m'occupait maintenant: revoir Christine. Je m'arrangeais pour me trouver dans l'escalier sur le passage de ma mère, de ma tante ou de Dinah, la femme de chambre, lorsque l'une d'elles portait à Christine son déjeuner ou son dîner. Bien entendu, il m'était défendu de 15 les suivre, mais j'éprouvais un plaisir mélancolique à écouter le bruit de ces pas qui allaient jusqu'à elle.

Ce manège[3] innocent déplut à ma tante qui devinait en moi, je crois, plus d'intentions que je ne m'en connaissais moi-même. Un soir, elle me conta une histoire effrayante sur la 20 partie de la maison qu'elle occupait avec Christine. Elle me confia qu'elle avait vu quelqu'un passer tout près d'elle, dans le couloir qui menait à leur chambre. Était-ce un homme, une femme? Elle n'aurait pu dire, mais ce dont elle était sûre, c'est qu'elle avait senti un souffle chaud contre son visage. Et elle 25 me considéra longuement, comme pour mesurer l'effet de ses paroles. Je dus pâlir sous ce regard. Il était facile de me terrifier avec des récits de ce genre, et celui-là me parut horrible, car ma tante avait bien calculé son coup, et elle n'en avait dit ni trop, ni trop peu. Aussi, loin de songer à aller jusqu'à la cham- 30 bre de Christine, j'hésitai, depuis ce moment, à m'aventurer dans l'escalier après la chute du jour.

[1] *j'eusse de bon cœur:* I would have gladly. [2] *avortait = échouait:* failed. [3] *Ce manège = Cette ruse.*

Dès l'arrivée de ma tante, ma mère avait pris l'habitude de m'envoyer à Fort-Hope tous les après-midi sous prétexte de m'y faire acheter un journal, mais en réalité, j'en suis sûr, pour m'éloigner de la maison à une heure où Christine devait sortir et faire une promenade. 5

Les choses en restèrent là[1] deux longues semaines. Je perdais mes couleurs[2] et des ombres violettes commençaient à cerner mes paupières. Ma mère me regardait attentivement lorsque j'allais la voir, le matin, et quelquefois me prenant par le poignet d'un geste brusque elle disait d'une voix qui tremblait un peu: « Misérable enfant! »[3] Mais cette colère et cette tristesse ne m'émouvaient pas. Je ne me souciais que de Christine. . . . . 10

Les vacances tiraient à leur fin et j'avais perdu tout espoir de la voir jamais, quand un événement que je n'attendais pas[4] donna un tour inattendu à cette aventure et du même coup[5] une fin subite. Un soir du début de septembre nous eûmes de l'orage après une journée d'une chaleur accablante. Les premières gouttes de pluie résonnaient contre les vitres comme je montais à ma chambre et c'est alors que j'entendis, en passant du premier au deuxième étage, un bruit particulier que je ne peux comparer à rien, sinon à un roulement de tambour. Les histoires de ma tante me revinrent à l'esprit et je me mis à monter avec précipitation[6] lorsqu'un cri m'arrêta. Ce n'était ni la voix de ma mère ni celle de ma tante, mais une voix si perçante et si haute et d'un ton si étrange qu'elle faisait songer à l'appel d'une bête. Une sorte de vertige me prit,[7] je m'appuyai au mur. Pour rien au monde, je n'aurais fait un pas en arrière, mais comme il m'était également impossible d'avancer, je 15 20 25 30

[1] *là* = *à ce point.* [2] *mes couleurs* = *ma belle santé.* [3] *Misérable enfant:* you wretched child. [4] *que je n'attendais pas* = *que je ne prévoyais pas.* [5] *du même coup* = *en même temps.* [6] *avec précipitation* = *le plus vite possible.* [7] *me prit* = *me saisit.*

restai là, stupide de[1] terreur. Au bout d'un instant, le bruit redoubla de violence, et je compris que c'était quelqu'un, Christine sans aucun doute, qui, pour des raisons que je ne pénétrais pas, ébranlait une porte de ses poings. Enfin, je retrouvai assez de courage, non pour m'enquérir de quoi il s'agissait[2] et porter secours à Christine, mais bien[3] pour me sauver à toutes jambes. Arrivé dans ma chambre et comme je m'imaginais entendre encore le roulement et le cri de tout à l'heure je tombai à genoux, et me bouchant les oreilles, je me mis à prier à haute voix.

Le lendemain matin, au salon, je trouvai ma tante en larmes, assise à côté de ma mère qui lui parlait en lui tenant les mains. Elles semblaient toutes deux en proie à une émotion violente et ne firent pas attention à moi. Je ne manquai pas de profiter d'une circonstance aussi favorable pour découvrir enfin quelque chose du sort de Christine, car il ne pouvait s'agir que d'elle, et, sournoisement, je m'assis un peu en arrière des deux femmes. J'appris ainsi, au bout de quelques minutes, que l'orage de la nuit dernière avait affecté la petite fille d'une manière très sérieuse. Prise de peur aux premiers grondements de tonnerre, elle avait appelé, essayé de sortir de sa chambre, et s'était évanouie. « Je n'aurais jamais dû l'amener ici », s'écria ma tante. Et elle ajouta sans transition avec un accent que je ne peux rendre et comme si ces mots la tuaient:[4] « Elle a essayé de me *dire* quelque chose ».

J'étais dans ma chambre, deux heures plus tard, quand ma mère entra portant sa capeline de voyage et un long châle de Paisley.[5] Je ne lui avais jamais vu un air aussi grave. « Jean, me dit-elle, la petite fille que tu as vue le jour de l'arrivée de ta tante, Christine, n'est pas bien, et nous sommes inquiètes.

[1] *stupide de:* paralyzed with. [2] *de quoi il s'agissait = de quoi il était question.* [3] *mais bien = mais bien au contraire.* [4] *la tuaient = l'accablaient* (*lit.:* were killing her). [5] *châle de Paisley:* Paisley shawl. A woolen shawl imitating a cashmere shawl.

Écoute-moi. Nous allons toutes deux cet après-midi à Providence consulter un médecin que nous ramènerons avec nous. Christine restera ici, et c'est Dinah qui prendra soin d'elle. Veux-tu me promettre que tu n'iras pas près de la chambre de Christine pendant notre absence? » Je promis. « C'est très sérieux, mais j'ai confiance en toi, reprit ma mère en me regardant d'un air soupçonneux. Pourrais-tu me jurer sur la Bible que tu ne monteras pas au premier? »[1] Je fis un signe de tête. Ma mère partit avec ma tante, quelques minutes après déjeuner.

Mon premier mouvement[2] fut de monter tout de suite à la chambre de Christine, mais j'hésitai, après une seconde de réflexion, car j'avais une nature scrupuleuse. Enfin, la tentation l'emporta.[3] Je montai donc, après m'être assuré que Dinah, qui avait porté son déjeuner à Christine une heure auparavant, était bien redescendue à l'office.

Lorsque j'atteignis le couloir hanté, ou prétendu tel,[4] mon cœur se mit à battre avec violence. C'était un long couloir à plusieurs coudes et très sombre. Une inscription biblique qui, à ce moment, prenait un sens particulier dans mon esprit, en ornait l'entrée: *Quand je marcherai dans la Vallée de l'Ombre de la Mort, je ne craindrai aucun mal.* Ce verset que je relus machinalement me fit souvenir que si j'avais donné ma parole de ne pas faire ce que je faisais en ce moment, je n'avais cependant point juré sur la Bible et ma conscience en fut un peu apaisée.

J'avais à peine avancé de quelques pas que je dus maîtriser mon imagination pour ne pas m'abandonner à la peur et revenir à l'arrière;[5] la pensée que j'allais peut-être revoir la petite fille, toucher sa main encore une fois, me soutint. Je m'étais mis à courir sur la pointe des pieds, contenant ma respiration, effrayé de la longueur de ce couloir qui n'en finis-

[1] *au premier = au premier étage. Le premier est l'étage situé immédiatement au-dessus du rez-de-chaussée.* [2] *mouvement:* impulse. [3] *l'emporta = triompha.* [4] *prétendu tel:* supposedly so. [5] *revenir à l'arrière = revenir sur mes pas:* retrace my steps.

sait pas, et comme je n'y voyais plus du tout, au bout d'un instant je butai contre[1] la porte de Christine. Dans mon trouble,[2] je ne songeai pas à frapper, et j'essayai d'ouvrir la porte, mais elle était fermée à clef. J'entendis Christine qui marchait dans la chambre. Au bruit que j'avais fait, elle s'était dirigée vers la porte. J'attendis, espérant qu'elle ouvrirait, mais elle s'était arrêtée et ne bougeait plus.

Je frappai, doucement d'abord, puis de plus en plus fort, en vain. J'appelai Christine, je lui parlai, je lui dis que j'étais le neveu de tante Judith, que j'étais chargé d'une commission[3] et qu'il fallait ouvrir. Enfin, renonçant à obtenir une réponse, je m'agenouillai devant la porte et regardai par le trou de la serrure. Christine était debout, à quelques pas de la porte qu'elle considérait attentivement. Une longue chemise de nuit la couvrait, tombant sur ses pieds dont je voyais passer les doigts nus. Ses cheveux que ne retenait plus aucun peigne s'épandaient autour de sa tête à la façon d'une crinière; je remarquai qu'elle avait les joues rouges. Ses yeux d'un bleu ardent dans la lumière qui frappait son visage avaient ce regard immobile que je n'avais pas oublié, et j'eus l'impression singulière qu'à travers le bois de la porte elle me voyait et m'observait. Elle me parut plus belle encore que je ne l'avais cru et j'étais hors de moi[4] à la voir si près sans pouvoir me jeter à ses pieds. Vaincu, enfin, par une émotion longtemps contenue, je fondis en larmes tout à coup et, me cognant la tête contre la porte, je me laissai aller au désespoir.

Après un certain temps, il me vint à l'esprit une idée qui me rendit courage et que je jugeai ingénieuse, parce que je ne réfléchis pas à ce qu'elle pouvait avoir d'imprudent. Je glissai sous la porte un carré de papier sur lequel j'avais griffonné en grosses lettres: « Christine, ouvre-moi, je t'aime. »

[1] *je butai contre:* I almost fell against. [2] *trouble = agitation.* [3] *une commission = un message.* [4] *hors de moi = violemment agité.*

Par le trou de la serrure, je vis Christine se précipiter[1] sur le billet qu'elle tourna et retourna dans tous les sens avec un air de grande curiosité, mais sans paraître comprendre ce que j'avais écrit. Soudain, elle le laissa tomber et se dirigea vers une partie de la chambre où mon regard ne pouvait la suivre. 5 Dans mon affolement, je l'appelai de toutes mes forces et ne sachant presque plus ce que je disais, je lui promis un cadeau si elle consentait à m'ouvrir. Ces mots que je prononçais au hasard firent naître en moi[2] l'idée d'un nouveau projet.

Je montai à ma chambre en toute hâte et fouillai dans mes 10 tiroirs pour y trouver quelque chose dont je pusse[3] faire un cadeau, mais je n'avais rien. Je me précipitai alors dans la chambre de ma mère et ne me fis pas faute[4] d'examiner le contenu de toutes ses commodes, mais là non plus je ne vis rien qui me parût[5] digne de Christine. Enfin j'aperçus, poussée 15 contre le mur et derrière un meuble, la malle que ma tante avait apportée avec elle. Sans doute jugeait-on[6] qu'elle n'eût pas été en sûreté[7] dans la même pièce qu'une petite fille curieuse. Il se trouvait,[8] en tout cas, que cette malle était ouverte et je n'eus qu'à en soulever le couvercle pour y plonger mes mains 20 fiévreuses. Après avoir cherché quelque temps, je découvris un petit coffret de galuchat,[9] soigneusement dissimulé sous du linge. Comme je le revois bien! Il était doublé[10] de moire et contenait des rubans de couleurs et quelques bagues dont l'une me plut immédiatement. C'était un anneau d'or, très mince 25 et enrichi d'un petit saphir. On avait passé dans cette bague un rouleau de lettres, pareil à un doigt de papier,[11] et que j'en arrachai en le lacérant.

[1] *se précipiter* = *se jeter.* [2] *firent naître en moi* = *m'inspirèrent.* [3] *pusse:* imperfect subjunctive of *pouvoir.* [4] *ne me fis pas faute* = *ne manquai pas:* I did not hesitate. [5] *parût:* imperfect subjunctive of *paraître.* [6] *jugeait-on:* someone had felt. [7] *elle n'eût pas été en sûreté:* it might not have been safe. [8] *il se trouvait* = *il se faisait:* It happened. [9] *galuchat:* sharkskin. [10] *doublé:* lined. [11] *pareil à un doigt de papier:* which looked like a finger made of paper.

Je retournai aussitôt à la chambre de Christine et de nouveau je l'appelai, mais sans autre résultat que de la faire venir près de la porte comme la première fois. Alors, je glissai la bague sous la porte, en disant: « Christine, voici ton cadeau. Ouvre-moi. » Et je frappai du plat de la main sur le bas de la porte pour attirer l'attention de Christine, mais elle avait déjà vu la bague et s'en était emparée. Un instant, elle la tint dans le creux de sa main et l'examina, puis elle essaya de la passer à son pouce, mais la bague était juste[1] et s'arrêtait un peu au-dessous de l'ongle. Elle frappa du pied et voulut[2] la faire entrer de force. Je lui criai: « Non, pas à ce doigt-là! » mais elle n'entendait pas ou ne comprenait pas. Tout à coup elle agita la main: la bague avait passé. Elle l'admira quelques minutes, puis elle voulut l'enlever. Elle tira de toutes ses forces, main en vain: la bague tenait bon.[3] De rage, Christine la mordit. Enfin, après un moment d'efforts désespérés, elle se jeta sur son lit en poussant des cris de colère.

Je m'enfuis.

Lorsque ma mère et ma tante revinrent, trois heures plus tard, accompagnées d'un médecin de Providence, j'étais dans ma chambre, en proie à une frayeur sans nom.[4] Je n'osai pas descendre à l'heure du dîner, et à la nuit tombante je m'endormis.

Vers cinq heures le lendemain matin, un bruit de roues m'éveilla et m'attira à la fenêtre, et je vis s'avancer jusqu'à notre porte une voiture à deux chevaux. Tout ce qui se passa ensuite me donna l'impression d'un mauvais rêve. Je vis la femme de chambre aider le cocher à charger la malle de ma tante sur le haut de la voiture; puis ma tante parut au bras de ma mère[5] qui la soutenait. Elles s'embrassèrent à plusieurs reprises.[6] Un homme les suivait (je suppose que c'était le

[1] *juste = trop étroite.* [2] *voulut = essaya.* [3] *tenait bon = résistait:* held tight. [4] *sans nom:* inexpressible. [5] *au bras de ma mère:* on my mother's arm. [6] *à plusieurs reprises = plusieurs fois.*

médecin de Providence, qui avait passé la nuit chez nous) tenant Christine par la main. Elle portait une grande capeline qui lui cachait le visage. Au pouce de sa main droite brillait la bague qu'elle n'avait pu enlever.

Ni ma mère, mi ma tante que je revis seule quelques mois 5 plus tard, ne me dirent un mot de toute cette affaire, et je pensai vraiment l'avoir rêvée. Me croira-t-on? Je l'oubliai; c'est un cœur bien étrange que le nôtre.

L'été suivant, ma tante ne vint pas, mais quelques jours avant Noël, comme elle passait par Boston, elle nous fit la 10 visite d'une heure. Ma mère et moi nous étions au salon, et je regardais par la fenêtre les ouvriers de la voirie[1] qui jetaient des pelletées de sable sur le verglas, lorsque ma tante parut. Elle se tint un instant sur le seuil de la porte, ôtant ses gants d'un geste machinal; puis, sans dire un mot, elle se jeta en 15 sanglotant dans les bras de ma mère. A sa main dégantée brillait le petit saphir. Dans la rue, les pelletées de sable tombaient sur le pavé avec un bruit lugubre.

From *Voyageur sur la terre* de Julien Green (Plon, 1924)

QUESTIONNAIRE

1. Quelles couleurs l'auteur emploie-t-il dans la description du début? Pour quelle raison Julien Green a-t-il choisi ces couleurs? 2. Quelle impression avez-vous de la maison? du terrain? 3. Qu'est-ce qui frappait dans les grandes pièces de la maison? Comment expliquez-vous le son des voix dans cette maison? 4. Est-ce que le choix des villes explique le caractère des personnages? 5. Pourquoi l'enfant n'aimait-il pas sa tante Judith? 6. Quelle impression a-t-il reçue lors de sa première rencontre avec Christine? 7. Y a-t-il un rapprochement à faire entre la description de Christine et les vers de Wordsworth? 8. Est-ce que le

[1] *voirie = partie de l'administration qui s'occupe de l'entretien des voies publiques:* highway division.

petit garçon est bouleversé en apprenant qu'on le change de chambre à coucher? 9. Quelle réponse lui a fait sa mère au déjeuner, quand il lui a posé une question sur Christine? 10. Le soir, au dîner, pourquoi la maman lui donne-t-elle un soufflet?

11. Que pense-t-il de sa tante? Se pose-t-il des questions au sujet de Christine? 12. Quelles ruses l'enfant essaie-t-il pour revoir Christine? 13. Comment la tante a-t-elle réussi à terrifier le petit garçon? 14. Que faisait sans doute Christine pendant que le petit garçon allait à Fort-Hope? 15. Qu'est-ce qui a terrifié le petit garçon le soir de l'orage? A-t-il obéi à sa mère ou bien est-il allé au secours de Christine? 16. Pourquoi la tante Judith était-elle si émue le lendemain de l'orage? 17. Quelle importance peut-on donner à la phrase « Elle a essayé de me *dire* quelque chose »? 18. Quelle promesse la mère de Jean exige-t-elle? 19. Est-ce que la citation biblique a une profonde signification ici? 20. Comment l'auteur décrit-il le couloir du premier étage?

21. Décrivez ce que Jean a vu par le trou de la serrure. 22. Pourquoi la petite fille n'a-t-elle pas lu le billet. 23. Quel nouveau projet le petit Jean fait-il? 24. Où trouve-t-il enfin un cadeau? Est-ce que les lettres passées dans la bague ont un sens particulier? 25. Qu'a fait Christine quand elle a aperçu la bague? 26. Quelle suite a eu cet événement? 27. Pensez-vous que Jean a rêvé toute cette aventure? 28. Que portait la tante Judith lors de sa visite de l'année suivante? Quelle explication pouvez-vous offrir? 29. Quel est le symbole des pelletées de sable tombant sur le pavé? 30. Ne trouvez-vous pas qu'il y ait un rapprochement à faire entre Julien Green et Edgar Allen Poë?

⚜⚜⚜

# ALBERT CAMUS

1913-1960

## *L'hôte*

L'instituteur regardait les deux hommes monter vers lui. L'un était à cheval, l'autre à pied. Ils n'avaient pas encore entamé le raidillon[1] abrupt qui menait à l'école, bâtie au flanc d'une colline. Ils peinaient,[2] progressant lentement dans la neige, entre les pierres, sur l'immense étendue du haut pla- 5 teau désert. De temps en temps, le cheval bronchait[3] visiblement. On ne l'entendait pas encore, mais on voyait le jet de vapeur qui sortait alors de ses naseaux. L'un des hommes, au moins,[4] connaissait le pays. Ils suivaient la piste qui avait pourtant disparu depuis plusieurs jours sous une couche 10 blanche et sale. L'instituteur calcula qu'ils ne seraient pas sur la colline avant une demi-heure. Il faisait froid; il rentra dans l'école pour chercher un chandail.

Il traversa la salle de classe, vide et glacée. Sur le tableau noir les quatre fleuves de France, dessinés avec quatre craies 15 de couleurs différentes, coulaient vers leur estuaire depuis trois jours. La neige était tombée brutalement à la mi-octobre, après huit mois de sécheresse, sans que la pluie eût apporté[5] une transition et la vingtaine d'élèves qui habitaient dans les

[1] *raidillon = petit chemin montant.* [2] *peinaient = avançaient avec difficulté.* [3] *bronchait = faisait un faux pas, trébuchait.* [4] *au moins = heureusement.* [5] *eût apporté:* subjunctive after the negative conjunction *sans que.*

villages disséminés sur le plateau ne venaient plus. Il fallait attendre le beau temps. Daru ne chauffait plus que l'unique pièce qui constituait son logement, attenant à[1] la classe, et ouvrant aussi sur le plateau à l'est. Une fenêtre donnait encore, 5 comme celles de la classe, sur le midi. De ce côté, l'école se trouvait à quelques kilomètres de l'endroit où le plateau commençait à descendre vers le sud. Par temps clair, on pouvait apercevoir les masses violettes du contrefort[2] montagneux où s'ouvrait la porte du désert.

10 Un peu réchauffé,[3] Daru retourna à la fenêtre d'où il avait, pour la première fois, aperçu les deux hommes. On ne les voyait plus. Ils avaient donc attaqué[4] le raidillon. Le ciel était moins foncé: dans la nuit, la neige avait cessé de tomber. Le matin s'était levé sur une lumière sale qui s'était à peine ren- 15 forcée[5] à mesure que le plafond de nuages remontait. A deux heures de l'après-midi, on eût dit[6] que la journée commençait seulement. Mais cela valait mieux que ces trois jours où l'épaisse neige tombait au milieu des ténèbres incessantes, avec de petite sautes de vent[7] qui venaient secouer la double 20 porte de la classe. Daru patientait[8] alors de longues heures dans sa chambre, dont il ne sortait que pour aller, sous l'appentis,[9] soigner les poules et puiser dans la provision de charbon. Heureusement, la camionnette[10] de Tadjid,[11] le village le plus proche au nord, avait apporté le ravitaillement deux jours avant 25 la tourmente. Elle reviendrait dans quarante-huit heures.

Il avait d'ailleurs de quoi[12] soutenir un siège, avec les sacs de blé qui encombraient la petite chambre et que l'administra-

[1] *attenant à* = *contigu à:* next to. [2] *contrefort* = *chaîne:* ridge. [3] *réchauffé* = *plus chaud.* [4] *attaqué* = *commencé à monter.* [5] *s'était . . . renforcée* = *était devenue . . . plus intense.* [6] *on eût dit:* one would have felt. [7] *sautes de vent* = *changements subits de la direction du vent.* [8] *patientait* = *restait patiemment.* [9] *l'appentis* = *petit bâtiment adossé contre un grand:* lean-to, shed. [10] *camionnette* = *un petit camion:* small delivery truck; station wagon. [11] *Tadjid:* fictional name of an Arab village. The action seems to take place in Algeria, in a region north of the Atlas Mountains. [12] *de quoi* = *les moyens:* enough to.

tion lui laissait en réserve pour distribuer à ceux de ses élèves dont les familles avaient été victimes de la sécheresse. En réalité, le malheur les avait tous atteints[1] puisque tous étaient pauvres. Chaque jour, Daru distribuait une ration aux petits. Elle leur avait manqué,[2] il le savait bien, pendant ces mauvais jours. Peut-être un des pères ou des grands frères viendrait ce soir et il pourrait ravitailler[3] en grains. Il fallait faire la soudure[4] avec la prochaine récolte, voilà tout. Des navires de blé arrivaient maintenant de France, le plus dur était passé. Mais il serait difficile d'oublier cette misère,[5] cette armée de fantômes haillonneux errant dans le soleil, les plateaux calcinés, mois après mois, la terre recroquevillée[6] peu à peu, littéralement torréfiée, chaque pierre éclatant en poussière sous le pied. Les moutons mouraient alors par milliers et quelques hommes, ça et là, sans qu'on puisse toujours le savoir.[7]

Devant cette misère, lui qui vivait presque en moine dans son école perdue,[8] content d'ailleurs du peu qu'il avait, et de cette vie rude, s'était senti un seigneur, avec ses murs crépis,[9] son divan étroit, ses étagères en bois blanc,[10] son puits, et son ravitaillement hebdomadaire[11] en eau et en nourriture. Et, tout d'un coup, cette neige, sans avertissement, sans la détente[12] de la pluie. Le pays était ainsi, cruel à vivre, même sans les hommes, qui, pourtant, n'arrangeaient rien.[13] Mais Daru y était né. Partout ailleurs, il se sentait exilé.

[1] *atteints = affectés.* [2] *Elle leur avait manqué:* They had missed it. [3] *ravitailler en = faire la distribution de.* [4] *faire la soudure:* when the wheat crops have been good there is no need to import, but it often happens that there is enough wheat for only ten months and wheat must be imported for the additional two months. This is called *faire la soudure.* [5] *misère = état de malheur et de pauvreté.* [6] *recroquevillée:* shrivelled. Leaves and flowers, when exposed to intense heat are said to become *recroquevillés.* [7] *sans qu'on puisse toujours le savoir:* without one being able to know for sure. [8] *école perdue = école éloignée.* [9] *murs crépis:* plastered walls. [10] *en bois blanc:* pine wood. [11] *hebdomadaire = de chaque semaine.* [12] *détente:* the relaxation that the rainy season usually brought. [13] *n'arrangeaient rien:* did not help matters.

Il sortit et avança sur le terre-plein devant l'école. Les deux hommes étaient maintenant à mi-pente. Il reconnut dans le cavalier,[1] Balducci, le vieux gendarme qu'il connaissait depuis longtemps. Balducci tenait au bout d'une corde un Arabe qui avançait derrière lui, les mains liées, le front baissé. Le gendarme fit un geste de salutation auquel Daru ne répondit pas, tout entier occupé à regarder l'Arabe vêtu d'un djellabah[2] autrefois bleue, les pieds dans des sandales, mais couverts de chaussettes en grosse laine grège,[3] la tête coiffée d'un chèche[4] étroit et court. Ils approchaient. Balducci maintenait sa bête au pas[5] pour ne pas blesser l'Arabe, et le groupe avançait lentement.

A portée de voix,[6] Balducci cria: « Une heure pour faire les trois kilomètres d'El Ameur[7] ici! » Daru ne répondit pas. Court et carré[8] dans son chandail épais, il les regardait monter. Pas une seule fois, l'Arabe n'avait levé la tête. « Salut,[9] dit Daru, quand ils débouchèrent sur[10] le terre-plein. Entrez vous réchauffer. » Balducci descendit péniblement de sa bête, sans lâcher la corde. Il sourit à l'instituteur sous ses moustaches hérissées. Ses petits yeux sombres, très enfoncés sous le front basané, et sa bouche entourée de rides, lui donnaient un air attentif et appliqué. Daru prit la bride, conduisit la bête vers l'appentis, et revint vers les deux hommes qui l'attendaient maintenant dans l'école. Il les fit pénétrer dans sa chambre. « Je vais chauffer la salle de classe, dit-il. Nous y serons plus à l'aise. » Quand il entra de nouveau dans la chambre, Balducci était sur le divan. Il avait dénoué la corde qui le liait à l'Arabe et celui-ci s'était accroupi près du poêle. Les mains toujours

[1] *le cavalier = l'homme à cheval.* [2] *djellabah:* long blouse-like garment worn by Arabs. [3] *laine grège:* raw wool, grayish tan in color. [4] *chèche = bande d'étoffe.* [5] *au pas:* at a very slow pace. [6] *A portée de voix = Quand il put se faire entendre.* [7] *El Ameur:* fictional name for another Arab village. [8] *carré = trapu:* heavy-set. [9] *Salut!:* (familiar) Hullo! Hi! [10] *ils débouchèrent sur = ils arrivèrent ou atteignirent.*

liées, le chèche maintenant poussé en arrière, il regardait vers la fenêtre. Daru ne vit d'abord que ses énormes lèvres, pleines, lisses, presque négroïdes; le nez cependant était droit, les yeux sombres, pleins de fièvre. Le chèche découvrait un front buté[1] et, sous la peau recuite[2] mais un peu décolorée par le froid, tout le visage avait un air à la fois inquiet et rebelle qui frappa Daru quand l'Arabe, tournant son visage vers lui, le regarda droit dans les yeux. « Passez à côté,[3] dit l'instituteur, je vais vous faire du thé à la menthe. — Merci, dit Balducci. Quelle corvée! Vivement la retraite![4] » Et s'adressant en arabe à son prisonnier: « Viens, toi. » L'Arabe se leva et, lentement, tenant ses poignets joints devant lui, passa dans l'école.

Avec le thé, Daru apporta une chaise. Mais Balducci trônait[5] déjà sur la première table d'élève et l'Arabe s'était accroupi contre l'estrade[6] du maître, face au poêle qui se trouvait entre le bureau et la fenêtre. Quand il tendit le verre de thé au prisonnier, Daru hésita devant ses mains liées. « On peut le délier, peut-être? — Sûr, dit Balducci. C'était pour le voyage. » Il fit mine de[7] se lever. Mais Daru, posant le verre sur le sol, s'était agenouillé près de l'Arabe. Celui-ci, sans rien dire, le regardait faire de ses yeux fiévreux. Les mains libres, il frotta l'un contre l'autre ses poignets gonflés, prit le verre de thé et aspira[8] le liquide brûlant, à petite gorgées rapides.

« Bon, dit Daru. Et comme ça, où allez-vous? »

Balducci retira sa moustache du thé: « Ici, fils.

— Drôle d'élèves! Vous couchez ici?

— Non. Je vais retourner à El Ameur. Et toi, tu livreras

[1] *buté = opiniâtre, têtu.* [2] *recuite:* the Arab's skin is compared to an objet that has been exposed again to fire, for example, the texture and coloring of a ceramic. [3] *Passez à côté = Passez dans la pièce qui se trouve à côté de celle-ci.* [4] *Vivement la retraite!:* If only my retirement could come soon! [5] *trônait = faisait l'important:* presided. [6] *l'estrade = petit plancher élevé:* platform. [7] *fit mine de = commença de:* started to. [8] *aspira = but.*

le camarade à Tinguit.[1] On l'attend à la commune mixte. »

Balducci regardait Daru avec un petit sourire d'amitié.

« Qu'est-ce que tu me racontes, dit l'instituteur, tu te fous de moi?[2]

— Non, fils. Ce sont les ordres.

— Les ordres? Je ne suis pas. . . . » Daru hésita; il ne voulait pas peiner[3] le vieux Corse. « Enfin, ce n'est pas mon métier. »

— Eh! Qu'est-ce que ça veut dire? A la guerre, on fait tous les métiers.

— Alors, j'attendrai la déclaration de guerre! »

Balducci approuva de la tête.

« Bon. Mais les ordres sont là[4] et ils te concernent aussi. Çà bouge,[5] paraît-il. On parle de révolte prochaine. Nous sommes mobilisés, dans un sens. »

Daru garda son air buté.

« Écoute, fils, dit Balducci. Je t'aime bien, il faut comprendre. Nous sommes une douzaine à El Ameur pour patrouiller dans le territoire d'un petit département[6] et je dois rentrer. On m'a dit de te confier ce zèbre[7] et de rentrer sans tarder. On ne pouvait pas le garder là-bas. Son village s'agitait, ils voulaient le reprendre. Tu dois le mener à Tinguit dans la journée de demain. Ce n'est pas une vingtaine de kilomètres qui font peur à un costaud[8] comme toi. Après, ce sera fini. Tu retrouveras tes élèves et la bonne vie. »

Derrière le mur, on entendit le cheval s'ébrouer[9] et frapper du sabot. Daru regardait par la fenêtre. Le temps se levait[10] décidément, la lumière s'élargissait sur le plateau neigeux. Quand toute la neige serait fondue, le soleil régnerait de

[1] *Tinguit:* fictional name for a town where the administration would be centered and whose inhabitants would be both French and Arab (*commune mixte*). [2] *tu te fous de moi?* (popular) = *tu te moques de moi?* [3] *peiner* = *affliger:* hurt the feelings of. [4] *les ordres sont là:* those are the orders. [5] *Ça bouge:* Things are moving. [6] *département* = *division administrative.* [7] *ce zèbre* (popular) = *cet individu:* this bozo. [8] *un costaud* (slang) = *un homme fort:* a hefty individual. [9] *s'ébrouer* = *s'agiter.* [10] *Le temps se levait:* The weather was clearing.

nouveau et brûlerait une fois de plus les champs de pierre. Pendant des jours, encore, le ciel inaltérable déverserait sa lumière sèche sur l'étendue solitaire où rien ne rappelait l'homme.[1]

« Enfin,[2] dit-il en se retournant vers Balducci, qu'est-ce qu'il a fait? » Et il demanda, avant que le gendarme ait ouvert la bouche: « Il parle français? »

— Non, pas un mot. On le recherchait depuis un mois, mais ils le cachaient. Il a tué son cousin.

— Il est contre nous?

— Je ne crois pas. Mais on ne peut jamais savoir.

— Pourquoi a-t-il tué?

— Des affaires de famille, je crois. L'un devait du grain à l'autre, paraît-il. Çà n'est pas clair. Enfin, bref, il a tué le cousin d'un coup de serpe. Tu sais, comme un mouton, zic! . . . »

Balducci fit le signe de passer une lame sur sa gorge et l'Arabe, son attention attirée, le regardait avec une sorte d'inquiétude. Une colère subite vint à Daru contre cet homme, contre tous les hommes et leur sale méchanceté, leurs haines inlassables, leur folie du sang.

Mais la bouilloire chantait sur le poêle. Il resservit du thé à Balducci, hésita, puis servit à nouveau l'Arabe qui, une seconde fois, but avec avidité. Ses bras soulevés entrebâillaient[3] maintenant la djellabah et l'instituteur aperçut sa poitrine maigre et musclée.

« Merci, petit,[4] dit Balducci. Et maintenant, je file. »[5]

Il se leva et se dirigea vers l'Arabe, en tirant une cordelette de sa poche.

« Qu'est-ce que tu fais? » demanda sèchement Daru.

Balducci, interdit,[6] lui montra la corde.

[1] *où rien ne rappelait l'homme* = *où rien ne rappelait la présence de l'homme.* [2] *Enfin:* Well, tell me. [3] *entrebâillaient* = *entrouvraient.* [4] *petit:* son, sonny. [5] *je file* (familiar) = *je m'en vais:* I'll be going. [6] *interdit:* disconcerted.

« Ce n'est pas la peine. »

Le vieux gendarme hésita:

« Comme tu voudras. Naturellement, tu es armé? »

— J'ai mon fusil de chasse.

5 — Où?

— Dans la malle.

— Tu devrais l'avoir près de ton lit.

— Pourquoi? Je n'ai rien à craindre.

— Tu es sonné,[1] fils. S'ils se soulèvent, personne n'est à
10 l'abri,[2] nous sommes tous dans le même sac.[3]

— Je me défendrai. J'ai le temps de les voir arriver. »

Balducci se mit à rire, puis la moustache vint soudain recouvrir les dents encore blanches.

« Tu as le temps? Bon. C'est ce que je disais. Tu as toujours
15 été un peu fêlé.[4] C'est pour ça que je t'aime bien, mon fils était comme ça. »

Il tirait en même temps son revolver et le posait sur le bureau.

« Garde-le, je n'ai pas besoin de deux armes d'ici El
20 Ameur. »

Le revolver brillait sur la peinture noire de la table. Quand le gendarme se retourna vers lui, l'instituteur sentit son odeur de cuir et de cheval.

« Écoute, Balducci, dit Daru soudainement, tout ça me
25 dégoûte, et ton gars[5] le premier. Mais je ne le livrerai pas. Me battre, oui, s'il le faut. Mais pas ça. »

Le vieux gendarme se tenait devant lui et le regardait avec sévérité.

« Tu fais des bêtises,[6] dit-il lentement. Moi non plus, je
30 n'aime pas ça. Mettre une corde à un homme, malgré les années,

[1] *Tu es sonné* (familiar) = *Tu es fou.* [2] *à l'abri:* safe. [3] *dans le même sac:* in the same boat. [4] *un peu fêlé* = *toqué:* a little bit cracked. [5] *ton gars* (familiar): this fellow of yours. [6] *Tu fais des bêtises:* You are being foolish.

on ne s'y habitue pas et même, oui, on a honte. Mais on ne peut pas les laisser faire.[1]

— Je ne le livrerai pas, répéta Daru.

— C'est un ordre, fils. Je te le répète.

— C'est ça.[2] Répète-leur ce que je t'ai dit: je ne le livrerai pas. » 5

Balducci faisait un véritable effort de réflexion. Il regardait l'Arabe et Daru. Il se décida enfin.

« Non. Je ne leur dirai rien. Si tu veux nous lâcher,[3] à ton aise,[4] je ne te dénoncerai pas. J'ai l'ordre de livrer le prisonnier: 10 je le fais. Tu vas maintenant me signer le papier.

— C'est inutile. Je ne nierai pas que tu me l'as laissé.

— Ne sois pas méchant[5] avec moi. Je sais que tu diras la vérité. Tu es d'ici, tu es un homme. Mais tu dois signer, c'est la règle. » 15

Daru ouvrit son tiroir, tira une petite bouteille carrée d'encre violette, le porte-plume de bois rouge avec la plume *sergent-major*[6] qui lui servait à tracer les modèles d'écriture et il signa. Le gendarme plia soigneusement le papier et le mit dans son portefeuille. Puis il se dirigea vers la porte. 20

« Je vais t'accompagner, dit Daru.

— Non, dit Balducci. Ce n'est pas la peine d'être poli. Tu m'as fait un affront. »[7]

Il regarda l'Arabe, immobile, à la même place, renifla d'un air chagrin et se détourna vers la porte; « Adieu, fils », dit-il. 25 La porte battit derrière lui. Balducci surgit devant la fenêtre puis disparut. Ses pas étaient étouffés par la neige. Le cheval s'agita derrière la cloison, des poules s'effarèrent.[8] Un moment après, Balducci repassa devant la fenêtre, tirant le cheval par la

[1] *les laisser faire:* let them have their own way. [2] *C'est ça:* All right. [3] *Si tu veux nous lâcher = Si tu ne veux pas nous aider.* [4] *à ton aise = comme tu veux:* (fam.) O.K. [5] *méchant:* cross, mean. [6] *plume sergent-major:* a long and sharply pointed pen, opposed to the *plume de ronde*, which is blunt. [7] *fait un affront = insulté.* [8] *s'effarèrent = prirent peur.*

bride. Il avançait vers le raidillon sans se retourner, disparut le premier et le cheval le suivit. On entendit une grosse pierre rouler mollement. Daru revint vers le prisonnier qui n'avait pas bougé, mais ne le quittait pas des yeux. « Attends », dit
5 l'instituteur en arabe, et il se dirigea vers la chambre. Au moment de passer le seuil, il se ravisa,[1] alla au bureau, prit le revolver et le fourra dans sa poche. Puis, sans se retourner, il entra dans sa chambre.

10 Longtemps, il resta étendu sur son divan à regarder le ciel se fermer[2] peu à peu, à écouter le silence. C'était ce silence qui lui avait paru pénible les premiers jours de son arrivée, après la guerre.[3] Il avait demandé un poste dans la petite ville au pied des contreforts qui séparent du désert les hauts
15 plateaux. Là, des murailles rocheuses, vertes et noires au nord, roses ou mauves au sud, marquaient la frontière de l'éternel été. On l'avait nommé à un poste plus au nord, sur le plateau même. Au début, la solitude et le silence lui avaient été durs sur ces terres ingrates, habitées seulement par des pierres.
20 Parfois, des sillons[4] faisaient croire à des cultures, mais ils avaient été creusés pour mettre au jour[5] une certaine pierre, propice à la construction. On ne labourait[6] ici que pour récolter des cailloux. D'autres fois, on grattait quelques copeaux de terre,[7] accumulée dans des creux, dont on engraisserait les
25 maigres jardins des villages. C'était ainsi, le caillou seul couvrait les trois quarts de ce pays. Les villes y naissaient, brillaient, puis disparaissaient; les hommes y passaient, s'aimaient ou se mordaient à la gorge,[8] puis mouraient. Dans ce désert, per-

[1] *se ravisa* = *changea d'avis:* changed his mind. [2] *se fermer* = *s'obscurcir.* Compare note 10, p. 219. [3] *après la guerre:* World War II. [4] *des sillons* = *de petites tranchées creusées dans la terre.* [5] *mettre au jour* = *déterrer:* unearth, dig out. [6] *On ne labourait:* They tilled the soil. [7] *copeaux de terre:* tiny pieces of earth (*copeau* is usually a sliver of wood or metal). [8] *se mordaient à la gorge:* quarreled bitterly. (Animals when fighting will seek to bite the other's throat).

sonne, ni lui ni son hôte n'étaient rien. Et pourtant, hors de ce désert, ni l'un ni l'autre, Daru le savait, n'auraient pu vivre vraiment.

Quand il se leva, aucun bruit ne venait de la salle de classe. Il s'étonna de cette joie franche qui lui venait à la seule pensée que l'Arabe avait pu fuir et qu'il allait se retrouver seul sans avoir rien à décider. Mais le prisonnier était là. Il s'était seulement couché de tout son long entre le poêle et le bureau. Les yeux ouverts, il regardait le plafond. Dans cette position, on voyait surtout ses lèvres épaisses qui lui donnaient un air boudeur.[1] « Viens, » dit Daru. L'Arabe se leva et le suivit. Dans la chambre, l'instituteur lui montra une chaise près de la table, sous la fenêtre. L'Arabe prit place sans cesser de regarder Daru.

« Tu as faim?

— Oui », dit le prisonnier.

Daru installa deux couverts. Il prit de la farine et de l'huile, pétrit[2] dans un plat une galette et alluma le petit fourneau à butagaz.[3] Pendant que la galette cuisait, il sortit pour ramener de l'appentis du fromage, des œufs, des dattes et du lait condensé. Quand la galette fut cuite, il la mit à refroidir sur le rebord de la fenêtre, fit chauffer du lait condensé étendu[4] d'eau, et, pour finir, battit des œufs en omelette. Dans un de ses mouvements, il heurta le revolver enfoncé dans sa poche droite. Il posa le bol, passa dans la salle de classe et mit le revolver dans le tiroir de son bureau. Quand il revint dans la chambre, la nuit tombait. Il donna de la lumière et servit l'Arabe: « Mange », dit-il. L'autre prit un morceau de galette, le porta vivement à sa bouche et s'arrêta.

« Et toi? dit-il.

[1] *un air boudeur = un air qui témoigne de la mauvaise humeur.* [2] *pétrit = prépara:* kneaded. [3] *butagaz:* butane gas. (Daru probably had gas containers to equip his stove.) [4] *étendu = mélangé avec.*

— Après toi. Je mangerai aussi. »

Les grosses lèvres s'ouvrirent un peu, l'Arabe hésita, puis il mordit résolument dans la galette.

Le repas fini, l'Arabe regardait l'instituteur.

5 « C'est toi le juge?

— Non, je te garde jusqu'à demain.

— Pourquoi tu manges[1] avec moi?

— J'ai faim. »

L'autre se tut. Daru se leva et sortit. Il ramena un lit de 10 camp de l'appentis, l'étendit entre la table et le poêle, perpendiculairement à son propre lit. D'une grande valise qui, debout dans un coin, servait d'étagère à dossiers,[2] il tira deux couvertures qu'il disposa sur le lit de camp. Puis il s'arrêta, se sentit oisif,[3] s'assit sur son lit. Il n'y avait plus rien à faire ni à pré-15 parer. Il fallait regarder cet homme. Il le regardait donc, essayant d'imaginer ce visage emporté de fureur. Il n'y parvenait pas.[4] Il voyait seulement le regard à la fois sombre et brillant, et la bouche animale.

« Pourquoi tu l'as tué? »[5] dit-il d'une voix dont l'hostilité 20 le surprit.

L'Arabe détourna son regard.

« Il s'est sauvé. J'ai couru derrière lui. »

Il releva les yeux sur Daru et ils étaient pleins d'une sorte d'interrogation malheureuse.

25 « Maintenant, qu'est-ce qu'on va me faire?

— Tu as peur? »

L'autre se raidit,[6] en détournant les yeux.

« Tu regrettes? »

L'Arabe le regarda, bouche ouverte. Visiblement, il ne 30 comprenait pas. L'irritation gagnait[7] Daru. En même temps,

[1] *Pourquoi tu manges = Pourquoi manges-tu.* [2] *à dossiers:* for his files. [3] *oisif = inutile.* [4] *n'y parvenait pas = n'y réussissait pas.* [5] *Pourquoi tu l'as tué? = Pourquoi l'as-tu tué?* [6] *se raidit:* stiffened. [7] *gagnait = saisissait.*

il se sentait gauche et emprunté[1] dans son gros corps, coincé[2] entre les deux lits.

« Couche-toi là, dit-il avec impatience. C'est ton lit. »

L'Arabe ne bougeait pas. Il appela Daru:

« Dis! » 5

L'instituteur le regarda.

« Le gendarme revient demain?

— Je ne sais pas.

— Tu viens avec nous?

— Je ne sais pas. Pourquoi? » 10

Le prisonnier se leva et s'étendit à même[3] les couvertures, les pieds vers la fenêtre. La lumière de l'ampoule électrique lui tombait droit dans les yeux qu'il ferma aussitôt.

« Pourquoi? » répéta Daru, planté[4] devant le lit. 15

L'Arabe ouvrit les yeux sous la lumière aveuglante et le regarda en s'efforçant de ne pas battre les paupières.

« Viens avec nous », dit-il.

Au milieu de la nuit, Daru ne dormait toujours pas. Il s'était mis au lit après s'être complètement déshabillé: il 20 couchait nu habituellement. Mais quand il se trouva sans vêtements dans la chambre, il hésita. Il se sentait vulnérable, la tentation lui vint de se rhabiller. Puis il haussa les épaules. De son lit, il pouvait observer l'Arabe, étendu sur le dos, toujours immobile et les yeux fermés sous la lumière violente. 25 Quand Daru éteignit, les ténèbres semblèrent se congeler[5] d'un coup. Peu à peu, la nuit redevint vivante dans la fenêtre où le ciel sans étoiles remuait doucement. L'instituteur distingua bientôt le corps étendu devant lui. L'Arabe ne bougeait toujours pas, mais ses yeux semblaient ouverts. Un léger vent 30

[1] *gauche et emprunté* = *maladroit:* ill at ease. [2] *coincé:* cornered, wedged in. [3] *à même* = *sur.* [4] *planté* = *debout.* [5] *se congeler* = *se solidifier par l'action du froid:* (*figuratively*) darkness seemed to coagulate.

rôdait[1] autour de l'école. Il chasserait peut-être les nuages et le soleil reviendrait.

Dans la nuit, le vent grandit. Les poules s'agitèrent un peu, puis se turent. L'Arabe se retourna sur le côté, présentant le dos à Daru et celui-ci crut l'entendre gémir. Il guetta ensuite sa respiration, devenue plus forte et plus régulière. Il écoutait ce souffle si proche et rêvait sans pouvoir s'endormir. Dans la chambre où, depuis un an, il dormait seul, cette présence le gênait. Mais elle le gênait aussi parce qu'elle lui imposait une sorte de fraternité qu'il refusait dans les circonstances présentes et qu'il connaissait bien: les hommes, qui partagent les mêmes chambres, soldats ou prisonniers, contractent un lien étrange comme si, leurs armures[2] quittées avec les vêtements, ils se rejoignaient chaque soir, par-dessus[3] leurs différences, dans la vieille communauté du songe et de la fatigue. Mais Daru se secouait, il n'aimait pas ces bêtises, il fallait dormir.

Un peu plus tard pourtant, quand l'Arabe bougea imperceptiblement, l'instituteur ne dormait toujours pas. Au deuxième mouvement du prisonnier, il se raidit, en alerte; l'Arabe se soulevait lentement sur les bras, d'un mouvement presque somnambulique. Assis sur le lit, il attendit, immobile, sans tourner la tête vers Daru, comme s'il écoutait de toute son attention. Daru ne bougeait pas: il venait de penser que le revolver était resté dans le tiroir de son bureau. Il valait mieux agir tout de suite. Il continua cependant d'observer le prisonnier qui, du même mouvement huilé, posait ses pieds sur le sol, attendait encore, puis commençait à se dresser lentement. Daru allait l'interpeller[4] quand l'Arabe se mit en marche, d'une allure naturelle cette fois, mais extraordinairement silencieuse. Il allait vers la porte du fond qui donnait sur l'appentis. Il fit jouer[5] le loquet avec précaution et sortit en

[1] *rôdait* = *errait:* (*literally*) prowled. [2] *armures:* armor, defenses. [3] *par-dessus* = *au delà de, malgré.* [4] *interpeller* = *adresser la parole.* [5] *fit jouer* = *souleva.*

repoussant la porte derrière lui, sans la refermer. Daru n'avait pas bougé: « Il fuit, pensait-il seulement. Bon débarras! » Il tendit pourtant l'oreille.[1] Les poules ne bougeaient pas: l'autre était donc sur le plateau. Un faible bruit d'eau lui parvint alors dont il ne comprit ce qu'il était qu'au moment ou l'Arabe s'encastra de nouveau dans la porte,[2] la referma avec soin, et vint se recoucher sans un bruit. Alors Daru lui montra le dos et s'endormit. Plus tard encore, il lui sembla entendre, du fond de son sommeil, des pas furtifs autour de l'école. « Je rêve, je rêve! » se répétait-il. Et il dormait.

Quand il se réveilla, le ciel était découvert;[3] par la fenêtre mal jointe[4] entrait un air froid et pur. L'Arabe dormait, recroquevillé maintenant sous les couvertures, la bouche ouverte, totalement abandonné.[5] Mais quand Daru le secoua, il eut un sursaut terrible, regardant Daru sans le reconnaître avec des yeux fous et une expression si apeurée que l'instituteur fit un pas en arrière. « N'aie pas peur. C'est moi. Il faut manger. » L'Arabe secoua la tête et dit oui. Le calme était revenu sur son visage, mais son expression restait absente[6] et distraite.

Le café était prêt. Ils le burent, assis tous deux sur le lit de camp, en mordant leurs morceaux de galette. Puis Daru mena l'Arabe sous l'appentis et lui montra le robinet où il faisait sa toilette. Il rentra dans la chambre, plia les couvertures et le lit de camp, fit son propre lit et mit la pièce en ordre. Il sortit alors sur le terre-plein en passant par l'école. Le soleil montait déjà dans le ciel bleu; une lumière tendre et vive[7] inondait le plateau désert. Sur le raidillon, la neige fondait par endroits. Les pierres allaient apparaître de nouveau. Accroupi au bord du plateau, l'instituteur contemplait l'étendue déserte. Il pensait à Balducci.

[1] *tendit . . . l'oreille = écouta . . . attentivement.* [2] *s'encastra dans la porte:* filled the doorway. [3] *découvert = sans nuage, clair.* [4] *mal jointe = mal fermée.* [5] *totalement abandonné = dormant paisiblement.* [6] *absente = sans expression.* [7] *vive = brillante.*

Il lui avait fait de la peine,[1] il l'avait renvoyé, d'une certaine manière, comme s'il ne voulait pas être dans le même sac. Il entendait encore l'adieu du gendarme et, sans savoir pourquoi, il se sentait étrangement vide[2] et vulnérable. A ce moment, de l'autre côté de l'école, le prisonnier toussa. Daru l'écouta, presque malgré lui, puis, furieux, jeta un caillou qui siffla dans l'air avant de s'enfoncer dans la neige. Le crime imbécile de cet homme le révoltait, mais le livrer était contraire à l'honneur: d'y penser seulement le rendait fou d'humiliation. Et il maudissait à la fois les siens[3] qui lui envoyaient cet Arabe et celui-ci qui avait osé tuer et n'avait pas su s'enfuir. Daru se leva, tourna en rond[4] sur le terre-plein, attendit, immobile, puis entra dans l'école.

L'Arabe, penché sur le sol cimenté de l'appentis, se lavait les dents avec deux doigts. Daru le regarda, puis: « Viens », dit-il. Il rentra dans la chambre, devant le prisonnier. Il enfila[5] une veste de chasse sur son chandail et chaussa des souliers de marche. Il attendit debout que l'Arabe eût remis son chèche et ses sandales. Ils passèrent dans l'école et l'instituteur montra la sortie à son compagnon. « Va », dit-il. L'autre ne bougea pas. « Je viens », dit Daru. L'Arabe sortit. Daru rentra dans la chambre et fit un paquet avec des biscottes,[6] des dattes et du sucre. Dans la salle de classe, avant de sortir, il hésita une seconde devant son bureau, puis il franchit le seuil de l'école et boucla[7] la porte. « C'est par là », dit-il. Il prit la direction de l'est, suivi par le prisonnier. Mais, à une faible distance de l'école, il lui sembla entendre un léger bruit derrière lui. Il revint sur ses pas,[8] inspecta les alentours[9] de la maison: il n'y avait personne. L'Arabe le regarda faire, sans paraître comprendre. « Allons », dit Daru.

[1] *Il lui avait fait de la peine = Il l'avait affligé.* [2] *vide:* empty-headed. [3] *les siens = ses compatriotes français.* [4] *tourna en rond* = walked aimlessly. [5] *enfila = mit:* slipped on. [6] *biscottes = tranches de pain séchées au four: rusk.* [7] *boucla* (familiar) = *ferma.* [8] *revint sur ses pas = revint en arrière.* [9] *les alentours = les environs.*

Ils marchèrent une heure et se reposèrent auprès d'une sorte d'aiguille calcaire. La neige fondait de plus en plus vite, le soleil pompait[1] aussitôt les flaques, nettoyait à toute allure[2] le plateau qui, peu à peu, devenait sec et vibrait comme l'air lui-même. Quand ils reprirent la route, le sol résonnait sous 5 leurs pas. De loin en loin,[3] un oiseau fendait l'espace devant eux avec un cri joyeux. Daru buvait, à profondes aspirations, la lumière fraîche. Une sorte d'exaltation naissait en lui devant le grand espace familier, presque entièrement jaune maintenant, sous sa calotte[4] de ciel bleu. Ils marchèrent une heure, 10 en descendant vers le sud. Ils arrivèrent à une sorte d'éminence[5] aplatie, faite de rochers friables.[6] A partir de là, le plateau dévalait, à l'est, vers une plaine basse où l'on pouvait distinguer quelques arbres maigres et, au sud, vers des amas[7] rocheux qui donnaient au paysage un aspect tourmenté. 15

Daru inspecta les deux directions. Il n'y avait que le ciel à l'horizon, pas un homme ne se montrait. Il se tourna vers l'Arabe, qui le regardait sans comprendre. Daru lui tendit un paquet: « Prends, dit-il. Ce sont des dattes, du pain, du sucre. Tu peux tenir deux jours. Voilà mille francs aussi. » L'Arabe 20 prit le paquet et l'argent, mais il gardait ses mains pleines à hauteur de la poitrine, comme s'il ne savait que faire de ce qu'on lui donnait. « Regarde maintenant, dit l'instituteur, et il lui montrait la direction de l'est, voilà la route de Tinguit. Tu as deux heures de marche. A Tinguit, il y a l'administration 25 et la police. Ils t'attendent. » L'Arabe regardait vers l'est, retenant toujours contre lui le paquet et l'argent. Daru lui prit le bras et lui fit faire, sans douceur,[8] un quart de tour vers le sud. Au pied de la hauteur où ils se trouvaient on devinait un chemin à peine dessiné. « Ça, c'est la piste qui traverse le 30

[1] *pompait = faisait évaporer, vidait.* [2] *à toute allure = à toute vitesse, très rapidement.* [3] *De loin en loin = A de grands intervalles.* [4] *calotte = dôme, voûte.* [5] *éminence = élévation de terrain.* [6] *friables:* crumbly. [7] *amas = accumulation.* [8] *sans douceur = brusquement.*

plateau. A un jour de marche d'ici, tu trouveras les pâturages et les premiers nomades. Ils t'accueilleront et t'abriteront, selon leur loi. » L'Arabe s'était retourné maintenant vers Daru et une sorte de panique se levait sur son visage: « Écoute, » dit-il. Daru secoua la tête: « Non, tais-toi. Maintenant, je te laisse. » Il lui tourna le dos, fit deux grands pas dans la direction de l'école, regarda d'un air indécis l'Arabe immobile et repartit. Pendant quelques minutes, il n'entendit plus que son propre pas, sonore sur la terre froide, et il ne détourna pas la tête. Au bout d'un moment, pourtant, il se retourna. L'Arabe était toujours là, au bord de la colline, les bras pendants maintenant, et il regarda l'instituteur. Daru sentit sa gorge se nouer.[1] Mais il jura d'impatience, fit un grand signe, et repartit. Il était déjà loin quand il s'arrêta de nouveau et regarda. Il n'y avait plus personne sur la colline.

Daru hésita. Le soleil était maintenant assez haut dans le ciel et commençait de lui dévorer[2] le front. L'instituteur revint sur ses pas, d'abord un peu incertain, puis avec décision. Quand il parvint à la petite colline, il ruisselait de sueur. Il la gravit à toute allure et s'arrêta, essouflé, sur le sommet. Les champs de roche, au sud, se dessinaient nettement sur le ciel bleu, mais sur la plaine, à l'est, une buée de chaleur montait déjà. Et dans cette brume légère, Daru, le cœur serré, découvrit l'Arabe qui cheminait lentement sur la route de la prison.

Un peu plus tard, planté devant la fenêtre de la salle de classe, l'instituteur regardait sans la voir la jeune lumière bondir des hauteurs du ciel sur toute la surface du plateau. Derrière lui, sur le tableau noir, entre les méandres des fleuves français s'étalait, tracée à la craie par une main malhabile, l'inscription qu'il venait de lire: « Tu as livré notre frère. Tu paieras. »[3]

[1] *se nouer:* tighten. [2] *dévorer:* burn (*literally*, to devour). [3] *Tu paieras:* You'll pay for this.

Daru regardait le ciel, le plateau et, au-delà, les terres invisibles qui s'étendaient jusqu'à la mer. Dans ce vaste pays qu'il avait tant aimé, il était seul.

*L'Exil et le Royaume* (Librairie Gallimard, 1957. Tous droits réservés).

QUESTIONNAIRE

1. Qui sont les personnages de cette nouvelle? 2. Lequel est l'hôte? 3. Pouvez-vous tracer sur une carte l'endroit où se passe cette nouvelle? 4. Pourquoi Camus décrit-il si minutieusement le terrain? 5. Est-ce que Daru est Français? Quelle est sa profession? 6. Est-il seul dans la région? 7. Comment reçoit-il ses provisions? D'où viennent-elles? 8. L'école bénéficiait-elle d'un certain comfort? 9. Pourquoi Daru se sentait-il exilé partout ailleurs que dans ce pays? 10. Qui est Balducci? Quelle est son origine? Est-il jeune?

11. Décrivez l'Arabe. 12. Pour quelle raison Balducci vient-il chez Daru? 13. Est-ce que Daru accepte de livrer l'Arabe? 14. Quel danger menace le pays? Les villages sont-ils en rébellion? 15. Quel crime a commis l'Arabe? 16. Est-ce que Daru craint l'Arabe? 17. Pourquoi Balducci exige-t-il que Daru livre le prisonnier? 18. Pourquoi est-il peiné du refus de Daru? 19. Quel affront Daru a-t-il fait à Balducci? 20. Que pense Daru de ce pays? A-t-il un climat ingrat? Peut-on y vivre dans l'aisance?

21. Quelle réflexion Daru fait-il sur les hommes? 22. Pourquoi ce pays était-il nécessaire à Daru et à l'Arabe? 23. Quel repas a-t-il préparé? 24. Pourquoi est-ce que Daru remet le revolver à sa place? 25. Daru semble gêné de la présence de l'Arabe. Pourquoi? 26. Daru a-t-il entendu des pas furtifs autour de l'école? 27. Est-ce que la nuit s'est passée sans incident? 28. Quel temps fait-il le lendemain matin? Est-ce que Camus se sert du temps pour obtenir certains effets? 29. Quelle décision Daru doit-il prendre? 30. Croyez-vous que Daru soit content d'avoir à prendre une décision? Que pense-t-il de l'Arabe? des siens?

31. Pourquoi ne veut-il pas livrer l'Arabe? par principe? 32. Une fois la décision prise, que fait Daru? 33. Quel choix donne-t-il à l'Arabe? 34. Quelle direction choisit l'Arabe? 35. Qui avait écrit les mots sur le tableau noir? 36. Pourquoi Daru est-il seul? 37. Est-ce que Daru, en réalité, a livré l'Arabe? 38. Quel est le sens de la vie d'après Camus? 39. Qu'auriez-vous fait à la place de Daru?

# II

# POÈTES

⚜⚜⚜

# FRANÇOIS VILLON
## 1431-1465?

### *Ballade des pendus*
(*Vieux français*)

I

Frères humains qui après nous vivez,
N'ayez[1] les cueurs contre nous endurcis,
Car se pitié de nous povres avez,[2]
Dieu en aura plus tost de vous mercis.[3]
Vous nous voiez cy attachez cinq six:
Quant de la chair, que trop[4] avons nourrie,
Elle est pieça dévorée et pourrie,
Et nous, les os, devenons cendre et poudre.
De nostre mal[5] personne ne s'en rie;
Mais priez Dieu que tous nous veuille absouldre!

II

Se frères vous clamons, pas n'en devez
Avoir desdaing, quoy que fusmes occis
Par justice. Toutesfois, vous savez
Que tous hommes n'ont pas bon sens rassis;
Excusez nous, puis que sommes transis,
Envers[6] le fils de la Vierge Marie,
Que sa grace ne soit pour nous tarie,
Nous préservant de l'infernale fouldre.

[1] *N'ayez* = *N'ayez pas.* [2] *Car . . . avez* = *Car si vous avez pitié de nous, pauvres gens.* [3] *aura . . . mercis* = *aura pitié.* [4] *trop:* too well. [5] *mal* = *malheur.* [6] *Envers* = *Auprès:* Toward.

This famous ballad, in which is to be found all the elements of Villon's poetry—shame, despair, piety, accompanied by the most realistic and dramatic treatment—was probably written in 1463. At that time, the author, who belonged to a band of thieves, had been arrested and condemned to be hanged, after a man had been slightly wounded in a brawl. Villon, however, was pardoned a little later and banished fiom Paris for ten years.

## *Ballade des pendus*

*(Modern French Transcription)*[1]

I

Frères humains qui après nous vivez
N'ayez les cœurs contre nous endurcis,
Car, si pitié de nous pauvres avez
Dieu en aura plus tôt de vous merci.
Vous nous voyez ici attachés cinq, six.
Quant à la chair que nous avons trop nourrie
Elle est déjà dévorée et pourrie,
Et nous, les os, devenons cendre et poussière.
De notre mal, que personne n'en rie;
Mais priez Dieu qu'il nous veuille tous absoudre!

II

Si nous vous appelons nos frères, vous ne devez pas
En avoir du dédain, bien que nous ayons été tués
Par la Justice. Car vous savez bien
Que tous les hommes n'ont pas un ferme bon sens;
Excusez-nous, puisque nous sommes morts,
Envers le fils de la Vierge Marie,
Afin que sa grâce envers nous ne se tarisse pas,
Et qu'elle nous préserve de la foudre infernale.

[1] By Louis Cons.

Nous sommes mors, ame ne nous harie;
Mais priez Dieu que tous nous veuille absouldre!

III

La pluye nous a débuez et lavez,
Et le soleil desséchiez et noircis:
Pies, corbeaulx, nous ont les yeux cavez,
Et arrachié la barbe et les sourcis.
Jamais nul temps nous ne sommes assis;
Puis çà, puis là,[1] comme le vent varie,
A[2] son plaisir sans cesser nous charie,
Plus becquetez d'oiseaulx que dez a couldre.
Ne soiez donc[3] de nostre confrairie;
Mais priez Dieu que tous nous veuille absouldre!

ENVOI

Prince Jhésus, qui sur tous a maistrie,
Garde qu'Enfer n'ait de nous seigneurie:[4]
A luy n'ayons que faire ne que souldre.
Hommes, icy n'a point de moquerie;
Mais priez Dieu que tous nous veuille absouldre!

[1] *Puis çà, puis là* = *De ça de là* = *Dans une direction, puis dans une autre.* [2] *A* = *Selon.* [3] *Ne soiez donc* = *Ne soyez donc pas.* [4] *n'ait de nous seigneurie* = *n'ait droit de seigneur:* should rule over.

Nous sommes morts, que personne ne nous tourmente;
Mais priez Dieu qu'il nous veuille tous absoudre!

III

La pluie nous a lessivés et lavés,
Et le Soleil desséchés et noircis;
Pies et corbeaux nous ont fouillé les yeux,
Et arraché la barbe et les sourcils.
Jamais, jamais nous ne sommes en repos;
De çà de là, à mesure qu'il change
Le vent nous charrie sans cesse à son plaisir,
Plus piquetés de coups de bec qu'un dé à coudre n'est piqueté [de trous.
Ne soyez donc de notre confrérie
Mais priez Dieu qu'il nous veuille tous absoudre!

ENVOI

Prince Jésus qui sur tous a maîtrise,
Empêche que l'Enfer n'ait droit de seigneur sur nous:
Qu'avec l'Enfer nous n'ayons rien à faire ni à régler.
Hommes, ici il n'y a point sujet à moquerie;
Mais priez Dieu qu'il nous veuille tous absoudre!

⚜⚜⚜

# JOACHIM DU BELLAY
## 1522-1560

### *Heureux qui, comme Ulysse...*

Du Bellay had accompanied his cousin, Cardinal Jean du Bellay, to Rome. There he spent four miserable years, longing for his native Anjou. Upon his return to France, he published his *Regrets*, and in this sonnet pours out his love for his country, his family and his village home.

Heureux qui, comme Ulysse,[1] a fait un beau voyage,
Ou comme cestuy-là[2] qui conquit la toison,[3]
Et puis est retourné, plein d'usage[4] et raison,
Vivre entre ses parents le reste de son âge![5]

Quand reverrai-je hélas! de mon petit village[6]
Fumer la cheminée, et en quelle saison
Reverrai-je le clos[7] de ma pauvre maison,
Qui m'est une province, et beaucoup davantage?[8]

Plus me plaît le séjour qu'ont bâti mes aïeux
Que des palais Romains le front audacieux,[9]
Plus que le marbre dur, me plaît l'ardoise[10] fine,

[1] *Ulysse:* Odysseus who returned home after a long voyage full of adventures. [2] *cestuy-là* = *celui-là:* Jason won the Golden Fleece. Afterwards he lived for many years in Corinth with Medea, his wife. [3] *la toison:* the Golden Fleece won by Jason, the chief of the Argonauts. [4] *plein d'usage* = *plein d'expérience.* [5] *de son âge* = *de sa vie* (a latinism). [6] *mon petit village:* Du Bellay was born at the Chateau de la Turmetière near the village of Liré in Anjou. [7] *le clos:* enclosed garden. [8] *une province et beaucoup davantage* = *qui vaut pour moi une province et bien plus.* [9] The order in prose would be: *le front audacieux des palais romains.* [10] *ardoise:* slate. Anjou is noted for its fine slate and has many quarries. In Italy, the roofs are covered with tiles and are generally flat. The poet finds *douceur* and *finesse* even in the rooftops of his native village.

Plus mon Loire[1] Gaulois que le Tibre Latin,
Plus mon petit Liré[2] que le mont Palatin,
Et plus que l'air marin[3] la douceur Angevine.[4]

*Les Regrets*

# PIERRE DE RONSARD
## 1524-1585

### *Sur la mort de Marie*

Under the general title "Sur la mort de Marie," Ronsard grouped a number of poems, among them the sonnet on Marie's death. There seems to be a strong Petrarchan influence especially in the part of Petrarch's work called "In morte di Madonna Laura."

Je songeais, sous l'obscur de la nuit endormie,
Qu'un sépulcre entr'ouvert s'apparaissait à moi.
La Mort gisait[5] dedans toute pâle d'effroi;
Dessus était écrit: Le tombeau de Marie.[6]

Épouvanté du songe, en sursaut je m'écrie:
Amour est donc sujet à notre humaine loi!
Il a perdu son règne et le meilleur de soi,
Puisque par une mort sa puissance est périe.[7]

[1] *mon Loire:* in the sixteenth century, many nouns that are feminine today were masculine; for example, *ombre*, *Loire*, *tige*, *œuvre*. [2] *Liré* = the village in Anjou where du Bellay was born. [3] *l'air marin* = Rome is about 25 kilometers from the mouth of the Tiber. The influence of the sea is to be found in Roman climate. [4] *angevine* = *de l'Anjou.* [5] *gisait:* lay lying. [6] *Le tombeau de Marie:* Marie probably died after 1572 and before 1578 since this poem appears only in the 1578 edition. It does not appear in the 1572 edition of the poet's work. [7] *est périe:* is destroyed.

Je n'avais achevé, qu'au point du jour voici
Un passant à ma porte, adeulé[1] de souci,
Qui de la triste mort m'annonça la nouvelle.

Prends courage, mon âme, il faut suivre sa fin;
Je l'entends dans le ciel comme elle nous appelle;
Mes pieds avec les siens ont fait même chemin.

## FRANÇOIS DE MALHERBE
1555-1628

### *Paraphrase du psaume CXLV*

Compare with the Vulgate. The theme of the psalm is praise of God and a warning to men not to put their trust in men and material things. Malherbe has translated into seventeenth century majestic language the images and the ideas.

N'espérons plus, mon âme, aux promesses du monde;
Sa lumière est un verre, et sa faveur une onde
Que toujours quelque vent empêche de calmer.
Quittons ces vanités, lassons-nous de les suivre:
C'est Dieu qui nous fait vivre, 5
C'est Dieu qu'il faut aimer.

En vain, pour satisfaire à nos lâches envies,[2]
Nous passons près des rois tout le temps de nos vies
A souffrir des mépris et ployer les genoux:
Ce qu'ils peuvent n'est rien; ils sont, comme nous sommes, 10
Véritablement hommes,
Et meurent comme nous.

[1] *adeulé* = *triste:* grief-stricken. [2] *lines* 4-7*:* religious theme of the vanity of worldly things.

Ont-ils rendu l'esprit,[1] ce n'est plus que poussière
Que cette majesté si pompeuse et si fière,
15 Dont l'éclat orgueilleux étonnait[2] l'univers;
Et, dans ces grands tombeaux où leurs âmes hautaines
Font encore les vaines,
Ils sont mangés des vers.

Là se perdent ces noms de maîtres de la terre,
20 D'arbitres de la paix, de foudres de la guerre;[3]
Comme ils n'ont plus de sceptre, ils n'ont plus de flatteurs;
Et tombent avec eux d'une chute commune
Tous ceux que leur fortune
Faisait leurs serviteurs.

# JEAN DE LA FONTAINE
## 1621-1695

## *Le coche[4] et la mouche*

A brilliant fable ridiculing the type of person who, out of vanity or stupidity, insists on claiming the success of any enterprise.

Dans un chemin montant, sablonneux[5], malaisé,
Et de tous les côtés au soleil exposé,
Six forts chevaux tiraient un coche.
Femmes, moine, vieillards, tout[6] était descendu;
5 L'attelage suait, soufflait, était rendu.[7]

[1] *Ont-ils rendu l'esprit* = *Aussitôt qu'ils ont rendu l'esprit.* [2] *étonnait:* astonished (*lit.:* struck by lightning). [3] *foudres de la guerre:* great captains, war heroes. [4] *le coche* = *la diligence:* the stagecoach. [5] *sablonneux:* sandy. [6] *tout* = *tous les voyageurs.* [7] *rendu:* exhausted.

Une Mouche survient,[1] et des chevaux s'approchent,
Prétend les animer par son bourdonnement,[2]
Pique l'un, pique l'autre, et pense à tout moment
    Qu'elle fait aller la machine,[3]
S'assied sur le timon,[4] sur le nez du cocher. 10
    Aussitôt que le char chemine,[5]
    Et qu'elle voit les gens marcher,
Elle s'en attribue uniquement la gloire,
Va, vient, fait l'empressée:[6] il semble que ce soit
Un sergent de bataille[7] allant en chaque endroit 15
Faire avancer ses gens et hâter la victoire.
    La Mouche, en ce commun besoin,
Se plaint qu'elle agit seule, et qu'elle a tout le soin;
Qu'aucun n'aide aux chevaux à se tirer d'affaire.
    Le moine disait son bréviaire:[8] 20
Il prenait bien son temps![9] une femme chantait:
C'était bien de chansons qu'alors il s'agissait!
Dame Mouche s'en va chanter à leurs oreilles,
    Et fait cent sottises pareilles.
Après bien du travail, le coche arrive au haut:[10] 25
« Respirons maintenant! dit la Mouche aussitôt:
J'ai tant fait que nos gens sont enfin dans la plaine.[11]
Ça, Messieurs les Chevaux, payez-moi de ma peine. »

[1] *survient:* happened along. Note that the use of tenses brings the drama to life—the present tense is used for all the actions of the fly; the imperfect tense is used for the descriptions of the passengers and the horses. [2] *bourdonnement:* buzzing. [3] *la machine = la voiture.* [4] *le timon:* the pole, the axle. [5] *chemine:* gets going. [6] *fait l'empressée:* acts like a busybody. [7] *sergent de bataille:* according to Littré, a *sergent de bataille* was formerly an officer who received from the general the plan for the disposition of the army on a day of combat. His function was to line up the troops for battie. [8] *bréviaire:* breviary, the book that contains the prayers that must be recited daily by all those in Holy Orders. [9] *Il prenait bien son temps!:* He certainly had chosen the right time! [10] *au haut:* a delightful expression to indicate the strain of the climb. The strong, marked aspirate of the *h* introduces the next verse "Respirons . . ." [11] *plaine = le haut de la colline, le plateau.*

Ainsi certaines gens, faisant les empressés,
30 S'introduisent dans les affaires:
Ils font partout les nécessaires,[1]
Et, partout importuns, devraient être chassés.

# VOLTAIRE
1694-1778

## *Épigrammes*

Voltaire's wit and cleverness can be seen in his verses. At times satirical and biting, at other times gay and flippant, he always manages to strike directly with an economy of words.

### I

L'autre jour, au fond d'un vallon,
Un serpent piqua Jean Fréron[2]
Que pensez-vous qu'il arriva?
Ce fut le serpent qui creva.

### II

*Le Franc de Pompignan*[3]
Savez-vous pourquoi Jérémie
A tant pleuré pendant sa vie?

[1] *font partout les nécessaires = font partout les indispensables:* act as if they were necessary. [2] Among Voltaire's adversaries, the most dynamic and polemic was Jean Fréron (1718-1776). He had attacked Voltaire as early as 1749 with his *Lettres sur quelques écrits de ce temps.* Later, he founded the review *L'année littéraire* which Voltaire called "L'âne littéraire." Voltaire composed a number of epigrams on him and made of him a comic character in his play *L'Écossaise* (1761), in the *Guerre de Genève* and in *La Pucelle.* [3] Jacques le Franc, marquis de Pompignan (1709-1784), a French poet, author of *Poesies sacrées* and member of the French Academy. He had translated the book of Jeremiah into French.

C'est qu'en prophète il prévoyait
Qu'un jour Le Franc le traduirait.

III

*A un bavard*

Il faudrait penser pour écrire:
Il vaut encore mieux effacer.
Les auteurs quelquefois ont écrit sans penser
Comme on parle souvent sans avoir rien à dire.

IV

*A Monsieur Grétry, une des gloires de l'Opéra Comique*

La cour a dénigré tes chants
Dont Paris a dit des merveilles.
Hélas! les oreilles des grands
Sont souvent de grandes oreilles![1]

## ALPHONSE DE LAMARTINE
1790-1869

### *L'oraison dominicale*[2]

O Père, source et fin de toute créature,
Dont le temple est partout où s'étend la nature,
Dont la présence creuse et comble l'infini;
Que ton nom soit partout dans toute âme béni;
Que ton règne éternel, qui tous les jours se lève,
Avec l'œuvre sans fin recommence et s'achève;

[1] *de grandes oreilles* = *des oreilles d'âne.* [2] A paraphrase of the Lord's prayer (Matt. 6: 9-13).

Que par l'amour divin, chaîne de la bonté,
Toute volonté veuille avec ta volonté!
Donne à l'homme d'un jour, que ton sein fait éclore,
Ce qu'il lui faut de pain pour vivre son aurore.[1]
Remets-nous le tribut[2] que nous avons remis
Nous-mêmes en pardonnant à tous nos ennemis;
De peur que sur l'esprit l'argile[3] ne l'emporte,
Ne nous éprouve pas d'une preuve[4] trop forte;
Mais toi-même, prêtant ta force à nos combats,
Fais triompher du mal les enfants d'ici-bas.

## VICTOR HUGO
1802-1885

### *Les Djinns*[5]

This barbaric poem, taken from the *Orientales*, has no other purpose than to display the talent of the young poet. From calm to fury, the poem evokes a sensuous and imitative descent of evil spirits, shrieking and howling their cries, then disappearing into the distance. The shape of the poem intensifies the poet's desire to communicate color and discordance.

*E come i gru van cantando lor lai,*
*Facendo in aer di sé lunga riga;*
*Cosí vid'io venir, traendo guai,*
*Ombre portate dalla detta briga.*
Dante[6]

*Et comme les grues qui font dans l'air de longues files, vont chantant leur plainte, ainsi je vis venir traînant des gémissements les ombres emportées par cette tempète.*

Murs, ville,
Et port,

[1] *son aurore = pour vivre jusqu'au lendemain* (cf. line 9). [2] *le tribut = la dette; ce qui est dû à quelqu'un.* [3] *l'argile = terre molle, c'est-à-dire le corps humain, la matière.* [4] *une preuve = une épreuve.* [5] A note of Hugo defines the djinns as "génies, esprits de la nuit". In Arab mythology they are goblins, sometimes benign, sometimes malevolent. They are superior to men but inferior to angels. [6] *Inferno* (V, 46-49).

Asile
De mort,
Mer grise 5
Où brise
La brise,
Tout dort.

Dans la plaine
Naît un bruit. 10
C'est l'haleine
De la nuit.
Elle brame[1]
Comme une âme
Qu'une flamme 15
Toujours suit.

La voix la plus haute
Semble un grelot.[2]
D'un nain[3] qui saute
C'est le galop. 20
Il fuit, s'élance,
Puis en cadence
Sur un pied danse
Au bout d'un flot.

La rumeur s'approche 25
L'écho le redit.
C'est comme la cloche
D'un couvent maudit,
Comme un bruit de foule
Qui tonne et qui roule, 30

[1] *elle brame: le verbe "bramer" désigne le cri du cerf.* [2] *grelot = une petite cloche.*
[3] *nain = homme dont la taille est très inférieure à la taille moyenne:* dwarf.

Et tantôt s'écroule,
Et tantôt grandit.

Dieu! la voix sépulcrale
Des Djinns! . . . — Quel bruit ils font!
35 Fuyons sous la spirale
De l'escalier profond!
Déjà s'éteint ma lampe,
Et l'ombre de la rampe,[1]
Monte jusqu'au plafond.

40 C'est l'essaim[2] des Djinns qui passe,
Et tourbillonne en sifflant.
Les ifs,[3] que leur vol fracasse,
Craquent comme un pin brûlant.
Leur troupeau lourd et rapide,
45 Volant dans l'espace vide,
Semble un nuage livide
Qui porte un éclair au flanc.

Ils sont tout près! — Tenons fermée
Cette salle où nous les narguons.
50 Quel bruit dehors! Hideuse armée
De vampires et de dragons!
La poutre du toit descellée
Ploie ainsi qu'une herbe mouillée,
Et la vieille porte rouillée
55 Tremble à déraciner ses gonds.[4]

Cris de l'enfer! voix qui hurle et qui pleure.
L'horrible essaim, poussé par l'aquilon,

[1] *la rampe:* railing. [2] *essaim = groupe d'abeilles ou d'autres insectes:* swarm.
[3] *ifs:* yew trees. [4] *à déraciner ses gonds:* enough to tear off its hinges.

Sans doute, ô ciel! s'abat sur ma demeure.
Le mur fléchit sous le noir bataillon.
La maison crie et chancelle penchée, 60
Et l'on dirait que, du sol arrachée,
Ainsi qu'il chasse une feuille séchée,
Le vent la roule avec leur tourbillon!

Prophète![1] si ta main me sauve
De ces impurs démons des soirs, 65
J'irai prosterner mon front chauve
Devant tes sacrés encensoirs!
Fais que sur ces portes fidèles
Meure leur souffle d'étincelles,[2]
Et qu'en vain l'ongle de leurs ailes 70
Grince et crie à ces vitraux noirs!

Ils sont passés! — Leur cohorte
S'envole et fuit, et leurs pieds
Cessent de battre ma porte
De leurs coups multipliés. 75
L'air est plein d'un bruit de chaînes,
Et dans les forêts prochaines
Frissonnent tous les grands chênes
Sous leur vol de feu pliés!

De leurs ailes lointaines 80
Le battement décroît,
Si confus dans les plaines
Si faible, que l'on croit
Ouïr[3] la sauterelle[4]

[1] *Prophète!* Mohammed, prophet of Allah. The speaker would seem to be a Moslem. [2] *souffle d'étincelles:* breath of fire. [3] *Ouïr* = *Entendre.* [4] *sauterelle:* grasshopper.

85 Crier d'une voix grêle,[1]
Ou pétiller la grêle[2]
Sur le plomb d'un vieux toit.

D'étranges syllabes
Nous viennent encor:
90 Ainsi, des Arabes
Quand sonne le cor,
Un chant sur la grève
Par instants s'élève,
Et l'enfant qui rêve
95 Fait des rêves d'or.

Les Djinns funèbres,
Fils du trépas,[3]
Dans les ténèbres
Pressent leurs pas;
100 Leur essaim gronde;
Ainsi, profonde,
Murmure une onde
Qu'on ne voit pas.

Ce bruit vague
105 Qui s'endort,
C'est la vague
Sur le bord;
C'est la plainte
Presque éteinte
110 D'une sainte
Pour un mort.

[1] *grêle = aiguë:* shrill. [2] *grêle = (nom féminin) pluie gelée:* hail. [3] *le trépas = la mort.*

On doute
La nuit . . .
J'écoute: —
Tout fuit. 115
Tout passe;
L'espace
Efface
Le bruit.

*août 1828*

## VICTOR HUGO

### *L'enfance*

This poem and the next one are delicate examples of Victor Hugo's charm in writing about childhood. The use of contrast, in sharp position, heightens the drama of this lyric.

L'enfant chantait; la mère au lit, exténuée,
Agonisait, beau front dans l'ombre se penchant;
La mort au-dessus d'elle errait dans la nuée;
Et j'écoutais ce râle, et j'entendais ce chant.

L'enfant avait cinq ans, et près de la fenêtre
Ses rires et ses jeux faisaient un charmant bruit;
Et la mère, à côté de ce pauvre doux être
Qui chantait tout le jour, toussait toute la nuit.

La mère alla dormir sous les dalles du cloître;
Et le petit enfant se remit à chanter.
La douleur est un fruit; Dieu ne le fait pas croître
Sur la branche trop faible encor pour le porter.

# VICTOR HUGO

## *Il est si beau...*

A delicate prayer for the simplest joys than man can possess.

Il est si beau, l'enfant, avec son doux sourire,
Sa douce bonne foi, sa voix qui veut tout dire,
Ses pleurs vite apaisés,
Laissant errer sa vue étonnée et ravie,
Offrant de toutes parts sa jeune âme à la vie
Et sa bouche aux baisers!

Seigneur! préservez-moi, préservez ceux que j'aime,
Frères, parents, amis, et mes ennemis même
Dans le mal triomphants,
De jamais voir, Seigneur, l'été sans fleurs vermeilles,
La cage sans oiseaux, la ruche sans abeilles,
La maison sans enfants!

# ALFRED DE VIGNY
1797-1863

## *Moïse*[1]

The best explication of "Moïse" is the one given by Vigny himself in 1838: "My Moses is not that of the Jews. This great name only serves as a

[1] Compare the account in the thirty-fourth chapter of Deuteronomy in order to see the drama and poetry added by Vigny.

symbol of a man belonging to all ages and much more modern than ancient: the man of genius, weary of his eternal aloneness and discouraged at seeing his solitude become more intense and sterile. Weary of his stature, he seeks oblivion. This despair is neither Jewish nor Christian." Moral or intellectual superiority may lift a man above his fellow men but also condemns him to solitude and to his own greatness.

Le soleil prolongeait sur la cime des tentes[1]
Ces obliques rayons, ces flammes éclatantes,
Ces larges traces d'or qu'il laisse dans les airs,
Lorsqu'en un lit de sable, il se couche aux déserts.
La pourpre et l'or semblaient revêtir la campagne. 5
Du stérile Nébo[2] gravissant la montagne,
Moïse, homme de Dieu, s'arrête, et, sans orgueil,
Sur le vaste horizon promène un long coup d'œil.
Il voit d'abord Phasga,[3] que des figuiers entourent;
Puis, au delà des monts[4] que ses regards parcourent, 10
S'étend tout Galaad,[5] Éphraïm, Manassé,
Dont le pays fertile à sa droite est placé;
Vers le Midi, Juda, grand et stérile, étale
Ses sables où s'endort la mer occidentale;[6]
Plus loin, dans un vallon que le soir a pâli, 15
Couronné d'oliviers, se montre Nephtali;[7]
Dans des plaines de fleurs magnifiques et calmes,
Jéricho s'aperçoit: c'est la ville des palmes;
Et, prolongeant ses bois, des plaines de Phogor,
Le lentisque touffu s'étend jusqu'à Ségor. 20
Il voit tout Chanaan, et la terre promise,
Où sa tombe, il le sait, ne sera point admise.

[1] *tentes:* The pilgrim Jews were encamped on the edge of the Promised Land. [2] *Nébo:* Mount Nebo, now called Djebel Nebâ, to the east of the river Jordan. This is where Moses died (Deut. 32: 49; 34: 1-9). [3] *Phasga:* Pisgah. Perhaps the highest summit of Mount Nebo (Deut. 34: 1; Josh. 13: 3; Josh. 13: 20, Num. 21: 20; Num. 21: 33). [4] *au delà des monts = derrière la chaine du Liban (Lebanon).* [5] *Galaad:* Gilead. [6] *la mer occidentale = la Méditerranée.* [7] *Nephtali:* Naphtali.

Il voit, sur les Hébreux étend sa grande main,
Puis vers le haut du mont il reprend son chemin.

25 Or, des champs de Moab[1] couvrant la vaste enceinte,
Pressés au large pied de la montagne sainte,
Les enfants d'Israël s'agitaient au vallon
Comme les blés épais qu'agite l'aquilon.
Dès l'heure où la rosée humecte l'or des sables
30 Et balance sa perle au sommet des érables,
Prophète centenaire, environné d'honneur,
Moïse était parti pour trouver le Seigneur.
On le suivait des yeux aux flammes de sa tête,
Et, lorsque du grand mont il atteignit le faîte,
35 Lorsque son front perça le nuage de Dieu
Qui couronnait d'éclairs la cime du haut lieu,
L'encens brûla partout sur les autels de pierre,
Et six cent mille Hébreux, courbés dans la poussière,
A l'ombre du parfum[2] par le soleil doré,
40 Chantèrent d'une voix le cantique sacré;
Et les fils de Lévi,[3] s'élevant sur la foule,
Tels qu'un bois de cyprès sur le sable qui roule,
Du peuple avec la harpe accompagnant les voix,
Dirigeaient vers le ciel l'hymne du Roi des Rois.

45 Et, debout devant Dieu, Moïse ayant pris place,
Dans le nuage obscur lui parlait face à face.
Il disait au Seigneur: « ne finirai-je pas?[4]
Où voulez-vous encor que je porte mes pas?

[1] *Moab = pays situé au sud du Nébo, où les Hébreux s'étaient arrêtés avant de pénétrer sur la terre promise. Moab se trouve à l'ouest de la Mer Morte.* [2] *à l'ombre du parfum = allusion à l'encens* (line 37). [3] *fils de Lévi:* Levi was the son of Jacob and Leah. The Levites were a sacred caste in ancient Jerusalem, the male members of the Tribe of Levi performing all the priestly functions (Num. 18: 2). [4] *ne finirai-je pas?:* will my trials never end?

Je vivrai donc toujours puissant et solitaire?
Laissez-moi m'endormir du sommeil de la terre. 50
Que vous ai-je donc fait pour être votre élu?
J'ai conduit votre peuple où vous avez voulu.
Voilà que son pied touche à la terre promise.
De vous à lui qu'un autre accepte l'entremise,[1]
Au coursier d'Israel qu'il attache le frein; 55
Je lui lègue mon livre[2] et la verge d'airain.[3]

« Pourquoi vous fallut-il tarir mes espérances,
Ne pas me laisser homme avec mes ignorances,
Puisque du mont Horeb[4] jusques au mont Nébo
Je n'ai pas pu trouver le lieu de mon tombeau? 60
Hélas! vous m'avez fait sage parmi les sages!
Mon doigt du peuple errant a guidé les passages.[5]
J'ai fait pleuvoir le feu[6] sur la tête des rois;
L'avenir à genoux adorera mes lois;
Des tombes des humains j'ouvre la plus antique,[7] 65
La mort trouve à ma voix une voix prophétique,
Je suis très grand, mes pieds sont sur les nations,
Ma main fait et défait les générations. —
Hélas! je suis, Seigneur, puissant et solitaire,
Laissez-moi m'endormir du sommeil de la terre! 70

« Hélas, je sais aussi tous les secrets des cieux,
Et vous m'avez prêté la force de vos yeux,
Je commande à la nuit de déchirer ses voiles;

[1] *l'entremise = la mission de transmettre la parole de Dieu.* [2] *mon livre:* The Pentateuch (first five books of the Old Testament.) [3] *la verge d'airain:* The rod of Moses, given him by the Lord, symbolic of his mission. He performed many miracles with this brass rod. [4] *mont Horeb:* Where God first appeared to Moses in a burning bush and called him to his mission. [5] *les passages:* He had guided the Jews across the Red Sea and through the deserts of Arabia. [6] *le feu:* The seventh plague inflicted upon Pharaoh because he would not release the Israelites. (Ex. 9: 23). [7] *la plus antique:* Possibly an allusion to Joseph's tomb. Moses may have taken his bones to inter them in Abraham's tomb in Canaan. (Cf. Ex. 13: 19; Eccles. 49: 18).

Ma bouche par leur nom a compté les étoiles,
75 Et, dès qu'au firmament mon geste l'appela,
Chacune s'est hâtée en disant: « Me voilà. »
J'impose mes deux mains sur le front des nuages
Pour tarir dans leurs flancs la source des orages;
J'engloutis les cités sous les sables mouvants;
80 Je renverse les monts sous les ailes des vents;
Mon pied infatigable est plus fort que l'espace;
Le fleuve aux grandes eaux se range quand je passe,
Et la voix de la mer se tait devant ma voix.[1]
Lorsque mon peuple souffre, ou qu'il lui faut des lois,
85 J'élève mes regards, votre esprit me visite;
La terre alors chancelle et le soleil hésite,[2]
Vos anges sont jaloux et m'admirent entre eux. —
Et cependant, Seigneur, je ne suis pas heureux;
Vous m'avez fait veillir puissant et solitaire,
90 Laissez-moi m'endormir du sommeil de la terre!

« Sitôt que votre souffle a rempli le berger,[3]
Les hommes se sont dit: « Il nous est étranger; »
Et les yeux se baissaient devant mes yeux de flamme,
Car ils venaient, hélas! d'y voir plus que mon âme.[4]
95 J'ai vu l'amour s'éteindre et l'amitié tarir;
Les vierges se voilaient et craignaient de mourir.[5]
M'enveloppant alors de la colonne noire,[6]
J'ai marché devant tous, triste et seul dans ma gloire,
Et j'ai dit dans mon cœur: « Que vouloir à présent? »
100 Pour dormir sur un sein mon front est trop pesant,

[1] lines 82-83 refer to the passage of the Red Sea. [2] *le soleil hésite:* it was Joshua, not Moses, who commanded the sun to stand still. [3] *le berger:* refers to Moses himself. He had tended the flocks of Jethro, his father-in-law, for forty years in the land of the Midianites (Ex. 3: 1). [4] *plus que mon âme:* the people saw in Moses's eyes the reflection of divine inspiration. [5] *craignaient de mourir:* They feared to love a man inspired by God. [6] *la colonne noire:* The black cloud that guided the Israelites by day in their journey to the Promised Land (Ex. 13: 21).

Ma main laisse l'effroi sur la main qu'elle touche,
L'orage est dans ma voix, l'éclair est sur ma bouche;
Aussi, loin de m'aimer, voilà qu'ils tremblent tous,
Et quand j'ouvre les bras,[1] on tombe à mes genoux.
O Seigneur! j'ai véçu puissant et solitaire. 105
Laissez-moi m'endormir du sommeil de la terre! »

Or, le peuple attendait, et, craignant son courroux,
Priait sans regarder le mont du Dieu jaloux;[2]
Car s'il levait les yeux, les flancs noirs du nuage
Roulaient et redoublaient les foudres de l'orage, 110
Et le feu des éclairs, aveuglant les regards,
Enchaînait tous les fronts courbés de toutes parts.
Bientôt le haut du mont reparut sans Moïse. —
Il fut pleuré. — Marchant vers la terre promise,
Josué[3] s'avançait pensif, et pâlissant, 115
Car il était déjà l'élu du Tout-Puissant.[4]

*1822*

# ALFRED DE MUSSET
1810-1851

## *Rappelle-toi...*

This poem was written on a melody of the 18th century Austrian composer, Mozart, entitled "Vergiss mein nicht." The last nine lines are carved on Musset's tomb.

[1] *j'ouvre les bras:* Moses wants to be affectionate and tender. [2] *le Dieu jaloux:* a Biblical expression. [3] *Josué:* Moses had indicated Joshua as his successor. He was the one who lead the Israelites into the land of Canaan (Deut. 34: 9; Josh. 1: 2). [4] *l'élu du Tout-Puissant:* Joshua, the elect of God, is now faced with greatness and suffering. Alone he must face his isolated lofty condition. Vigny takes up the theme of the poem again in the closing verse.

Rappelle-toi, quand l'Aurore craintive
Ouvre au Soleil son palais enchanté;
Rappelle-toi, lorsque la nuit pensive
Passe en rêvant sous son voile argenté;
A l'appel du plaisir lorsque ton sein palpite,
Aux doux songes du soir lorsque l'ombre t'invite.
Écoute au fond des bois
Murmurer une voix:
Rappelle-toi.

Rappelle-toi, lorsque les destinées
M'auront de toi pour jamais séparé,
Quand le chagrin, l'exil et les années
Auront flétri ce cœur désespéré;
Songe à mon triste amour, songe à l'adieu suprême!
L'absence ni le temps ne sont rien quand on aime.
Tant que mon cœur battra,
Toujours il te dira:
Rappelle-toi.

Rappelle-toi, quand sous la froide terre
Mon cœur brisé pour toujours dormira;
Rappelle-toi, quand la fleur solitaire
Sur mon tombeau doucement s'ouvrira.
Tu ne me verras plus; mais mon âme immortelle
Reviendra près de toi comme une sœur fidèle.
Écoute, dans la nuit,
Une voix qui gémit:
Rappelle-toi.

## ALFRED DE MUSSET

### *La poésie*

Apparently written in July 1840, the poem is an impromptu in answer to the question; What is poetry? The title is often given as "Impromptu: Qu'est-ce que la poésie?" or "Impromptu en réponse à cette question: Qu'est-ce que la poésie?"

Chasser tout souvenir[1] et fixer la pensée;
Sur un bel axe d'or la tenir balancée,
Incertaine, inquiète, immobile pourtant;
Éterniser peut-être un rêve d'un instant;
Aimer le vrai, le beau, chercher leur harmonie;
Écouter dans son cœur l'écho de son génie;
Chanter, rire, pleurer, seul, sans but, au hasard;
D'un sourire, d'un mot, d'un soupir, d'un regard
Faire un travail exquis, plein de crainte et de charme,
Faire une perle d'une larme:[2]
Du poète ici-bas voilà la passion,
Voilà son bien, sa vie, et son ambition.

## THÉODORE DE BANVILLE
## 1823-1891

### *Ballade des pendus*

This ballad was composed as part of a comedy written by Banville, *Gringoire*. Gringoire was a destitute poet who lived in the 16th century,

[1] *Chasser tout souvenir:* the poet must be a voice and not an echo of something he has heard. [2] *lines* 5-10*:* the poet, sensitive to every form of life, enriches them with his genius. The poem is the result of truth and beauty and workmanship.

very much like Villon in the 15th century. Reciting a ballad before the king who is incognito, he tells of the sufferings of the people under Louis XI. The poem is the "Ballade des Pendus," with its macabre spectacle of gallows, brilliant sun and dazzling images.

Sur ses larges bras étendus,
La forêt où s'éveille Flore,[1]
A des chapelets de pendus
Que le matin caresse et dore.
5 Ce bois sombre, où le chêne arbore
Des grappes de fruits inouis[2]
Même chez le Turc et le More
C'est le verger du roi Louis.[3]

Tous ces pauvres gens morfondus,
10 Roulant des pensers qu'on ignore,
Dans les tourbillons éperdus
Voltigent, palpitants encore.
Le soleil levant les dévore.
Regardez-les, cieux éblouis,
15 Danser dans les feux de l'aurore.
C'est le verger du roi Louis.

Ces pendus, du diable entendus,
Appellent des pendus encore.
Tandis qu'aux cieux, d'azur tendus,
20 Où semble luire un météore,[4]
La rosée en l'air s'évapore,
Un essaim d'oiseaux réjouis
Par dessus leur tête picore.
C'est le verger du roi Louis.

[1] *Flore: déesse des Fleurs et des Jardins, la mère du Printemps.* [2] *de fruits inouis = de pendus.* [3] *du roi Louis:* Louis XI (1423-83), son of Charles VII and Marie d'Anjou; king of France 1461-83. [4] *un météore = le soleil du matin.*

« Prince, il est un bois que décore 25
Un tas de pendus enfouis
Dans le doux feuillage sonore.
C'est le verger du roi Louis. »

## CHARLES BAUDELAIRE
1821-1867

### *L'invitation au voyage*

The most famous of Baudelaire's poems, set to music by Henri Duparc, tells of the poet's longing for escape from the boredom of his world to a land of his creation, a land where he can live happily with the woman he loves.

Mon enfant, ma sœur,[1]
Songe à la douceur
D'aller là-bas vivre ensemble!
Aimer à loisir,
Aimer et mourir 5
Au pays qui te ressemble!
Les soleils mouillés[2]
De ces ciels brouillés[3]
Pour mon esprit ont les charmes
Si mystérieux 10
De tes traîtres yeux,
Brillant à travers leurs larmes.

Là,[4] tout n'est qu'ordre et beauté,

[1] *ma sœur:* In the *Petits poèmes en prose*, Baudelaire speaks of "la femme aimée, la sœur d'élection." [2] *soleils mouillés:* the light of the sun is obscured by the humidity of the climate. Baudelaire may have been thinking of Holland or one of the Low Countries. [3] *brouillés* = *voilés de brume.* [4] *Là* = *dans le pays où le poète voudrait vivre.*

Luxe, calme et volupté.

15 Des meubles luisants,
Polis par les ans,
Décoreraient notre chambre;
Les plus rares fleurs
Mêlant leurs odeurs
20 Aux vagues senteurs de l'ambre,[1]
Les riches plafonds,
Les miroirs profonds,
La splendeur orientale,[2]
Tout y parlerait
25 A l'âme en secret
Sa douce langue natale.

Là, tout n'est qu'ordre et beauté,
Luxe, calme et volupté.

Vois sur ces canaux[3]
30 Dormir ces vaisseaux
Dont l'humeur est vagabonde;
C'est pour assouvir
Ton moindre désir
Qu'ils viennent du bout du monde.
35 — Les soleils couchants
Revêtent les champs,
Les canaux, la ville entière,
D'hyacinthe[4] et d'or;
Le monde s'endort
40 Dans une chaude lumière.

Là, tout n'est qu'ordre et beauté,
Luxe, calme et volupté.

[1] *l'ambre = allusion au parfum d'Orient.* [2] *lines 15-23:* note the development of the theme "luxe". [3] Perhaps a return to the vision of Holland. [4] *hyacinthe = couleur d'un bleu tirant sur le violet; nom poétique de la jacinthe, une fleur bleue.*

# PAUL VERLAINE
1844-1896

## *Chanson d'automne*

Verlaine is essentially an impressionistic artist. His poetry is the expression of his temperament—extremely sensitive, melancholy, feminine. The effects are obtained by delicate nuances, a vague terminology, and above all, a musical, verbal pattern. The reader should not look for thoughts or even profound sentiment, but try to recreate in himself the poet's mood or "état d'âme". By its special verbal technique, Verlaine's poetry is almost as close to music as it is to literature.

Les sanglots longs
Des violons[1]
De l'automne
Blessent mon cœur
D'une langueur
Monotone.

Tout suffocant
Et blême, quand
Sonne l'heure,[2]
Je me souviens
Des jours anciens,
Et je pleure.

Et je m'en vais
Au vent mauvais
Qui m'emporte

[1] *violons:* the sounds of the autumn wind evoke in the poet's mind, the remembrance of a stringed instrument. [2] *lines* 8-9*:* the striking of the hour brings the poet back to the reality of life.

Deçà, delà,
Pareil à la
  Feuille morte.[1]

*Poèmes saturniens*, 1868

## *Le ciel est par-dessus le toit...*

This poem was written in a cell of the Mons prison in Belgium where Verlaine was confined for two years after he had shot and slightly wounded his friend Arthur Rimbaud, a young poet of genius for whom he felt a passionate and jealous friendship. The poet's life had been a miserable one: abandonment of his family, poverty, drunkenness and finally imprisonment. In his cell, through the window of which only the sky and the top of a tree can be seen, Verlaine is pursued by remorse. He will even return to the religious mysticism of his youth. This physical as well as moral situation must be kept in mind while reading this poem.

Le ciel est, par dessus le toit,
  Si bleu, si calme!
Un arbre, par-dessus le toit,
  Berce sa palme.[2]

La cloche, dans le ciel qu'on voit,
  Doucement tinte.
Un oiseau, sur l'arbre qu'on voit
  Chante sa plainte.

Mon Dieu, mon Dieu, la vie est là,
  Simple et tranquille,
Cette paisible rumeur-là[3]
  Vient de la ville.

[1] *lines* 13-18*:* the image and the mouvement of the last stanza echoes the gentle melancholy of the poem. [2] *sa palme = ses hautes branches.* [3] *rumeur = bruit léger presque indistinct.*

— Qu'as-tu fait, ô toi que voilà.[1]
Pleurant sans cesse,
Dis, qu'as-tu fait, toi que voilà.
De ta jeunesse?

*Sagesse*, 1874

## FRANCIS JAMMES
1868-1938

### *Prière pour aller au paradis avec les ânes*

Francis Jammes belongs to no poetic school. He is simply a poet, often compared in his simplicity to St. Francis of Assisi or Kipling. Jammes found great happiness in the simple environment of his rural life: his poetry is the outpouring of a simple and human man in praise of his God. Jammes does not follow the classical rules of syllabification. He counts syllables according to the way he pronounces the verse.

Lorsqu'il faudra aller vers vous, ô mon Dieu, faites
que ce soit par un jour où la campagne en fête
poudroiera. Je désire, ainsi que je fis ici-bas,
choisir un chemin pour aller, comme il me plaira,
au Paradis, où sont en plein jour les étoiles.[2] 5
Je prendrai mon bâton, et sur la grande route
j'irai, et je dirai aux ânes, mes amis:
Je suis Francis Jammes et je vais au Paradis,
car il n'y a pas d'enfer au pays du Bon-Dieu.
Je leur dirai: Venez, doux amis du ciel bleu, 10
pauvres bêtes chéries qui, d'un brusque mouvement d'oreille,
chassez les mouches plates, les coups et les abeilles. . .[3]

[1] *ô toi que voilà = toi qui es ici, en prison.* [2] *lines* 1-6: Jammes announces his intention of going to Paradise. [3] *lines* 7-13: he sets out and invites his friends the donkeys to follow him.

Que je Vous apparaisse au milieu de ces bêtes
que j'aime tant parce qu'elles baissent la tête
15 doucement, et s'arrêtent en joignant leurs petits pieds
d'une façon bien douce et qui vous fait pitié.
J'arriverai suivi de leurs milliers d'oreilles,
suivi de ceux qui portèrent au flanc des corbeilles,
de ceux traînant des voitures de saltimbanques
20 ou de voitures de plumeaux et de fer-blanc,
de ceux qui ont au dos des bidons bossués,
des ânesses pleines comme des outres, aux pas cassés,
de ceux à qui l'on met de petits pantalons
à cause des plaies bleues et suintantes que font
25 les mouches entêtées qui s'y groupent en ronds.[1]
Mon Dieu, faites qu'avec ces ânes je Vous vienne.
Faites que, dans la paix, des anges nous conduisent
Vers des ruisseaux touffus où tremblent des cerises
lisses comme la chair qui rit des jeunes filles,
30 et faites que, penché dans ce séjour des âmes,
sur vos divines eaux, je sois pareil aux ânes
qui mireront leur humble et douce pauvreté
à la limpidité de l'amour éternel.[2]

*Le deuil des primevères*, 1901

# PAUL CLAUDEL
1863-1955

## *Magnificat*[3]

Inspired by his deep religious convictions, Claudel seeks to reunite all creation into a single canticle of praise to God. Everything in creation

[1] *lines* 14 26*:* a description of the beasts of burden. [2] *lines* 27-34*:* a conclusion carrying out the prayer to God and the ideas of humility and poverty. [3] A poem of thanksgiving. It is a paraphrase of Luke 1: 46-55.

has its place in the knowledge and worship of the Creator. Claudel's verse is an ample one and is based on the principle of natural breathing.

Mon âme paie au Seigneur un hommage de magnificence.[1]
Et mon esprit a tressailli de joie dans le salut de Dieu mon [Sauveur
Parce qu'Il a abaissé les yeux sur l'humilité de Sa servante, voici que toutes les générations m'appeleront bienheureuse,
Parce que m'a fait de grandes choses Celui qui est le Puissant, et Saint est ce nom qui est le Sien.
Et Sa miséricorde se prolonge d'une génération à l'autre par ceux-là qui Le révèrent. 5
Il a témoigné de la puissance de Son bras, Il a dispersé ces superbes[2] dont le cœur trouble l'esprit.
Il a déposé les puissants de leurs sièges[3] et Il a relevé les [humbles.
Il a rempli le ventre des affamés et Il a renvoyé à vide les [riches.
Il a pris dans Ses bras Israël Son enfant, S'étant ressouvenu de Sa miséricorde
Selon la parole qu'Il a dite à nos pères — Abraham et sa semence jusques à jamais. 10

*Œuvres complètes*, II (Librairie Gallimard. 

## *Paysage français*

A very simple lyric poem inspired by the quiet French countryside. Claudel uses a short verse, unlike the preceding poem, with rhymed couplets.

La rivière sans se dépêcher
Arrive au fond de la vallée

[1] *magnificence = ample grandeur.* [2] *ces superbes = ces personnes fières.* [3] *sièges = trônes.*

Assez large pour qu'un pont
La traverse d'un seul bond

5 Le clocher par-dessus la ville
Annonce une heure tranquille

Le dîner sera bientôt prêt
Tout le monde l'attend, au frais,[1]

On entend les gens qui causent
10 Les jardins sont pleins de roses

Le rose[2] propage et propose
L'ombre rouge à l'ombre rose

La campagne fait le pain
La colline fait le vin

15 C'est une sainte besogne
Le vin, c'est le vin de Bourgogne!

Ce citoyen fort et farouche
Porte son verre à sa bouche

Mais la poule pousse affairée
20 Sa poulaille au poulailler[3]

Tout le monde a fait son devoir
En voilà jusqu'à ce soir.

Le soleil dit:
Il est midi.



[1] *au frais:* in the cool, in the shade. [2] *le rose = la couleur rose.* [3] *la poule pousse...:* reminiscent of the use of evocative consonants by La Fontaine to indicate physical effort.

# III

# PENSEURS

# BLAISE PASCAL
## 1623-1662

### *Pensées*

160

ENNUI. Rien n'est si insupportable à l'homme que d'être dans un plein repos, sans passions, sans affaire, sans divertissement, sans application. Il sent alors son néant, son abandon, son insuffisance, sa dépendance, son impuissance, son
5 vide. Incontinent,[1] il sortira du fond de son âme l'ennui, la noirceur, la tristesse, le chagrin, le dépit, le désespoir.

224

Le cœur a ses raisons que la raison ne connaît point; on le sait en mille choses. Je dis que le cœur aime l'être universel naturellement, et soi-même naturellement selon qu'il s'y
10 adonne;[2] et il se durcit contre l'un ou l'autre à son choix. Vous avez rejeté l'un et conservé l'autre: est-ce par raison que vous vous aimez?

225

C'est le cœur qui sent Dieu et non la raison. Voilà ce que c'est que la foi: Dieu sensible au cœur, non à la raison.

226

15 L'homme est visiblement fait pour penser; c'est toute sa dignité et tout son mérite; et tout son devoir est de penser

[1] *Incontinent = Aussitôt.* [2] *il s'y adonne = il se livre entièrement à l'un ou à l'autre.*

[comm]e il faut.[1] Or, l'ordre de la pensée est de commencer [par] soi, et par son auteur et sa fin.

Or, à quoi pense le monde? Jamais à cela; mais à danser, à jouer du luth, à chanter, à faire des vers,[2] à courir la bague[3] etc., à se battre, à se faire roi sans penser à ce que c'est qu'être roi et qu'être homme. 5

236

Il est dangereux de trop faire voir[4] à l'homme combien il est égal aux bêtes, sans lui montrer sa grandeur. Il est encore dangereux de lui trop faire voir sa grandeur dans sa bassesse. Il est encore plus dangereux de lui laisser ignorer l'un et 10 l'autre. Mais il est très avantageux de lui représenter l'un et l'autre.

256

L'esprit croit naturellement, et la volonté aime naturellement, de sorte qu'à faute de vrais objets il faut qu'ils s'attachent aux faux. 15

257

L'homme n'est ni ange ni bête, et le malheur veut que qui veut faire l'ange fait la bête.

258

Les grands et petits ont mêmes accidents, et mêmes fâcheries,[5] et mêmes passions; mais l'un est au haut de la roue et l'autre près du centre, et ainsi moins agité par les mêmes 20 mouvements.

[1] *comme il faut* = *bien.* [2] *faire des vers* = *composer des vers.* [3] *courir la bague:* a game of skill in which riders on horseback would try to spear rings with a lance or a sword. The modern equivalent is the brass ring on a merry-go-round. [4] *faire voir* = *montrer, indiquer.* [5] *fâcheries* = *déplaisirs, ennuis.*

267

DIVERTISSEMENT. Les hommes n'ayant pu guérir la mort, la misère, l'ignorance, ils se sont avisés, pour se rendre heureux, de n'y point penser.

391

L'homme n'est qu'un roseau, le plus faible de la nature;
5 mais c'est un roseau pensant. Il ne faut pas que l'univers entier s'arme pour l'écraser: une vapeur, une goutte d'eau, suffit pour le tuer. Mais, quand[1] l'univers l'écraserait, l'homme serait encore plus noble que ce qui le tue, puisqu'il sait qu'il meurt, et l'avantage que l'univers a sur lui, l'univers n'en sait
10 rien.

Toute notre dignité consiste donc en la pensée. C'est de là qu'il nous faut relever[2] et non de l'espace et de la durée, que nous ne saurions[3] remplir. Travaillons donc à bien penser:[4] voilà le principe de la morale.

919

15 Un vrai ami est une chose si avantageuse, même pour les grands seigneurs, afin qu'il dise du bien d'eux, et qu'il les soutienne en leur absence même, qu'ils doivent tout faire pour en avoir. Mais qu'ils choisissent bien; car, s'ils font tous les efforts pour des sots, cela leur sera inutile, quelque bien qu'ils
20 disent d'eux;[5] et même ils n'en diront pas du bien, s'ils se trouvent les plus faibles, car ils n'ont pas d'autorité, et ainsi ils en médiront par compagnie.[6]

923

Voulez-vous qu'on croie du bien de vous? N'en dites pas.

[1] *quand = quand même que, même si.* [2] *de là qu'il nous faut relever = de là que nous devons dépendre, sur elle que nous devons compter.* [3] *nous ne saurions = nous n'aurions pas le pouvoir.* [4] *bien penser = penser correctement.* [5] *quelque bien qu'ils disent d'eux = même s'ils disent beaucoup de bien d'eux.* [6] *par compagnie = pour faire comme les autres.*

## 931

Il y a un certain modèle d'agrément et de beauté qui consiste en un certain rapport entre notre nature, faible ou forte, telle qu'elle est, et la chose qui nous plaît.

Tout ce qui est formé sur ce modèle nous agrée:[1] soit maison, chanson, discours, vers, prose, femme, oiseaux, 5 rivières, arbres, chambres, habits, etc.

Tout ce qui n'est point fait sur ce modèle déplaît à ceux qui ont le goût bon.

Et comme il y a un rapport parfait entre une chanson et une maison qui sont faites sur ce bon modèle, parce qu'elles 10 ressemblent à ce modèle unique, quoique chacune selon son genre, il y a de même un rapport parfait entre les choses faites sur le mauvais modèle. Ce n'est pas que le mauvais modèle soit unique, car il y en a une infinité; mais chaque mauvais sonnet, par exemple, sur quelque faux modèle qu'il soit fait, 15 ressemble parfaitement à une femme vêtue sur ce modèle.

Rien ne fait mieux entendre[2] combien un faux sonnet est ridicule que d'en considérer la nature et le modèle, et de s'imaginer ensuite une femme ou une maison faite sur ce modèle-là.

### QUESTIONNAIRE

1. Quelles sont les causes de l'ennui chez les hommes? 2. Quels rapports existent entre l'ennui, la tristesse, le chagrin ou le désespoir? 3. Est-ce que Pascal rejette entièrement la raison? 4. Quelle est la plus grande gloire de l'homme? 5. Pascal insiste-t-il plutôt sur la grandeur de l'homme que sur sa misère? 6. Après avoir lu le choix de *Pensées*, que pensez-vous de Pascal comme moraliste? Pessimiste ou optimiste? Sévère ou modéré?

[1] *nous agrée = nous plaît.* [2] *entendre = comprendre.*

⚜ ⚜ ⚜

# JEAN DE LA BRUYÈRE
## 1645-1696

### *Des biens de fortune*

4

A mesure que la faveur et les grands biens[1] se retirent d'un homme, ils laissent voir en lui le ridicule qu'ils couvraient, et qui y était sans que personne s'en aperçût.

7

Si le financier[2] manque son coup,[3] les courtisans[4] disent de
5 lui: « C'est un bourgeois, un homme de rien, un malotru; »[5] s'il réussit, ils lui demandent sa fille.

9

Un homme est laid, de petite taille, et a peu d'esprit. L'on me dit à l'oreille: « Il a cinquante mille livres de rente. » Cela le concerne tout seul, et il ne m'en fera jamais ni pis ni
10 mieux:[6] si je commence à le regarder avec d'autres yeux, et si je ne suis pas maître de faire autrement, quelle sottise!

13

N'envions point à une sorte de gens leurs grandes richesses; ils les ont à titre onéreux,[7] et qui[8] ne nous accomoderait point:

[1] *biens, biens de fortune:* wealth. [2] *le financier = celui qui spécule sur l'argent et fait des opérations importantes.* [3] *son coup = son affaire, ses spéculations.* [4] *les courtisans = les hommes de cour.* [5] *malotru = homme mal élevé, grossier.* [6] *il ne m'en fera jamais ni pis ni mieux:* it doesn't affect me one way or the other. [7] *à titre onéreux = possession à laquelle se rattache une obligation:* with many obligations attached to them. [8] *et qui = et ce titre onéreux.*

ils ont mis[1] leur repos, leur santé, leur honneur et leur conscience pour les avoir; cela est trop cher, et il n'y a rien à gagner à un tel marché.

24

Rien ne fait mieux comprendre le peu de choses que Dieu croit donner aux hommes, en leur abandonnant les richesses, 5 l'argent, les grands établissements[2] et les autres biens, que la dispensation[3] qu'il en a fait, et le genre d'hommes qui en sont le mieux pourvus.

34

Il y a une dureté de[4] complexion;[5] il y en a une autre de condition[6] et d'état.[7] L'on tire de celle-ci, comme de la pre- 10 mière, de quoi s'endurcir sur la misère des autres, dirai-je même de quoi ne pas plaindre les malheurs de sa famille? Un bon financier ne pleure ni ses amis, ni sa femme, ni ses enfants.

36

Faire fortune est une si belle phrase,[8] et qui dit une si belle chose, qu'elle est d'un usage universel: on la reconnaît dans 15 toutes les langues, elle plaît aux étrangers et aux barbares, elle règne à la cour et à la ville, elle a percé les cloîtres et franchi les murs des abbayes de l'un et de l'autre sexe; il n'y a point de lieux sacrés où elle n'ait pénétré, point de désert ni de solitude où elle soit inconnue. 20

52

Il n'y a au monde que deux manières de s'élever, ou par sa propre industrie,[9] ou par l'imbécillité[10] des autres.

[1] *mis* = *engagé*. [2] *établissements* = *situations*. This meaning is ordinary in the seventeenth century. [3] *dispensation* = *distribution*. [4] *de* = *provenant de*. [5] *complexion* = *caractère*. [6] *condition* = *naissance*. [7] *état* = *position sociale*. [8] *phrase* = *expression*. [9] *industrie* = *travail*. [10] *imbécillité* = *stupidité*.

58

Il y a des âmes sales, pétries de boue et d'ordure, éprises du gain et de l'intérêt, comme les belles âmes le sont de la gloire et de la vertu; capables d'une seule volupté, qui est celle d'acquérir ou de ne point perdre: curieuses[1] et avides du denier
5 dix;[2] uniquement occupées[3] de leurs débiteurs; toujours inquiètes sur le rabais[4] ou sur le décri[5] des monnaies; enfoncées et comme abîmées dans les contrats, les titres et les parchemins. De telles gens ne sont ni parents, ni amis, ni citoyens, ni chrétiens, ni peut-être des hommes: Ils ont de l'argent.

64

10 Jeune, on conserve pour sa vieillesse; vieux, on épargne pour la mort. L'héritier prodigue paye de superbes funérailles, et dévore le reste.

67

Les enfants peut-être seraient plus chers à leurs pères, et réciproquement les pères à leurs enfants, sans le titre d'héri-
15 tiers.

From *Les caractères, ou les mœurs de ce siècle* (1688)

QUESTIONNAIRE

1. Qu'entendez-vous par les biens de fortune? 2. Est-ce que les critiques de La Bruyère s'appliquent uniquement au XVII$^{ème}$ siècle? 3. Connaissez-vous quelqu'un qui s'est élevé 1) par sa propre industrie, 2) par l'imbécillité des autres? 4. Quel rapport y a-t-il entre l'avarice et les biens de fortune? Entre les économies et les biens de fortune? 5. Est-ce que les biens de fortune peuvent engendrer l'égoïsme? 6. La fortune paternelle peut-elle affecter l'amour filial?

[1] *curieuses* = *soucieuses:* on the lookout for. [2] *denier dix:* ten per cent interest. [3] *occupées* = *préoccupées.* [4] *le rabais* = *la diminution de prix.* [5] *le décri* = *la dépréciation.* By royal ordonnance, money was sometimes reduced in value (*rabais*) or simply abolished (*décri*).

⚜⚜⚜

# LOUIS BOURDALOUE
## 1632-1704

### *Riches et pauvres*

Combien de pauvres sont oubliés! combien demeurent sans secours et sans assistance! Oubli d'autant plus déplorable que, de la part des riches, il est volontaire, et par conséquent criminel. Je m'explique: combien de malheureux réduits aux dernières rigueurs de la pauvreté et que l'on ne soulage pas,[1] parce qu'on ne les connaît pas, et qu'on ne veut pas les connaître! Si l'on savait l'extrémité de leurs besoins, on aurait pour eux, malgré soi, sinon de la charité, au moins de l'humanité. A la vue de leur misère, on rougirait de ses excès, on aurait honte de ses délicatesses,[2] on se reprocherait ses folles dépenses, et l'on s'en ferait avec raison des crimes.[3] Mais parce qu'on ignore ce qu'ils souffrent, parce qu'on ne veut pas s'en instruire, parce qu'on craint d'en entendre parler, parce qu'on les éloigne de sa présence, on croit en être quitte[4] en les oubliant; et, quelque[5] extrêmes que soient leurs maux,[6] on y devient insensible.

Combien de véritables pauvres, que l'on rebute comme s'ils ne l'étaient pas, sans qu'on se donne et qu'on veuille se donner la peine de discerner s'ils le sont en effet! Combien de pauvres dont les gémissements sont trop faibles pour venir jusqu'à nous, et dont on ne veut pas s'approcher pour se mettre en

[1] *on ne soulage pas* = *on n'aide pas.* [2] *ses délicatesses:* one's soft living. [3] *l'on s'en ferait . . . des crimes:* one would . . . consider them criminal. [4] *être quitte* = *ne devoir rien.* [5] *quelque:* indefinite adverb, "however." [6] *maux: pl.* of *mal,* ailments, misery.

devoir de les écouter! Combien de pauvres abandonnés! Combien de désolés[1] dans les prisons! Combien de languissants dans les hôpitaux![2] Combien de honteux dans les familles particulières! Parmi ceux qu'on connaît pour pauvres,[3] et
5 dont on ne peut ignorer ni même oublier le douloureux état, combien sont négligés! combien sont durement traités, combien manquent de tout, pendant que le riche est dans l'abondance, dans le luxe, dans les délices! S'il n'y avait point de jugement dernier,[4] voilà ce que l'on pourrait appeler le scan-
10 dale[5] de la Providence:[6] la patience des pauvres outragée par la dureté et par l'insensibilité des riches.

*Sermon pour le Jugement dernier,*
1er dimanche de l'Avent[7]

QUESTIONNAIRE

1. Comment Bourdaloue qualifie-t-il le fait d'oublier les pauvres? 2. Pour quelles raisons les riches ne s'intéressent-ils pas aux pauvres? 3. Bourdaloue décrit-il différentes espèces de pauvres? Lesquelles? 4. Est-ce que Bourdaloue avait raison de prêcher ainsi au XVIIeme siècle? 5. Ce sujet convient-il au premier dimanche de l'Avent?

[1] *désolés = pauvres très affligés.* [2] *hôpitaux:* asylums. [3] *pour pauvres:* as being destitute. [4] *jugement dernier:* Last Judgment; God's final judgment of mankind. [5] *le scandale:* the cause of shame. [6] *la Providence:* Divine Providence. God guides men through His love in all things. [7] *Avent:* Advent (the four weeks before Christmas).

❧❧❧

# FRANÇOIS, DUC DE LA ROCHEFOUCAULD
## 1613-1680

### *Réflexions morales*

19

Nous avons tous assez de force pour supporter[1] les maux d'autrui.

25

Il faut de plus grandes vertus pour soutenir la bonne fortune que la mauvaise.

26

Le soleil ni la mort ne se peuvent[2] regarder fixement. 5

30

Nous avons plus de force que de volonté, et c'est souvent pour nous excuser à nous-mêmes que nous nous imaginons que les choses sont impossibles.

31

Si nous n'avions point de défauts, nous ne prendrions pas tant de plaisir à en remarquer dans les autres. 10

41

Ceux qui s'appliquent trop aux petites choses deviennent ordinairement incapables des grandes.

49

On n'est jamais si heureux ni si malheureux qu'on s'imagine.

[1] *supporter = endurer.* [2] *ne se peuvent = ne peuvent se.*

74

Il n'y a que d'une sorte d'amour, mais il y en a mille différentes copies.[1]

79

Le silence est le parti le plus sûr de celui qui se défie de soi-même.

89

5 Tout le monde se plaint de sa mémoire, mais personne ne se plaint de son jugement.

106

Pour bien savoir les choses, il en faut[2] savoir le détail, et comme il[3] est presque infini, nos connaissances sont toujours superficielles et imparfaites.

110

10 On ne donne rien si libéralement que ses conseils.

119

Nous sommes si accoutumés à nous déguiser[4] aux autres, qu'enfin nous nous déguisons à nous-mêmes.

127

Le vrai moyen d'être trompé, c'est de se croire plus fin[5] que les autres.

132

15 Il est plus aisé d'être sage pour les autres que de l'être pour soi-même.

138

On aime mieux dire du mal de soi-même que d'en point parler.[6]

[1] *copies = imitations.* [2] *il en faut = il faut en.* [3] *il = le détail des choses.* [4] *déguiser = donner une image inexacte.* [5] *fin:* shrewd, clever. [6] *d'en point parler = que de ne point parler de soi-même.*

166

Le monde récompense plus souvent les apparences du mérite que le mérite même.

173

Il y a diverses sortes de curiosité: l'une d'intérêt, qui nous porte à désirer d'apprendre ce qui nous peut être utile; et l'autre d'orgueil, qui vient du désir de savoir ce que les autres ignorent. 5

185

Il y a des héros en mal comme en bien.

192

Quand les vices nous quittent, nous nous flattons de la créance[1] que c'est nous qui les quittons.

286

Il est impossible d'aimer une seconde fois ce qu'on a véritablement cessé d'aimer. 10

303

Quelque bien qu'on nous dise de nous, on ne nous apprend rien de nouveau.

327

Nous n'avouons de petits défauts que pour persuader que nous n'en avons pas de grands. 15

394

On peut être plus fin qu'un autre, mais non pas plus fin que tous les autres.

444

Les vieux fous sont plus fous que les jeunes.

[1] *créance* = *croyance:* belief.

## 496

Les querelles ne dureraient pas longtemps si le tort n'était que d'un côté.

### QUESTIONNAIRE

1. En général, quelle image se fait-on de l'homme après avoir lu les maximes de La Rochefoucauld? 2. Quelle différence remarquez-vous entre Pascal et La Rochefoucauld? 3. Est-ce que La Rochefoucauld a raison de dire que nous nous occupons beaucoup trop de nous-mêmes? 4. Admettons-nous facilement que nous avons tort? 5. Avez-vous une impression d'ironie ou de malice chez La Rochefoucauld?

⚜⚜⚜

# FRANÇOIS DE SALIGNAC DE LA MOTHE-FÉNELON 1651-1715

## *Inconvénients des éducations ordinaires*

L'ignorance d'une fille est cause qu'elle s'ennuie et qu'elle ne sait à quoi s'occuper innocemment. Quand elle est venue jusqu'à un certain âge sans s'appliquer aux choses solides, elle n'en peut avoir ni le goût ni l'estime; tout ce qui est sérieux lui paraît triste, tout ce qui demande une attention suivie[1] la fatigue; la pente au plaisir, qui est forte pendant la jeunesse, l'exemple de personnes du même âge qui sont plongées dans l'amusement, tout sert à lui faire craindre une vie réglée et laborieuse. Dans ce premier âge, elle manque d'expérience et d'autorité pour gouverner quelque chose dans la maison de ses parents; elle ne connaît pas même l'importance de s'y appliquer, à moins que sa mère n'ait pris soin de la lui faire remarquer en détail. Si elle est de condition,[2] elle est exempte du travail des mains: elle ne travaillera donc que quelques heures du jour, parce qu'on dit, sans savoir pourquoi, qu'il est honnête aux femmes de travailler; mais souvent ce ne sera qu'une contenance,[3] et elle ne s'accoutumera pas à un travail suivi.

En cet état, que fera-t-elle? La compagnie d'une mère qui l'observe, qui la gronde, qui croit la bien élever en ne lui pardonnant rien, qui se compose[4] avec elle, qui lui fait essuyer[5]

[1] *suivie = continue, ininterrompue.* [2] *condition = position sociale élevée.* [3] *contenance = attitude superficielle.* [4] *se compose:* compromises. [5] *essuyer = subir, souffrir.*

ses humeurs, qui lui paraît toujours chargée de tous les soucis domestiques, la gêne et la rebute; elle a autour d'elle des femmes flatteuses qui, cherchant à s'insinuer par des complaisances basses et dangereuses, suivent toutes ses fantaisies, et l'entre-
5 tiennent de tout ce qui peut la dégoûter du bien; la piété lui paraît une occupation languissante et une règle ennemie de tous les plaisirs. A quoi donc s'occupera-t-elle? A rien d'utile. Cette inapplication se tourne même en habitude incurable.

Cependant voilà un grand vide qu'on ne peut espérer de
10 remplir de choses solides; il faut donc que les frivoles[1] prennent la place. Dans cette oisiveté, une fille s'abandonne à sa paresse, et la paresse, qui est une langueur de l'âme, est une source inépuisable d'ennuis. Elle s'accoutume à dormir d'un tiers plus long qu'il ne faudrait pour conserver une santé parfaite; ce
15 long sommeil ne sert qu'à l'amollir, qu'à la rendre plus délicate, plus exposée aux révoltes du corps: au lieu qu'[2]un sommeil médiocre,[3] accompagné d'un exercice réglé, rend une personne gaie, vigoureuse et robuste; ce qui fait sans doute la véritable perfection du corps, sans parler des avantages que
20 l'esprit en tire. Cette mollesse et cette oisiveté étant jointes à l'ignorance, il en naît une sensibilité pernicieuse pour les divertissements[4] et pour les spectacles;[5] c'est même ce qui excite une curiosité indiscrète et insatiable.

Les personnes instruites et occupées à des choses sérieuses
25 n'ont d'ordinaire qu'une curiosité médiocre: ce qu'elles savent leur donne du mépris pour beaucoup de choses qu'elles ignorent; elles voient l'inutilité et le ridicule de la plupart des choses que les petits esprits, qui ne savent rien et qui n'ont rien à faire, sont empressés d'apprendre.

30 Au contraire, les filles mal instruites et inappliquées ont une

[1] *les frivoles* = *les choses frivoles.* [2] *au lieu que* = *tandis que:* while (on the contrary). [3] *médiocre* = *pas trop long:* of average length. [4] *divertissements* = *amusements.* [5] *spectacles* = *représentations théâtrales.*

imagination toujours errante. Faute d'aliment solide, leur curiosité se tourne en ardeur vers les objets vains et dangereux. Celles qui ont de l'esprit s'érigent souvent en précieuses,[1] et lisent tous les livres qui peuvent nourrir leur vanité; elles se passionnent pour des romans, pour des comédies, pour des 5 récits d'aventures chimériques,[2] où l'amour profane est mêlé. Elles se rendent l'esprit visionnaire, en s'accoutumant au langage magnifique des héros de roman; elles se gâtent même là[3] pour le monde: car tous ces beaux sentiments en l'air, toutes ces passions généreuses, toutes ces aventures que l'auteur du 10 roman a inventées pour le plaisir, n'ont aucun rapport avec les vrais motifs qui font agir dans le monde, et qui décident des affaires, ni avec le mécompte[4] qu'on trouve dans tout ce qu'on entreprend.

Une pauvre fille, pleine du tendre[5] et du merveilleux qui 15 l'ont charmée dans ces lectures, est étonnée de ne trouver point dans le monde de vrais personnages qui ressemblent à ces héros: elle voudrait vivre comme ces princesses imaginaires, qui sont dans les romans, toujours charmantes, toujours adorées, toujours au-dessus de tous les besoins. Quel dégoût 20 pour elle de descendre jusqu'au plus bas détail du ménage!

Quelques-unes poussent leur curiosité encore plus loin, et se mêlent de décider sur la religion, quoiqu'elles n'en soient point capables. Mais celles qui n'ont pas assez d'ouverture d'esprit pour ces curiosités, en ont d'autres qui leur sont proportion- 25 nées:[6] elles veulent ardemment savoir ce qui se dit, ce qui se fait, une chanson, une nouvelle, une intrigue; recevoir des lettres, lire celles que les autres reçoivent; elles veulent qu'on leur dise tout, et elles veulent aussi tout dire; elles sont vaines,

[1] *précieuses = femmes affectées dans leurs manières et leur langage:* bluestockings. [2] *chimériques = irréelles, imaginaires.* [3] *là = en cela, en faisant cela.* [4] *mécompte = déception:* disappointment. [5] *du tendre = de la sentimentalité. Le tendre* and *le merveilleux* are nouns. [6] *qui leur sont proportionnées = qu'elles sont capables de comprendre.*

et la vanité fait parler beaucoup; elles sont légères, et la légèreté empêche les réflexions qui feraient souvent garder le silence.

From *De l'éducation des filles*

QUESTIONNAIRE

1. Quel est le rôle de la femme que nous propose Fénelon? 2. Fénelon s'inquiète-t-il de former la femme pour un futur emploi? 3. Quel rôle joue la nature dans la pensée de Fénelon? 4. Fénelon connaissait-il l'âme féminine? 5. Faites la description d'une jeune fille française vivant au dix-septième siècle, d'après ce chapitre. 6. Quelle est la cause de l'ennui dont souffrent les jeunes filles? 7. Que propose Fénelon pour toutes les jeunes filles, dès la jeunesse? 8. Quelle serait la conséquence d'un manque de travail en bas âge? 9. Comment remplira-t-on le vide causé par le manque d'activité? 10. Êtes-vous de l'avis de Fénelon sur les conséquences de l'oisiveté chez les jeunes filles?

11. Est-ce que Fénelon propose une bonne instruction pour toutes les jeunes filles? 12. Semble-t-il être partisan de développer l'esprit des jeunes filles? 13. Quel danger prévoit-il pour une jeune fille mal instruite? 14. Êtes-vous d'accord que la lecture des romans puisse fausser une vision exacte du monde? 15. D'après Fénelon, quels sujets les jeunes filles doivent-elles étudier? 16. Approuverait-il le programme d'études suivi par les jeunes filles d'aujourd'hui?

⚜⚜⚜

# VOLTAIRE (FRANÇOIS-MARIE AROUET)
# 1694-1778

## *A M. J.-J. Rousseau*[1]

*A Paris, 30 août 1755*

J'ai reçu, monsieur, votre nouveau livre contre le genre humain,[2] je vous en remercie. Vous plairez aux hommes, à qui vous dites leurs vérité, mais vous ne les corrigerez pas. On ne peut peindre avec des couleurs plus fortes les horreurs de la société humaine, dont[3] notre ignorance et notre faiblesse 5 se promettent tant de consolations. On n'a jamais employé tant d'esprit à vouloir nous rendre bêtes; il prend envie[4] de marcher à quatre pattes, quand on lit votre ouvrage. Cependant, comme il y a plus de soixante ans que j'en ai perdu l'habitude, je sens malheureusement qu'il m'est impossible 10 de la reprendre, et je laisse cette allure naturelle à ceux qui en sont plus dignes que vous et moi. Je ne peux non plus m'embarquer pour aller trouver les sauvages du Canada; premièrement, parce que les maladies dont je suis accablé me retiennent auprès du plus grand médecin[5] de l'Europe, et que je ne trouve- 15 rais pas les mêmes secours chez les Missouris; secondement, parce que la guerre est portée dans ces pays-là,[6] et que les

[1] *Rousseau:* see p. xiv. [2] *le genre humain:* Rousseau had written a book called *Discours sur l'origine de l'inégalité parmi les hommes* wherein he fought against the nobility, the divine right of kings, social convention and the rights of private property. His conviction was that civilization makes man unhappy and guilt-ridden, whereas the savage is noble and good. [3] *dont = de laquelle:* from which. [4] *il prend envie = on a envie.* [5] *le plus grand médecin:* Théodore Tronchin (1709-1781), a Swiss doctor who finally settled in Paris. [6] *ces pays-là:* war had broken out again between the English colonies and French Canada.

exemples de nos nations ont rendu les sauvages presque aussi méchants que nous. Je me borne à être un sauvage paisible dans la solitude que j'ai choisie auprès de votre patrie,[1] où vous devriez être.

5 Je conviens avec vous que les belles-lettres et les sciences ont causé quelquefois beaucoup de mal.[2] Les ennemis du Tasse[3] firent de sa vie un tissu de malheurs; ceux de Galilée[4] le firent gémir dans les prisons, à soixante et dix ans, pour avoir connu le mouvement de la terre; et ce qu'il y a de plus honteux, c'est 10 qu'ils l'obligèrent à se retracter. Dès que vos amis[5] eurent commencé le DICTIONNAIRE ENCYCLOPÉDIQUE,[6] ceux qui osèrent être leurs rivaux les traitèrent de *déistes*, d'*athées*, et même de *jansénistes*.

Si j'osais me compter parmi ceux dont les travaux n'ont eu 15 que la persécution pour récompense, je vous ferais voir des gens acharnés à me perdre du jour que[7] je donnai la tragédie d'*Œdipe*;[8] une bibliothèque de calomnies ridicules imprimées contre moi; un prêtre *ex-jésuite*,[9] que j'avais sauvé du dernier supplice, me payant par des libelles[10] diffamatoires du service 20 que je lui avais rendu; un homme,[11] plus coupable encore, faisant imprimer mon propre ouvrage du *Siècle de Louis XIV*[12] avec *notes* dans lesquelles la plus crasse ignorance vomit les

[1] *de votre patrie* = aux Délices, près de Genève. [2] *beaucoup de mal:* Voltaire here answers a previous work of Rousseau on whether arts and sciences had helped to corrupt or improve civilization. [3] *Tasse:* Torquato Tasso (1544-1595), Italian poet, author of *Jerusalem delivered*, a fine epic. [4] *Galilée:* Galileo Galilei (1564-1642), Italian astronomer and physicist. [5] *vos amis:* Diderot and d'Alembert. [6] *Dictionnaire Encyclopédique: Encyclopédie* ou *Dictionnaire raisonné des arts et des métiers*. An eight volume work modeled on Chambers' *Encyclopedia*. Its purpose was to collate and publish the progress of learning in all domains. [7] *du jour que = à partir du jour où.* [8] *Œdipe:* Voltaire's first tragedy (1718). [9] *ex-jésuite:* L'abbé Desfontaines (1648-1745). He had belonged to the Jesuits. He is known today only because of his virulent quarrels with Voltaire. [10] *libelles:* scurrilous satires. [11] *un homme:* La Beaumelle (1726-1773). The first to edit the letters of Madame de Maintenon. [12] *Siècle de Louis XIV:* a pirate edition of Voltaire's history had appeared at Frankfurt in five volumes in 1753. La Beaumelle was sent to the Bastille as a result of this piracy.

plus infâmes impostures; un autre,[1] qui vend à un libraire quelques chapîtres d'une prétendue *Histoire universelle*, sous mon nom; le libraire[2] assez avide pour imprimer ce tissu informe de bévues, de fausses dates, de faits et de noms estropiés;[3] et enfin des hommes assez lâches et assez méchants 5 pour m'imputer la publication de cette rapsodie.[4] Je vous ferais voir la société infectée de ce genre d'hommes inconnus à toute l'antiquité, qui ne pouvant embrasser une profession honnête, soit de manœuvre,[5] soit de laquais, et sachant malheureusement lire et écrire, se font courtiers[6] de littérature, 10 vivent de nos ouvrages, volent des manuscrits, les défigurent et les vendent. Je pourrais me plaindre que des fragments d'une plaisanterie faite, il y a près de trente ans, courent aujourd'hui le monde par l'infidélité[7] et l'avarice de ces malheureux qui ont mêlé leurs grossièretés à ce badinage, qui en ont rempli les 15 vides[8] avec autant de sottise que de malice, et qui enfin, au bout de trente ans, vendent partout en manuscrit ce qui n'appartient qu'à eux et qui n'est digne que d'eux. J'ajouterais qu'en dernier lieu on a volé une partie des matériaux que j'avais rassemblés dans les archives publiques pour servir à 20 l'*Histoire de la guerre de 1741*, lorsque j'étais historiographe[9] de France; qu'on a vendu à un libraire de Paris ce fruit de mon travail; qu'on se saisit à l'envi[10] de mon bien, comme si j'étais déjà mort, et qu'on le dénature pour le mettre à l'encan.[11] Je vous peindrais l'ingratitude, l'imposture et la rapine, me 25

[1] *un autre:* this person has remained unindentified. Voltaire himself suspected Frederick the Great. [2] *le libraire:* Jean Neaulme of the Hague. [3] *estropiés:* (*literally*, maimed), garbled. [4] *rapsodie = ouvrage fait de morceaux disparates.* Voltaire had insisted upon having his own manuscript compared with this edition. It was evident that the edition was spurious. [5] *de manœuvre = ouvrier non-spécialisé:* common workman. [6] *courtier:* agent. [7] *l'infidélité = le manque de véracité:* the lack of truthfulness. [8] *en ont rempli les vides:* gave then more details of events about which I had been silent. [9] *historiographe:* Voltaire had held the post of chronicler of France from 1745 to 1750. The marquis de Ximénès had stolen the *Histoire de la guerre de* 1741 and had published it in Paris in 1755. [10] *à l'envi = avec émulation.* [11] *à l'encan = à l'enchère:* at auction.

poursuivant depuis quarante ans jusqu'au pied des Alpes, jusqu'au bord de mon tombeau. Mais que conclurai-je de toutes ces tribulations? Que je ne dois pas me plaindre; que Pope, Descartes, Bayle, le Camõens[1] et cent autres ont essuyé les
5 mêmes injustices, et de plus grandes; que cette destinée est celle de presque tous ceux que l'amour des lettres a trop séduits.

Avouez, en effet, monsieur, que ce sont là de ces petits malheurs particuliers dont à peine la société s'aperçoit. Qu'im-
10 porte au genre humain que quelques frelons pillent le miel de quelques abeilles? Les gens de lettres font grand bruit de toutes ces petites querelles, le reste du monde ou les ignore ou en rit.

De toutes les amertumes répandues sur la vie humaine, ce sont là les moins funestes. Les épines attachées à la littérature
15 et à un peu de réputation[2] ne sont que des fleurs en comparaison des autres maux qui de tout temps, ont inondé la terre. Avouez que ni Cicéron, ni Varron, ni Lucrèce, ni Virgile, ni Horace,[3] n'eurent la moindre part aux proscriptions.[4] Marius était un ignorant; le barbare Sylla, le crapuleux Antoine,
20 l'imbécile Lépide, lisaient peu Platon et Sophocle;[5] et, pour[6]

[1] *Alexander Pope* (1688-1744), English poet. *René Descartes* (1596-1650), French mathematician and philosopher. *Pierre Bayle* (1647-1706), French philosopher and critic. He wrote a *Dictionary* that ushered into French thought the spirit of criticism. *Vaz de Camõens* (1524-1580), Portuguese poet, author of the epic, the *Lusiads*, a poem centering about Vasco da Gama. [2] *réputation = célebrité:* fame. [3] *Marcus Tullius Cicero* (106-43 B.C.), Roman statesman, orator and author. *Marcus Terentius Varro* (116-27 B.C.), Roman scholar and author. *Titus Lucretius Carus* (96?-55 B.C.), Roman poet and philosopher. *Publius Virgilius Maro* (70-19 B.C.), Roman poet, author of the *Aeneid. Quintus Horatius Flaccus* (65-8 B.C.), Roman poet and satirist. [4] *proscription = banissement illégal en temps de troubles civils.* [5] *Gaius Marius* (155?-86 B.C.), Roman general who for years, opposed Sulla in quest for power. *Lucius Cornelius Sulla Felix* (138-78 B.C.), Roman general. *Marcus Antonius* (83?- 30 B.C.), Roman orator, triumvir and general; friend and lieutenant of Julius Caesar. *Marcus Aemilius Lepidus* (d. 13 B.C.), Roman triumvir with Marc Antony and Octavian. *Plato* (427?-347 B.C.) Greek philosopher, author of dialogues: *Crito, Republic, Laws*, etc. *Sophocles* (496?-406 B.C.) Greek dramatist, author of *Antigone, Electra, Œdipus Rex*, etc. [6] *pour:* as for.

ce tyran sans courage, Octave Cépias,[1] surnommé si lâchement *Auguste*, il ne fut un détestable assassin que dans le temps où il fut privé de la société des gens de lettres.

Avouez que Pétrarque et Boccace[2] ne firent pas naître les troubles de l'Italie; avouez que le badinage de Marot[3] n'a pas produit la Saint-Barthélemi,[4] et que la tragédie du Cid[5] ne causa pas les troubles de la Fronde.[6] Les grands crimes n'ont guère été commis que par de célèbres ignorants. Ce que fait et fera toujours de ce monde une vallée de larmes, c'est l'insatiable cupidité et l'indomptable orgueil des hommes, depuis Thamas Kouli-Kan,[7] qui ne savait pas lire, jusqu'à un commis de la douane qui ne sait que chiffrer. Les lettres nourissent l'âme, la rectifient, la consolent; elles vous servent, monsieur, dans le temps que[8] vous écrivez contre elles; vous êtes comme Achille[9] qui s'emporte contre la gloire, et comme le P. Malebranche,[10] dont l'imagination brillante écrivait contre l'imagination.

Si quelqu'un doit se plaindre des lettres, c'est moi, puisque dans tous les temps et dans tous les lieux elles ont servi à me persécuter; mais il faut les aimer malgré l'abus qu'on en fait, comme il faut aimer la société dont tant d'hommes méchants

[1] *Octave Cépias:* Gaius Julius Caesar Octavianus (63 B.C.-14 A.D.), first Roman emperor (27 B.C.-14 A.D.). [2] *Francesco Petrarch* (1304-1374), Italian poet, especially famous for his sonnets composed in honor of Laura. *Giovanni Boccaccio* (1313-1375), author of the *Decameron*, the first great Italian prose writer. [3] *Clément Marot* (1495?-1544), French poet. [4] *la Saint-Barthélémi:* massacre of Protestants under Charles IX. The massacre took place during the night of August 24, 1572, feast of Saint-Bartholomew. [5] *tragédie du Cid:* famous tragedy by Corneille (1636). [6] *la Fronde:* civil war in France from 1648 to 1652. [7] *Thamas Kouli-Kan:* Nadir Chah or Thamas Kouli Kham (1680-1747), a camel driver who became King of Persia. He overcame the Turks, attacked the empire of the Great Mogul and captured Delhi in 1739. He was killed by his own generals. [8] *dans le temps que = au moment même où.* [9] *Achille:* Achilles, son of Thetis and Peleus, the most famous of the heroes in the *Iliad.* At birth, his mother plunged him into the River Styx to render him invulnerable. Only his heel did not touch the water and remained vulnerable. He died from a poisoned arrow in the heel. [10] *P. Malebranche = Nicolas Malebranche* (1638-1715), French priest of the Oratory and philosopher.

corrompent les douceurs; comme il faut aimer sa patrie, quelques injustices qu'on y essuie;[1] comme il faut aimer et servir l'Être suprême, malgré les superstitions et le fanatisme qui déshonorent si souvent son culte.

5 M. Chapuis m'apprend que votre santé est bien mauvaise; il faudrait la venir rétablir dans l'air natal, jouir de la liberté, boire avec moi du lait de nos vaches, et brouter nos herbes.

Je suis très philosophiquement et avec la plus tendre estime, etc.

### QUESTIONNAIRE

1. Qui était Jean-Jacques Rousseau? 2. Quel livre avait-il écrit sur le genre humain? 3. Rousseau avait-il écrit que la civilisation rend l'homme malheureux et coupable? 4. Est-ce que le bon sens de Voltaire acceptait les paradoxes de Rousseau? 5. Qu'est-ce que Voltaire avait envie de faire en lisant Rousseau? 6. Pourquoi ne peut-il pas aller en Amérique? 7. Est-ce que les belles-lettres ont causé du mal? beaucoup de mal? 8. Quels exemples Voltaire apporte-t-il pour le demontrer? 9. Quels exemples Voltaire donne-t-il, tirés de sa propre carrière littéraire? 10. Parmi les malheurs de la vie, quel rang faut-il donner à ceux dont parle Rousseau?

11. Quels seraient, d'après Voltaire, des maux plus funestes? 12. Acceptez-vous la thèse de Voltaire que « les grands crimes n'ont guère été commis que par de célèbres ignorants »? 13. Est-ce que cette thèse est plus vraie que celle de Rousseau? 14. L'instruction a-t-elle par elle-même une influence corruptrice? une vertu moralisatrice? 15. Quel est le but des lettres d'après Voltaire? 16. Valent-elles la peine qu'on les aime?

[1] *essuie* = *subisse.*

## *A M. Tronchin, de Lyon*

*Aux Délices,*[1] *29 juillet 1757*

J'ai une grâce à vous demander; c'est pour les Pichon. Ces Pichon sont une race[2] de femmes de chambre et de domestiques, transplantée à Paris, par Mme Denis[3] et consorts. Une Pichon vient de mourir à Paris et laisse de petits Pichon. J'ai dit qu'on m'envoyât un Pichon de dix ans pour l'élever; 5 aussitôt un Pichon est parti pour Lyon. Ce pauvre petit arrive je ne sais comment; il est à la garde de Dieu. Je vous prie de le prendre sous la vôtre. Cet enfant est ou va être transporté de Paris à Lyon par le coche ou par charrette. Comment le savoir? où le trouver? j'apprends par une Pichon des Délices que ce 10 petit est au panier[4] de la diligence. Pour Dieu, daignez vous en informer; envoyez-le-nous de panier en panier; vous ferez une bonne œuvre. J'aime mieux élever un Pichon que servir un roi, fût-ce le roi[5] des Vandales.[6]

[1] *les Délices:* the name of Voltaire's property situated near Geneva. [2] *une race:* a breed. The Pichons seemed to generate servants. [3] *Mme Denis:* the niece of Voltaire. [4] *panier:* a wicker basket placed either in front or in back of the coachman on the stagecoach. Baggage and at time passengers were placed in these baskets. [5] *le roi:* allusion to Frederick the Great (1712-1786). A patron of letters, Frederick had attracted a number of intellectuals to his court at Sans-Souci. Among these was Voltaire. [6] *les Vandales:* A Germanic-Slav tribe which invaded Gaul and Spain in the fifth and sixth centuries. Under Genseric they invaded Africa. Their name is synonomous with the destruction of monuments to arts and sciences.

⚜⚜⚜

# ANTOINE DE SAINT-EXUPÉRY
1900-1944

## *Dans la nuit, les voix ennemies...*

Au fond de l'abri souterrain, les hommes, un lieutenant, un sergent, trois soldats, se harnachent[1] en vue d'une patrouille. L'un d'eux, qui endosse un tricot de laine — il fait très froid, — m'apparaît dans l'ombre, la tête enfouie encore, les bras mal
5 engagés, remuant lentement avec une lourdeur d'ours. Jurons étouffés, barbes de trois heures du matin, explosions lointaines. . . . Tout cela compose un étrange mélange de sommeil, de réveil et de mort. Lente préparation de chemineaux qui vont reprendre le lourd bâton et le voyage. Pris dans la terre, peints
10 par la terre, montrant des mains de jardiniers, ces hommes-là ne sont point pétris[2] pour le plaisir. Les femmes s'en détourneraient. Mais, lentement, ils se dégagent de leur boue et vont émerger aux étoiles. La pensée s'éveille sous la terre, dans ces blocs de glaise durcie, et je songe que là-bas, en face,[3] à la
15 même heure, d'autres hommes se harnachent ainsi et s'épaississent des mêmes tricots de laine, imbibés de la même terre, emergeant de la même terre dont ils sont faits. Là-bas, en face, la même terre s'éveille aussi à la conscience, à travers l'homme.

20 Ainsi, en face de toi, se dresse lentement, lieutenant, pour mourir de ta main, ta propre image. Ayant tout renoncé, pour servir comme toi, sa foi. Sa foi est la tienne. Qui accepterait

[1] *se harnachent = s'habillent, prennent leurs armes.* [2] *pétris = faits, nés.* [3] *en face = vis-à-vis.*

de mourir sinon pour la vérité, la justice et l'amour des hommes?

« On les trompait, ou bien l'on trompait ceux d'en face », me direz-vous. Mais je me moque bien ici des politiciens, des profiteurs et des théoriciens en chambre[1] de l'un ou l'autre des 5 deux camps. Ils tirent les ficelles, lâchent les grands mots et croient qu'ils conduisent les hommes. Ils croient à la naïveté des hommes. Mais si les grands mots prennent[2] comme des semences livrées au vent, c'est qu'il se trouvait, au large des vents,[3] des terres épaisses, pétries pour le poids des moissons. 10 Qu'importe le cynique qui s'imagine jeter du sable en nourriture: ce sont les terres qui savent reconnaître le blé.

La patrouille est formée, et nous avançons à travers champs. Une herbe rase craque sous nos pas, et nous butons, de temps à autre, dans la nuit, contre des pierres. J'accompagne jusqu'à 15 la lisière de ce monde ceux qui ont reçu pour mission de descendre au fond de l'étroite vallée qui nous sépare ici de l'adversaire. Elle est large de huit cents mètres. Pris sous le feu des deux artilleries, à la verticale,[4] les paysans l'ont évacuée. Elle est vide, noyée sous les eaux[5] de la guerre, un village y dort 20 englouti. Il n'est plus habité que par des fantômes, car les chiens seuls y sont restés, qui, sans doute, chassent, le jour, des viandes pitoyables, et, la nuit, faméliques, s'épouvantent. C'est, vers quatre heures du matin, un village entier qui hurle à la mort vers la lune qui monte, blanche comme un os. 25 « Vous descendrez, a ordonné le commandant, pour connaître si l'ennemi s'y dissimule. » Sans doute, chez l'adversaire, la même question s'est-elle posée, et la même patrouille est-elle en marche.

Il nous accompagne, ce commissaire dont j'ai oublié le nom, 30

[1] *théoriciens en chambre* = armchair theorists. [2] *prennent* = *germent:* germinate. [3] *au large des vents:* where the wind carried them. [4] *à la verticale:* firing straight at them. [5] *les eaux:* the flood.

mais dont je n'oublierai jamais le visage: « Tu les entendras, me dit-il. Quand nous serons en première ligne, nous interrogerons l'ennemi qui occupe l'autre versant[1] de la vallée. . . . Parfois il parle. . . . »

5 Je le revois, un peu rhumatisant, pesant sur son bâton noueux, cet homme au masque de vieil ouvrier consciencieux. Celui-là, je le jure, s'est haussé au-dessus de la politique et des partis. Celui-là s'est haussé au-dessus des rivalités confessionnelles.[2] « Il est dommage que, dans les circonstances présentes, 10 nous ne puissions point exposer notre point de vue à l'adversaire. . . ».

Et il va, lourd de sa doctrine, comme un évangéliste. Et, en face, je le sais, vous le savez bien, il y a l'autre évangéliste, quelque croyant, éclairé aussi par sa doctrine, et qui dépêtre 15 ses grosses bottes de la même boue, marchant aussi vers ce rendez-vous qu'il ignore.

Nous voici donc en route vers cette lèvre[3] de terre qui domine la vallée, vers le promontoire le plus avancé, vers la dernière terrasse, vers ce cri d'interrogation que nous jetterons 20 à l'ennemi, comme l'on s'interroge soi-même.

Une nuit bâtie comme une cathédrale, et quel silence! Pas un coup de fusil! Une trêve? Oh! non. Mais quelque chose qui ressemble au sentiment d'une présence. Chez les deux adversaires, c'est la même voix que l'on écoute. Fraternisa- 25 tion? Non, bien sûr, s'il s'agit par là de[4] cette lassitude qui, un jour, désagrège les hommes et les incline à se partager des cigarettes, et à se confondre dans le sentiment d'une même déchéance. Essayez donc de faire un pas vers l'ennemi. . . . Fraternisation peut-être, mais à une telle altitude qu'elle 30 n'engage de l'esprit qu'une part encore inexprimable, et ici, en bas, ne nous sauve point du carnage. Puisque, ce qui

[1] *l'autre versant = l'autre pente.* [2] *confessionnelles = de religion.* [3] *cette lèvre:* the rim. [4] *s'il s'agit par là de = si on veut dire par ce mot.*

nous unit, nous n'avons pas encore de langage pour nous le dire.

Ce commissaire qui nous accompagne, je crois bien le comprendre. D'où vient-il avec ce visage qui regarde droit, qui a d'abord longtemps maintenu sa charrue dans l'axe? Il a regardé, avec les paysans d'où il sort, vivre la terre. Puis il est parti pour l'usine et il a regardé vivre les hommes. « Métallurgiste . . . j'ai été vingt ans métallurgiste. . . ». Jamais encore je n'ai entendu de confidences plus hautes que les confidences de cet homme-là. « Moi . . . un homme rude . . . j'ai eu tellement de mal à me former. . . .[1] Les outils . . . vois-tu, j'en connaissais bien le maniement, je savais en parler, je sentais juste. . . . Mais quand je voulais m'exposer les choses, les idées, la vie, les exposer aux autres. . . . Vous qui êtes habitués à abstraire. . . . Vous que l'on a entraînés tout petits à évoluer dans les contradictions verbales, vous n'imaginez pas combien c'est dur, cela: abstraire! Mais j'ai travaillé, travaillé. . . . Je sens mon ankylose peu à peu qui s'en va. . . . Oh! ne crois pas que je ne sache point me juger. . . . Je suis encore un rustre, je n'ai même pas encore appris la courtoisie, et la courtoisie, vois-tu, ça juge l'homme. . . ».

Je revoyais, en l'écoutant, cette école du front installée à l'abri de quelques pierres, comme un village primitif. Un caporal y enseignait la botanique. Démontant de ses mains les pétales d'un coquelicot, il mêlait[2] ses disciples barbus aux doux mystères naturels. Mais les soldats montraient une angoisse naïve: ils faisaient tant d'efforts pour comprendre, si vieux déjà, si durcis par la vie! On leur avait dit: « Vous êtes des brutes, vous sortez à peine de vos tanières, il faut rattraper l'humanité. . . ». Et ils se hâtaient, de leurs gros pas lourds, pour la rejoindre.

Ainsi j'avais assisté à cette ascension de la conscience sem-

[1] *à me former = à me développer.* [2] *mêlait = introduisait.*

blable à une montée de sève et qui, née de la glaise, dans la nuit de la préhistoire, s'était peu à peu élevée jusqu'à Descartes, Bach ou Pascal,[1] ces hautes cimes. Qu'il était pathétique, raconté par ce commissaire, cet effort pour abstraire. Ce besoin 5 de grandir. Ainsi un arbre monte. Et c'est bien là le mystère de la vie. Seule la vie tire ses matériaux du sol, et, contre la pesanteur,[2] les élève.

Quel souvenir! cette nuit de cathédrale. . . . L'âme de l'homme qui se montre avec ses ogives[3] et ses flèches. . . . 10 L'ennemi que l'on se prépare à interroger. Et nous-mêmes, caravane de pèlerins, qui cheminons sur une terre craquante et noire, ensemencée d'étoiles.

Nous sommes, sans le savoir, à la recherche d'un évangile qui surmonte nos évangiles provisoires. Ils font trop couler 15 le sang des hommes. Nous sommes en marche vers un Sinaï[4] orageux.

Nous y sommes, nous avons buté sur une sentinelle engourdie, qui somnole à l'abri d'un petit mur de pierre:

« Oui, ici, des fois, ils répondent. . . . D'autres fois, c'est 20 eux qui appellent. . . . D'autres fois ils ne répondent pas. Ça dépend comment ils se trouvent lunés. . . . »[5]

. . . Ainsi sont les dieux.

Les tranchées de première ligne serpentent à cent mètres en

[1] *René Descartes* (1596-1650), French philosopher and mathematician, born at La Haye in Touraine. As a philosopher, he advocated universal simulated doubt as the beginning of philosophical thinking. *Bach*, a famous family name in music. The most illustrious was Johann Sebastian Bach (1685-1750), born in Eisenach. His music is remarkable for the richness of its inspiration and the genius of harmony. *Blaise Pascal* (1623-1662), French mathematician, physicist, philosopher and writer, born at Clermont-Ferrand. In defense of Jansenism, Pascal wrote *Les Provinciales*. His *Pensées* reflect his genius as a thinker. The clarity and precision of French prose can be traced largely to Pascal's masterful use of the French language. [2] *la pesanteur:* the law of gravity. [3] *ogives:* Gothic arches. [4] *Sinaï:* In the Bible, the place where the Law was given to Moses. Ex. 19—20. [5] *comment ils se trouvent lunés = de quelle humeur ils sont:* how they happen to feel.

arrière de nous. Ces murs bas, qui protègent l'homme jusqu'à la poitrine, sont des postes de veille, abandonnés pendant le jour, et qui surplombent directement l'abîme. Il nous semble ainsi être accoudés, comme à un parapet ou à une rambarde, devant le vide et l'inconnu. Je viens d'allumer une cigarette 5 et aussitôt des mains puissantes me font plonger. Tous, autour de moi, plongent aussi. A l'instant même, j'entends siffler cinq ou six balles, qui passent d'ailleurs trop haut, et ne sont suivies d'aucune autre salve. Ce n'est qu'un rappel à la correction:[1] on n'allume pas sa cigarette, face à l'ennemi. 10

Trois ou quatre hommes emmitouflés de couvertures, qui veillaient dans les environs, à l'abri de fortins semblables, nous ont rejoints:

« Sont bien réveillés ceux d'en face. . . . .

— Oui, mais, parlent-ils? On voudrait entendre. . . . 15

— Il y a l'un d'eux. . . . Antonio. . . . Quelquefois il parle.

— Fais-le parler. . . ».

L'homme se redresse et gonfle sa poitrine, puis, les mains jointes en porte-voix, lance avec puissance et lenteur:

« An . . . to . . . nio . . . o! » 20

Le cri s'enfle, se déroule, se répercute dans la vallée. . . .

« Penche-toi, me dit mon voisin, quelquefois, quand on les appelle, ça les fait tirer. . . ».

Nous nous sommes abrités, l'épaule collée à la pierre, et nous écoutons. Point de coups de fusil. Quant à une réponse. . . 25 Nous ne pourrions jurer que nous n'entendons rien, la nuit tout entière chante, comme un coquillage.

« Eh! Antonio . . . o! . . . Est-ce que tu. . . ».

Et il reprend son souffle,[2] le grand gaillard qui s'époumonne! 30

« Est-ce que tu . . . dors? . . . »

[1] *rappel à la correction:* warning to observe a correct attitude. [2] *il reprend son souffle = il s'arrête pour respirer.*

Tu dors . . . répète l'écho de l'autre rive. . . . Tu dors . . . répète la vallée. . . . Tu dors, répète la nuit entière. Ça remplit tout. Et nous restons debout avec une confiance extraordinaire: ils n'ont pas tiré! Et je les imagine là-bas qui écoutent, qui
5 entendent, qui reçoivent cette voix humaine. Et cette voix ne les révolte pas, puisqu'ils ne pressent pas sur les gâchettes.[1] Certes, ils se taisent, mais quelle attention, quelle audience exprime ce silence, puisqu'une simple allumette déclenche le tir. Je ne sais quelles semences invisibles tombent au large
10 des terres noires, portées par notre voix. Ils ont soif de notre soif, sinon qu'elle s'exprime, évidente, dans cette audience même. Cependant ils gardent le doigt sur la gâchette, et je revois ces petits fauves que nous tentions d'apprivoiser dans le désert. Ils nous regardaient. Ils nous écoutaient. Ils attendaient
15 de recevoir de nous leur nourriture. Et cependant, au moindre geste, ils nous eussent sauté à la gorge.

Nous nous abritons bien et, les mains dressées au-dessus du mur, nous faisons craquer une allumette. Trois balles cinglent vers la brève étoile.

20 Ah! cette allumette aimantée. . . . Et ça veut dire: « Nous sommes en guerre, ne l'oubliez pas! Mais nous vous écoutons. Cette rigueur ne gêne pas l'amour. . . ».

Quelqu'un pousse le grand gaillard.

« Tu ne sais pas le faire parler, laisse-moi lui dire. . . ».

25 Le paysan massif pose son fusil contre la pierre, prend son souffle et lâche:

« C'est moi, Léon. . . . Antonio . . . o! »

Et ça s'en va, démesuré.

Je n'ai encore jamais entendu la voix prendre ainsi le large.[2]
30 Dans l'abîme noir qui nous sépare, c'est comme un lancer de navire. Huit cents mètres d'ici l'autre rive, autant pour le retour: seize cents. S'ils nous répondent, il s'écoulera près de

[1] *les gâchettes:* the triggers. [2] *prendre le large:* sail away.

cinq secondes entre nos questions et les réponses. Il s'écoulera chaque fois cinq secondes d'un silence où toute vie sera suspendue. Ce sera chaque fois comme une ambassade en voyage. Ainsi, même s'ils nous répondent, nous n'éprouverons pas le sentiment d'être joints les uns aux autres. Il s'interposera, entre eux et nous, l'inertie d'un monde invisible à mettre en branle. La voix est lâchée, transportée, elle aborde l'autre rivage. . . . Une seconde. . . . Deux secondes. . . . Nous sommes semblables à des naufragés qui ont lancé leur bouteille à la mer. . . . Trois secondes. . . . Quatre secondes. . . . Nous sommes semblables à des naufragés qui ignorent si des sauveteurs vont répondre. . . . Cinq secondes. . . .

« . . . Oh! »

Une voix lointaine est venue mourir sur notre rivage. La phrase s'est perdue en route, il n'en subsiste qu'un indéchiffrable message. Mais je l'ai reçu comme un coup. Nous sommes perdus dans une obscurité d'abord impénétrable, mais éclairée soudain par un « ohé » de bateliers.

Une stupide ferveur[1] nous secoue. Nous découvrons une évidence.[2] Devant nous, il y a des hommes!

Comment m'expliquerai-je? Il me semble qu'invisible une fissure vient de s'ouvrir. Imaginez une maison la nuit, toute portes closes. Et voici, que, dans l'obscurité, vous êtes frôlé par un souffle d'air froid. Un seul. Quelle présence!

Vous êtes-vous penché sur un abîme? Je me souviens de la faille de Chézery, une fente noire perdue dans les bois, large d'un mètre ou deux, sur trente mètres de longueur. Peu de chose. On se couche à plat ventre sur les aiguilles de sapin, et, de la main, dans cette fissure sans relief, on laisse couler une pierre. Rien ne répond. Il s'écoule une seconde, deux secondes, trois secondes, et après cette éternité on perçoit

[1] *une stupide ferveur = une ferveur stupéfiante.* [2] *évidence = une chose qui apparaît clairement.*

enfin un grondement faible, d'autant plus bouleversant qu'il est plus tardif, qu'il est plus faible, là, sous le ventre. Quel abîme! Ainsi, cette nuit-là, un écho retardé vient de bâtir un monde. L'ennemi, nous, la vie, la mort, la guerre, nous sommes
5 exprimés par quelques secondes de silence.

De nouveau, une fois déclenché ce signal, une fois mis en branle ce navire, une fois dépêchée à travers le désert cette caravane, nous attendons. Et sans doute, en face comme ici, on se prépare à la recevoir, cette voix qui porte comme une
10 balle au cœur. Et voici l'écho de retour:

. . . heure . . . heure de dormir!

Elle nous parvient mutilée, déchirée comme un message de toute urgence, mais salé, mais lavé, mais usé par la mer. Quel conseil maternel ceux-là mêmes, qui tirent au vol nos ciga-
15 rettes, ont lancé de toutes leurs poitrines:

« Taisez-vous. . . . Couchez-vous . . . il est l'heure de dormir. »

Un frémissement léger nous agite. Et sans doute, croirez-vous à un jeu. Et sans doute croyaient-ils à un jeu, ces hommes
20 simples. C'est ce qu'ils vous eussent expliqué, dans leur pudeur.[1] Mais le jeu couvre toujours un sens profond, sinon d'où proviendrait l'angoisse et le plaisir et le pouvoir d'un jeu? Le jeu que peut-être nous pensions jouer répondait trop bien à cette nuit de cathédrale, à cette marche vers Sinaï,
25 et nous faisait trop fort battre le cœur pour ne point répondre à[2] quelque besoin informulé. Elle nous exaltait, cette communication enfin rétablie. Ainsi frémit le physicien lorsque l'expérience cruciale est en marche et qu'il va peser la molécule. Il va noter une constante parmi cent mille, il semble qu'il
30 n'ajoute qu'un grain de sable à l'édifice de la science, et cependant le cœur lui bat, car il ne s'agit point d'un grain de sable. Il tient un fil. Il tient le fil par quoi l'on ramène, en tirant, la

[1] *pudeur = modestie.* [2] *répondre . . . à:* be intimately linked to.

connaissance de l'univers, car tout est lié. Ainsi frémissent les sauveteurs quand ils ont lancé leur filin,[1] une fois, vingt fois . . . et qu'ils apprennent, par une saccade presque imperceptible, que les naufragés l'ont enfin saisi. Il y avait là-bas un petit groupe d'hommes, perdus dans la brume, les récifs, 5 et coupés du monde. Et les voici, par la magie d'un fil d'acier, liés à tous les hommes et toutes les femmes de tous les ports. Ici nous avons jeté dans la nuit, vers l'inconnu, une passerelle[2] légère, et voici qu'elle relie l'une à l'autre les deux rives du monde. Voici que nous épousons notre ennemi avant d'en 10 mourir.

Mais si légère, si fragile, que pouvons-nous lui confier? Une question, une réponse trop lourdes, et notre passerelle chavire. L'urgence exige de ne transmettre que l'essentiel, que la vérité des vérités. Je crois l'entendre, celui qui a pris en 15 main la manœuvre et qui nous groupe sous sa responsabilité, comme l'homme de barre: celui qui devient notre ambassadeur d'avoir su faire parler Antonio. Je le vois qui, se haussant de tout son buste au-dessus du mur, les mains pesant, grandes ouvertes, sur les pierres, lance, à toute volée,[3] la question 20 fondamentale:

« Antonio! Pour quel idéal te bas-tu? »

N'en doutez-pas, ils s'excuseraient encore, dans leur pudeur:

« Nous faisons là de l'ironie. . . ». Ils le croiront plus tard s'ils s'emploient à traduire, dans leur pauvre langage, des 25 mouvements qu'il n'est point de langage pour traduire. Les mouvements d'un homme qui est en nous, et sur le point de s'éveiller. . . . Mais il faut qu'un effort le délivre.

Ce soldat qui attend le choc en retour, je prétends, j'ai vu son regard, qu'il s'ouvre à la réponse de toute son âme, comme 30 l'on s'ouvre à l'eau du puits dans le désert. Et le voilà, ce

[1] *filin:* a rope, a cable. [2] *passerelle = un petit pont étroit.* [3] *à toute volée:* at the top of his lungs.

message tronqué, cette confidence rongée par cinq secondes de voyage comme une inscription par les siècles:

« . . . Espagne! »

Puis j'entends:

5 « . . . toi. »

Je suppose qu'il interroge à son tour celui de là-bas. On lui répond. J'entends jeter cette grande réponse:

« . . . Le pain de nos frères! »

Puis l'étonnant:

10 « . . . Bonne nuit, amigo! »[1]

Auquel répond, de l'autre côté de la terre:

« . . . Bonne nuit, amigo! »

Et tout rentre dans le silence. Sans doute, en face, n'ont-ils saisi, comme nous, que des mots épars. La conversation échan-15 gée, le fruit d'une heure de marche, de dangers et d'efforts, le voici. . . . Il n'en manque rien. Le voici, tel qu'il a été balancé par les échos sous les étoiles; « Idéal. . . . Espagne. . . . Pain de nos frères. . . ».

Alors, l'heure étant venue, la patrouille s'est remise en 20 marche. Elle a commencé cette plongée vers le village du rendez-vous. Car, en face, la même patrouille, gouvernée par les mêmes nécessités, s'enfonce vers le même abîme. Sous l'apparence de mots divers, ces deux équipes ont crié les mêmes vérités. . . . Mais une si haute communion n'exclut pas de 25 mourir ensemble.

*Un sens à la vie* (Librairie Gallimard. Tous droits réservés.)

QUESTIONNAIRE

1. De qui se compose la patrouille? Y a-t-il une autre patrouille? 2. Quelle est la raison de cette expédition nocturne? 3. Pourquoi ces hommes se battent-ils? Étaient-ce des volontaires? 4. Dé-

[1] *amigo:* a Spanish word meaning "friend."

crivez l'endroit où s'engage la patrouille. 5. Y a-t-il quelque chose de vivant dans la vallée? 6. Où sont les paysans? 7. Comment Saint-Exupéry décrit-il la nuit? 8. Quelle idée maîtresse veut-il nous communiquer? 9. Qu'entend-il par le mot « présence »? 10. Que faut-il pour fraterniser? Est-ce que l'idée seule suffit?

11. Quel besoin impérieux gouverne l'ascension d'un homme? 12. Suffit-il d'instruire les hommes? de comprendre les hommes? d'aimer les hommes? 13. Comment l'ennemi annonce-t-il sa présence? 14. Est-ce que l'ennemi voulait tuer ou blesser quelqu'un? 15. Qui est Antonio? Que fait-il d'ordinaire? 16. Comment décrit-il les voix qui se répondent dans la nuit? 17. Quelle évidence s'est manifestée? 18. Pourquoi Saint-Exupéry dit-il que « l'écho retardé vient de bâtir un monde »? 19. Quelle profonde émotion ressent-il? 20. Quelles comparaisons viennent à l'esprit de l'auteur?

21. Comment le physicien ressemble-t-il au lieutenant dans la tranchée? 22. Quelle est cette passerelle légère dont parle Saint-Exupéry? 23. Quelle question pose-t-on à Antonio? 24. Est-ce que les deux équipes ont énoncé les mêmes vérités? 25. Quelle est la pensée de Saint-Exupéry sur la guerre? 26. D'après Saint-Exupéry, qu'est-ce qui donne un sens à la vie?

# VOCABULAIRE

This vocabulary aims to be complete, except for certain proper names and expressions that are explained in the footnotes. Idiomatic expressions are listed under each of the main words in the idiom. Words beginning with an aspirate "h" are indicated by an asterisk. The following abbreviations have been used:

*a.* adjective; *adv.* adverb; *art.* article; *cond.* conditional; *conj.* conjunction; *def.* definite; *dem.* demonstrative; *esp.* especially; *f.* feminine; *fig.* figurative; *fut.* future; *imp.* imperfect; *impers.* impersonal; *impv.* imperative; *ind.* indicative; *int.* interjection; *interrog.* interrogative; *inv.* invariable; *jurid.* juridical; *lit.* literally or literary; *milit.* military; *n.* noun; *part.* participle; *pers.* person; *phr.* phrase; *pl.* plural; *poet.* poetical; *poss.* pos essive; *pres.* present; *prep.* preposition; *pron.* pronoun; *rel.* relative; *Span.* Spanish; *subj.* subjunctive; *v.* verb

## A

**à** to, at, by, in, into, on, upon, with, from, as to, up to, until, around, under, according to, in proportion to, against; **à la** in the fashion of

**abaisser** to lower; to let down; to humble; **abaisser les yeux** to look down.

**abandon** *m.* surrender, renunciation (of goods, rights, etc.); forsaking, desertion, abandonment, neglect

**abandonné, -e** *a. & n.* forsaken (person); in deep sleep; **les abandonnés** waifs and strays

**abandonner** to forsake, desert, abandon; to leave; to surrender, renounce, give up; **s'abandonner** to put oneself in another one's hands; to neglect oneself, to be careless of oneself; to give way to despair, to grief; to be unconstrained; **s'abandonner à** to give oneself up to

**abattement** *m.* (physical) prostration; despondency, dejection, depression (low spirits)

**abattoir** *m.* slaughterhouse

**abattre** to knock down, throw down, pull down; to overthrow; to fell, cut down, clear (trees); **arbre abattu** tree thrown or blown down; **s'abattre** to fall, crash down; **s'abattre sur quelque chose** to pounce upon something; to swoop down upon something

**abbaye** *f.* abbey, monastery

**abeille** *f.* bee

**abîme** *m.* abyss, chasm, unfathomable depth(s)

**abîmer** to spoil, damage, injure; sink

**aboiement** *m.* barking (of dog)

**abolir** to abolish, suppress

**abondance** *f.* abundance, plenty; wealth; **être dans l'abondance** to have plenty of everything

**abonder (en)** to abound (in); to be plentiful; **abonder dans le sens de quelqu'un** to be entirely of someone's opinion

**abord** *m.* approach; **d'abord** straightaway, at once; at first, to begin with; first; **tout d'abord** in the first place, from the very first, first and foremost; **de prime abord** at first sight, to begin with

**aborder** to accost, approach (something, someone)

**aboutir** to end at (in) something; to lead to something; to converge on something

**aboyer** to bark (dog); to bay (hound)

**abreuvoir** *m.* watering place; drinking trough; **abreuvoir à mouches** drinking trough for flies

**abri** *m.* shelter, cover; dugout (*milit.*); **à l'abri** sheltered, safe

**abriter** to shelter, to give shelter; **s'abriter** to take shelter or cover; **s'abriter (contre)** to take cover (from)

**abrupt, -e** steep

**absente** *f.* absence

**absent, -e** absent, away, out; missing, wanting, absent; with an absent look (eyes); **absent de** away from

**absolument** absolutely, definitely

**absorber** to absorb, engross

**absoudre** to forgive someone for something, absolve; to exonerate someone (from something)

**abstinence** *f.* abstinence; abstemiousness; abstention

**abstraire** to abstract; to separate; to consider (something) apart (from something); to think abstractly

**abstrait, -e** abstracted, absorbed; abstract (idea), abstruse, deep

**absurde** absurd, preposterous, nonsensical

**abus** *m.* abuse

**abuser** to abuse; to deceive, delude, fool; **abuser de quelque chose** to misuse something; to take (an unfair) advantage of something

**accablant, -e** overwhelming (misfortune, proof); overpowering, oppressive (heat, etc.)

**accabler** to overpower, overwhelm, crush, overcome, burden (with illness)

**accélérer** to accelerate, quicken

**accent** *m.* accent; stress; pronunciation; tone of voice

**accepter** to accept

**accès** *m.* access, approach; fit, attack, outburst

**accident** *m.* accident, mishap, disaster, unfortunate event

**accidentel, -le** accidental, undesigned, unexpected

**acclamer** to acclaim, applaud, cheer; to greet (someone) with cheers

**accolade** *f.* embrace

**accommoder** to prepare; to suit; **s'accommoder** to make oneself comfortable, to settle down (in armchair, etc.); to adapt, accommodate oneself to something

**accompagner** to accompany; to go, come with someone; to escort; **accompagner de** to accompany by

**accomplir** to accomplish; to complete, finish

**accord** *m.* **d'accord** in agreement, agreed

**accorder** to reconcile, bring into accord (enemies, etc.); to grant, give, concede; to bestow (a title, gift); to award (damages); **s'accorder** to agree, come to an agreement; to get on (well, badly); to go with, harmonize with, match

**accouder: s'accouder** to lean on one's elbow(s)

**accourir** to hasten (up); to come running; to flock, rush up, run up

**accoutrement** *m.* dress, garb

**accoutrer** to rig (someone) out (in ridiculous clothes)

**accoutumé, -e** accustomed, used to; inured (to)

**accoutumer** accustom; **s'accoutumer à quelque chose** to become, get accustomed to something; to become inured, inure oneself to something

**accroche-cœur** *m.* lovelock, kiss curl

**accroupir: s'accroupir** to sit (down) (on one's hams, on one's heels); to squat (down), to crouch (down)

**accueil** *m.* reception, welcome, greeting

**accueillir** to receive, greet; to take in

**accumuler** to accumulate, amass; to gather (together); to hoard; to heap up

**accusateur** *m.* **accusatrice** *f.* accuser; indicter, impeacher, arraigner; *a.* accusatory, incriminating

**accusation** *f.* accusation, charge; **porter une accusation contre quelqu'un** to raise, bring an accusation against someone; to lodge a complaint

**accuser** to accuse; to bring out, accentuate

**acharné, -e** passionately determined

**acharnement** *m.* desperate eargerness, insistance; relentlessness

**acheminer: s'acheminer sur (vers) un endroit** to be one's way, to make one's way, to (towards) a place

**acheter** to buy, purchase; **acheter à quelqu'un** to buy from someone

**achever** to end, conclude, finish, finish off, complete; to dispatch (animal, etc.); to put (animal) out of pain, put an end to suffering; **s'achever** to finish, end

**acier** *m.* steel

**acquérir** to get, win, gain, secure (knowledge, etc.); **acquis, -e** *a.* acquired

**acquitter** to release someone (from an obligation, etc.); to discharge; to pay

**acrobate** *m.* *&* *f.* acrobat, tumbler

**acrostiche** *a.* *&* *m.n.* acrostic

**acte** *m.* act, action, deed; act of a play; deed, title; any instrument embodying a transaction in real estate; *pl.* records (of proceedings, etc.), official papers; transactions

**acteur** *m.* **actrice** *f.* actor, actress; player

**acti-f, -ve** active, brisk, sprightly, agile, alert

**actif** *m.* assets; entire property; credit

**action** *f.* action, act; deed, exploit; motion, working; gesture

**activement** actively, busily

**activité** *f.* activity; quickness, briskness, dispatch

**adeulé, -e** grief-stricken (*not a modern word*)

**adhérer** to adhere, hold (to opinion, etc.)

**adhésion** *f.* adhesion, sticking

**adieu** *m.* (*pl.* **adieux**) good-bye, farewell; off he goes

**admettre** to admit (in a house, hospital, etc.), to let (someone) in, let (someone) enter; to allow, permit someone to do something; to admit, admit of, permit, allow, recognize something

**administration** *f.* administering; administration, direction, management; governing body; administration office

**administrer** to give (beating)

**admirable** admirable, wonderful

**admirateur** *m.* **admiratrice** *f.* admirer

**admiration** *f.* admiration

**admirer** to admire

**admis** *past part. of* **admettre**

**adonner: s'adonner à quelque chose** to give oneself up to something

**adorer** to adore, worship; to idolize, dote upon, be passionately fond of

**adoucir** to soften (voice, water); to tone down; to sweeten; to subdue

**adresse** *f.* address, direction, destination; skill, dexterity, adroitness

**adresser** to address, direct (package, letter, etc.); to aim, address (remarks, reproaches, etc.); **adresser la parole à quelqu'un** to speak to, address, someone; **s'adresser à** to address oneself to, apply

**adroit, -e** dexterous, deft, skilful, handy; clever, adroit, shrewd

**adroitement** adroitly

**advenir** to occur, happen, befall

**adversaire** *m.* adversary, opponent, enemy

**advint** *past def. of* **advenir**

**affaire** *f.* business, affair, matter, concern; question; thing (required); case (law); business, transaction, deal; (financial) venture; **une mauvaise affaire** a scrape; *pl.* **homme d'affaires** businessman; agent; lawyer; **aller à ses affaires** to attend to one's business, go to one's office; **j'en fais mon affaire** leave it to me, I'll take care of it; **avoir affaire à** to deal with; **sans affaire** with nothing to do; *see* **tirer**

**affairé, -e** busy

**affamé, -e** hungry, starving, ravenous, famished

**affecté, -e** disturbed, moved

**affecter** to affect, feign, simulate; to affect, move, touch (someone); to have an effect upon

**affection** *f.* affection, fondness, love, attachment, liking

**affectueusement** affectionately

**affectueux, -euse** affectionate, loving, fond

**affermir** to make firm, strengthen

**affiler** to sharpen, whet, give an edge to, put an edge on (blade, etc.)

**affliger** to afflict; to grieve; **s'affliger** to grieve, be grieved; **s'affliger de** to grieve over

**affligé, -e** afflicted; **les affligés** the afflicted

**affolement** *m.* distraction, panic; perturbation

**affreux, -euse** frightful, hideous, ghastly; horrible, dreadful, shocking

**affront** *m.* affront, indignity, insult, snub, slight; **faire un affront à** to slight, insult

**afin: afin de** to, in order to, so as to (do something); **afin que** + *subj.* so that, in order that

**Afrique** *f.* Africa

**agaçant, -e** annoying, irritating, provoking; aggravating

**âge** *m* age

**agenouiller: s'agenouiller** to kneel; to fall on one's knees

**agir** to act; to operate, take effect; **s'agir de** to concern; to be a question of; to be in question; to be the matter; **de quoi s'agit-il?** what is the question, the business in hand? what is it all about? **de quoi il s'agit, ce dont il s'agit** what it is about; **il s'agit de** it concerns, is a question of

**agité, -e** agitated, restless (patient, night); troubled, stirred, shaken up

**agiter** to agitate, stir; to wave, shake; **s'agiter** to be agitated, be in movement; to be stirred up, be restless

**agneau** *m.* lamb, lambkin

**agoniser** to be dying, at the point of death

**agrandir** to enlarge

**agréable** agreeable, pleasant, pleasing, nice; **être agréable à quelqu'un** to please someone

**agréer** to accept, recognize, approve (of), agree to (something); to please; **agréez ... etc.** believe me..., yours sincerely (letter form)

**agrément** *m.* pleasure, amusement; agreeableness, attractiveness, pleasantness, charm; amenities (of place); charms (of person)

**ah** ah! oh! **ah-çà** well, now, look here; by the way

**ahurir** to bewilder; to dumbfound, flabbergast; to confuse, stupefy, daze, disturb

**aide** *f.* help

**aide** *m. & f.* assistant, helper; **aide de camp** aide-de-camp; **être en aide à quelqu'un** to come to the help of someone

**aider** to help, assist, aid; **aider à quelque chose** to help towards something; to contribute (to) towards something

**aïe** oh! ouch! (indicating pain)

**aïeul** *m.* (*pl.* **aïeuls, aïeux**) grandfather; ancestor, forefather
**aïeux** *see* **aïeul**
**aigle** *m. & f.* eagle
**aiglon** *m.* eaglet; young eagle
**aiguille** *f.* needle; peak; **aiguille de sapin** pine needle
**aile** *f.* wing; **couper les ailes** to clip someone's wings
**aille** *pres. subj. of* **aller**
**ailleurs** elsewhere, somewhere else; **d'ailleurs** besides, furthermore, moreover; from another place, from another source
**aimable** pleasant, kind
**aimant** *m.* magnet; **pierre d'aimant** magnetic iron ore; lodestone
**aimanter** to magnetize
**aimer** to like, care for, be fond of, love; **aimé de** loved by; **aimer mieux** to prefer; **se faire aimer** to make oneself loved
**aîné, -e** elder (of two); eldest (of more than two)
**ainsi** so, like; thus; **pour ainsi dire** so to speak, as it were; **ainsi de suite** so on
**air** *m.* air, atmosphere; manner, way; appearance, look; tune, air, song, melody; wind, draught; **en l'air** confused, idle; **en plein air** in the fresh (open) air
**airain** *m.* bronze, brass
**aire** *f.* surface; flat space; floor; eyrie (of an eagle)
**aisance** *f.* ease
**aise** *f.* ease, comfort; **à ton aise** do as you please; **être à l'aise, à son aise** to be comfortable; **à leur aise** at leisure; **être bien aise** to be very glad, well pleased; **je suis fort aise** I am very glad; **se trouver à l'aise** to be free to do as one pleases
**aisé, -e** easy, free (position, manner); comfortable; easy, easily accomplished
**aisément** easily
**ait** *pres. subj. of* **avoir**
**ajouter** to add; **s'ajouter à** to add oneself to
**ajuster** to adjust, set; to aim (a gun)
**alarme** *f.* alarm; fear, fright
**alarmer: s'alarmer** to take alarm, to take fright
**alentour** *adv.* around, round about; *m.pl.n.* environs, neighborhood, vicinity, surroundings (of a town, etc.)
**alerte** alert, brisk, quick, agile; vigilant, watchful; **en alerte** on the alert
**aliment** *m.* food, aliment
**allée** *f.* walk (esp. lined with trees); lane, avenue; path; passage, entrance, alley
**Allemagne** *f.* Germany
**allemand, -e** German
**aller** to go; to go, be going (well, ill); to suit, become; **aller chercher** to go for; **aller voir quelqu'un** to go and see someone, to call on someone;

**aller au devant de** to go to meet; **aller toutes seules** go by themselves; **je vais et viens** I come and go; **se laisser aller à** to yield to; **s'en aller** to go away, to depart; **va-t'en!** go away! **allez-vous-en!** go away! **allez donc!** go ahead! **j'irais bien** I'd be willing to go; **y aller** to go at it
**aller** *m.* **pis aller** last resort; makeshift; poor substitute
**alliance** *f.* alliance, marriage
**allié** *m.* ally
**allongé, -e** stretched out
**allumer** to light (lamp, fire, pipe); to kindle, ignite, set fire to
**allumette** *f.* match
**allure** *f.* walk, gait, tread, carriage, bearing; **à petite allure** at a slow pace, gait; **à toute allure** speedily, at high speed
**almanach** *m.* almanac
**alors** then; at that time; at the time; next; well then; in that case; **alors que** when; while
**altérer** to spoil, taint, to change (for the worse); to corrupt; to impair (health)
**alternativement** alternately, in turn
**altesse** *f.* highness, your highness
**altitude** *f.* altitude, height
**amande** *f.* almond
**amant** *m.* **amante** *f.* lover; **amante** a woman in love, a loving woman
**amas** *m.* heap, pile, accumulation
**ambassade** *f.* embassy
**ambassadeur** *m.* ambassador
**ambiguïté** *f.* ambiguity, ambiguousness
**ambition** *f.* ambition, great desire
**ambre** *m.* amber; **ambre gris** ambergris
**âme** *f.* soul; heart, feeling, soul, spirit; **rendre l'âme** to give up the ghost
**amener** to bring; to lead up
**amer, amère** bitter
**Amérique** *f.* America
**amertume** *f.* bitterness (of quinine, of sorrow), resentment
**ami** *m.* **amie** *f.* friend; friendly
**amiable** affectionate, gracious; **arrangement à l'amiable** amicable arrangement
**amitié** *f.* friendship, friendliness; kindness, favor
**amollir** to soften (substance); to weaken, enervate (person)
**amorce** *f.* beginning; bait
**amortir** to subdue; to tone down, cool
**amour** *m.* love, affection, passion
**amourette** *f.* love affair; passing fancy
**amoureu-x, -se** in love; *n.* man (woman) in love
**amphore** *f.* amphora; tall jar with handles
**ampleur** *f.* fullness, volume; **avec ampleur** (talking) in a louder voice

**ampoule** *f.* bulb (of thermometer, electric light)

**amusant, -e** amusing, entertaining

**amusement** *m.* (action of) entertaining; amusement, recreation, pastime, diversion

**amuser** to amuse, entertain, divert; **s'amuser** to amuse, enjoy oneself, have a good time, be amused by

**an** *m.* year

**analogue** analogous; similar

**analyser** to analyze (facts, substance, etc.)

**ancien, -ne** ancient, old; early, bygone, past, of yore; former, late; **un ancien** an old man

**ancrer** to anchor

**andalou-x, -se** *a. & n.* Andalusian

**Andalousie** *f.* Andalusia (province of Spain)

**âne** *m.* donkey

**anéantir** to destroy, reduce to nothing, annihilate; to dumbfound, stun; to prostrate with grief

**ânesse** *f.* she-ass

**anfractuosité** *f.* rugged outline, unevenness

**ange** *m.* angel; **faire l'ange** to play the angel

**angevin, -e** *a. & n.* Angevin(e); of Anjou (one of the old provinces of France)

**anglais, -e** English (language, etc.); British (army); *n.* Englishman, Englishwoman; *m.n.* English (language)

**Angleterre** *f.* England

**angoisse** *f.* anguish; distress; agony

**angoisser** to anguish; to distress

**anguille** *f.* eel; **pâté d'anguille** eel pie

**animal, -e** animal-like; *m.n.* animal; horrible person, beast

**animé, -e** animated, spirited, lively, alive

**animer** to animate, quicken; to endow with life, stir up; to actuate; to move, propel

**anisette** *f.* anisette (cordial made of anise seeds)

**ankylose** *f.* anchylosis; stiffening of the body muscles, etc.

**ankylosé, -e** ossified, stiffened

**anneau** *m.* ring

**année** *f.* year, twelve months

**annoncer** to announce

**annuler** to annul; to render void; to repeal, quash, set aside, rescind; to cancel (contract); **s'annuler** to neutralize, efface, offset

**antichambre** *f.* anteroom; waiting room; antechamber

**antique** ancient, old

**antiquité** *f.* ancient times; antiquity

**anxiété** *f.* anxiety, concern

**août** *m.* August

**apaiser** to appease, pacify, calm, soothe

**apercevoir** to perceive, realize, notice; to become aware, conscious of; **s'apercevoir (de)** to perceive, notice, catch sight of

**aperçoit** *pres. ind. of* **apercevoir**

**aperçoive** *pres. subj. of* **apercevoir**

**aperçu** *past. part of* **apercevoir**

**apeuré, -e** scared, frightened

**apitoyer** to move to pity

**aplati, -e** flattened, flat

**apparaître** to appear, become visible; to come into sight; to become evident

**apparat** *m.* state, pomp, show, display

**appareil** *m.* device, appliance, apparatus; gear; mechanism; machine, instrument

**apparence** *f.* appearance; look

**apparent, -e** visible, conspicuous, apparent; obvious, evident; apparent, not real

**apparenté, -e** related, having a relative, akin

**apparition** *f.* appearance; apparition, ghost

**appartement** *m.* flat, apartment; suite or set of rooms

**appartenir** to belong

**apparut** *past def. of* **apparaître**

**appauvrir** to impoverish

**appel** *m.* appeal; call; cry; (vocal) summons; roll call

**appeler** to call, call to (someone); to call in, send for, summon (someone); to call (by name); to term, name; to call on, invoke (someone, something); to provoke, arouse; **s'appeler** to be called, named, termed; to call to one another; **en appeler à** to call upon, appeal to; **faire appeler quelqu'un** to have someone called

**appentis** *m.* shed, lean-to (built onto a house)

**appétissant, -e** tempting, appetizing

**appétit** *m.* appetite; **bon appétit!** enjoy your meal!

**applaudissement** *m.* applause; clapping; approval, commendation, approbation

**application** *f.* application; diligence in study

**appliqué, -e** studious, diligent

**appliquer** to apply; to administer; to hit; **s'appliquer à quelque chose** to apply oneself to something; to work hard at something

**apporter** to bring

**apposer** to affix, place, put

**apprécier** to appreciate (virtue, good thing)

**apprendre** to learn (lesson, trade); to inform; to teach; to hear of, to come to know of; to get to know of (news, etc.)

**apprêts** *m.pl.* preparations (for journey, etc.)

**apprêter** to prepare; **s'apprêter** to prepare oneself, get ready; to be in course of preparation

**apprirent** *past def. of* **apprendre**

**appris** *past part. of* **apprendre**

**apprivoiser** to tame

**approche** *f.* approach, drawing near
**approcher** to bring, draw, near; to approach, come near, come close to, draw near; **s'approcher (de)** to come near; to approach
**approprié, -e** appropriate, adapted; proper, suitable (answer, etc.)
**approprier: s'approprier quelque chose** to appropriate something (to oneself); to make appropriate; to arrange (something); to fit (something)
**approuver** to approve of, be pleased with; **approuver de la tête** to nod approval
**appuyer** to support; to prop (up); **appuyer contre** to lean, rest against; **s'appuyer** to lean
**après** after; afterwards, later; **d'après** according to
**après-midi** *m. or f.* afternoon; **trois heures de l'après-midi** three P.M.
**âpreté** *f.* roughness, harshness (of wine, voice, etc.); sharpness, bitterness
**aptitude** *f.* aptitude, natural disposition, fitness
**aquilon** *m.* north wind (literary)
**arabe** *m. & f.* Arab; **en arabe** in the Arabian language
**arabesque** *f.* design, flourish, arabesque
**araignée** *f.* spider; **toile d'araignée** cobweb; spider's web
**arbitre** *m.* arbitrator, referee
**arborer** to raise, set up; to hoist (flag); to harbor
**arbre** *m.* tree
**ardent, -e** burning, hot, scorching; passionate, eager; ardent, fiery
**ardemment** ardently, eagerly
**ardeur** *f.* eagerness, ardor
**ardoise** *f.* slate
**arène** *f.* sand; arena
**argent** *m.* silver; money, cash; **argent comptant** cash, ready money; **argent blanc** silver or lead coins
**argenté, -e** silver(ed), silvery
**argenterie** *f.* silverware; (silver) plate
**argile** *f.* clay
**armature** *f.* framework, brace
**arme** *f.* arm, weapon; **maître d'armes** fencing master
**armée** *f.* army
**armer** to arm; **s'armer** to arm, take up arms
**armoire** *f.* clothespress; bureau; wardrobe; cupboard
**armorier** to (em)blazon; to adorn (something) with heraldic bearings, coat of arms
**armure** *f.* armor
**aromatique** aromatic; sweet-smelling
**arome** *m.* aroma
**arracher** to tear (out, up, away, off); to pull (up, out, away); to draw (nail); **arracher à** to draw out of (someone)
**arranger** to arrange; to adapt;

to make an arrangement, manage; to set in order; to settle (quarrel); **s'arranger** to be arranged, settled; to manage; **qui n'arrangeaient rien** who did not help matters at all
**arrêt** *m.* stop, stoppage; stopping, arrest (of motion); judgment; arrest
**arrêter** to stop; to arrest; to check (attack); to hinder, impede; to detain, delay; to decide (something); to draw up, settle; to halt; **s'arrêter** to stop; to come to a stop, to a standstill
**arrière** back; **(en) arrière de** behind; set back; backward
**arrière-boutique** *f.* backroom (of a store)
**arrivée** *f.* arrival, coming, advent
**arriver** to arrive, come; to succeed; to happen; **arriver jusqu'à** to reach, be heard as far as; **s'il m'arrivait de** if I happened to
**arroser** to water (streets, plants); to sprinkle, spray (lawn); to bathe (eyes); **yeux arrosés de larmes** eyes bathed in tears
**art** *m.* art
**artichaut** *m.* artichoke
**article** *m.* article; clause (of treaty, law proceedings, etc.); commodity
**articuler** to articulate; to utter or pronounce (distinctly)
**artifice** *m.* artifice; artificial means
**artificiel, -le** artificial
**artillerie** *f.* artillery, ordnance
**artiste** *m. & f.* artist (including musician, etc.); performer
**ascendance** *f.* ancestry
**ascension** *f.* ascent, ascension; rising
**asile** *m.* shelter, home, refuge, retreat, asylum
**aspect** *m.* sight, aspect; appearance, look
**aspiration** *f.* inspiration, inhaling (of air into the lungs); **à profondes aspirations** with deep inhaling
**aspirer** to aspire; to inspire; to inhale, breathe (in) (air, scent, etc.); to suck up, drink, draw in, suck in, draw up (water, liquid)
**assassin** *m.* assassin; murderer
**assassiner** to assassinate, murder
**assembler** to assemble; to call (people) together; to collect, gather
**asseoir** to seat; **s'asseoir** to sit down
**asservir** to enslave (nation, etc.); to reduce (nation) to slavery.
**asservissement** *m.* subjection, servitude, bondage
**assez** enough, sufficient, sufficiently; rather, fairly, tolerably, passably
**assied** *pres. ind. of* **asseoir**
**assiette** *f.* plate
**assigner** to assign; to fix, appoint
**assis, -e** *past part. of* **asseoir** seated, sitting; established, built

**assistance** *f.* presence, attendance; audience; spectators; assistance, help, aid; **l'assistance publique** public charity, the Poor Law Administration

**assister** to help, assist, succor; **assister à quelque chose** to attend something, be present at something

**assit** *past def. of* **asseoir**

**associer** to associate, unite; **s'associer à (avec) quelqu'un** to enter into a combination with someone; to enter into partnership with someone; to associate with someone

**assommer** to brain someone, to knock (someone) senseless

**assoupissant, -e** soporific, sleep inducing

**assouvir** to sate, appease, satisfy (hunger, passion)

**assurance** *f.* assurance; (self-) confidence

**assuré, -e** assured, certain

**assurément** assuredly, surely, undoubtedly, certainly

**assurer** to assure; to make (something) firm, steady; to fix, secure, fasten; **s'assurer** to make sure, ascertain

**athée** *n. & a.* atheist

**Athènes** *f.* Athens

**attachant, -e** that holds the attention; interesting (book); arresting (spectacle); engaging, winning (personality)

**attachement** *m.* attachment, affection

**attacher** to attach; to fasten, bind; to tie (up); to make (someone) attached (to someone, something); draw; **attaché à** connected with, attached to

**attaque** *f.* attack, onslaught, onset, onrush

**attaquer** to attack; to begin; to attempt, tackle, try

**atteindre** to reach, arrive at; to overtake; to attain, catch, strike, hit

**attelage** *m.* harnessing; team; pair (of horses, of oxen)

**attenant, -e** adjoining; contiguous; abutting

**attendant: en attendant** in the meanwhile; **en attendant que** while waiting; until

**attendre** to wait, wait for; to expect; to hope; **s'attendre à quelque chose** to expect something; **se faire attendre** keep someone waiting

**attendrir** to make tender; to soften (vegetables); to soften (someone's heart); to move (someone) to pity; to touch

**attendrissant, -e** moving, touching, affecting

**attente** *f.* wait(ing); expectation(s), anticipation

**attenti-f, -ve** attentive; heedful; careful

**attention** *f.* attention, care; **faire attention à quelque chose ou quelqu'un** to pay attention to something or someone

**attentivement** carefully, attentively
**attester** to attest, certify; to bear testimony, bear witness, testify
**attifer** to dress (someone) up
**attirer** to attract, draw; **s'attirer** to bring down upon oneself; to attract each other
**attitude** *f.* attitude, posture; pose
**attrait** *m.* attraction, lure; attractiveness, allurement; inclination
**attraper** to catch; to (en)trap, (en)snare (animal); **attraper quelqu'un** to trick, cheat someone, to take someone in
**attribuer** to assign, allot; to attribute, ascribe; to impute; to put down, set down; **s'attribuer** to attribute to oneself
**attrister** to sadden, grieve
**au** = **à** + **le**
**aubaine** *f.* windfall, godsend, blessing
**aubépine** *f.* hawthorn
**auberge** *f.* inn
**aubergiste** *m. & f.* innkeeper
**aucun, -e** no one, nobody; none; any, anyone
**audace** *f.* audacity, audaciousness; boldness, daring; impudence
**audacieux, -se** audacious; bold, daring
**au-delà** beyond
**au-dessous** below (it); underneath; **au-dessous de** below, under
**au-dessus** above (it); **au-dessus de** above
**au-devant de: aller au-devant de** to go and meet
**audience** *f.* audience; session, hearing
**aujourd'hui** today
**aumône** *f.* alms; **donner quelque chose en aumône à quelqu'un** to give someone something out of charity; **faire l'aumône** give charity
**aune** *f.* ell (a measure, about a yard)
**auparavant** before (hand), previously
**auprès** close to; **auprès de** close to, (hard) by, close by, beside, near, next to; into the home of; in comparison with
**auquel** *see* **lequel**
**auréole** *f.* aureole, halo
**aurore** *f.* dawn, daybreak
**aussi** also; as; so; **aussi bien** besides, moreover; **aussi bien que** as well as; *conj.* therefore, consequently, so
**aussitôt** immediately, directly, at once, forthwith; **aussitôt que** as soon as
**autant** as much, so much; as well; as many, so many; **autant que** as much as, as many as; **autant de** as much, as many, so much, so many; **d'autant que** the more so if; **d'autant plus** (all, so much) the more; **d'autant moins** (all, so much) the less

**autel** *m.* altar
**auteur** *m.* author, perpetrator, creator
**authenticité** *f.* authenticity, genuineness
**authentique** authentic, genuine; definitive; legal
**auto** *f.* (abbreviation for) automobile, motor car
**automne** *m.* autumn
**autoriser** to invest (someone) with authority; to authorize (by law); to justify, sanction (an action)
**autorité** *f.* authority
**autour** round; about; **autour de** around, round, about
**autre** *a. & pron.* other, further; other, different; **d'autres** others; **l'un . . . l'autre** the one . . . the other
**autrefois** formerly; in the past; **d'autrefois** of former days
**autrement** otherwise; or else; differently, in any other way; **bien autrement** much more
**autrichien, -ne** *a. & n.* Austrian
**aux** = **à** + **les**
**avaler** to swallow (down); to devour
**avance** *f.* advance, lead; advance payment, loan; money paid in advance; **d'avance** beforehand; **par avance** in advance
**avancé, -e** jutting out, furthest, foremost
**avancer** to advance, put forward; to move forward; to advance (payment), loan; to make (something) earlier; to hasten (something) on; to move forward; **s'avancer** to walk, move forward; to progress
**avant** before; far, deep; forward; far, late; **en avant** in front; before; forward; **en avant de** in front of, ahead of (his class, time, etc.); **mettre en avant** to put forward, advance; **si avant** so deeply
**avantage** *m.* advantage; **avoir l'avantage** to have the best of it, be ahead (in a game such as tennis), win; **avoir l'avantage sur** to have the advantage over
**avantageu-x, -se** advantageous, favorable
**avant-coureur** *m.* forerunner, harbinger, precursor
**avare** *m.* miser
**avec** with
**avenir** *m.* future
**Avent** *m.* advent
**aventure** *f.* adventure
**aventurer** to venture; **s'aventurer** to venture
**aversion** *f.* aversion, dislike
**averti, -e** well-informed, warned
**avertir** to warn, notify, advise, inform; to give someone notice of something
**avertissement** *m.* warning; notice
**aveu** *m.* (*pl.* **aveux**) consent, authorization; avowal, confession, admission
**aveuglant, -e** blinding; dazzling

**aveugle** blind, sightless
**aveuglément** blindly
**aveugler** to blind (someone); to dazzle, blind
**avide** greedy
**avidement** greedily
**avidité** *f.* avidity, greed(iness); **avec avidité** greedily, eagerly
**avis** *m.* opinion, judgment, decision; advice, counsel; notice, notification, intimation, warning, announcement; **à mon avis** in my opinion
**aviser** to notify; to perceive; to take into one's head; **s'aviser de quelque chose** to bethink oneself of something, discover that, to find
**avocat** *m.* **avocate** *f.* lawyer, barrister (-at-law); counsel; advocate, intercessor
**avoir** to have, possess; to get, obtain, to come into possession of; **qu'avez-vous? qu'est-ce que vous avez?** what is the matter with you? what ails you? **il y a** there are, there is; **avoir beau** to do something in vain; **tu as beau dire** you can say all you want; **avoir faim** to be hungry; **avoir froid** to be cold; **avoir soif** to be thirsty; **avoir envie** to have the desire; **avoir honte** to be ashamed; **avoir lieu** to take place; **avoir raison** to be right; **avoir tort** to be wrong; **avoir soin de** to see to it that
**avorter** to miscarry
**avoué** *m.* attorney-at-law
**avouer** to acknowledge; to confess, to own (a misdeed, etc.); to admit
**axe** *m.* axis (of plant, the earth, ellipse, etc.); axle, straight line
**azur** *m.* azure, blue

## B

**babillard, -e** (given to) prating, chattering, talkative
**babiller** to prattle; to chatter; **c'est assez babiller** enough chatting
**badinage** *m.* playfulness in style of writing, bantering; piece of playful writing
**bague** *f.* (jewelled) ring; **courir la bague** a game in which, while riding a galloping horse, one slips off a suspended ring with a lance or a sword
**baguette** *f.* rod, wand, stick; **faire marcher quelqu'un à la baguette** to rule someone with a rod of iron; to order someone around
**bah** nonsense! fiddlesticks! pooh! you don't say so! my word!
**baie** *f.* tall story
**baillant, -e** gaping (bodice); yawning (cavern)
**bailler** to yawn
**baïonnette** *f.* bayonet
**baiser** *m.* kiss
**baiser** to kiss
**baisser** to lower (price, curtain); to shut down (window,

etc.); to let down, to open (carriage window); **baisser la tête** to bend one's head, to hang one's head; **baisser les yeux** to cast down one's eyes; **se baisser** to bend down, to be lowered; (eyes) to look down

**bal** *m.* ball

**balafrer** to gash, slash (esp. the face)

**balai** *m.* broom; **coups de balai** beating with a broom

**balancer** to balance, sway, swing; to toss back and forth; **se balancer** to swing; to sway, rock

**balancé, -e** well-balanced; well-poised; balancing, hesitating

**balbutier** to stammer, mumble, mutter; to stammer out (something)

**balbutiement** *m.* stammering

**balcon** *m.* balcony

**baliverne** *f.* idle story; twaddle, nonsense, silly talk

**balle** *f.* ball; bullet; shot

**ballon** *m.* balloon

**ballot** *m.* bundle, package, bale; (peddler's) pack

**banc** *m.* bench, seat, settle, form; **banc des prévenus** (prisoner's) dock

**bande** *f.* band; strip; stripe

**bande** *f.* band (of people), party, group, troop; flock

**bander** to bandage, bind (up) (wound); to put a bandage on (someone)

**baragouiner** to talk gibberish, jabber; to talk foreign languages unintelligibly

**baragouineur** *m.* one who talks gibberish

**baraque** *f.* hut, shanty

**barbare** barbaric; uncouth; *m.n.* barbarian

**barbe** *f.* beard

**barbu, -e** bearded

**bariolé, -e** gaudy, motley; of many colors; splashed with color

**barre** *f.* bar, rod (of metal, wood, etc.); (wooden) batten; helm (of a ship); **homme de barre** man at the wheel; helmsman.

**barreau** *m.* small bar; rail; **être sous les barreaux** to be behind prison bars

**barrer** to bar, obstruct (the way); to dam (stream); to block (up), close (road)

**barrière** *f.* barrier; gate (of town castle), fence; tollgate

**bas, -se** low; mean, base, low; low(er); **à voix basse** in a low voice, softly

**bas** low (down); **au bas de** below; **parler bas** to talk in a low tone

**bas** *m.* lower part; stocking, bottom; **lèvre du bas** lower lip

**basané, -e** sunburned, tanned, swarthy

**base** *f.* base; basis, foundation

**basque** *a., m. & f.n.* Basque; **le basque** the Basque language

**basque** *f.* skirt, tail (of coat)

**basse-cour** (*pl.* **basses-cours**) farmyard, poultry yard
**bassesse** *f.* baseness, lowness
**bastonnade** *f.* beating; bastinado
**bataille** *f.* battle
**bataillon** *m.* battalion
**bâtarde** *f.* handwriting between the slanting and the round
**batelier** *m.* **batelière** *f.* boatman, boatwoman
**bâtir** to build, erect, construct
**bâton** *m.* stick, staff, rod; pole; wand of office
**battant** *m.* clapper, tongue (of bell); leaf, flap (of table, counter); leaf (of door, shutter)
**battement** *m.* beat(ing) (of drum); stamp(ing) (of feet); clapping (of hands); flutter(ing) (of wings, of eyelids); flapping
**battre** to beat, hit, thrash, flog (someone); to beat (a person, a drum); to beat, defeat; slam (door); to blink (eyelids); **se battre** to fight; **se battre avec quelqu'un** to fight (with) someone
**battu, -e** beaten; **terre battue** packed earth
**baume** *m.* balm, balsam
**bavard** *m.* chatterbox
**bavarder** to chatter; to gossip; to chat
**bavarois, -e** *a. & n.* Bavarian
**Bavière** *f.* Bavaria
**beau, bel, belle** beautiful; fine; **avoir beau** to do something in vain; **elle est belle** (*ironically*) it is fine
**beau** *m.* **belle** *f.* **le beau** the beautiful; **faire le beau** to sit up (*said of a dog*)
**beaucoup** much, a great deal; **beaucoup de** much; (a great) many; a great deal of, lots of; **être pour beaucoup dans** to play a big part in, be greatly responsible for
**beau-père** *m.* father-in-law
**beauté** *f.* beauty
**bec** *m.* beak; bill (of bird); **coup de bec** peck
**beignet** *m.* fritter
**bêlement** *m.* bleating
**bêler** to bleat
**belle** *see* **beau**
**belles-lettres** *f.pl.* litterature (novels, poetry, etc.), belles-lettres
**bénédiction** *f.* blessing, benediction
**bénéficier** to profit, to make a profit
**bénir** to bless, grant blessings to (someone)
**béquille** *f.* crutch
**bercer** to rock (as in a cradle)
**béret** *m.* beret; **béret basque** round, brimless cap
**berger** *m.* **bergère** *f.* shepherd, shepherdess
**bergeronnette** *f.* wagtail (bird)
**berlue** *f.* false vision; **avoir la berlue** to be blind to the facts; to see things wrong
**besogne** *f.* work; task, job; piece of work
**besogneu-x, -se** *a. & n.* needy,

impecunious; hard up (person), pauper

**besoin** *m.* want, need; **avoir besoin de** to need, require, want (something)

**bestiaux** *m.pl.* cattle, beasts, livestock

**bestiole** *f.* small, tiny beast or animal

**bête** *f.* beast, animal; fool, dumb creature; *a*: stupid, foolish, unintelligent; **par trop bête** just too stupid

**bêtise** *f.* stupidity, silliness; nonsense, foolishness, absurdity; blunder; **dire des bêtises** to talk nonsense, say foolish things; **faire des bêtises** to play the fool, do stupid things; **faire une grande bêtise** to commit a great folly, blunder completely

**bévue** *f.* mistake, blunder

**bibelot** *m.* curio, knickknack, trinket

**Bible** *f.* the Bible

**bibliothèque** *f.* library; collection of books

**biblique** Biblical, from the Bible

**Bicêtre** village near Paris, known for its hospital for the aged and for mental patients

**bidon** *m.* can, drum (for oil, petroleum, gasoline, etc.)

**bien** well; really; **bien!** good! that's enough! all right! right, proper; (*emphatic*) indeed, really, quite; **bien des** many; **être bien** to be well; **bien entendu** of course; **bien que** though, although; **eh bien!** well! **faire si bien** to do such a good "job"

**bien** *m.* good; the good; possession, property, asset, wealth, goods (and chattels); **le bien** the good; **bien en commun** property in common (of husband and wife); *pl.* possessions, wealth

**bienfaiteur** *m.* **bienfaitrice** *f.* benefactor, benefactress

**bienheureu-x, -se** blissful, happy; blessed

**bientôt** (very) soon; before long

**bière** *f.* beer

**bigamie** *f.* bigamy

**billet** *m.* note, short letter; bank note

**binocle** *m.* eyeglasses

**biscotte** *f.* rusk, zwieback

**bisser** to encore (song, etc.)

**bistro(t)** *m.* bar, small saloon

**bivouac** *m.* bivouac

**bizarre** peculiar, odd, strange, queer, outlandish, bizarre, whimsical

**bizarrement** peculiarly, strangely

**blaguer** to joke; to chaff, banter (someone); to make fun of; **histoire de blaguer** just as a joke

**blanc, blanche** white; **vin blanc** white wine; **fer blanc** tin plate

**blé** *m.* wheat

**blême** pale, livid, ghastly; cadaverous (face); colorless; wan (light)

**blessé, -e** wounded, injured
**blesser** to wound, injure, hurt; to offend, hurt the feelings of someone
**blessure** *f.* wound, hurt, injury
**bleu, -e** blue
**bloc** *m.* block, lump, mass
**blond, -e** fair, flaxen (hair); blond (hair, person)
**bluet** *m.* cornflower, bluebottle
**bocage** *m.* grove, coppice, copse
**Bohême (Bohème)** *f.* Bohemia
**bohémien, -ne** *a. & n.* bohemian, gypsy; **bohémien** *m.* the gypsy language
**boire** to drink; to absorb, drink up, soak up, suck in; **boire un coup** take a drink
**bois** *m.* wood, forest; wood, timber, lumber; **bois blanc** pine board
**boisson** *f.* drink, beverage
**boîte** *f.* box
**bol** *m.* bowl
**bon, -ne** good, virtuous, upright, honest; nice, pleasing; right, correct, proper; sound, safe; good, kind (-hearted); profitable, advantageous; fit, suitable; **à quoi bon?** what's the good of it? what's the use? **de bon cœur** heartily; **bon enfant** good-natured; **pour tout de bon** seriously, truly; **trouver bon de faire quelque chose** to think fit, find it advisable to do something; *int.* **bon!** good! agreed!
**bonbon** *m.* candy, sweetmeat, sweet
**bond** *m.* bound, leap, jump, spring; **d'un bond** with one leap
**bondir** to leap, bound; to spring up
**bonheur** *m.* happiness, good fortune, good luck, success; bliss; **faire le bonheur de** to bring happiness to; **par bonheur** luckily, fortunately, as luck would have it; **au petit bonheur** in a haphazard manner
**bonhomme** *m.* good fellow, fellow; **bonne femme** *f.* simple, good-natured woman
**bonjour** *m.* good day, good morning, good afternoon; **souhaiter le bonjour** to greet someone, to wish someone a fine day
**bonnet** *m.* **bonnet de coton** nightcap (of cotton); **bonnet de police** fatigue cap; police cap
**bonté** *f.* goodness, kindness; kindly feeling; excellence (of things)
**bord** *m.* brim (of a hat); side; edge, border
**borgne** *m. & f.* one-eyed
**borne** *f.* boundary mark (stone, post); (stone) corner post
**borner** to mark out a road, etc., to limit; **se borner à** to restrict oneself, to limit oneself to, to exercise self-restraint
**bosquet** *m.* shrubbery, grove, thicket

**bosse** *f.* hump (of person or camel); unevenness, bump

**bosseler** to emboss (plate, etc.); to dent

**bossu, -e** *m. & f.* hunchbacked (person)

**bossuer** to dent, make bumps

**botanique** *f.* botany

**botte** *f.* bunch, bundle; truss, bundle (of hay)

**botte** *f.* high boot

**bouche** *f.* mouth

**boucher** to stop up; **boucher un trou** to stop (up), to plug, block up a hole; **se boucher les oreilles** to stop one's ears; to refuse to hear

**boucherie** *f.* butchery, slaughter

**bouche-trou** *m* (*pl.* **bouche-trous**) stopgap, substitute; makeshift

**boucle** *f.* buckle, shackle

**boucler** to buckle; to fasten, latch

**boudeu-r, -se** sulky

**boue** *f.* mud, mire, ooze, slush

**bouffon** *m.* jester, buffoon, clown, fool

**bouffonnerie** *f.* buffoonery; clownery; antics; farcical statements

**bouger** to budge, stir, move; **ça bouge** things are starting

**bouilloire** *f.* kettle, teakettle

**bouillon** *m.* bubble, gush

**bouillonner** to bubble, boil up, seethe, froth up

**bouleversant, -e** upsetting, staggering, bewildering

**bouleversement** *m.* upsetting; upheaval

**bouleverser** to upset, overturn, overthrow; to turn (something) topsy-turvy; to throw (something) into confusion; to upset, discompose (someone); **se bouleverser** to show distress

**bouquet** *m.* bunch of flowers, nosegay, posy, bouquet; cluster, clump

**bourde** *f.* fib, falsehood; blunder; tall story

**bourdon** *m.* great bell

**bourdonner** (of insects) to buzz, hum; to hum (tune)

**bourdonnement** *m.* buzzing, buzz

**bourgeois** *m.* **bourgeoise** *f.* citizen, commoner; middle-class man, woman

**Bourgogne** *f.* Burgundy, ancient province of France in the East central part of France, renowned for its fine wine and good food

**bourguignon, -ne** *a. & n.* Burgundian

**bourreau** *m.* executioner; hangman; tormenter, torturer

**bourru, -e** rough, rude, surly, churlish

**bourse** *f.* purse, bag, pouch, moneybag; **tenir la bourse** to hold the purse strings

**bout** *m.* extremity, end, tip, bit; **au bout de** at the end of; **jusqu'au bout** to the very end; **pousser à bout** to make one angry, lose patience

**bouteille** *f.* bottle
**boutique** *f.* shop, store
**bramer** to roar, bellow
**branche** *f.* branch, limb, bough
**branle** *m.* oscillation, swing (motion); impulse, impetus; **mettre quelque chose en branle** to set something going, in action, in motion
**bras** *m.* arm
**brave** brave, bold, gallant; kind, good, honest, worthy; **un (homme) brave** a brave, courageous man; **c'est un brave homme** he's a worthy man; **mon brave** my good man
**bravo** bravo! well done! *m.n.* cheer
**brebis** *f.* sheep
**brêche** *f.* breach, opening, gap, break, hole
**bref, brève** brief, short; short-lasting; **soyez bref!** be brief! cut it short! *adv.* briefly, in a word, in short
**breloque** *f.* charm, trinket; watch charm
**brève** *see* **bref**
**bréviaire** *m.* breviary
**bride** *f.* bridle
**brigadier** *m.* brigadier, lowest rank in the cavalry, i.e. corporal; **brigadier de police** police sergeant
**brigand** *m.* brigand, highwayman; ruffian
**brillant, -e** brilliant; sparkling, glittering, bright (light, gem, etc.); glossy
**briller** to shine, sparkle, glitter, glisten
**brimade** *f.* rough joke (played on freshmen, new boys); *pl.* ragging
**brin** *m.* shoot; blade; bit, fragment
**brise** *f.* breeze
**brisé, -e** broken
**briser** to break, smash, shatter; to break up (clods of earth, etc.); to crush
**broder** to embroider
**broncher** (of horse) to stumble; flounder; to roar
**bronze** *m.* bronze
**brosser** to brush; to scrub; **se brosser** to brush oneself
**brouette** *f.* wheelbarrow
**brouillé, -e** jumbled, mixed, confused; blurred (photograph); murky (sky), hazy
**brouiller** to mix up, confuse, jumble; to throw (something) into confusion
**broussaille** *f.* (*usually pl.*) brushwood, underbrush, scrub
**brouter** to browse (on grass)
**bruit** *m.* noise; din; rumor, report, gossip; **faire grand bruit de** to make a lot of fuss, make a to-do about
**brûlant, -e** burning; burning hot; on fire
**brûler** to burn; to scorch, parch; **brûler la cervelle à quelqu'un** to blow someone's brains out
**brume** *f.* thick fog, haze, mist (esp. at sea, in the mountains)

**brusque** abrupt, blunt, offhanded, brusque (person, manner)
**brusquement** abruptly, brusquely, suddenly
**brusquerie** *f.* abruptness, bluntness, brusqueness
**brutal, -e** brutal, brutish, savage; coarse, rough
**brutalement** brutally
**brute** *f.* brute, beast, ruffian; animal (that does not know how to reason)
**bruyamment** noisily
**bruyant, -e** noisy, loud
**buée** *f.* steam, vapor, haze (on window panes, etc.)
**buffet** *m.* cupboard (piece of furniture in which one keeps china, table linen, etc.); refreshment room (in a railroad station)
**bulletin** *m.* bulletin; report
**bureau** *m.* writing table (desk); bureau; office; **bureau de(s) poste(s)** post office
**burent** *past. def. of* **boire**
**buste** *m.* bust; upper part of the body
**but** *past. def. of* **boire**
**but** *m.* goal, aim; mark, target, objective
**butagaz** *m.* artificial gas for stoves which is put up in cans or tanks
**buté, -e** fixed, set, obstinate
**buter: buter contre** to trip to knock, stumble; **buter sur** stumble upon; (of thing) to butt, strike against
**butin** *m.* booty, spoils, plunder
**butor** *m.* churl, lout; **un maître butor** a big lout
**buvaient** *imp. of* **boire**
**buvant** *pres. part. of* **boire**

## C

**ça** *abbreviation of* **cela: c'est ça** that's it
**çà** hither; **çà et là** hither and thither; here and there; **de ça, de là** hither and thither
**cabane** *f.* hut, shanty
**cabaret** *m.* tavern
**cabinet** *m.* small room, closet; office room, study; consulting room
**cabrer: se cabrer** to rear
**cabri** *m.* kid, goat
**cabriolet** *m.* gig; cabriolet (two-wheeled carriage)
**cacher** to hide, secrete, conceal; **se cacher** to hide (oneself); to lie in hiding
**cacheter** to seal (up) (letter, bottle, etc.)
**cachette** *f.* hiding place; **en cachette** secretly; on the sly; on the quiet
**cachot** *m.* dungeon; dark cell; prison, jail
**cadavéreu-x, -se** cadaverous
**cadavre** *m.* corpse; dead body
**cadeau** *m.* present; gift
**cadence** *f.* cadence, rhythm
**cadre** *m.* frame (of picture, door); border, setting; **cadres** army (or navy) regular staff

**café** *m.* coffee; **café au lait** coffee with milk; **café** (always licensed to sell alcoholic drinks)
**cage** *f.* cage, birdcage
**caillou** *m.* pebble, boulder, stone
**calcaire** calcareous, chalky
**calciné** burnt (because of high temperature)
**calciner** to roast
**calculé, -e** calculated, premeditated (malice); deliberate
**calculer** to calculate; to compute, figure, reckon, realize
**calembour** *m.* pun; play on words
**calendrier** *m.* calendar, almanac
**califourchon: à califourchon** astride, astraddle
**câlin, -e** caressing, winning, coddling
**calleu-x, -se** horn, callous
**calme** calm; still, quiet (air, night); cool, composed (person, manner)
**calmer** to calm, quiet, still, allay; to soothe; **se calmer** to become calm; to calm down
**calomnie** *f.* calumny
**calotte** *f.* skullcap
**camarade** *m. & f.* comrade; companion, fellow, mate, pal; fellow worker
**caméléon** *m.* chameleon
**camélia** *m.* camellia
**camionnette** *f.* small delivery wagon, van
**camp** *m.* camp
**campagne** *f.* plain; open country; countryside; **à la campagne** in the country
**canaille** *f.* scoundrel, blackguard; (*colloquial*) rabble, riffraff
**canal** *m.*; *pl.* **canaux** canal, channel (of river)
**canapé** *m.* sofa, couch, settee
**canarder: canarder quelqu'un** to fire at someone from behind cover; to snipe at someone
**canari** *m.* canary bird
**candide** ingenuous, guileless, artless
**Candide** title of a philosophical novel by Voltaire (1759)
**canne** *f.* cane, walking stick
**canon** *m.* gun, cannon; **canon à vapeur** cannon fired by steam
**cantique** *m.* canticle, chant, hymn
**capable** capable
**capeline** *f.* hood (covering the shoulders); hooded cape; sunbonnet
**capitaine** *m.* captain
**capital, -e** capital; essential, chief, principal; *m.n.* capital, assets
**capituler** to surrender
**caporal** *m.* corporal
**capote** *f.* greatcoat, overcoat; (lady's, baby's) bonnet
**caprice** *m.* caprice, whim
**capricieu-x, -se** capricious, whimsical
**capucinade** *f.* dull sermon
**car** for, because

**carabin** *m.* medico; sawbones; medical student
**caractère** *m.* character; characteristic feature; nature, disposition, personality
**caravane** *f.* caravan; desert convoy
**caressant, -e** caressing
**caresse** *f.* caress
**caresser** to caress, fondle, stroke; to pat (animal)
**carillonner** to chime the bells; to ring a peal
**carnage** *m.* carnage, slaughter
**carré, -e** square, stocky (figure); square unit of troops; *m.n.* **carré de papier** square slip of paper
**carreau** *m.* windowpane
**carrelage** *m.* tiling, tiled floor
**carrément** square(ly), friendly, plainly
**carrière** *f.* career
**carrosse** *m.* coach, carriage
**carte** *f.* card, sheet of paper; map; (piece of) pasteboard or cardboard; playing card; **jouer aux cartes** to play cards
**carton** *m.* cardboard; pasteboard; **nez en (de) carton** pasteboard nose
**cas** *m.* case; instance, legal case, cause; **en cas de** in case of; **faire (du) cas de** to attach importance to
**cascatelle** *f.* small cascade
**cassé, -e** broken, worn out, cracked (of the voice)
**casser** to break, snap; to crack; to degrade (someone); to annul, quash, set aside (verdict, will); **se casser** to break; **se casser le nez** to find the door closed
**cassie** *f.* cassia, acacia (of the European type)
**castagnettes** *f.pl.* castanets (used especially in Spanish dances)
**catalepsie** *f.* catalepsy, seizure
**Catalogne** *f.* Catalonia
**catéchisme** *m.* catechism
**cathédrale** *f.* cathedral
**cause** *f.* cause; reason; suit, action, case, lawcase; **à cause de** owing to, on account of
**causer** to cause; to converse, chat, talk
**cavalerie** *f.* cavalry
**cavalier** *m.* **cavalière** *f.* rider; horseman, horsewoman
**cave** *f.* cellar, wine cellar, vault
**ce(c')** it, that; **c'en est un** it is one; **c'est-à-dire** that is to say
**ce (cet), cette, ces** this, that; *pl.* these, those
**ceci** this (thing, fact)
**céder** to give up, give in, part with, yield; to surrender (right); to transfer, make over, assign; to give way (under pressure)
**ceinturon** *m.* waist belt, sword belt
**cela (ça)** that (thing, fact); that (*familiarly or pityingly said of a person*)
**célébration** *f.* celebration, ceremony
**célèbre** famous, celebrated

**celui, celle** the one who; he, she; *pl.* **ceux, celles** those; **celui-ci, ceux-ci** this (one), these; the latter; **celui-là, ceux-là** that (one), those; the former

**cendre** *f.* ashes, cinders

**censé, -e** supposed (to be, etc.)

**cent** (a, one) hundred

**centenaire** of a hundred years' standing; a hundred years old; centenary

**centre** *m.* center; central point; middle, midst

**cependant** meanwhile; in the meantime; yet, still, nevertheless, for all that, however

**cérémonie** *f.* ceremony; **habit de cérémonie** garb for ceremonies, dress uniform

**cerf** *m.* stag, hart

**cerise** *f.* cherry

**cerner** to encircle, surround; **avoir les yeux cernés** to have rings under the eyes

**certain, -e** certain, sure, unquestionable; fixed, stated (date)

**certainement** certainly, surely, of course

**certes** indeed! to be sure! surely, certainly

**certitude** *f.* certainty

**cervelle** *f.* brain(s) (as matter); mind, head; **brûler la cervelle** to blow someone's brains out

**cesse** *f.* cease, ceasing; **sans cesse** without cease; without stopping; unceasingly

**cesser** to cease, leave off, stop; not to continue

**c'est-à-dire** that is (to say); *i.e.* in other words

**cestuy-là** = **celui-là**

**chacun, -e** each; every one; each one

**chagrin** *m.* grief, sorrow, affliction, trouble; vexation, annoyance; **avoir du chagrin** to have sorrow

**chagrin, -e** sad, troubled

**chagriner** to grieve, distress; to vex, annoy

**chaîne** *f.* chain (of iron, gold, etc.); shackles, fetters, bonds

**chair** *f.* flesh

**chaise** *f.* chair, seat

**châle** *m.* shawl

**chaleur** *f.* heat, warmth; ardor, zeal

**chaleureusement** warmly, cordially

**chaleureu-x, -se** warm (friend, thanks); cordial (welcome); gushing (compliments)

**chalumeau** *m.* reed; pipe

**chambre** *f.* room, chamber; **chamber à coucher** bedroom, bedroom suite; **chambre d'invités** guest room; **chambre haute** high chamber (of peers)

**chambrée** *f.* roomful (of people sharing a room); barrack-room

**champ** *m.* field; **sur-le-champ** at once; immediately

**champêtre** rustic, rural

**champignon** *m.* mushroom

**Chanaan** ancient name of Palestine
**chance** *f.* chance
**chanceler** to stagger, totter
**chandail** *m.* sweater
**chandelle** *f.* (tallow) candle
**changeant, -e** changing
**changement** *m.* change, alteration
**changer** to change; to transform; to exchange; to alter; **changer de vie** change one's mode of living; **changer de bras** to transfer from one arm to another
**chanoine** *m.* canon
**chanson** *f.* song
**chant** *m.* singing; song; canto (of long poem)
**chanter** to sing
**chantonner** to hum; to sing softly
**chapeau** *m.* hat
**chapelet** *m.* rosary (of fifty-five beads); beads
**chapelle** *f.* chapel; small church; any part of a church having an altar
**chapitre** *m.* chapter
**Chapuis** collector of excise on salt in the Canton of the Valais in Switzerland
**chaque** each, every
**char** *m.* wagon, chariot
**charbon** *m.* coal
**chardon** *m.* thistle
**Charenton** small town near Paris with a lunatic asylum
**charge** *f.* load, burden; charge, responsibility; profession
**chargé, -e** loaded, laden; charged (with an errand, etc.); **chargé de** charged with; loaded down, burdened with
**charger** to load, burden; **charger quelqu'un de quelque chose (de faire quelque chose)** to charge someone with something, with doing some thing; to instruct someone to do something; to commission; to indict; **se charger de** to take upon oneself; **se charger de quelque chose** to undertake something; **se charger de quelqu'un** to look after someone
**charité** *f.* charity, love; act of charity; alms(-giving); **faire la charité à quelqu'un** to give alms to someone
**charmant, -e** charming, delightful
**charme** *m.* charm, spell; attraction, seductiveness
**charmé, -e** charmed
**charmer** to charm, enchant
**charogne** *f.* carrion; decaying carcass
**charrette** *f.* dogcart (two wheeled open carriage in which two seats are back to back)
**charrier** to cart, carry, transport, toss, carry along
**charrue** *f.* plough
**chasse** *f.* hunting; game shooting; **en chasse** hunting; **fusil de chasse** hunting gun
**châsse** *f.* reliquary, shrine

**chasser** to chase, hunt, hunt for; to drive (someone) out, away; to expel; to dismiss
**chat** *m.* **chatte** *f.* cat
**châtier** to punish, chastise
**châtiment** *m.* punishment, chastisement
**chatoyant, -e** iridescent
**chaud, -e** warm, hot
**chaudronnier** *m.* coppersmith, brass worker; tinman
**chauffer** to warm, heat; to get, become warm, hot
**chaussée** *f.* roadway; road, high road
**chausser** to put shoes on (someone)
**chausses** *f.pl.* breeches
**chaussette** *f.* sock
**chaussure** *f.* footwear, shoes
**chauve** bald
**chavirer** to capsize (of boat, etc.), turn turtle, upset
**chèche** *m.* a long scarf wound around the head and worn by certain African soldiers
**chéchia** *f.* a red cap worn by troops serving in Africa; tarboosh
**chef** *m.* head; head (of family); chief (of tribe, clan); leader; principal; **sur tous les chefs** under all headings, on all counts
**chef-d'œuvre** *m.* (*pl.* **chefs-d'œuvre**) masterpiece
**chemin** *m.* way, road, path, track
**chemineau** *m.* itinerant workman; tramp, vagrant
**cheminée** *f.* fireplace; chimney (flue or stack)
**cheminer** to tramp, walk, start going, proceed, tread
**chemise** *f.* shirt; **chemise de nuit** nightgown
**chêne** *m.* oak
**chenu, -e** (of hair, person) white (with age); hoary
**cher, chère** dear, beloved; **mon cher** my dear fellow; **ma chère** my dear (*f.*); dear, expensive
**chercher** to search for, look for; to seek; **chercher à** try to; **aller chercher** to (go and) fetch, go for; **se chercher** look for (each other)
**chère** *f.* cheer, fare, living; **faire bonne chère** to eat well; **la bonne chère** good living
**chèrement** dearly, lovingly; at a high price; **aussi peu chèrement** as cheaply
**chéri, -e** beloved, darling, dear, cherished
**chérir** to cherish; to love (someone) dearly
**chéti-f, -ve** weak, puny, sickly, delicate; poor, miserable, wretched; rickety (horse)
**cheval** *m.* (*pl.* **chevaux**) horse; **à cheval** on horseback
**cheveu** *m.* hair; **les cheveux** the hair
**chevrier** *m.* goatherd; **chevrière** *f.* goatgirl
**chez** at or to the home or store of; in the case of; with, in, to,

among; in or into the room of; in the presence of; **un chez toi** a home; **être chez eux** to feel at home, be at home
**chien** *m.* **chienne** *f.* dog; **chien de garde** watchdog
**chiendent** *m.* couch grass
**chiffre** *m.* figure, number, numeral
**chiffrer** calculate, compute
**chignon** *m.* coil of hair; knot of hair; chignon
**chimérique** visionary, fanciful, fantastic
**Chine** *f.* China
**chirurgien** *m.* surgeon
**choc** *m.* shock, impact (of two bodies)
**chocolat** *m.* chocolate
**choisir** to choose, select
**choix** *m.* choice, selection; **à son choix** according to one's choice
**chose** *f.* thing, matter; **peu de chose** of little importance, not amounting to much; **parler de choses et d'autres** to speak of one thing or another; **de deux choses l'une** there is only one choice out of two, one solution; there are no two ways about it
**chou** *m.* cabbage
**choyer** to pet, coddle, shower with attentions
**chrétien, -ne** *m. & f.* Christian.
**chuchoter** to whisper
**chut!** hush!
**chute** *f.* fall; **chute du jour** nightfall
**cicatrice** *f.* scar
**ci-dessus** above(-mentionned)
**cidre** *m.* cider
**ciel** *m.* (*pl.* **cieux**) sky, firmament, heaven
**cierge** *m.* wax candle; taper
**cigare** *m.* cigar
**cigarette** *f.* cigarette
**cime** *f.* summit (of hill, etc.); top (of tree, mast)
**cimenter** to cement
**cingler** to sail, steer one's course; to soar
**cinq** five
**cinquante** fifty
**cirage** *m.* waxing, polishing; shoe polish
**circonstance** *f.* circumstance, incident, event
**cire** *f.* wax
**cité** *f.* city; (large) town, metropolis
**citoyen** *m.* **citoyenne** *f.* citizen
**citrouille** *f.* pumpkin, gourd
**civilisé, -e** civilized
**clair, -e** clear (weather, etc.), unclouded, limpid; obvious, manifest, plain (meaning)
**clairement** clearly, plainly
**claque** *f.* smack, slap
**claquer** to clap (of door); **faire claquer** to slam, bang (the door); to smack (one's lips); to crack (a whip); to snap (one's fingers, castanets); to click (one's heels)
**clarté** *f.* clearness, clarity; limpidity (of water); transparency; light, brightness

**classe** *f.* class; classroom; **livre de classe** schoolbook; **salle de classe** classroom
**clause** *f.* clause
**clé** *f.* key, clef; **fermer une porte à clef** to lock a door
**clerc** *m.* clerk (in lawyer's office)
**client** *m.* **cliente** *f.* client
**clientèle** *f.* practice, customers, clientele
**clignement** *m.* blink(ing), wink(ing); flicker of the eyelids
**clin d'œil** *m.* wink; **en un clin d'œil** in the twinkling of an eye
**cloche** *f.* bell, diving bell
**clocher** *m.* belfry, bell tower; steeple
**cloison** *f.* partition, division
**cloître** *m.* cloister; monastery, convent
**clos, -e** *a.* closed; enclosed, shut up; *m.n.* enclosure, close; cultivated land
**coaguler: se coaguler** (of blood, etc.) to coagulate, congeal, clot
**cocarde** *f.* cockade, rosette
**coche** *m.* stagecoach
**cocher** *m.* coachman, driver
**cochère** *f.*: **porte cochère** carriage gateway, main entrance
**cochon** *m.* pig, hog, porker; **cochon d'Inde** guinea pig; **toit de cochons** pig sty
**coco** *m.*: **noix de coco** coconut
**coco** *m.* fine fellow, individual (in bad sense); vilain; **mon coco** my pet, my darling
**cœur** *m.* heart; soul, feelings, mind; courage, spirit, pluck; middle, midst; **de bon cœur** heartily; gladly; **de grand cœur** very gladly, willingly; **homme de cœur** courageous man; **avoir du cœur** to be brave, courageous; **avoir un cœur de poulet** to be chicken-hearted, cowardly; **rester sur le cœur** to weigh on one's heart so that one cannot forget; **faire le joli cœur** to play the gallant, to try to attract attention
**coffre-fort** *m.* safe
**coffret** *m.* jewel box, case; small box
**cogner** to knock, beat, thump; **se cogner la tête** to hit one's head
**cohorte** *f.* band; cohort
**coi, -te** quiet, peaceful; **se tenir coi** to keep quiet; to lie low
**coiffé, -e: être coiffé d'un . . .** to be wearing a . . .; **être bien coiffé** to have one's hair well dressed
**coiffer** to cover (the head), to wear on one's head; **coiffer quelqu'un** to dress, do someone's hair; **se coiffer** to put one's hat on; **se coiffer de** to put (something) in one's hair
**coin** *m.* corner (of street, room); (retired) spot, nook; corner (of mouth)
**coincer** to wedge; to jam

**colère** *f.* anger; wrath; **en colère** angry
**collé, -e** glued to
**collège** *m.* college, school
**coller** to paste, stick, glue; to adhere, cling, lay
**collet** *m.* collar (of coat, dress); **prendre au collet** to grab by the neck; **mettre la main sur le collet** to catch (someone) (grab by the collar)
**collier** *m.* dog collar, collar; string
**colline** *f.* hill
**colonel** *m.* colonel
**colonne** *f.* column, pillar
**colossal, -e** (*pl.* **colossaux**) colossal, gigantic, huge
**combat** *m.* combat, struggle
**combien** (*exclamative*) how (much)! (*interrogative*) how much? how many?
**combinaison** *f.* combination, arrangement, grouping
**combler** to fill (up), fill in; to make up, make good (a loss)
**comédie** *f.* comedy; play; drama
**Comédie Française (la)** one of the four State-aided theatres in Paris and the home of the French classical drama
**comédien** *m.* **comédienne** *f.* comedian, actor; (play-)actor, (play-)actress; player
**commandant** *m.* commandant, commanding officer
**commander** to command, order (something); to be in command of, have control over
**comme** as, like; in the way of; seeing that, just as; how (*exclamation*); **comme (si)** as if, as though
**commencement** *m.* beginning
**commencer** to begin, commence, start
**comment** how
**commerce** *m.* commerce; trade, business
**commère** *f.* crony, fellow worker, "friend"
**commettre** to commit, perpetrate (crime); to make; **se commettre** to be committed, to commit oneself
**commis, -e** *past. part. of* **commettre**
**commis** *m.* clerk
**commissaire** *m.* member of a commission; commissar (army, etc.), commissioner
**commission** *f.* commission; message, errand
**commode** *f.* chest of drawers, bureau
**commun, -e** common; universal, general, (custom, etc.); usual, everyday; commonplace; mediocre; vulgar; **être communs en biens** to share property, money, according to the marriage contract
**communauté** *f.* community; corporation, society
**commune** *f.* town; commune (smallest territorial division)
**communication** *f.* communication; **portes de communica-**

**tion** connecting, communicating doors

**communion** *f.* communion

**compagnie** *f.* company; **tenir compagnie à quelqu'un** to keep someone company; **par compagnie** because the others do it

**compagnon** *m.* companion, comrade, fellow

**comparable** comparable

**comparaison** *f.* comparison; **en comparaison de** compared to

**comparer** to compare

**compartiment** *m.* compartment

**compatir** to sympathize with, feel for someone in his grief; **compatir à** to sympathize with

**compatriote** *m. & f.* compatriot

**compère** *m.* comrade, crony, pal; good fellow; **un bon compère** a jolly good fellow

**complaisance** *f.* obligingness, kindness, attention; willingness to please; **par complaisiance** out of politeness

**complaisant, -e** obliging, willing

**compl-et, -ète** complete, entire

**complètement** completely, entirely

**compléter** to make complete

**complexion** *f.* character

**complexité** *f.* complexity

**compliment** *m.* compliment; **mauvais compliment** disobliging, insulting remark; *pl.* greetings

**complimenter** to compliment; to congratulate (on); **faire complimenter quelqu'un** to have one's condolences expressed

**compliqué, -e** complicated

**compliquer** to complicate

**complot** *m.* plot, conspiracy

**comporter** to allow (of), admit of (something); to call for, require (something); to comprise; **se comporter** to behave

**composer** to compose, write; to arrange, settle (one's life, etc.); to make up; **composer avec** to come to terms with, yield; **se composer (de)** to be composed (of), consist (of)

**comprendre** to comprise, include; to understand, comprehend; **comprendre à** understand about

**compri-s, -t** *past def. of* **comprendre**

**compris, -e** *past. part. of* **comprendre; y compris** including

**compromettre** to compromise someone; to endanger, jeopardize; to accept arbitration

**compromis, -e** *see* **compromettre** compromised

**comptant: argent comptant** ready money

**compte** *m.* account; **régler son compte à quelqu'un** to settle someone's hash; **sur son compte** about her (him); **se tromper sur mon compte** to be mistaken about me; **se rendre compte** to realize

**compter** to count (up), reckon (up), intend, compute (numbers, etc.); to value; to count; to be of consequence; to consider; to count upon; **compter sur quelqu'un** to reckon, count, rely upon someone; **comptez-vous pour rien le pâté** do you think the tart does not count?

**comptoir** *m.* counter (in a store, etc.)

**comte** *m.* count; **monsieur le comte** my lord

**comtesse** *f.* countess; **madame la comtesse** my lady

**concentré, -e** concentrated, repressed

**concerner** to concern, affect

**concevoir** to conceive; to imagine; to understand

**concierge** *m. & f.* (house)porter, janitor, janitress, superintendent of a house; doorkeeper; caretaker (of flats); lodgekeeper (of castle, etc.); keeper (of prison)

**conciliation** *f.* conciliation

**concis, -e** concise, terse

**conclure** to conclude

**conçois** *pres. ind. of* **concevoir**

**concr-et, -ète** concrete, solid

**conçu, -e** *past part. of* **concevoir**

**condamné, -e** *m. & f.* convict, condemned man (woman)

**condamner** to condemn, convict, sentence, pass judgment on

**condenser** to condense

**condition** *f.* condition; state; rank, station; term, social standing; stipulation; **gens de condition** people of fashion, high standing, of quality; **être de condition** be of high society; *pl.* terms

**conduire** to conduct, escort; to lead; to guide; to convey, conduct

**conduite** *f.* direction, conduct, course to be taken

**conférence** *f.* conference, discussion

**conférer** to compare, collate (texts); to confer, award (privileges, etc.); to confer

**confesser** to confess (one's sins) to a priest

**confession** *f.* confession; **confession!** I want to confess (to a priest)

**confessionnel, -le** denominational (matters, disputes)

**confiance** *f.* confidence, trust, reliance; confidence, sense of security

**confidence** *f.* confidence (imparted as a secret), secret

**confident, -e** *m. & f. n.* confidant

**confier** to trust, entrust, commit; to confide, impart, disclose; **se confier à** to entrust oneself to

**confiseur** *m.* **confiseuse** *f.* confectioner

**confit, -e: fruits confits** preserved fruit(s), candied fruit

**confondre** to mistake, confuse; to confound, astonish, surprise; to merge, mingle; **se confon-**

**dre** to blend, to intermingle, interflow; unite

**confondu, -e** overwhelmed; mistaken for someone else

**confort** *m.* comfort(s), conveniences

**confrérie** *f.* (religious) brotherhood or sisterhood; group; confraternity

**confrontation** *f.* confrontation

**confronter** to confront

**confus, -e** confused, mixed, jumbled; indistinct; dim, blurred; obscure, ambiguous

**confusément** confusedly

**congeler** to congeal, freeze; **se congeler** to congeal; to freeze (up)

**connaissance** *f.* acquaintance; knowledge; understanding; **faire connaissance avec quelque chose** to become acquainted with something; **une figure de connaissance** a familiar face

**connaître** to be acquainted with, know; to make the acquaintance of; to be versed in, to have a thorough knowledge of (something); to have a thorough command of (a language); **se connaître en (à) quelque chose** to know all about, be a good judge of something; **ne pas s'y connaître** to understand nothing about; **se faire connaître** to tell who one is, introduce oneself

**connivence** *f.* complicity, connivance

**conquérir** to conquer, subdue (country, people); to gain over, win (over), make a conquest of (someone)

**conquête** *f.* (act of) conquest

**consacrer** to consecrate; to dedicate; to devote; to assign; to sanction

**conscience** *f.* conscience; consciousness; conscientiousness

**consciencieu-x, -se** conscientious

**conscrit** *m.* conscript, recruit; novice, greenhorn

**conseil** *m.* advice, counsel; purpose, plan; council; **suivre le conseil de quelqu'un** to take someone's advice

**conseiller** to advise, counsel

**conseiller** *m.* **conseillère** *f.* counsellor, adviser, councillor

**consentir** to consent, agree

**conséquence** *f.* consequence, outcome, sequel, result

**conséquent** consistent, rational (mind, speech); **par conséquent** consequently, accordingly, therefore

**conserver** to preserve; to take care of; to keep, retain, maintain (rights, etc.); to keep up (a custom); to save (money)

**considérablement** strongly (of odors, etc.); greatly

**considération** *f.* consideration, attention, thought; regard, esteem, respect

**considérer** to consider; to think; to contemplate, gaze on, look at

**consigne** *f.* order(s), instructions

**consigner** to order; to confine; **consigner quelque chose (par écrit)** to write down, enter

**consistance** *f.* consistence, consistency; importance, value; stability, firmness

**consister** to consist, be composed of something; **consister en** to consist of

**consolation** *f.* consolation, solace

**consoler** to console, solace, comfort; **se consoler** to console oneself

**consommé, -e** consummate (skill, etc.)

**consorts** *m.pl.* associates, members of the same social set (used disparagingly)

**conspirer** to conspire, plot

**constamment** constantly

**constance** *f.* constancy, steadfastness; persistence, perseverance; constancy, invariability (of temperature, etc.)

**constant, -e** constant, steadfast; unshaken (perseverance, etc.), firm; established, patent

**constante** *f.* (in physics) quantity or factor that does not vary; constant; coefficient

**constater** to establish, ascertain (fact); to certify

**constituer** to set up, institute; to constitute; to form, make (up)

**construction** *f.* construction, building; constructing, erection

**construire** to construct, build, erect

**consultation** *f.* consultation, conference; (medical) advice

**consulter** to consult, refer to

**conte** *m.* story, tale; **conte de fées** fairy tale

**contemplati-f, -ve** contemplative

**contempler** to contemplate; to behold, view; to gaze at, upon; to meditate, reflect upon (something)

**contenance** *f.* countenance, bearing, assumed conduct

**contenir** to contain; to restrain; to keep (crowd, feelings) in check; to control (passion); to hold; **contenir la respiration** to hold one's breath; **se contenir** to contain oneself; to hold oneself in; to keep one's temper

**content, -e** content; **être content** to be content, happy, satisfied, pleased, glad

**contentement** *m.* contentment, satisfaction

**contenu** *m.* contents (of parcel, etc.)

**conter** to tell, relate (story, etc.); **conter fleurettes** to say gallant compliments, flirt

**conteur** *m.* narrator, story writer

**contigu, -ë** contiguous, adjoining

**continuer** to continue, carry on

**contour** *m.* outline, contour

**contractant, -e** contracting (party)

**contracter** to contract, draw together

**contraction** *f.* contraction; shrinking

**contradiction** *f.* contradiction; **en contradiction avec** inconsistent with

**contraindre** to constrain

**contraire** contrary; conflicting; opposite (direction, etc.); adverse, opposed; *m.n.* the opposite; **au contraire** on the contrary

**contrarié, -e** vexed, annoyed

**contrarier** to vex, annoy; to thwart, oppose, cross; to run counter to (someone)

**contraste** *m.* contrast

**contrat** *m.* contract, agreement, deed; marriage contract

**contre** against

**contrebandier** *m.* smuggler

**contrefait, -e** feigned (zeal, etc.); disguised (writing, etc.); counterfeit, forged, spurious

**contrefort** *m.* spur (of mountain); *pl.* foot-hills

**contre-jour** *m.* light from behind; **à contre-jour** with one's back to the light, against the light

**contremarche** *f.* countermarch

**convaincre** to convince

**convenable** suitable; fit(ting), befitting, proper, becoming, appropriate; decent, well-behaved (person); seemly, decorous (behavior)

**convenablement** properly, sufficiently

**convenance** *f.* propriety, decency, decorum, social conventions; etiquette

**convenir** to suit, fit; to be fitting, applicable to; to be suitable; to agree, to come to an agreement; to admit; **convenir de** to agree upon

**convenu, -e** agreed, stipulated (price, etc.)

**convention** *f.* convention; agreement, covenant; *pl.* articles, clauses (of deed, etc.)

**conversation** *f.* conversation, talk

**conviction** *f.* conviction; firm belief

**convien-t, -nent** *pres. ind. of* **convenir**

**convier** to invite, bid

**convulsi-f, -ve** convulsive

**copeau** *m.* chip, cutting (of wood, metal)

**copie** *f.* copy; reproduction; form, imitation

**coq** *m.* rooster

**coquelicot** *m.* red poppy

**coquillage** *m.* (empty) sea shell

**coquin** *m.* rogue, rascal, knave, scamp; **coquine** *f.* hussy, minx, jade; **une coquine de . . .** a hussy of a . . .

**cor** *m.* **sonner du cor** to sound, wind the horn

**corbeau** *m.* crow

**corbeille** *f.* (open) basket; **la corbeille de noces** the wedding presents (given to the bride by the bridegroom)

**corde** *f.* rope, cord, line
**cordelette** *f.* small, thin cord; string
**cordonnerie** *f.* shoemaking
**corne** *f.* horn; callosities; callouses
**corps** *m.* body; main part; **à son corps défendant** against her will
**corps-de-garde** *m.* guardhouse, guardroom (military)
**correction** *f.* correction; reproof; punishment, beating; correctness; propriety
**corregidor** *m.* magistrate, mayor (*Span.*)
**correspondant** *m.* correspondant (commercial)
**correspondre** to correspond
**corridor** *m.* corridor, passage, hall
**corriger** to correct; to rectify; to set (someone) right; to reform; **se corriger** to reform (oneself)
**corrompre** to corrupt
**corrup-teur, -trice** corrupting
**corse** *m. & f.* Corsican
**corvée** *f.* forced labor; **quelle corvée!** what a chore, hard work!
**cosaque** *m.* Cossack
**cossu, -e** wealthy, well-to-do, monied (person)
**costaud** *a. & n.* strapping, hefty (individual)
**costume** *m.* costume, dress
**côte** *f.* rib; slope (of hill); coast, shore
**côté** *m.* side; **à côté de** by the side of, next to, beside; **de tous (les) côtés** on all sides; **de côté** on one side; **de mon côté** in my direction; **mettre quelque chose de côté** to put something aside, to one side; **de son côté** on his (her) part; **de quel côté** from which side; **passez à côté** step into the next room
**coton** *m.* cotton
**cotonnade** *f.* cotton fabric; *pl.* cotton goods
**cou** *m.* neck; **au cou** on the neck; **me jetant les bras au cou** throwing his arms around my neck
**couchant, -e** setting (sun)
**couche** *f.* coat, coating (of paint, etc.); layer
**couché, -e** lying
**coucher** to put to bed, to sleep, to lie; **coucher un fusil en joue** to aim a gun; **se coucher** to go to bed, to retire, to lie down; to set (sun)
**coucher** *m.* setting (of sun, star); **au coucher du soleil** at sunset, at sundown
**coude** *m.* elbow; bend, turn; **coup de coude** poke with the elbow
**coudre** to sew, stitch
**couler** to run, pour (liquid); to flow; **laisser couler** to drop down
**couleur** *f.* color, tint, hue; **en conter de toutes les couleurs**

to tell all kinds of tall stories; **perdre ses couleurs** to lose one's rosy complexion

**coulisse** *f.* wings of the stage; **regard en coulisse** sidelong glance; **faire les yeux en coulisse** to ogle, cast sidelong glances

**couloir** *m.* corridor, hall

**coup** *m.* knock, blow, rap; drink; **à grands coups** with heavy blows; **coup de dents** a bite; **coup sur coup** in rapid succession; **tout à coup** suddenly; **tout d'un coup** all at once; **coup d'œil** glance; **coup de balai** beating with a broom; **coup de coude** poke with the elbow; **coup de sabre** sword cut, thrust; **coup de feu** bullet shot; **coup de fusil** a gunshot; **à coups de pierre** by throwing stones; **du même coup** at the same time; **manquer son coup** to fail, to miss out; **faire un bon coup** to have a stroke of luck; to make a good haul

**coupable** guilty (person); culpable (act); sinful, unpardonable

**coupé** *m.* coupé (a closed carriage seating two)

**couper** to cut, cross, intersect; **coupés du monde** cut off from the world

**cour** *f.* court (of prince); court, yard, courtyard

**courage** *m.* courage, valor, bravery; pluck; **prendre courage** to take courage, to take heart; **bon courage!** be brave, be of good heart!

**courant, -e** running; current; **la vie courante** every day

**courant** *m.* course; **courant d'air** draught; **courant électrique** electric current

**courber** to bend, curve

**courir** to run; to run after (something); to hunt, pursue, chase (animal); **courir le monde** to be known, published, all over the world; **courir les rues** to run about the streets

**couronné, -e** wreathed, crowned

**couronner** to crown

**courrier** *m.* mail

**courroux** *m.* anger, wrath, ire

**course** *f.* run, running; race, racing; **les courses** the races; (business) errand; **être en course** to be out (on business, shopping, on errands); **poursuivre à la course** to follow in runnig; **courses de taureaux** bullfights

**coursier** *m.* warhorse; charger

**court, -e** short, quick, brief; **pendre court** to string up, hang (with a short rope)

**courtier** *m.* agent, dealer

**courtisan** *m.* courtier

**courtoisie** *f.* courtesy, courteousness, politeness, urbanity

**cousin** *m.* **cousine** *f.* cousin

**couteau** *m.* knife; **coup de couteau** knife cut; **jouer du couteau** to use one's knife

**coûter** to cost, to pain (*fig.*)
**coûteu-x, -se** costly, expensive
**coutume** *f.* custom, habit; **avoir la coutume de faire quelque chose** to be in the habit of doing something; **être de coutume** to be customary
**couvent** *m.* convent, nunnery
**couvercle** *m.* lid, cover
**couvert** *m.* place setting (knife, fork, etc.); place at table
**couvert, -e** *past part. of* **couvrir**
**couverture** *f.* blanket, covering, cover
**couvrir** to cover, to overlay, to screen; **être couvert de poussière** to be covered with dust; **se couvrir de** to become covered with
**cracher** to spit; to expectorate
**craie** *f.* chalk; **à la craie** in chalk, with chalk
**craignai-s, -t, -ent** *imp. of* **craindre**
**craignant** *pres. part. of* **craindre**
**craignirent** *past def. of* **craindre**
**craindre** to fear, dread; to stand in awe of, be afraid of (someone, something)
**crainte** *f.* fear, dread; **sans crainte** fearless, fearlessly; **de crainte que** lest
**crainti-f, -ve** timid, timorous
**crâne** *m.* skull
**crapuleu-x, -se** dissolute, debauched, scoundrel
**craquer** to crack, make a cracking sound; to crunch; to creak; to squeak; to crackle
**crasse** gross, crass
**cravate** *f.* necktie, scarf
**créance** *f.* belief, conviction; credence; credit
**créancier** *m.m.* **créancière** *f.* creditor
**créa-teur, -trice** creative; *m.n.* creator; maker; **le Créateur** the Creator, God
**création** *f.* creation, creating; founding, establishment (of institution, etc.), creation (of peer); setting up (of a court, etc.)
**créature** *f.* creature
**crédulité** *f.* credulity, credulousness
**crêper** to frizz, crimp (of hair); **se crêper le chignon** to tear each other's hair
**crépir** to roughcast (wall); to cover with rough plaster or mortar
**creuser** to hollow (out); to groove; to furrow, plough (a furrow); to excavate, dig (out) (trench, etc.), dig up; to cut (canal); to sink, bore; **se creuser la tête** to rack one's brains
**creu-x, -se** hollow, empty; *m.n.* hollow (of the hand); hollow (of land), pit
**crever** to die (usually applied to animals)
**cri** *m.* cry (of persons, and animals); shout, call; **pousser des cris** to shout out
**criblé, -e: criblé de dettes** head over heels in debt

**cribler** to sift; to riddle; to screen (gravel, coal); **cribler de balles** to riddle with bullets, with shot
**crier** to cry; to call out, shout; to squeal; to shout for help
**crime** *m.* crime
**criminel, -le** criminal; guilty; *m. & f.n.* criminal, felon; **en criminelle** as a criminal
**crinière** *f.* mane
**crise** *f.* attack (of gout, heart, etc.); crisis
**crisper** to contract, clench; to be screwed up with pain; **se crisper** to contract
**critique** critical, decisive, crucial; *m. & f. n.* a critic
**crochet** *m.* hook, spit curl; **faire un crochet** to swerve (of person, animal), to take a sudden turn (of road); to go in a round about way
**crocodile** *m.* crocodile
**croire** to believe; **croire à** to believe in; **se croire** to believe oneself to be
**croisé, -e** crossed
**croiser** to cross; **croiser les jambes** to cross one's legs; **rester les bras croisés** to stand with arms folded, to remain idle
**croissant, -e** growing, rising, increasing
**croître** to grow
**croix** *f.* cross; **la Croix de guerre** the Military Cross; **Croix de Saint-André** St. Andrew's Cross
**croupe** *f.* croup, rump (of horse); **monter en croupe** to ride pillion, i.e. on a cushion behind the rider (especially for women)
**croûte** *f.* crust (of bread, of pie)
**croyance** *f.* belief
**croyant, -e** believer; **les croyants** the faithful
**cru, -e** raw, crude
**cruauté** *f.* cruelty; act of cruelty
**crucial, -e** crucial
**cruel, -le** cruel; **cruel à vivre** hard to live in, endure
**cueilleur** *m.* **cueilleuse** *f.* picker, gatherer (of fruits, etc.)
**cueillir** to gather, pick, pluck (flowers, fruits)
**cuir** *m.* leather; leather band or lining (of a hat)
**cuire** to cook, bake, roast
**cuisine** *f.* kitchen
**cuisinier** *m.* **cuisinière** *f.* cook
**cuisse** *f.* thigh
**cuistre** *m.* ill-bred pedant; ill-mannered cur
**cuit, -e** cooked, ready
**culbuter** to turn a somersault; to overthrow, knock over, upset (someone, something)
**culotte** *f.* **une culotte** a pair of breeches
**culte** *m.* worship, cult
**culture** *f.* cultivation, tillage, tilling (of the soil); *pl.* fields, land under cultivation
**cupidité** *f.* cupidity, greed
**curer** to clear, clean out; to dredge

**curieu-x, -euse** strange; careful (**de,** of); meticulous; curious, inquisitive; anxious about; inquiring (mind); interested; *m.n.* the strange, curious part
**curiosité** *f.* curiosity, interestedness, inquisitiveness
**cyclone** *m.* cyclone
**cynique** *m.* cynic
**cyprès** *m.* cypress

## D

**daigner** to deign, condescend, be kind enough to
**dalle** *f.* flagstone; flooring-tile
**dame** *f.* lady, madam; **honnête dame** good woman
**damier** *m.* checkerboard
**damner** to damn
**dandiner: se dandiner** to have a rolling gait; to waddle
**danger** *m.* danger, peril, jeopardy; **pas de danger!** don't worry! never fear!
**dangereu-x, -se** dangerous
**dans** in, within; during; into, out of; **dans Paris** in (inside) Paris
**danse** *f.* dance
**danser** to dance; **faire danser quelqu'un** to dance with someone
**danseur** *m.* **danseuse** *f.* dancer
**dansoter** to dance around, without art
**date** *f.* date; **de fraîche date** of recent date
**dater** to date (letter, etc.); **dater de** to date from
**datte** *f.* date (fruit)
**davantage** more; more so
**de** of, by, from, with, in, to, for, than, about, at, concerning, during, upon, over; **de . . en** from . . to
**dé** *m.*: **dé à coudre** thimble
**débarras** *m.* riddance; **bon débarras!** good riddance!
**débarrasser** to disencumber, to rid; to clear (table, etc.); **débarrasser quelqu'un de quelque chose** to relieve someone of something; **se débarrasser de** to get rid of
**débat** *m.* (oral) discussion, debate
**débattre** to debate, discuss; **se débattre** to struggle
**débiner** to run down; **se débiner** to skip away
**débiter** to retail; to sell; to pronounce, recite (one's part)
**débiteur** *m.* **débitrice** *f.* debtor
**déborder** to overflow, brim over, run over
**déboucher** to emerge, debouch, issue (forth)
**debout** upright, on end (thing); standing (person); **être debout** to be standing up; **rester debout** to remain standing
**début** *m.* beginning, start, outset; **au début** in the beginning
**deçà: deçà et delà** here and there, on this side and that, on all sides
**décamper** to decamp, make off
**décembre** *m.* December

**décent** decent; modest; proper, seemly (behavior, etc.)
**décès** *m.* decease; (natural) death; **acte de décès** death certificate
**déchéance** *f.* fall (from grace); downfall; moral decay
**déchiqueté, -e** jagged (edge); indented; torn to shreds
**déchirant, -e** heart-rending, harrowing
**déchirer** to tear; to rend (garment, etc.); to tear up (paper, etc.) to tear open (envelope)
**décidément** decidedly, positively, definitely, unquestionably
**décider** to decide, settle; **décider de quelque chose** to decide, determine something; to be the deciding factor; to bring about; **se décider** to make up one's mind, make a decision
**décisi-f, -ve** decisive, conclusive (evidence); **au moment décisif** at the critical, crucial moment
**décision** *f.* decision; **avec décision** with determination, resolutely
**déclamer** to declaim (speech); to rant, spout; recite
**déclancher** to release, to set (apparatus) in motion; to set off; to send out
**déclaration** *f.* declaration; proclamation, announcement, notification
**déclarer** to declare, make known; to proclaim, announce, make public
**déclencher** *see* **déclancher**
**décolorer** to discolor; to bleach
**déconcerter** to upset, confound, frustrate (someone's plans), disconcert
**décor** *m.* setting, arrangement (of stage); set; *pl.* scenery
**décoration** *f.* decoration; medal
**décorer** to decorate, ornament
**découvert, -e** *past part. of* **découvrir**
**découvert, -e** clear, cloudless
**découverte** *f.* discovery
**découvrir** to uncover, expose, lay bare; to unveil (statue); to discover; to disclose (secret); to perceive, discern; to find out; to detect; to bring to light; **se découvrir** to take off one's hat
**décri** *m.* disparagement; fall in value
**décrire** to describe
**décroître** to decrease, diminish, decline
**dédaigner** to scorn, disdain; **n'est pas à dédaigner** is not to be sneezed at
**dédaigneu-x, -se (de)** disdainful (of); contemptuous, scornful
**dédain** *m.* disdain, scorn; **avoir le dédain de quelque chose** to have contempt for something
**dedans** within, inside
**défaire** to undo, untie, unfasten; to rip
**défaut** *m.* default; absence; fault, shortcoming, defect

**défendre** to defend; to maintain, uphold (opinion, right); to stand up for (one's friends); to forbid, prohibit; **il m'était défendu de** it was forbidden me to

**défense** *f.* defense

**défiance** *f.* mistrust, distrust, suspicion

**défiant, -e** mistrustful, distrustful, cautious, wary

**défier** to challenge; to defy, set at defiance; **se défier de** to mistrust, distrust

**défigurer** to deface; to mar, disfigure

**défiler** to file off; to march; to walk in procession

**définir** to define

**déformer** to deform; to put (hat) out of shape

**défunt, -e** deceased

**dégagé, -e** free, untrammelled

**dégager** to disengage; to free (a part); to loosen, slacken (bolt); **se dégager de** to free, loosen oneself from

**dégainer** to unsheathe, draw (a sword, etc.)

**déganter: se déganter** to take off one's gloves

**dégât** *m.* damage (*mostly used in pl.*)

**dégoût** *m.* disgust, distaste, loathing, dislike; **prendre quelque chose en dégoût** to take a dislike to something, develop an aversion for something

**dégoûter** to disgust

**dégradation** *f.* degradation; loss of one's rank (*milit.*)

**dégrader** to demote; to degrade

**déguisé, -e** disguised

**déguisement** *m.* disguise

**déguiser** to disguise, conceal (truth, etc.); **se déguiser** to disguise oneself, not to show oneself as one really is, to hide one's true nature

**dehors** out, outside; **en dehors** (on the) outside; outwards; **en dehors de** outside of, beside

**déiste** *m.* deist

**déjà** already; before, previously

**déjeuner** to breakfast; to lunch; to have, take lunch

**déjeuner** *m.* lunch

**delà: deçà et delà** here and there; **au delà de** beyond

**délabré, -e** dilapidated, out of repair; broken-down; tumble-down

**délaissement** *m.* desertion, abandonment; loneliness

**délibéré -e** deliberate, determined, resolute (tone); intentional

**délibérément** deliberately

**délicat, -e** delicate; dainty; tender; fine, refined, discerning (taste, person); tactful (behavior); sensitive, tender (skin); delicate (health); **assez peu délicat** so devoid of tact, of fine feelings

**délicatesse** *f.* delicacy; fineness, softness (of texture, coloring, etc.); tactfulness (of behavior);

refinement, nicety, delicacy (of ear); scrupulousness; fastidiousness (of taste)
**délices** *f.pl.* delight(s), pleasure(s)
**délicieu-x, -se** delicious; delightful, charming
**délier** to untie, unbind
**délinquant** *m.* **délinquante** *f.* delinquent, offender
**délire** *m.* delirium
**délit** *m.* misdemeanor, offense
**délivrer** to deliver; to rescue (captive, etc.); to release (prisoner); to free (physically or morally)
**demain** tomorrow
**demande** *f.* request, petition, application, question, inquiry; **faire demande de** to ask for
**demander** to ask (for); to ask, inquire; **qui ne demandait pas mieux** who was only too glad to; **se demander** to wonder
**démarche** *f.* gait, step, walk; line of action; **faire une démarche** to take a measure, step
**démasquer** to unmask; to remove one's disguise; to expose; to show up (an impostor)
**démêlé** *m.* contention, dispute, (unpleasant) dealings
**démêler** to disentangle, unravel (string, silk, etc.); to comb out (hair); *fig.* to make out, figure out
**démentir** to give the lie to; to belie; to contradict; to deny (fact)
**démesuré, -e** beyond measure, huge, unmeasured; inordinate (pride); immoderate; unbounded
**demeure** *f.* house, dwelling
**demeurer** to remain, stay, stop (in a place); to live, reside; to have one's abode, dwell
**demi** half
**demi-heure** *f.* half hour
**demi-solde** *f.* half pay
**demi-sourire** *m.* half a smile, faint smile
**demi-tasse** *f.* half a cup, small cup
**démolir** to demolish, pull down (house, etc.)
**démon** *m.* demon, devil, fiend
**démonstration** *f.* demonstration
**démonter** to take apart, pull off
**démontrer** to demonstrate
**démordre** to let go one's hold, to give up one's plan
**dénaturer** to distort the meaning of a text
**denier** *m.* denier (French coin no longer in circulation); (Eng.) penny; **denier dix** ten percent interest
**dénigrer** to disparage
**dénoncer** to denounce; to inform against
**dénouement (dénoûment)** *m.* ending (of plot, story); untying, undoing (of knot, etc.); issue, upshot, result, outcome (of event); solution

**dénouer** to unknot; to untie, undo, loose (knot, etc.)

**dent** *f.* tooth; **coup de dent(s)** bite; **n'avoir rien à se mettre sous la dent** to have nothing to eat

**dentelle** *f.* lace

**départ** *m.* departure

**département** *m.* department

**dépasser** to pass beyond, go beyond (someone, something); to run past (signal, etc.)

**dépayser** to remove (someone) from his usual surroundings, from his element; to bewilder

**dépecer** to cut up, dismember

**dépêcher** to dispatch; **se dépêcher** to hurry

**dépendance** *f.* dependence, depending

**dépendre** to depend; **cela dépend** that depends, we shall see

**dépens** *m.pl.* (legal) costs; **aux dépens de** at the expense of (someone, something)

**dépense** *f.* expenditure, expense, outlay (of money); **faire de folles dépenses** to spend money extravagantly

**dépêtrer** to extricate, free (from entanglement)

**dépit** *m.* spite, spleen, resentment, chagrin; **en dépit de** in spite of, in défiance of

**déplacer: se déplacer** to change one's place, one's residence; to move about; to travel

**déplaire** to displease; to fail to please someone; to be displeasing to someone

**déplorable** deplorable, lamentable; pitiable

**déposer** to deposit; to lay down, depose, set (something) down

**dépôt** *m.* police station; jail

**dépouille** *f.* skin, hide; *pl.* effects (of deceased person)

**dépouiller** to strip, deprive, despoil

**dépourvu, -e** devoid

**depuis** since; from; **depuis que** + *ind.* since . . .; **depuis trois jours** for the last three days

**déraciner** to uproot, grub up; to tear (tree, etc.) up by the roots

**déraisonner** to talk nonsense; (in illness) to rave

**déranger** to disturb, trouble

**derechef** a second time; again; once more

**derni-er, -ère** last, latest; utmost, highest

**dérouler** to unroll, to unwind, unreel, uncoil; **se dérouler** to unfold, develop

**derrière** behind, at the back of (someone, something); in the rear; **par derrière** from behind

**des** = **de** + **les**

**dès** since, from; as early as; **dès longtemps** a long time ago; **dès que** as soon as, since; **dès ce moment** from this moment on

**désabuser** to disabuse, disillusion, undeceive
**désagréable** disagreable, unpleasant; surly, grumpy (nature); offensive, nasty
**désagréablement** disagreeably, unpleasantly
**désagréger** to disintegrate
**désagrément** *m.* source of annoyance; unpleasant occurrence
**desceller** to loosen (iron post from stonework, etc.); to break away (as one breaks a seal)
**descendre** to descend, come down, go down; to come, go downstairs; to take, bring down; **descendre de** to alight (from carriage); **descendre les marches** to go down the steps; **descendre la garde** to come off guard duty
**description** *f.* description
**désert, -e** deserted, uninhabited (island, etc.); lonely (spot); unfrequented (resort) *m.* desert
**déserter** to desert, abandon, quit (one's post)
**désespérant, -e** heartbreaking; that drives one to despair; maddening; very regrettable, too bad
**désespéré, -e** desperate, hopeless, to be despaired of
**désespérer** to despair; to lose hope
**désespoir** *m.* despair; desperation
**déshabiller** to undress (someone); **se déshabiller** to undress; to take off one's clothes; to strip
**déshonorer** to dishonor, disgrace
**désigner** to designate, show, indicate; to appoint, set, fix (day, meeting place)
**désir** *m.* desire; wish
**désirer** to want, desire
**désobligeant, -e** disagreeable
**désœuvré, -e** unoccupied, idle (person); *m. & f.* idler
**désolant, -e** distressing, sad, disheartening (news, etc.)
**désolé, -e** distressed, grieved; despairing, desolate
**désoler** to desolate; to devastate; to distress, grieve
**désopiler: se désopiler** to shake, roar with laughter
**désordre** *m.* disorder, confusion
**désormais** henceforth; from now on; in the future
**despotisme** *m.* despotism
**dessécher** to dry up (ground); to season (wood); to desiccate (foodstuffs); to dry (the skin)
**dessein** *m.* design, plan, scheme, project
**dessin** *m.* design, pattern
**dessiner** to draw, sketch; to design (wallpaper, etc.); to lay out (garden); to outline; **se dessiner** to stand out, take form; to be outlined
**dessous** under(neath), below
**dessus** above, over; on
**dessus** *m.* top, upper part (of table, etc.)

**destin** *m.* destiny; **notre destin à nous** our own fate
**destinée** *f.* destiny, fate
**destiner** to destine; to intend, mean, something for someone
**désuni, -e** (of people) disunited, at variance; (of parts) disjoined, disconnected
**désunir: se désunir** to become disunited, estranged; to part; (of parts) to come asunder; to work loose
**détacher** to detach; to (un)loose; to unfasten, untie, unbind, unlash; **se détacher** to break off, break loose, become detached; (of knot, etc.) to come undone, unfastened, loose; (of animal) to break loose; to become separated from the root
**détail** *m.* detail
**détente** *f.* relaxation, loosening, slackening; easing
**détention** *f.* holding; detention, imprisonment, confinement
**déterminé, -e** determined, definite, well-defined; determined, resolute; **déterminé à tout** with one's mind made up for anything and everything
**déterminer** to determine; to cause; to give rise to, bring (something) about; to induce to make a decision; **se déterminer** to determine; to make up one's mind
**détestable** detestable, hateful
**détester** to detest, hate
**détour** *m.* turning, deviation; roundabout way, detour; circuitous way; turn, curve, bend (in road, river)
**détourner: se détourner (de)** to turn away, turn aside (from), turn around
**détruire** to demolish, pull down; to overthrow
**dette** *f.* debt; **payer sa dette** to pay one's debt; **criblé de dettes** head over heels in debt
**deuil** *m.* mourning, sorrow (for the loss of someone); **porter le deuil de** wear mourning for
**deux** two; **tous (les) deux** both; **nous deux** we two; **à nous deux** the two of us together; **à deux pas** close at hand
**deuxième** second; **au deuxième étage** on the third floor
**dévaler** to descend, go down; to rush down; to slope down
**devant** before, in front of; in front; **aller au-devant de** to go to meet
**développement** *m.* development
**développer** to spread out, open out (wings, etc.); to stretch out (arm); to unroll (map); to unwrap, undo (parcel); to develop (muscles, faculties); **se développer** to develop
**devenir** to become; **je ne sais plus que devenir** I no longer know what will become of me, what to do; **ce qu'il est devenu** what has become of him; **que deviendrai-je?** what will become of me?

**déverser** to spread, pour
**devien-s, -t** *pres. ind. of* **devenir**
**deviner** to guess (riddle, etc.); to predict; to surmise, imagine
**devin-s, -t** *past def. of* **devenir**
**dévoiler** to unveil; to reveal, disclose (secret); to unmask (conspiracy)
**devoir** should, ought; must; to have to; to be to; to owe
**devoir** *m.* duty, homework, lessons; **il était de mon devoir** it was my duty; **se mettre en devoir** to make it one's duty
**dévolu, -e** devolved; devolving; passed on; **jeter son dévolu sur quelque chose** to have designs on something; to lay claim to something; to choose something; to set one's choice on
**dévorer** to devour; to eat up (one's fortune); to swallow (an insult, etc.); (of the sun) to burn
**dévot, -e** devout, religious
**dévoué, -e** devoted
**dévouement** *m.* devotion, devotedness; self-sacrifice; devotion to duty
**diable** *m.* devil; **où diable . . .** where the devil . . .; **donner à tous les diables** (*lit.*) to send to all the devils; **que diable** what in the devil, where under the sun; **au diable** the devil with; **diable de . . .** devil of a . . .
**diablerie** *f.* mischievousness, fun, devilry
**diabolique** diabolical, fiendish
**dialogue** *m.* dialogue
**diamant** *m.* diamond
**diantre** *softened form of* **diable**
**dicter** to dictate
**dictionnaire** *m.* dictionary
**dieu** *m.* (*pl.* **dieux**) god; **le bon Dieu** God; **pour Dieu** for the love of God
**diffamatoire** defaming, slandering
**différence** *f.* difference
**différent, -e** different, various
**difficile** difficult; **être difficile** to be hard to please, disagreeable
**difficulté** *f.* difficulty
**difformité** *f.* deformity
**digérer** to digest
**digestion** *f.* digestion
**digne** deserving, worthy
**dignité** *f.* dignity; high position; dignity
**digression** *f.* digression
**diligence** *f.* stagecoach
**dimanche** *m.* Sunday
**dimension** *f.* dimension, size
**diminuer** to lessen; to diminish, reduce; to shorten
**dîner** *m.* dinner; dinner party
**dîner** to dine
**dire** to say, tell; to express, betoken; to call, name; **dis!** say; **se dire être** to say that one is; **vouloir dire** to mean; **se dire** to say to one another; to be said; to call oneself, say that one is; **je vous le disais bien** I told you
**dire** *m.* statement, assertion

**direction** *f.* direction; **prendre la direction de** to walk (or ride) in the direction of

**diriger: diriger ses pas vers** to bend, direct one's steps towards; **se diriger** to make, wend one's way towards a place; to walk

**discerner** to discern, distinguish (something); to discriminate

**disciple** *m.* disciple, follower; pupil, student

**discipline** *f.* discipline

**discours** *m.* talk; discourse, dissertation; speech, oration, address

**discr-et, -ète** discreet, cautious, unobtrusive

**discussion** *f.* discussion, debate

**discuter** to discuss, debate; to question, dispute; to question the truth of

**disgrâce** *f.* disfavor, disgrace; misfortune

**disparaître** to disappear, vanish

**disparition** *f.* disappearance; disappearing, vanishing

**dispensation** *f.* distribution; disposal

**dispenser** to dispense; **se dispenser de quelque chose, de faire quelque chose** to excuse oneself from something; to get out of doing something, to manage not to do something

**disperser** to disperse, scatter; to spread (far and wide)

**disponible** available; at (someone's) disposal

**disposer** to dispose, set out, spread out; arrange; **disposer de quelqu'un** to do what one wants with someone

**disposition** *f.* natural aptitude

**disputer** to dispute, argue about something, to discuss something; to quarrel, wrangle; **se disputer** to quarrel

**disséminer** to scatter; to spread, disseminate

**dissimuler** to dissemble, dissimulate, conceal; to hide, cover up; **se dissimuler** to be hidden, hide

**dissiper** to dissipate, disperse, scatter, dispel (clouds, etc.); to clear up (misunderstanding); to dispel (fears); to dissipate, waste; to squander; **se dissiper** to vanish, disappear; to blow over

**dissolution** *f.* disintegration, dissolution (of body, etc.); dissolving (*juridical*); breaking up

**distance** *f.* distance

**distinct, -e** distinct, clear

**distingué, -e** distinguished; eminent, noted (writer, etc.); refined, polished (taste, bearing, etc.)

**distinguer** to distinguish, perceive, make out

**distraction** *f.* absentmindedness, inadvertance; division, severance

**distraire** to divert; to distract; to entertain, amuse; **se distraire** to amuse oneself, find distraction

**distrait, -e** absent-minded; inattentive, listless
**distribuer** to distribute, give out (alms, etc.); to issue, serve out, portion out
**distribution** *f.* distribution; issue
**dit, dites** *pres. ind. of* **dire**
**divan** *m.* divan, couch
**divergent, -e** divergent
**divers, -e** different, varied; changing, varying; *pl.* diverse
**diversité** *f.* diversity, variety
**divertir** to divert, entertain, amuse; **se divertir** to amuse oneself, enjoy oneself
**divertissant, -e** diverting, entertaining, amusing
**divertissement** *m.* diversion; entertainment, amusement, recreation, relaxation
**divin, -e** divine; holy(word, etc.); sacred (blood, etc.)
**dix** ten
**dizaine** *f.* (about) ten
**djellabah** *f.* a long smock worn by Moroccans and other Arabs
**docile** docile, teachable (pupil, etc.); submissive, manageable, amenable; tractable
**docilité** *f.* docility
**doctrine** *f.* doctrine, tenet
**doigt** *m.* finger; **bout du doigt** finger tip; **doigt de pied** toe
**dôme** *m.* dome
**domestique** domestic; *m. & f.n.* (domestic) servant; manservant, womanservant
**dominer** to rule, hold sway; to dominate, overlook
**dominical, -e** Sunday, for Sunday, dominical
**dommage** *m.* damage, injury; **c'est dommage, il est dommage** it is a pity
**donc** therefore, hence, consequently, so
**donner** to give; **donner du sabre** to strike with the sword; **donner sur** (of window, etc.) open out on
**dont** whose, of whom, of which; among whom; from, by, in, with, whom or which
**doré, -e** gilded, gilt
**dorer** to gild
**dormeur** *m.* **dormeuse** *f.* sleeper
**dormir** to sleep; to be asleep
**dos** *m.* back; **montrer le dos à** turn one's back to
**dossier** *m.* documents, file (relating to an affair); record
**double** double, twofold; **à double entente** (word, phrase) with a double meaning
**doubler** to double; to line (coat, etc.)
**douce** *see* **doux**
**doucement** gently, softly; smoothly
**douceur** *f.* sweetness; softness; pleasantness; gentleness; *pl.* pleasant things
**douleur** *f.* suffering, pain, ache; sorrow, grief, woe
**douloureu-x, -se** painful; sad, distressing, grievous; pained, sorrowful

**douro** *m.* equivalent of about a silver dollar (at that time)

**doute** *m.* doubt, uncertainty, misgiving; **sans doute** doubtless(ly), without doubt; probably

**douter** to doubt; to question, to have doubts about; **douter de** to doubt, suspect; **se douter de** to suspect, surmise, conjecture

**douteu-x, -se** doubtful

**doux, douce** sweet; smooth, soft; pleasant, agreeable, gentle, soft, subdued, mellow, mild, quiet; meek

**douzaine** *f.* dozen

**douze** twelve

**dragon** *m.* dragoon; dragon

**dramatique** dramatic

**drame** *m.* drama, play

**drap** *m.* cloth, bed sheet; **fourrer dans de beaux draps** to put into a fine fix

**dresser** to erect, set up, raise; to set, to lay (table); to prepare, draw up; to make out; to adjust, arrange; **dresser la tête** raise, lift one's head; **se dresser** to stand up, rise; to sit up, straighten up (in one's chair); to become all attention; **dresser l'oreille** prick up one's ears

**drogue** *f.* drug

**droit, -e** straight, upright; straightforward; right (hand, side, etc.) **se tenir droit** to stand upright

**droit** *m.* right; law; **avoir droit à** to have a right to; **avoir le droit de faire quelque chose** to be entitled to do something; **droits du seigneur** seignorial rights; **en droit** according to the law; **être en droit de** to have the right to; **faire usage de ses droits** to exercise one's rights

**droite** *f.* right hand; right-hand side; **à droite** on the right (side)

**drôle** *m.* rascal, knave, scamp

**drôle** funny, droll, odd; **drôle de langue** funny language

**du** = **de** + **le**

**dû, due** *past part. of* **devoir**

**duc** *m.* duke

**ducat** *m.* ducat (a gold or silver coin now obselete)

**dupe** *f.* dupe

**duper** to dupe, to gull, to fool (someone)

**duplicité** *f.* deceit

**duquel** *see* **lequel**

**dur, -e** hard; tough; difficult

**durant** during

**durcir** to harden; to make (something) hard; **se durcir** to harden

**durée** *f.* lasting quality; wear; life; duration, continuance

**durement** hard; harshly, severely, unkindly

**durer** to last, endure; (of person) to hold out

**dureté** *f.* hardness; harshness, callousness

## E

**eau** *f.* water; **l'eau nous vient à la bouche** our mouth waters; **fleuve aux grandes eaux** river with its great waters, high water

**eau-de-vie** *f.* brandy; spirits

**ébahi, -e** astounded, amazed, stupefied

**ébahir** to astound, flabbergast

**ébaucher** to sketch out, outline (picture, plan); to rough (something) out

**ébène** *f.* ebony

**éblouir** to dazzle (with strong light, etc.)

**ébranler** to shake; to loosen (tooth, etc.)

**ébrouer: s'ébrouer** (of horse) to snort (from fear)

**écarter** to separate, part; to draw aside; to open; to spread; to move, thrust, brush; **s'écarter** to move aside

**échange** *m.* exchange; **en échange de** in exchange for

**échanger** to exchange

**échapper** to escape; **s'échapper** to escape; to break free, loose; **échapper à** to elude; **faire échapper** to have someone escape

**écho** *m.* echo

**échoir** to fall to someone's share

**échu, -e** *past. part. of* **échoir**

**éclabousser** to splash, spatter (with mud, etc.)

**éclair** *m.* flash of lightning; *pl.* lightning; flash (of a gun)

**éclaircir** to clear up

**éclaircissement** *m.* elucidation

**éclairer** to light, illuminate; to enlighten; to give light; **s'éclairer** to clear up, become clear

**éclat** *m.* splinter, chip; burst (of thunder, laughter, etc.); brightness; flash; brilliance; **faire un éclat de rire** to burst out laughing; **partir d'un grand éclat de rire** to burst out laughing

**éclatant, -e** glaring; dazzling, brilliant (light); bright, vivid; sparkling, glittering, flashing

**éclater** to burst (tire); to explode; to give vent to one's anger; (of mine) to blow up; to split, splinter (mast); **éclater de rire** to burst out laughing

**éclore** to open, to blossom (out); **faire éclore** to make to open (like a flower)

**école** *f.* school

**écolier** *m.* **écolière** *f.* schoolboy (schoolgirl), scholar; student

**éconduire** to get rid of (someone) (politely); to show (an importunate person) to the door

**économie** *f.* economy; saving, thrift

**écouler** (of time) to pass, elapse, slip away; **s'écouler** to pass

**écouter** to listen to; to pay attention to

**écraser** to crush, bruise; to flatten out (tin can, etc.)

**écrevisse** *f.* (fresh-water) crayfish
**écrier: s'écrier** to cry (out), to shout (out); to exclaim
**écrire** to write; to write down; to compose (book, song, etc.); **c'est écrit** fate wills it
**écrin** *m.* jewel case, box
**écriture** *f.* handwriting, writing
**écrivain** *m.* author, writer
**écrouler: s'écrouler** (of roof, etc.) to collapse, fall in, give way, tumble down
**écu** *m.* an old coin the value of which was about one dollar (in the time of French kings)
**écumer** to foam, froth
**écurie** *f.* stable
**édification** *f.* erection, building; setting (up)
**édifice** *m.* edifice, structure
**éducation** *f.* education, bringing up, training
**effacer** to efface, erase, obliterate, delete; **s'effacer** to turn aside
**effarer** to frighten; **s'effarer** to be frightened, scared, startled; to take fright
**effaroucher** to startle, scare away, frighten away (animal)
**effectuer** to effect, carry out, accomplish, execute
**efféminé, -e** effeminate, unmanly
**effet** *m.* effect; impression; action, performance, operation, working; **en effet** as a matter of fact; indeed; in fact; to tell the truth
**efficace** efficacious, effectual, effective
**effilé, -e** taper, tapering
**efflanqué, -e** lean, skinny
**efforcer** to try, to make an effort
**effort** *m.* effort, exertion; strain, stress
**effrayant, -e** frightful, terrifying, dreadful, appalling
**effrayer** to frighten, scare, startle (someone); **s'effrayer** to be or get frightened; to take fright
**effroi** *m.* fright, terror, fear
**effronté, -e** shameless, bold; impudent; barefaced, brazen
**effroyable** frightful, fearful, dreadful; hideous (face); awful, tremendous
**égal, -e** equal, level, even, regular; **c'est égal** it is all the same; **égal à** equal to, same as
**également** equally, alike; also, likewise
**égard** *m.* consideration, respect; **à l'égard de** with regard to; with respect to
**égarer** to lead astray; to mislead, misguide; to bewilder, derange; **s'égarer** to lose one's way; (*fig.*) **je m'égare** I am completely confused (my mind wanders in the wrong direction)
**église** *f.* church
**égoïsme** *m.* selfishness, egotism
**égout** *m.* draining, drainage; sewer, drain
**Égypte** *f.* Egypt
**égyptien, -ne** Egyptian

**eh** hey! **eh bien!** well! now then! **eh bien donc!** well then!
**élaboration** *f.* elaboration
**élaborer** to elaborate
**élancer** to push, thrust; **s'élancer** to dart, dash; to take one's flight; **s'élancer en avant** to spring, bound, dash, shoot forward
**élargir** to widen; **s'élargir** to widen out, broaden out; to grow, extend, spread
**électrique** electric
**élégance** *f.* elegance; stylishness
**élégant, -e** elegant, well-dressed; stylish; tasteful
**élégie** *f.* elegy
**élément** *m.* element
**élève** *m. & f.* pupil, student
**élevé, -e** high (mountain, price); noble, lofty; loud; **bien élevé** well brought up, well-bred, well-educated
**élever** to elevate, raise; to erect, set up (temple, statue); to bring up, rear (child); **s'élever** to rise (up); to raise oneself
**elle, elles** she, they; (of thing) it, they; (object) her, it, them; **en elle-même** to herself
**éloge** *m.* eulogy, panegyric; (deserved) praise
**éloigner** to remove to a distance; to keep away; to keep at a distance; to move further off; to get (someone, something) out of the way; **s'éloigner** to move off, ride off, retire, withdraw
**éloquence** *f.* eloquence
**éloquent, -e** eloquent
**éloquemment** eloquently
**élu** *m.* **élue** *f.* chosen one; *a.* chosen, successful
**élucidation** *f.* elucidation
**élucider** to elucidate, clear up
**émanation** *f.* emanation
**embarquement** *m.* embarcation, embarking; shipment, shipping
**embarquer** to put someone on a boat; **s'embarquer** to set sail; embark
**embarrasser: s'embarrasser de quelque chose** to burden, hamper oneself with something; to trouble oneself, worry
**embellir** to embellish; to beautify; to improve in looks
**embobeliner** to coax, wheedle, get round (someone); to fool
**embrassade** *f.* embrace
**embrasser** to embrace; to put one's arms around; to hug; to kiss; to take up a profession; **s'embrasser** to embrace one another, to kiss
**émerger** to emerge; to come into view
**émerveillé, -e** amazed, wonderstruck
**éminence** *f.* eminence, rising ground, rise, height
**emmener** to lead, take (someone) away, out to
**emmitoufler** to muffle (someone) up, to bundle
**émotion** *f.* emotion, thrill, excitement, feeling
**émoucher** (*lit.*) to drive the

flies from, brush off the flies; to give a beating

**émouvoir** to stir up, rouse (mob, passion, etc.); to affect, touch, move; **s'émouvoir** to get excited, roused; to be touched, affected, moved

**empaillé, -e** stuffed (animal)

**empailler** to stuff (animal)

**emparer: s'emparer de** to lay hold of, take hold of, lay hands on, seize (upon), secure, take possession of

**empêcher** to prevent, hinder, impede; **empêcher de** to prevent from; **il ne peut pas s'empêcher de** (*always in the negative*) he cannot help (doing something)

**empereur** *m.* emperor

**empire** *m.* empire

**emplâtre** *m.* plaster

**emplette** *f.* purchase

**emploi** *m.* job, position

**employé** *m.* **employée** *f.* employee

**employer** to employ, use (something); **s'employer à** to occupy oneself with

**empoisonner** to poison

**emporté, -e** quick-tempered; hot-headed; fiery (person)

**emporter** to carry away, take away, bear away; **l'emporter** to win out; **l'emporter sur quelqu'un** to prevail over, get the better of someone; **s'emporter** to fly into a rage, a passion

**empreindre** to impress, imprint, stamp; to mark (on a face, etc.)

**empressé, -e** eager, zealous, fervent; **faire l'empressé** to fuss, buzz around someone; to act busy

**empresser: s'empresser** to hurry, hasten

**emprunté, -e** borrowed; embarrassed

**emprunter** to borrow

**ému, -e** moved, stirred; *past part of* émouvoir

**en** *prep.* in, into; by, within, into, while, when, at, to, on, like, as, in the manner of, of, in the role of, with a, with; **de . . . en** from . . . to; *adv.* from there; thence; *pron.* of it, of them, their, from it, for it, on account of it, about it or them; some, any; **où en étais-je?** where was I, what point had I reached?

**encadrer** to frame (picture, face, etc.)

**encan** *m.* public auction; **mettre quelque chose à l'encan** to put something up for auction

**encastrer** to embed; to set in; to house; **s'encastrer** (*lit.*) to fit oneself into; to imbed oneself

**enceinte** *f.* surrounding wall, fence; parapet; enclosure

**encens** *m.* incense

**encensoir** *m.* censer

**enchaîner** to chain up, to put in chains

**enchanté, -e** enchanted, delighted; under a spell, bewitched

**enchantement** *m.* enchantment, magic; (magic) spell; charm; glamour; delight

**enchanter** to enchant, bewitch; to place under a spell

**enchevêtrer: s'enchevêtrer** to get mixed up, confused, entangled; (of horse) to get tangled up

**enclin, -e** inclined, disposed

**encombrer** to encumber; to congest; to block up

**encore** still, yet, moreover, furthermore, again; **encor** *old spelling of* **encore** *often used in poetry*

**encourir** to incur

**encre** *f.* ink

**encyclopédique** of the Encyclopedia

**endetter** to get into debt

**endormi, -e** asleep

**endormir** to put to sleep; **s'endormir** to fall asleep; to go to sleep; to drop off to sleep

**endosser** to don, put on (clothes)

**endroit** *m.* place, spot; **les gros endroits** big places, cities; **par endroits** in some places

**enduire** to smear, coat, plaster

**endurci, -e** hardened; hard, callous

**endurcir** to harden; **s'endurcir** to become hardened to

**endurer** to endure, bear (hardship, etc.)

**énergique** (of pers.) energetic; strong, forcible

**énergiquement** energetically

**enfance** *f.* childhood; **tomber en enfance** to sink into one's second childhood, into one's dotage

**enfant** *m. & f.* child (boy or girl); youngster; **je suis plus enfant que toi** I am more of a child than you; **bon enfant** kind-hearted, good-natured

**enfanter** to bear, give birth to

**enfantin, -e** infantile, childish (voice, etc.)

**enfer** *m.* Hell

**enfermer** to shut (someone, something) up; to lock up; **faire enfermer** to have someone locked up; **s'enfermer** to lock oneself in; to shut oneself up

**enferrer: s'enferrer** to impale oneself (on opponent's sword); to be pierced by the sword

**enfiler** to slip on (one's clothes)

**enfin** finally, lastly; in fact, in a word, in short; after all; at last, at length

**enflammé, -e** burning, blazing; furious, stirred up

**enflammer: s'enflammer** to catch fire; to ignite; to fire up, flare up; to become fired with enthusiasm

**enfler** to swell; **s'enfler** to swell; to get louder

**enfoncé, -e** deep-set (of eyes)

**enfoncer** to drive (in) (pile, nail); to put deep down into;

to sink, plunge; to break open, beat in, burst in (door, etc.); to stave in (cask); to break the rank of the enemy (*milit.*); **enfoncer la main dans sa poche** to thrust one's hand into one's pocket; **s'enfoncer** to penetrate, plunge, go deep (into something); to sink into

**enfouir** to hide (something) in the ground; to cover; to bury, hide (sometimes in a secret place)

**enfuir: s'enfuir** to flee, fly; to run away

**enfumé, -e** smoky; smoke-blackened; filled with smoke

**engageant, -e** engaging, prepossessing, winning (manners, etc.)

**engager** to pledge; to engage; to catch, foul, entangle; to set (something) going; to enlist (in the army); **engager de l'esprit** to commit the mind to; **s'engager** to get involved (with); **s'engager (à faire quelque chose)** to undertake, bind oneself, pledge one's word to

**engloutir** to swallow; to engulf; to swallow up (ship, fortune, etc.)

**engourdi, -e** numb(ed) with cold; torpid; dull, sluggish

**engraisser** to fertilize (land)

**énigmatique** enigmatic(al)

**enjôleur** *m.* **enjôleuse** *f.* coaxer, cajoler, wheedler; *a.* coaxing, cajoling, wheedling

**enjouement** *m.* sprightliness; playfulness; gayety

**enlever** to remove; to take off; **s'enlever** to fly off

**ennemi** *m.* **ennemie** *f.* enemy, foe

**ennui** *m.* worry, anxiety, trouble; bother, boredom, wearisomeness, tedium, tediousness

**ennuyer** to annoy, worry, vex; to bore, weary; **cela t'ennuiera à périr** you'll be bored to death; **s'ennuyer** to be bored; to feel dull; to weary

**ennuyeu-x, -se** annoying, boring, disturbing

**énorme** enormous, huge

**enquérir** to inquire, make inquiries

**enrager** to (fret and) fume, be furious

**enregistrer** to register, record

**enrichir** to enrich, decorate

**enrichissement** *m.* enrichment

**enrôler** to enroll, recruit; to enlist

**enroué, -e** hoarse (voice, sound), husky (person, voice)

**enseigne** *f.* sign(board); shop sign; **à la même enseigne** in the same boat

**enseignement** *m.* teaching

**ensemble** *m.* whole, entirety; general unity, general effect

**ensemble** together

**ensemencer** to sow (a field); to seed; **ensemencé d'étoiles** studded with stars

**ensuite** after(wards), then

**entamer** to penetrate (defense); to begin, commence, start out on

**entasser** to accumulate; to pile (up), heap (up) (stones, etc.); to stack (up)

**entendement** *m.* understanding

**entendeur** *m.* he who hears; **à bon entendeur salut!** a word to the wise is sufficient

**entendre** to intend, mean; to understand; to hear; to listen to; **à ne pas entendre** (so deafening that) one could not hear; **entendre parler de** to hear of, about; **faire entendre** to utter; **je ne l'entends pas ainsi** I do not look upon it this way; **s'entendre** to understand one another, get along well; to come to an understanding; **s'entendre avec quelqu'un** to be in collusion with someone

**entendu, -e** agreed; **bien entendu** of course

**entente** *f.* understanding, skill; agreement; **mot à double entente** word with a double meaning

**enterrement** *m.* funeral, funeral procession

**enterrer** to put in the earth; to plant (bulbs); to bury, inter (corpse)

**entêtement** *m.* obstinacy, stubbornness

**entêté, -e** obstinate, headstrong, persistent

**enthousiasme** *m.* enthusiasm, rapture

**enthousiaste** *m. & f.* enthusiast; *a.* enthusiastic

**enti-er, -ère** entire, whole, complete; **tout entier** entirely, all, completely

**entièrement** entirely, wholly, quite, fully, completely

**entourer** to surround, encompass; to fence in (field); to encircle (army)

**entraîner** to drag, draw, carry along; to carry away; to wash away or down; to train; to produce as a consequence; to entail, involve

**entre** between; among(st)

**entrebâiller** to set (door) ajar; to half-open

**entrée** *f.* entry, entering; entrance; start; beginning; admission, admittance

**entremise** *f.* intervention, mediation

**entreprenant, -e** enterprising

**entreprendre** to undertake; to take (something) in hand; to contract

**entrer** to enter, go in; to come in; to step in; to enter into, take part in; to bring, let, put in

**entretenir** to maintain; to keep up; to support, keep (family); **entretenir quelqu'un de** to converse with someone about

**entretien** *m.* upkeep, maintenance; support; conversation;

interview; subject, topic (of conversation)

**entrevoir** to catch sight, catch a glimpse of; to understand

**entrevue** *f.* interview

**entr'ouvrir: s'entr'ouvrir** to half-open, open up; to gape, yawn

**envelopper** to envelop, surround; to wrap up, include; to cover, encase; **s'envelopper** to wrap oneself

**envers** towards; before

**envi: à l'envi** in emulation, emulously

**envie** *f.* desire, longing; envy; **avoir envie de quelque chose** to feel like having, to want, to have a fancy for; **avoir envie de faire quelque chose** to wish, have a mind to do something; **donner envie à** to give the desire to; **prendre envie de** to get the desire to

**environ** about; *pl.* environs, surroundings, outskirts, neighborhood, vicinity

**environner** to surround

**envoler: s'envoler** to fly away, fly off; to take flight; to take wing; (*fig.*) to pass quickly; to run away

**envoûtement** *m.* sympathetic magic

**envoûter** to cast a spell on

**envoyer** to send

**épagneul** *m.* spaniel

**épais, -se** thick

**épaissir** to thicken; to grow stout; **s'épaissir** to become bulky, heavier looking; to be encumbered (by)

**épandre** to spread (of water, fire); **s'épandre** to spread (of water, fire); to fall down in disorder (of hair)

**épargner** to save some money, put money aside; to spare (energy, time); to spare, have mercy on; **s'épargner** to avoid; to spare oneself

**épars, -e** scattered, separate

**épaule** *f.* shoulder

**épaulette** *f.* shoulder strap; epaulet(te)

**épée** *f.* straight sword, rapier; **mettre l'épée à la main** to draw one's sword

**éperdu, -e** distracted, bewildered

**éperon** *m.* spur

**Ephraïm** the kingdom of Israel

**épicerie** *f.* grocer's shop, grocery store

**épier** to watch (someone); to spy upon

**épine** *f.* thorn bush; thorn, prickle

**épingle** *f.* pin

**épinglette** *f.* priming rod, priming wire

**épique** epic

**époque** *f.* epoch, era, age; time, period, date

**époumoner: s'époumoner** to shout oneself out of breath, hoarse

**épouse** *f* wife

**épouser** to marry, wed; to establish close ties with

**épouvantable** dreadful, frightful; appalling

**épouvante** *f.* terror, fright

**épouvanter** to frighten; **s'épouvanter** to take fright; to become terror-stricken, panic-stricken

**époux** *m.* husband; **les époux** husband and wife

**éprendre: s'éprendre** to become enamored

**épreuve** *f.* proof, test, trial; event

**épris, -e** *past part. of* **éprendre** enamored; **épris de** in love with, taken with

**éprouver** to feel, experience (sensation, pain, etc.); to try, test

**épuisé, -e** exhausted; worked-out (mine), spent

**équipe** *f.* working party, team

**équité** *f.* fairness, equity, equitableness

**équivalent** *m.* equivalent

**équivaloir** to be equivalent, equal in value

**équivaut** *pres. ind. of* **équivaloir**

**équivoque** equivocal, ambiguous; questionable, doubtful, dubious

**érable** *m.* maple

**ériger** to erect; **s'ériger en critique** to set oneself up as a critic; to pose as a critic

**ermitage** *m.* hermitage

**ermite** *m.* hermit

**errant, -e** wandering, rambling, roaming, roving, going from one thing to another

**errer** to roam, wander (about)

**erreur** *f.* error; mistake, blunder; false belief, mistaken opinion; delusion

**escalier** *m.* staircase; (flight of) stairs; **escalier de service** backstairs (for deliveries, etc.)

**escarcelle** *f.* money pouch

**Eschyle** Aeschylus, a Greek writer of tragedies (525-456 B.C.)

**escoffier** to kill, murder (*popular*)

**escorter** to escort

**espace** *m.* space, distance, room

**Espagne** *f.* Spain

**espagnol, -e** Spanish; *n.* Spaniard; *m.n.* Spanish language

**espèce** *f.* kind, sort

**espérance** *f.* hope

**espérer** to hope; **espérer quelque chose** to hope for something

**espingole** *f.* blunderbuss, short gun

**espion** *m.* **espionne** *f.* spy

**espoir** *m.* hope

**esprit** *m.* spirit; mind; vital spirit; wit; **venir à l'esprit** to come to one's mind; **une femme d'esprit** a clever, witty, intelligent woman; **les petits esprits** small minds; **rendre l'esprit** to die

**essaim** *m.* swarm (of bees, etc.)

**essayer** to try, test (machine, etc.); to taste (wines); to try on; **s'essayer à (dans) quelque chose** to try one's hand at something, at doing something

**essence** *f.* essential being; essence

**essentiel, -le** essential; **l'essentiel** the great thing, the main point, the essential part

**essentiellement** essentially

**essor** *m.* flight, soaring; **donner l'essor à** to release, to give full play to

**essoufflé, -e** out of breath, short of breath

**essuyer** to dry, wipe away; to suffer, endure, be subjected to

**est** *m.* East

**estafier** *m.* (armed) attendant; bully; hired ruffian

**esthète** *m. & f.* aesthete

**estime** *f.* esteem, respect; estimation, opinion; regard

**estimer** to estimate; to value, appraise (goods); to assess (damage); to calculate; to consider, deem; to be of (the) opinion (that)

**estomac** *m.* stomach

**estrade** *f.* dais, platform, stage; platform on which a teacher's desk and chair stand

**estropier** to cripple, mutilate, lame; (*fig.*) to murder

**estuaire** *m.* estuary, mouth (of a river)

**et** and; **et . . . et** both

**établir** to establish; to set up; to put up; to construct; to install, fix up; to prove; to draw up; to have the value of; **s'établir** to establish oneself, to become established, accepted

**établissement** *m.* establishment; institution

**étage** *m.* story; floor (of building); level

**étagère** *f.* rack; (set of) shelves (for books, etc.)

**étalage** *m.* display, show window, showcase

**étaler** to display; to set out; to expose; to spread out, lay out; **s'étaler** to stretch oneself out; to sprawl (in armchair)

**étamine** *f.* stamen

**état** *m.* state, condition; statement, report, list, return; position, status; profession, trade

**état-major** *m.* general staff; headquarters

**été** *m.* summer

**éteignit** *past def. of* **éteindre**

**éteindre** to extinguish, put out (fire, light); to turn off (the gas); to switch off (electric light); **s'éteindre** to be extinguished; to go out, die out (fire, light); to fade, grow dim (color); to die down, to die away; to subside

**éteint, -e** extinguished, faint

**étendre** to spread, stretch; to stretch (something) out; to dilute; extend; **s'étendre** to extend

**étendu, -e** spread out; stretched out, open out; extensive; far-reaching; wide

**étendue** *f.* extent, size, area; scale; stretch; reach

**éternel, -le** eternal, everlasting, endless

**éternellement** eternally

**éterniser** to eternize, perpetuate, make eternal

**éternité** *f.* eternity; endless length of time

**étincelant, -e** sparkling

**étinceler** to throw out sparks; (of diamond, etc.) to sparkle, glitter, gleam, flash

**étincelle** *f.* spark

**étincellement** *m.* sparkling, glittering, scintillation (of gem); twinkling

**étiquette** *f.* label, docket, ticket; etiquette, formality, ceremony

**étoffe** *f.* material

**étoile** *f.* star; lucky star; **sans étoiles** starless

**étonnant, -e** astonishing; surprising (thing, word)

**étonnement** *m.* surprise, astonishment

**étonner** to stun; to astonish, amaze, surprise; **s'étonner** to be surprised

**étouffant, -e** stifling, suffocating, stuffy

**étouffer** to suffocate, choke, smother; to stifle

**étrange** strange, peculiar, odd, queer

**étrangement** strangely

**étrang-er, -ère** foreign; strange, unknown; extraneous, irrelevant; *n.* foreigner, stranger

**étranglé, -e** choked, choking (voice); constricted, narrow (passage)

**étrangler** to strangle, throttle, choke

**être** to be, exist; to belong, be associated (with); **ça y est** that's right, that's fine; **ce que c'était que** what was; **elle s'en fut à** she went away to; **il en est de . . . comme de . . .** it is the same with . . . as . . .; **n'est-ce pas?** is it not so? **nous y sommes** now we have it, I have found the weak point; **où en étais-je?** where was I, what point had I reached? **puisqu'il en est ainsi** since that is the case; **qu'est-ce que c'est?** what is the matter? **qu'est-ce que c'est que?** what is? **qu'est-ce que c'était que?** what was? **être bien aise** to be very glad or happy; **il est = il y a** (*poet.*); **être à** to belong to; **en est-il ainsi?** is that how things stand, are? **je n'en suis pas** I'll not join you; **il n'est pas = il n'y a pas; être en train de** to be in the act of; **être fait à** to be accustomed to; **être d'église** to be an ecclesiastic, a priest; **être en aide à** to help, aid, protect; **être pour beaucoup dans** to play an important part in, be largely responsible for; **en être quitte pour** escape (with), get off (with); **être des nôtres** to join us, join our party

**être** *m.* being, human being, existence; individual; **l'Être suprême** supreme being, God

**étrenne** *f.* (*usually pl.*) New Year's gift

**étrier** *m.* stirrup

**étroit, -e** narrow; confined (space); tight, close

**étude** *f.* study, research, investigation; office (of notary, solicitor)

**étudiant** *m.* **étudiante** *f.* student

**étudier** to study; to investigate, go into, look into (question); to make a study of (a case)

**eux** them, themselves

**évacuer** to evacuate; to withdraw; to vacate

**évader: s'évader** to escape (by stealth); to run away

**évangéliste** *m.* evangelist

**évangile** *m.* Gospel

**évanouir** to vanish; **tomber évanoui** to fall down in a faint, in a swoon; **s'évanouir** to vanish, disappear; to die away; to faint, swoon

**évaporer: s'évaporer** to evaporate

**éveillé, -e** awakened; watching, alert

**éveiller** to awake(n); to wake; **s'éveiller** to awake(n), to wake (up)

**événement** *m.* event; issue, outcome; occurence, incident

**éventail** *m.* fan

**éventer** to air; to expose (grain, etc.) to the air; to fan

**évêque** *m.* bishop

**évertuer: s'évertuer** to do one's utmost; to exert oneself; to exercise

**évidence** *f.* evidence, proof

**évident, -e** evident, obvious, plain

**éviter** to avoid, shun; to give (someone) a wide berth; to keep out of (someone's) way; to keep clear of (someone)

**évoluer** to evolve, develop; **évoluer dans les contradictions** to develop in a world of contradictions

**évoquer** to call to mind, remind of

**exact, -e** exact; accurate, correct, strict, rigorous, punctual

**exactement** exactly

**exaltation** *f.* exaltation, exalting, glorifying, extolling; rapturous emotion, excitement

**exalter** to exalt, magnify, extol; to excite, inflame (courage, imagination)

**examiner** to examine, scan; to investigate, inspect, scrutinize

**excellent, -e** excellent, fine

**excepté, -e** except(ing), but, save

**exceptionnel, -le** exceptional, out of the ordinary

**excès** *m.* excess; **à l'excès** to excess; **les excès** excesses

**excessi-f, -ve** excessive, extreme; undue; exorbitant; immoderate; inordinate; exaggerated

**excessivement** excessively, extremely

**exciter** to excite, urge on; to arouse, stir up (envy, etc.); to animate, inflame; to stimulate

**exclure** to exclude, shut out, leave out, bar, eliminate

**exclusi-f, -ve** exclusive, sole

**exclusivement** exclusively

**excuse** *f.* excuse; *pl.* apology

**excuser** to make excuses; to apologize (for someone); to excuse, pardon; **s'excuser** to excuse oneself; to apologize

**exécution** *f.* execution, performance, carrying out (of plan, orders); fulfilment (of promise); enforcement (of the law); punishment

**exemple** *m.* example; **à l'exemple de quelqu'un** following the example of someone; lesson, warning, caution; instance, precedent; **par exemple** for example, for instance

**exempt, -e (de)** exempt, free (from)

**exercer** to exercise; to practice, follow, pursue, carry on (profession, business); to ply (a trade); **s'exercer à** to practice something, to exercise, use, practice

**exercice** *m.* exercise

**exergue** *m.* exergue; **portant en exergue . . .** bearing inscribed below . . .

**exhalaison** *f.* exhalation, effluvium, odor given off

**exhaler** to exhale, emit, give out (smell, vapor, etc.); to breathe (a sigh); to vent (one's wrath)

**exhorter** to exhort, urge, entreat

**exigence** *f.* exactingness; exigency, demand(s), requirement(s)

**exiger (de)** to exact, demand, require (from); to insist upon (something); to require, necessitate, call for (care, etc.)

**exil** *m.* exile, banishment

**exilé, -e** exile

**exiler** to exile, banish

**existence** *f.* existence, (state of) being; life, people

**exister** to exist, be; to live, be alive; to be extant

**expatrier: s'expatrier** to leave one's own country (forever)

**expédier** to dispatch; to get rid of, dispose of, finish

**expédition** *f.* expedition, dispatch (of business, etc.); dispatching, forwarding (of parcels, etc.); **les expéditions** authentic copies

**expérience** *f.* experience; experiment

**explication** *f.* explanation; dispute

**expliquer** to explain, expound, elucidate, account for (action, etc.); **s'expliquer** explain (what one means, what one has on one's mind)

**exploit** *m.* exploit; feat (of arms, etc.); achievement; (heroic) deed

**exploiter** to exploit; to take (unfair) advantage of (someone); to trade upon (someone's ignorance)

**explosion** *f.* explosion, bursting (of cannon, bombs, etc.)

**exposé, -e (à)** liable, apt (to), open (to)

**exposer** to expose, exhibit, show, display; to set forth, set out; to expound, explain; **s'exposer** to explain to oneself

**exprès** designedly, on purpose, intentional

**expression** *f.* expression; utterance; term, phrase

**exprimer** to express; to voice, give utterance to (thoughts, etc.); **s'exprimer** to express oneself; to be expressed

**exquis, -e** exquisite, admirable

**exténuer** to extenuate, soften; to exhaust; **être exténué (de fatigue)** to be tired out, worn out

**extérieur, -e** exterior, outer, external; *m.n.* outward appearance

**extorquer** to extort; to wring; to get something out of a person

**extrait** *m.* extract

**extraordinaire** extraordinary

**extraordinairement** extraordinarily

**extravagant, -e** extravagant; absurd; foolish

**extrême** extreme, farthest; intense, excessive (cold, etc.), very great; drastic, severe (measure)

**extrêmement** greatly, extremely

**extrémité** *f.* extremity, end, extreme, last degree (of misery, etc.); **à la dernière extrémité** as a last resort

## F

**fabliau** *m.* a short tale in verse popular in France in the 12th and 13th centuries

**fabriquer** to manufacture, to make

**façade** *f.* façade, front(age)

**face** *f.* face; **face à face** face to face; **en face de** opposite; over against; in front of; **en face** opposite; the enemy's line; **face à** facing; **à la face de** in the face of, in front of

**fâché, -e** angry

**fâcherie** *f.* quarrel, tiff, troubles, sorrows

**fâcheu-x, -se** annoying, troublesome

**facilité** *f.* easiness; ease (with which a thing is done); aptitude, talent, facility

**façon** *f.* manner, mode, way (of acting, speaking, etc.); fashion; making, fashioning; **de façon à** so as to; **en quelle façon** in what way; **sans façon** unceremonious(ly)

**façonner** to work, shape; to fashion

**facteur** *m.* letter carrier, postman

**faction** *f.* sentry duty, guard; **mettre quelqu'un en faction**

to post (a sentry); **être de (en) faction** to be on sentry duty

**factionnaire** *m.* sentry, sentinel; man on picket duty

**faible** feeble, weak; **à une faible distance** at a short distance

**faiblesse** *f.* weakness, feebleness

**faïence** *f.* crockery, earthenware

**faille** *f.* fault, break; cleft, crevasse

**faillir** to almost (do something)

**faim** *f.* hunger; **avoir faim** to be hungry

**faire** to make, do, have, produce, create, cause, constitute, compose, accustom, adopt the role of, act like, be, transact, carry out, execute, accomplish, commit, make up, dress, write, bring it about, produce as a result, produce an effect upon, make a difference; to ask (a question); to cut (a figure); to deliver (a speech); to extend (credit); to give (a description); to give or offer (proof); to go (a distance); to offer (excuses; apologies); to pay (attention; a visit); to say or utter (a prayer); to sign (a promisory note); to take (a trip; a step); to tell (a lie); **faire appeler** to send for, summon; **faire asseoir** to make sit down, offer a seat to; **faire bon** to be good or safe; to be fine weather, pleasant; **faire bon ménage** to live together on good terms; **faire bonne chère** to eat well; **faire chauffer** to warm; **faire connaissance avec** to become acquainted with; **faire chercher** to send for, have looked up; **faire de mauvaises affaires** to make out poorly, do poor business; **faire dire** to have pointed out or indicated; **faire dire à** to send word to, let know, notify; **faire discerner** to reveal, disclose; **faire du scandale** to start a row; **faire face à** to meet, fulfill, face; **faire faute à** to go back on one's promise; **faire horreur à** to make shudder, disgust; **faire la moue** to pout, make a wry face; **faire l'aumône** to bestow alms, give to the poor, give in charity; **faire le guet** to be on the lookout; **faire le joli cœur** to play the gallant; **faire le méchant** to be mean; **faire faire** to cause to do, make; **faire les yeux en coulisse** to ogle; **faire part de** to acquaint with, inform of; **faire partie de** to be part of, be a member of, belong to; **faire parvenir à** to send to; **faire passer sur sa tête** to cause to fall or be conferred upon him; **faire peine à voir** to be painful to see; **faire penser à** to remind one of; **faire peur à** to frighten; **faire pitié** to excite pity, to be absurd; **faire plaisir** to be nice or pleasant; **faire re-**

**marquer** to point out, indicate; **faire semblant** to pretend; **faire suer** to make sick, give a pain to; **faire tort à** to offend; **faire un bien à** to do good, benefit; **faire un éclat de rire** to burst out laughing; **faire venir** to send for, summon; **faire vite** to be quick, lose no time; **faire voir** to demonstrate, show, display before someone, reveal, make evident; **avoir à faire** to be busy with; **en faire son affaire** to attend to it oneself; **il aura beau faire** do what he will; **il se peut très bien faire** it is quite possible; **laisser faire** to let alone, not interfere, not disturb; **se faire** to become, develop, mature, cause oneself to be, take place, occur, happen, be accomplished; **se faire attendre** to be long in appearing, be slow in coming; **se faire connaître** to give oneself up, become known or famous; **se faire enfoncer** to get caught, be duped; **se faire fort de** to pledge oneself to, boast one's ability to; **se faire prier** to require urging, need coaxing; **se faire scrupule** to hesitate, to have scruples; **cela ne te fait rien de voir** you don't care if you see, it doesn't annoy you if you see; **qu'est-ce que cela nous fait?** what difference does it make to us? **il ne faisait pas bon** it was not safe

**fait** *m.* fact; deed; **aller droit au fait** to go straight to the point; **en fait** in actual fact; **dire son fait** to say what is on one's mind; **être sûr de son fait** to be sure one is right

**fait** *past part. of* **faire**

**faîte** *m.* ridge, top, summit

**falbalas** *m.pl.* furbelows, flounces, showy ornamentations

**falloir** to be wanting, lacking; to be necessary, requisite; **peu s'en faut** very nearly; **il faut bien** one must of course

**famélique** famished-looking, half-starved

**famili-er, -ère** familiar

**famille** *f.* family; household

**fanatisme** *m.* fanaticism

**fantaisie** *f.* imagination, fancy; whim

**fantasque** odd, whimsical (person, idea); temperamental, moody (person)

**fantôme** *m.* phantom, ghost, specter, apparition, spirit

**farce** *f.* farce

**farine** *f.* flour, meal

**farouche** fierce, wild, savage; shy, timid, coy; unsociable

**fass-e, -es, -ions** *pres. subj. of* **faire**

**faste** *m.* ostentation, display

**fatal, -e** fatal, disastrous

**fatalité** *f.* fate. fatality; mischance, calamity

**fatigue** *f.* fatigue, tiredness, weariness

**fatigué, -e** fatigued, tired
**fatiguer** to fatigue, tire, to make (someone) weary
**fatras** *m.* jumble, medley, hodgepodge (of ideas, papers, etc.); **menu fatras** useless hodgepodge, trash
**faubourg** *m.* suburb, outlying part (of town); in Paris and some other cities, a section and sometimes part of the name of a street
**faucon** *m.* falcon, hawk
**faudra** *fut. of* **falloir**
**faudrait** *cond. of* **falloir**
**faufiler: se faufiler** to thread one's way, to edge into, out of a place; to slip in
**faussaire** *m. & f.* forger (of documents, etc.); perverter (of truth, etc.)
**fausse** *see* **faux**
**fausser** to falsify
**faute** *f.* lack, need, want; fault, mistake; misdeed, misbehavior; **faire faute** to be lacking; **faire faute à** to go back on one's promise; **(à) faute de** for lack of; **sans faute** without fail; **ne pas se faire faute de** not to fail to
**fauve** *m.* wild beast
**faux, fausse** false, untrue; not genuine; wrong, mistaken
**faveur** *f.* favor; **en faveur de** in favor of
**favorable** favorable, propitious (circumstances, wind); auspicious (occasion)
**favorablement** favorably
**favori, -te** favorite
**favoriser** to favor, be partial to (someone, something); to encourage, help (in something)
**fée** *f.* fairy
**féerique** magic
**feignant** *pres. part. of* **feindre**
**feignit** *past def. of* **feindre**
**feindre** to feign, simulate, sham (death, illness, etc.)
**fêlé, -e** cracked (*lit.* and *fig.*)
**félicitations** *f.pl.* congratulations, felicitations
**femme** *f.* woman; wife; **femme de chambre** housemaid, chambermaid
**fendre** to cleave (lengthwise); to rend, cut (the air)
**fenêtre** *f.* window
**fente** *f.* crack, crevice, split, slit, fissure, chink
**fer** *m.* iron; sword; **les quatre fers en l'air** sprawling, lying on one's back with ones legs up
**fer-a, -ai, -as, -ez, -ons, -ont** *fut. of* **faire**
**fer-aient, -ais, -ait, -iez** *cond. of* **faire**
**fer-blanc** *m.* tin plate, tin
**ferme** firm, steady, strong
**fermé, -e** closed, shut (door, window, etc.)
**fermer** to close, shut; **fermer la porte à clef** to lock the door; **se fermer** to close shut; to grow dark (of sky)
**féroce** ferocious, savage, wild, fierce

**fertile** fertile, fruitful
**ferveur** *f.* excitement, fervor
**festin** *m.* feast, banquet
**fête** *f.* feast, festival; **jour de fête** feast day, holiday; entertainment; **en fête** holiday-making, festive
**fétiche** *m.* fetish; mascot
**feu** *m.* (*pl.* **feux**) fire; light, street lamp, traffic light; **mettre (le) feu à quelque chose** to set fire to something; **coup de feu** (gun, pistol) shot; **recevoir un coup de feu** to receive a gunshot, to be shot; **en feu** blazing red
**feu, -e** late (= deceased); **la feue reine** the late queen
**feuillage** *m.* foliage
**feuille** *f.* leaf
**fiançailles** *f.pl.* betrothal, engagement
**fiancé** *m.* **fiancée** *f.* fiancé, fiancée, betrothed
**ficelle** *f.* string, twine
**fiche** *f.* memorandum slip; card, ticket, index card, tie-on tag; name on a card (on hospital bed)
**ficher: se ficher de** to make fun of, not to care a rap about
**fiction** *f.* fiction, invention, fabrication
**fidèle** faithful, loyal, staunch; accurate (memory)
**fier, fière** proud, haughty, stuck-up
**fièrement** proudly
**fier** to trust; **se fier à (en) quelqu'un** to rely on someone; to trust someone
**fièvre** *f.* fever; **avoir la fièvre** to have fever; to be feverish, to have a temperature; **pleins de fièvre** (of eyes) burning, fiery
**fiévreu-x, -se** feverish; fevered
**figuier** *m.* fig tree
**figurant, -e** walk-on, supernumerary
**figure** *f.* face, figure, form, shape; countenance
**figurer: se figurer quelque chose** to imagine something, to fancy something
**fil** *m.* thread; wire
**file** *f.* line, file
**filer** to slip by; to run off fast, run away
**filet** *m.* small thread; **filet de voix** thin, weak voice
**filin** *m.* rope
**fille** *f.* daughter, woman, person, girl; **petite fille** little girl, child; **jeune fille** girl, young woman; **rester fille** to remain unmarried
**filleul** *m.* **filleule** *f.* godson, goddaughter, godchild
**filou** *m.* pickpocket, thief; rogue, swindler
**fils** *m.* son
**fîmes** *past def. of* **faire**
**fin** *f.* end, close, termination, ending; aim, purpose, object; **tirer à sa fin** to draw to a close, come to an end
**fin, -e** fine, first-class; subtle, shrewd; clever

**financier** *m.* financier
**finir** to finish, end; to come to an end; **n'en pas finir** to be endless; **c'est fini** it's all over, all done with
**fi-rent, -s, -t** *past def. of* **faire**
**firmament** *m.* firmament, sky
**fissent** *imp. subj. of* **faire**
**fissure** *f.* fissure, cleft (in rocks, etc.)
**fît** *imp. subj. of* **faire**
**fixe** fixed, firm; regular, settled, definite; staring
**fixement** fixedly
**fixer** to fix; to make (something) firm, rigid, fast, hold; to determine; to stabilize
**flairer** (of dog) to scent, smell, nose out (game), sniff
**flamand, -e** Flemish; *m.n.* Flemish language; *m. & f.n.* Flemish man, woman, Fleming
**flambeau** *m.* torch
**flamber** to flame, blaze
**flamme** *f.* flame
**flanc** *m.* flank, side
**Flandre** *f.* Flanders
**flaque** *f.* puddle, pool
**flatter: se flatter** to flatter oneself, delude oneself
**flatterie** *f.* flattery
**flatteu-r, -se** pleasing, pleasant (taste, etc.); fond (hope); flattering; *m. & f.* flatterer; sycophant
**flèche** *f.* spire (of church)
**fléchir** to bend, give away
**flegme** *m.* phlegm; impassivity, coolness
**flétrir** to fade; to wither up; to blight
**flétrir** to brand; to sully
**fleur** *f.* flower, blossom, bloom
**fleurette** *f.* floweret; **conter fleurette à quelqu'un** to say sweet nothings to someone; to flirt with someone; to pay gallant compliments
**fleuve** *m.* river (that flows into the sea)
**flirter** to flirt
**flot** *m.* wave
**flotter** to float, wave, waver, hesitate
**Flore** the goddess of flowers and gardens
**fluet, -te** thin, slender
**foi** *f.* faith; **de bonne foi** in good faith, sincere; **ma foi** indeed; **par ma foi** upon my word; **ni foi ni loi** neither law nor religion
**foin** *m.* hay
**fois** *f.* time, occasion; **une fois** once; **à la fois** at one and the same time
**folie** *f.* madness; folly, piece of folly, act of folly
**folle** *see* **fou**
**foncé, -e** dark (color)
**fonctionnaire** *m.* official, government official
**fond** *m.* bottom; essence, foundation, core; **à fond** thoroughly; **au fond** in the background, in depth
**fondamental, -e** fundamental
**fondre** to melt, dissolve; **faire**

**fondre** to melt; **fondre en larmes** to burst into tears

**fonds** *m.* funds, means, resources, fund; **ne pas être en fonds** to run out of funds

**font** *pres. ind. of* **faire**

**fontaine** *f.* spring, pool; fountain

**force** *f.* strength, force, might, vigor, violence; force, power; **avec force** strongly; **à force de** by dint of, by means of; **de force** by force *a.* many, plenty of

**forcer** to force, compel

**forêt** *f.* forest

**forme** *f.* form, shape; lines; method of procedure; mode, style, way

**former** to form; to make, create; to draw up (plan), to formulate; to shape, fashion; **se former** to form; to take form; to train oneself

**formule** *f.* formula; (set) form of words; (turn of) phrase

**formuler** to formulate; to give expression to (wish); to put (proposal) into words

**fort, -e** *a.* strong, large; *adv.* very, extremely, hard, loud; **fort bien** very well; **fort peu** very little, not very; **c'était plus fort que moi** I just could not help it; **avoir fort à faire** to have a great deal to do

**fortement** strongly

**fortification** *f.* fortification; fortifying (of town, etc.); defense work(s)

**fortin** *m.* small fort

**fortune** *f.* fortune, chance, luck; piece of (good, bad) luck, fortune; fortune, riches; **faire fortune** to make one's fortune

**fosse** *f.* pit, hole, ditch; grave

**fou, fol, folle** mad, insane, foolish, extravagant, silly; **avec des yeux fous** with a mad expression in one's eyes; *n.* (*never* **fol**) **fou** *m.* madman; **folle** *f.* madwoman; lunatic

**foudre** *f.* thunderbolt, lightning

**fouet** *m.* whip, lash

**fouetter** to whip, flog

**fouiller** to dig, excavate, search, dig into; **fouiller un tiroir** to ransack a drawer

**foule** *f.* crowd; throng (of people)

**four** *m.* oven

**fourberie** *f.* swindle, cheating

**fourmiller** to swarm; to teem

**fourneau** *m.* stove; **fourneau à gaz** gas stove, gas cooker

**fournir** to supply, furnish, provide

**fourrer** to stuff, cram, bury; to hide; **fourrer dans de beaux draps** to put into a fine fix

**foutre: se foutre de** = **se ficher de** not to care a rap about; to make fun of

**frac** *m.* dress coat

**fracasser** to shatter, smash

**fragile** fragile; brittle, frail

**fragment** *m.* parts, fragment

**frais, fraîche** fresh, cool, new, recent; **de fraîche date** of recent date, recent; *m.n.* **au frais** in a cool place

**frais** *m.pl.* expenses, cost
**franc** *m.* franc (French monetary denomination); Frank
**franc, franche** free; frank, open, candid; real, true, downright; **franc jeu** a straightforward game; on the level; **un franc scélérat** a real scoundrel
**français, -e** French; *m. & f.n.* Frenchman, Frenchwoman; **les Français** the French; **le français** (the) French language
**franchement** frankly, candidly, openly
**franchir** to clear (obstacle); to jump (over) ditch); to pass through; to cross
**frapper** to strike, hit; **frapper à la porte** to knock at the door; **frapper du pied** to stamp (one's foot)
**fraternisation** *f.* fraternizing
**fraternité** *f.* fraternity
**fraudeur** *m.* **fraudeuse** *f.* defrauder, cheat, smuggler
**frayeur** *f.* fright; fear, dread
**frein** *m.* bit; brake
**frêle** frail, weak (health, person)
**frelon** *m.* hornet
**freluquet** *m.* whippersnapper; impertinent young man
**frémir** to quiver; (of leaves) to rustle; to shudder, shiver
**frémissement** *m.* quivering, rustling; shimmering; sighing; shuddering, quaking, shudder, tremor
**frénésie** *f.* frenzy, madness, fury
**fréquenter** to frequent; to visit frequently; to attend (school); to be a steady visitor
**frère** *m.* brother
**friable** friable, easily crumbled
**friand, -e** fond of delicacies; **morceau friand** dainty morsel
**frime** *f.* sham, pretense; make-believe; **pour la frime** for appearance's sake
**friper: se friper** to get crushed, shabby (of garment); to become wrinkled
**fripier** *m.* **fripière** *f.* old-clothesman (woman); junkman
**fripon** *m.* **friponne** *f.* rogue, rascal
**frire** to fry
**friser** to curl, wave
**frissonner** to shiver, shudder, shake, to quiver (with impatience)
**frit** *past. part. of* **frire** fried
**friture** *f.* fried fish, etc.
**frivole** frivolous, shallow (things, people)
**froid, -e** cold; **avoir froid** to be, feel cold; irresponsive (person); chilly; *m.n.* the cold
**frôler** to touch lightly (with a glancing motion); to brush, rub against, graze
**frôlement** *m.* touching slightly, rustling
**fromage** *m.* cheese
**froncer** to wrinkle, pucker; **froncer les sourcils** to knit one's brows, to frown
**front** *m.* forehead; head (*poet.*); front, battle front; façade

**frontière** *f.* frontier
**frotter** to rub; to beat; **se frotter** to rub
**fruit** *m.* fruit; result
**fuir** to flee, fly, run away; **se fuir** to run away from each other
**fuite** *f.* flight, running away; escape
**fumée** *f.* smoke
**fumer** to smoke
**fûmes** *past. def. of* **être**
**fumet** *m.* (pleasant) smell (of cooking); bouquet (of wine); scent
**fumier** *m.* stable litter, manure
**funèbre** funeral, dismal, gloomy
**funérailles** *f.pl.* (elaborate) funeral; obsequies
**funeste** deadly, harmful, evil
**fur** *m.*: **au fur et à mesure** (in proportion) as; progressively
**furent** *past def. of* **être**
**fureur** *f.* fury, rage, wrath, frenzy; **être en fureur** to be in a rage; passion; **se mettre en fureur** to go into a rage; **mettre en fureur** to send into a rage
**furieu-x, -se** furious, raging; in a passion
**furti-f, -ve** furtive, stealthy
**fusil** *m.* gun; **fusil de chasse** hunting gun; **coup de fusil** gunshot
**fusiller** to execute (by shooting), to shoot
**fuss-e, -ent** *imp. subj. of* **être**
**fut** *past def. of* **être**
**fût** *imp. subj. of* **être**
**futé, -e** sharp, smart, astute, sly
**futile** futile, trifling
**futur, -e** future; **ma future** my fiancée; **mon futur** my fiancé

## G

**gâcher** to spoil
**gâchette** *f.* trigger
**gager** to wager, bet
**gagnable** of a nature to be won
**gagner** to earn; **gagner sa vie** to earn, make one's living; to win, gain; to take hold of
**gai, -e** merry, gay, lively (person, song); bright, cheerful
**gaiement** gaily
**gaieté (gaîté)** *f.* gaiety, mirth, cheerfulness
**gaillard, -e** strong, well, vigorous, merry, lively, cheery, free, ribald, broad; *m.n.* fellow, chap, strapping fellow
**gain** *m.* gain, profit; winning (of contest, etc.)
**Galaad** mountanous country of Palestine
**galant** *m.* lover, gallant; ladies' man
**galère** *f.* galley (rowed by slaves)
**galerie** *f.* gallery, long room
**galette** *f.* griddle cake, pancake
**Galilée** Galileo, Italian astronomer and physicist (1564-1642)
**Galilée** *f.* (*geogr.*) Galilee
**galimatias** *m.* jumble of words; grandiloquent nonsense

**galon** *m.* (noncommissioned officer's) stripes; (officer's) bands, gold braid; braid (on women's dress)
**galop** *m.* gallop
**galoper** to gallop
**galuchat** *m.* sharkskin, shagreen
**galvaniser** to give new life to (undertaking)
**gambade** *f.* leap, gambol; **faire des gambades** to gambol; to cut capers
**gamin** *m.* **gamine** *f.* street-boy, street-girl; urchin; street Arab; *m.n.* boy, youngster
**gant** *m.* glove
**garantir** to guarantee
**garçon** *m.* boy, lad; fellow; young man; servant, employee, waiter
**garde** *m.* keeper; guardsman
**garde** *f.* guardianship, care, custody (of person); watching; guard; position in defense attack; **être en garde** to be on one's guard; **être de garde** to be on guard, on duty; **descendre de garde** to come off guard duty; **corps de garde** military post; **à la garde de Dieu** in God's care; **mettre quelqu'un en garde contre quelque chose** to put someone on his guard against something; **mettre de garde** to put on guard duty; **prendre garde à** to beware of, look out for, be careful of; **prendre garde de** to see to it that one doesn't; **prendre garde à** to look out for
**garde-côte** *m.* (*pl.* **des garde-côtes**) coast guard(sman)
**garde-manger** *m.* larder, pantry
**garder** to keep; to guard, protect; to keep watch over (someone, something); to retain, to preserve; **garder le silence** to keep silent; **se garder de** to take care not to
**garer** to cover, protect; **se garer** to get out of the way
**garnir** to protect; to furnish, provide, decorate
**gars** *m.* young fellow; lad
**gâter** to spoil, to pamper; **se gâter** to spoil, become spoiled
**gauche** awkward, clumsy; left; **main gauche** left hand; **à gauche** on the left, to the left; *f.* the left side
**Gaulois, -e** Gallic; French
**gazon** *m.* grass; lawn
**géant** *m.* **géante** *f.* giant, giantess
**gémir** to groan, moan, wail
**gémissement** *m.* groan(ing), moan(ing); wail(ing); **pousser un profond gémissement** to give, utter a deep groan
**gendarme** *m.* gendarme; soldier of the state police
**gendre** *m.* son-in-law
**gêne** *f.* discomfort, constraint, embarrassment
**généalogie** *f.* genealogy; pedigree, descent
**gêner** to constrict, cramp; to hinder, obstruct, impede; to be

in (someone's) way; to inconvenience, embarrass

**général, -e** *pl.* **généraux** general; *m.n.* general

**génération** *f.* generation, generating

**généreu-x, -se** noble, generous (soul)

**générosité** *f.* generosity, munificence, bounteousness

**Genève** *f.* Geneva

**génie** *m.* genius

**genou** *m.* knee; **tomber à genoux** to fall to one's knees

**genre** *m.* kind; manner, sort, way; **genre humain** human race

**gens** *m.pl.* people, folk(s), men and women; **jeunes gens** young men

**gentil, -le** pretty, pleasing, nice

**gentilhomme** *m.* nobleman, man of high birth, gentleman

**gentiment** nicely; prettily; kindly

**geôlier** *m.* gaoler, jailer, turnkey

**gésir** to lie (helpless or dead)

**geste** *m.* gesture, motion, movement

**gesticuler** to gesticulate

**gibet** *m.* gibbet, gallows

**gibier** *m.* game (wild animals); **gibier de potence** gallows bird

**gilet** *m.* waistcoat, vest

**gis-ais, -ent** *imp. of* **gésir**

**gisant, -e** (of pers.) lying (helpless or dead)

**gitane** *f.* (Spanish) gypsy

**gitanilla** *f.* (Spanish) gypsy

**glace** *f.* ice; (looking) glass, mirror

**glacé, -e** frozen, chilled, icy, cold

**glacer** to freeze, ice, chill

**glaise** *f.* clay, loam

**glisser** to slip, slip in, slide, glide (over the water, etc.); **se glisser** to glide, creep, steal into

**global, -e** *pl.* **globaux** total, aggregate, inclusive (sum); lump (payment)

**gloire** *f.* glory, fame

**glorieu-x, -se** glorious

**gobe-mouches** *m.* gaper, simpleton

**gond** *m.* hinge pin (of door)

**gonflé, -e** swollen

**gonfler** to inflate, distend; to blow up, pump up; to puff out, blow out, bulge (one's cheeks); to puff (rice); to swell

**gorge** *f.* throat, neck; gorge, pass, defile

**gorgée** *f.* gulp; **petite gorgée** sip

**gothique** gothic

**gourmand, -e** greedy; greedy person, glutton, gourmand

**gourmandise** *f.* greediness, gluttony

**goût** *m.* (sense of) taste; flavor, taste, bouquet; pleasure, preference; discernment, right judgment; style, manner; **prendre goût à quelque chose** to develop a taste for something; **de ton goût** to your taste; **n'avoir goût à rien** not to take pleasure in anything, to have no taste for anything

**goûter** to taste (food), enjoy; **goûter à quelque chose** to taste something (critically); to take a little of something

**goutte** *f.* drop

**gouvernante** *f.* governess

**gouvernement** *m.* government; management

**gouverner** to steer, handle (ship); to govern, rule, control, direct, exercise authority over; to manage, administer

**gouverneur** *m.* governor, commanding officer; warden (of a prison); tutor

**grâce** *f.* grace, gracefulness, charm; favor; pardon; (act of) grace; **de grâce!** for pity's sake! for goodness' sake! I beg of you! **demander grâce** to cry for mercy; **grâce à** thanks to, owing to; **faire grâce de** to pardon, forgive, spare; **trouver grâce** to find favor; **rendre grâce à** to give thanks to

**gracieusement** gracefully; graciously, kindly

**gracieu-x, -se** graceful, pleasing (figure, style); gracious (manner, etc.)

**grade** *m.* rank, dignity, degree, grade

**grain** *m.* grain; corn; particle, atom; grain (of salt, of sand); speck, particle (of dust); **grain de blé** grain of wheat

**graisse** *f.* grease, fat

**grammaire** *f.* grammar

**grand, -e** tall (in stature); large, big (in size); chief, main; (of number, quantity) large, many, great; *m.pl.* **les grands** the great (people)

**grand'chose** much; **cela ne me fit pas grand'chose** it did not make much of an impression on me; it did not frighten me

**grandeur** *f.* greatness

**grandir** to grow tall, to grow up; to make (something) greater; to increase, magnify; to grow larger, grow stronger, grow louder

**grand'peine: à grand'peine** with great difficulty

**grappe** *f.* cluster, bunch (of grapes, flowers)

**gras, grasse** greasy

**gratis** gratis, free of charge

**gratter** to scrape, scratch; rake

**grave** grave, serious; grave (face); solemn (tone); sober (countenance); important, weighty (business); severe (wound)

**graver** to cut, engrave, carve, imprint

**gravir** to climb; to ascend (mountain); to mount (ladder)

**gravité** *f.* gravity; seriousness, severity

**grec, grecque** Greek

**Grèce** *f.* Greece

**gré** *m.* liking, taste; **à mon gré** to my liking, to my taste; **de gré à gré** by (mutual) agree-

ment; **savoir bon gré** to be grateful; **au gré de** according to
**greffe** *f.* grafting; *m.* office of the clerk of the court
**grège** raw (silk); grayish
**grêle** slender, thin (leg, etc.); thin, high-pitched (voice)
**grêle** *f.* hail
**grelot** *m.* (small round) bell; sleigh bell
**grêve** *f.* (sea) shore; (sandy) beach
**grièvement** severely, grievously, gravely (wounded); deeply
**griffonnage** *m.* scribbling; scrawl, scribble
**griffonner** to scrawl, scribble
**grillager** to lattice; to surround with wire netting
**grille** *f.* (iron) bars; grill(e); railings
**grimace** *f.* grimace, grin, wry face; **faire la grimace** to make, pull a face
**grimper** to climb (up); to clamber; to rise
**grincer** to grate, grind, creak, squeak
**gris, -e** grey; drunk; intoxicated
**griser** to make (someone) tipsy; **se griser** to get tipsy, fuddled
**grisette** *f.* coquettish working girl or shop girl
**grogner** to grunt, to growl; to grumble, to grouse
**grondement** *m.* growl(ing), snarl(ing); rumble, rumbling (of thunder)
**gronder** to scold, chide, rate; to rumble
**grondeu-r, -se** grumbling, scolding
**gros, grosse** big, big and fat, thick, coarse, heavy, large, bulky, stout
**grosseur** *f.* size, bulk, volume
**grossi-er, -ère** coarse, vulgar
**grossièrement** coarsely, vulgarly
**grossièreté** *f.* coarseness, vulgarity
**grotte** *f.* grotto
**groupe** *m.* group, party
**grouper** to group; **se grouper** to form groups
**grue** *f.* crane
**guerre: ne guerre** scarcely, hardly, not much, not many, only little, but little
**guérir** to cure, heal (someone); to restore (someone) to health; to be cured; to recover, get well
**guerre** *f.* war, warfare; strife, contention, quarrel, feud; **en guerre** at war
**guet** *m.* watch(ing); lookout; **faire le guet** to be on the watch; to go the rounds
**guetter** to lie in wait for, to be on the lookout for, to watch for (someone), to listen to
**gueuler** to bawl, shout; to bawl out (song, etc.)
**gueux** *m.* **gueuse** *f.* beggar, tramp
**guichet** *m.* wicket(-gate) (of prison, etc.)
**guide** *m.* guide (for journey, etc.); conductor

**guider** to guide
**guignon** *m.* bad luck, ill luck
**guillotiner** to guillotine
**guitare** *f.* guitar

## H

**habile** clever, skilful, able, capable, cunning, smart, artful, crafty
**habilement** cleverly, ably, skilfully
**habileté** *f.* ability, skill, skilfulness
**habillement** *m.* clothing, dressing; clothes, dress
**habiller** to dress; to clothe, make clothes for; to prepare; **s'habiller** to dress oneself, get dressed
**habit** *m.* dress, costume, garb; **habit de cérémonie** formal garb; *pl.* clothes
**habitant** *m.* **habitante** *f.* inhabitant; resident, dweller
**habitation** *f.* habitation; dwelling, inhabiting; dwelling (place), residence, abode
**habiter** to inhabit; to dwell in, live in (a place); to occupy
**habitude** *f.* habit, custom, practice, use; **prendre l'habitude** to get into the habit
**habitué, -e** accustomed
**habituellement** usually, habitually
**habituer** to accustom; **s'habituer à** to become accustomed to
*__haillon__ *m.* rag (of clothing); tatters; **être en haillons** to be in rags
*__haillonneu-x, -se__ ragged, tattered
*__haine__ *f.* hatred; detestation; hate
*__haïr__ to hate, detest; **se haïr** to hate oneself
*__haïssable__ hateful, detestable
**haleine** *f.* breath; **hors d'haleine** out of breath, breathless
*__haletant, -e__ panting, breathless, out of breath; gasping (for breath)
*__hallier__ *m.* thicket, copse, brake
*__hameau__ *m.* hamlet, very small village
**hameçon** *m.* (fish)hook
*__hanche__ *f.* hip
*__hanneton__ *m.* June bug
*__hanter__ to haunt; **être hanté par une idée** to be obsessed, possessed by an idea
*__haranguer__ to lecture (someone), harangue
*__haras__ *m.* stud farm, horse-breeding, establishment
*__hardi, -e__ bold, audacious, daring, fearless, rash, venturesome (undertaking); impudent, forward, brazen
**harmonie** *f.* harmony, consonance; accord, agreement
*__harnacher__ to harness; **se harnacher** to accouter, put on one's gear (*milit.*)
*__harpe__ *f.* harp
*__hasard__ *m.* chance, luck, accident; risk, danger, hazard; **par**

hasard by accident, by chance; **au hasard** blindly, without planning; at random

****hasardeu-x, -se** hazardous, perilous, risky

****hâte** *f.* haste, hurry, precipitation; **en hâte** hastily, in haste; **en toute hâte** in great haste

****hâter** to hasten, hurry; **se hâter** to hasten, hurry; **se hâter de faire quelque chose** to make haste to do something; to lose no time in doing something

****hausser** to raise; **se hausser** to raise oneself, to rise; **hausser les épaules** to shrug one's shoulders

****haut** *adv.* loud, aloud

****haut** *m.* upper part, top; **être au haut de** to be at the top of

****haut, -e** *a.* high, tall; high, lofty, noble

****hautain, -e** haughty, proud

****hauteur** *f.* height, elevation; high place; level; eminence, rising ground; hilltop; **à hauteur de** level with

**hé!** say, hi there!

**hebdomadaire** weekly

**héberger** to lodge, give shelter (and food)

**hébreu** *m.* (*pl.* **hébreux**) *f.* **hébraïque** Hebrew

**hélas!** alas!

**herbe** *f.* herb, plant, weed; grass

**hérissé, -e** bristling, spiky (hair); bristly (moustache)

**héritier** *m.* **héritière** *f.* heir; heiress

****héros** *m.* hero

**hésiter** to hesitate, waver; to falter

**hésitant, -e** hesitant

**heure** *f.* hour, time; **de bonne heure** early; in good time; at an early period; **à la bonne heure** well done! that's right! **tout à l'heure** a little while ago, in a little while

**heureu-x, -se** happy, lucky; *m. & f.n.* happy person

**heureusement** happily, successfully, luckily, fortunately

****heurter** to knock, knock against

**hi! hi!** sound representing laughing or crying

****hideu-x, -se** hideous, horrible

**hier** yesterday

**hirondelle** *f.* swallow

**histoire** *f.* history; story, tale, narrative; fib, story

**historiographe** *m.* historiographer

**historique** historic(al)

**hiver** *m.* winter

****hocher: hocher de la tête** to shake one's head; to nod

****holà** hello! stop! enough!

****homard** *m.* lobster

**hommage** *m.* homage; **rendre hommage à quelqu'un** to do, render homage, to pay obeisance to someone, to pay a tribute to someone

**homme** *m.* man; **jeune homme** young man; **homme d'un jour** man who lives but one day

**honnête** honest, honorable, upright, good; courteous, well-bred; civil, polite; decent, seemly, becoming, just (behavior, etc.); **honnête homme** honest man; gentleman; **honnête femme** a respectable woman

**honnêtement** honestly

**honneur** *m.* honor; **les honneurs** the honors

**honorable** honorable, respectable, reputable (family, profession); creditable

***honte** *f.* (sense of) shame; disgrace, dishonor; **avoir honte** to be ashamed

***honteu-x, -se** ashamed; bashful, shamefaced, sheepish; shameful, disgraceful (conduct); *m. & f.n.* poor who hide their misery

**hôpital** *m.* (*pl.* **hôpitaux**) hospital, infirmary

**horizon** *m.* horizon, sky line

**horreur** *f.* horror; repugnance, disgust, abhorrence; awfulness; (cause, object, of) horror; **faire horreur à** to horrify; to be repulsive to; to disgust; **avoir horreur de quelque chose** to have a horror of something; to hate, detest, abhor, abominate something

**horrible** horrible, horrifying, awful; appalling

**horriblement** horribly, terribly

***hors** out of, outside, except for; **hors de** out of, outside (of); **hors d'ici!** begone!; **être hors de soi** to be beside oneself

**hospice** *m.* almshouse, home, asylum, charitable institution, house of refuge (for the aged, for incurables)

**hostie** *f.* (Eucharistic) host

**hostile** hostile; unfriendly

**hostilité** *f.* hostility, enmity, ill will

**hôte** *m.* **hôtesse** *f.* host, hostess, innkeeper, entertainer; landlord, landlady; guest, visitor; dweller; denizen; inmate of an institution

**hôtel** *m.* hotel, hostelry; mansion, private house; town house; public building

**hôtel-Dieu** *m.* principal hospital (in some French towns)

**hôtellerie** *f.* hostelry, inn

**huile** *f.* oil (olive, etc.)

**huilé, -e** slippery, as if oiled

**huiler** to oil

**huissier** *m.* bailiff, process server

***huit** eight; **huit jours** a week

***huitième** eighth

**humain, -e** human; **genre humain** human race; *m.n.* human being

**humanité** *f.* humanity, human nature, mankind; human feelings, benevolence

**humble** humble, lowly; *m. & f.n.* humble person

**humblement** humbly

**humecter** to moisten, dampen

**humeur** *f.* humor, disposition, mood; **mauvaise humeur** ill humor
**humide** damp, moist, humid; watery, wet
**humiliation** *f.* humiliation, mortification, affront
**humilier** to humiliate, humble
**humilité** *f.* humility, humbleness
***humph! humph!** a grunting sound expressing surprise
***hurler** to howl, roar, yell, shout
**hyacinthe** *f.* hyacinth; a reddish yellow stone
**hymne** *m.* song (of praise); hymn
**hyperbole** *f.* hyperbole, exaggeration
**hypothèse** *f.* hypothesis, assumption

## I

**ici** here; **ici-bas** here below, here on earth; now
**idéal, -e** (*pl.* **idéaux**) ideal
**idée** *f.* idea, notion
**identité** *f.* identity
**idéologique** ideologic(al)
**idiot, -e** idiotic; fool; idiot
**if** *m.* yew (tree)
**ignoble** ignoble; base (person); vile, disgraceful, unspeakable (conduct, etc.); wretched, filthy (dwelling, etc.)
**ignorance** *f.* ignorance
**ignorant, -e** *a.* ignorant; *m. & f.n.* ignoramus
**ignoré, -e** unknown
**ignorer** not to know; to be ignorant of (sth.); to be unaware of something
**il** (*pl.* **ils**) he, it; *pl.* they
**illicite** illicit, illegal
**illumination** *f.* illumination, lighting
**illuminer** to illuminate, to light up
**illusion** *f.* illusion, dreams; delusion
**illustre** illustrious, famous, renowned
**illustrer** to render illustrious; to illustrate
**image** *f.* image, picture
**imaginaire** imaginary, fancied; make-believe
**imagination** *f.* imagination, fancy, invention
**imaginer** to imagine, to conceive; **s'imaginer** to delude oneself with the thought or fancy (that . . .); to think, fancy, suppose
**imbécile** imbecile, half-witted, silly; idiotic; stupid; *m. & f.n.* idiot, fool; fathead
**imbécillité** *f.* imbecility; silliness, stupidity
**imbiber: imbiber de** to soak, steep in; to imbue, impregnate with
**imbroglio** *m.* imbroglio, confusing situation
**imiter** to imitate, copy; to model; to mimic
**immédiat, -e** immediate, direct (cause, successor); without delay

**immédiatement** immediately
**immense** immense, vast, huge
**immérité, -e** undeserved, unmerited
**immiscer: s'immiscer** to interfere in, meddle with or in an affair
**immobile** motionless, still, unmoved, immobile
**immobilité** *f.* immobility, motionlessness
**immonde** foul, filthy; vile
**immortel, -le** immortal, everlasting, undying
**imparfait, -e** imperfect, defective, unsatisfactory
**impartialité** *f.* impartiality
**impatience** impatience; intolerance
**impatient, -e** impatient; intolerant; **impatient du joug** chafing under the yoke
**impatienter: s'impatienter** to lose patience; to grow impatient
**impénétrable** impenetrable; inscrutable (face); unfathomable; close
**imperceptible** imperceptible, unperceivable, undiscernible
**imperceptiblement** imperceptibly
**impérial, -e** (*pl.* **impériaux**) imperial
**impérieu-x, -se** imperious, haughty, lordly, domineering
**impertinent, -e** impertinent; *m.n.* impertinent fellow, person
**imperturbable** imperturbable, unruffled
**impitoyable** pitiless, ruthless, merciless, unmerciful
**impitoyablement** ruthlessly, pitilessly
**impliquer** to implicate, involve; to imply
**importance** *f.* importance, consequence, moment
**important, -e** important, large, considerable, consequential, self-important; *m.* the important thing
**importer** to be of importance, of consequence; to matter, to signify; **peu m'importe** I don't mind; it is all one to me; **n'importe** no matter, never mind; **qu'importe que** what does it matter if; **peu importe** it matters little; **qu'importe** what does it matter
**importun, -e** importunate; obtrusive, tiresome (person), harassing (thought, etc.); unseasonable (request); unwelcome (visitor)
**importuner** to importune; to bother, pester (someone); to obtrude oneself on (someone), to annoy, trouble, inconvenience (someone)
**imposer** to impose; to prescribe; to set (task); to lay (hands, etc.); **imposer le silence à quelqu'un** to enjoin silence on someone; **s'imposer** to assert oneself; to compel recognition
**impossibilité** *f.* impossibility; **il m'est de toute impossi-**

**bilité** it's completely impossible for me

**impossible** impossible

**imposteur** *m.* impostor, humbug

**imposture** *f.* imposture, deception

**imprécation** *f.* imprecation, curse

**imprégner** to impregnate; to permeate

**impression** *f.* impression

**imprévisible** unforseeable

**imprévoyable** unforeseeable

**imprévu, -e** unforeseen, unlooked for, unexpected; *m.n.* unforeseen events; unexpectedness

**imprimer** to print

**imprudence** *f.* imprudence; rashness

**imprudent, -e** imprudent, foolhardy, rash; unwise

**impuissance** *f.* impotence, powerlessness, helplessness

**impuissant, -e** powerless, impotent, helpless, unavailing, ineffective

**impur, -e** impure, foul, tainted

**imputer** to attribute

**inaccessible** inaccessible, unapproachable

**inaltérable** unalterable, unfailing, unvarying, unchanging

**inapplication** *f.* want of assiduity, of application

**inappliqué, -e** wanting in application; who do not apply themselves; careless

**inattendu, -e** unexpected, unlooked for, unforeseen

**incalculable** incalculable; beyond computation

**incapable** incapable; **incapable de faire quelque chose** unable to do something

**incertain, -e** uncertain, doubtful; dubious (result)

**incessant, -e** unceasing, ceaseless

**inclassable** unclassifiable, nondescript

**incliner** to incline; to make a person incline to; to slant, slope; **s'incliner** to bow, to bend down

**incongru, -e** incongruous, foolish

**inconnu, -e** unknown; *n.* unknown person, stranger; *m.n.* the unknown

**incontestable** incontestable, undeniable; beyond all question

**incontinent** at once, forthwith, straight-way

**inconvénient** *m.* disadvantage, drawback

**incroyable** incredible, unbelievable; beyond belief

**incurable** incurable

**Inde** *f.* India; **les Indes occidentales** the West Indies

**indéchiffrable** undecipherable

**indéchiffré, -e** undeciphered

**indécis, -e** unsettled, open, vague, blurred (of color); undecided

**indécision** *f.* indecision, hesitation, irresolution, uncertainty

**indéfinissable** indefinable, undefinable

**indice** *m.* sign, mark
**indicible** inexpressible, unutterable, unspeakable (grief, rage); indescribable
**indifférence** *f.* indifference; unconcern; apathy
**indifférent, -e** indifferent; unaffected, unconcerned; apathetic; cold, insensible, emotionless (heart, etc.); immaterial, unimportant
**indifféremment** indifferently
**indignation** *f.* indignation
**indigne** unworthy
**indigné, -e** indignant
**indigner: s'indigner** to become *or* be indignant
**indiquer** to indicate, point to, point out; to mark, show; to appoint; to name (a day, etc.)
**indiscr-et, -ète** indiscreet, imprudent, unguarded
**indiscrètement** indiscreetly
**individu** *m.* individual, person
**indomptable** unconquerable; untam(e)able (animal); unmanageable; indomitable (pride); ungovernable
**indulgence** *f.* indulgence, leniency; **avec indulgence** indulgently, leniently
**indulgent, -e** indulgent, lenient, long-suffering
**indûment** unduly; unjustly; improperly
**industrie** *f.* activity; industry, ingenuity, cleverness, skill, industriousness
**inébranlable** unshak(e)able, immovable, solid, firm (wall, etc.); resolute, constant, steadfast (person); unswerving, unflinching, unwavering
**inepte** inept, foolish, idiotic
**inépuisable** inexhaustible, unfailing
**inertie** *f.* inertia
**inestimable** inestimable, invaluable, priceless
**inexprimable** inexpressible, beyond words; unutterable
**infâme** infamous; foul, unspeakable
**infatigable** indefatigable, untiring, tireless
**infecté, -e** infected
**inférieur, -e** inferior, poor
**infériorité** *f.* inferiority
**infernal, -e** (*pl.* **infernaux**) infernal, diabolical, devilish
**infini, -e** infinite; boundless, immeasurable (space); endless (bliss, etc.); innumerable
**infidélité** *f.* inaccuracy, lack of faithfulness to a text, etc.; faithlessness
**infinité** *f.* an infinite number; infinity
**infirmier** *m.* **infirmière** *f.* hospital attendant; (hospital) nurse; sick nurse; ambulance nurse
**influence** *f.* influence
**influencer** to influence; to put pressure upon; to sway
**influer** to influence, to exercise, have (an) influence on, over
**informe** half-formed, sketchy

**informer** to inform; **s'informer de** to inquire about, to get information

**informulé, -e** unformulated

**infructueu-x, -se** fruitless

**ingénieu-x, -se** clever

**ingrat, -e** ungrateful; unproductive, unprofitable (soil, etc.); intractable, thankless, barren (subject); *n.* an ungrateful person

**ingratitude** *f.* ingratitude

**inimitié** *f.* enmity, hostility, ill feeling

**injure** *f.* insult; wrong; insulting word or remark; *pl.* abuse

**injuste** unjust

**injustice** *f.* injustice, unfairness

**inlassable** untiring, unflagging, unwearying

**innocent, -e** innocent, guiltless, not guilty; simple, guileless, artless, harmless, inoffensive

**innocemment** innocently

**innombrable** innumerable, numberless, countless

**inonder** to inundate, flood

**inouï, -e** unheard of; unparalleled, extraordinary

**inqui-et, -ète** anxious, restless, fidgety, apprehensive, uneasy, worried

**inquiéter: s'inquiéter** to become anxious, to trouble (oneself); to worry, to get uneasy; to take the trouble

**inquiétude** *f.* restlessness, anxiety, concern, misgivings, uneasiness

**insatiable** insatiable; unquenchable (thirst)

**inscrip-teur, -trice** recording (device)

**inscription** *f.* inscription; writing down, inscribing

**insensibilité** *f.* insensitiveness, insensibility, indifference, callousness

**insensible** insensible, indifferent; unfeeling, callous, imperceptible; hardly perceptible

**insensiblement** insensibly; imperceptibly, unconsciously

**inséparable** inseparable

**insinuer: s'insinuer** to penetrate; to creep in, into; to steal in, into

**insister** to insist

**insolence** *f.* insolence, impertinence, impudence

**insolent, -e** insolent, impertinent, impudent; haughty, overbearing; *m.n.* insolent fellow

**inspecter** to inspect, examine, survey

**inspirer** to inspire

**installer** to install, set up; to fix

**instant** *m.* moment, instant; **à l'instant** this very minute; **à tout instant** continually, at every moment; every instant, minute

**instituteur** *m.* **institutrice** *f.* (school)teacher, schoolmaster

**instruction** *f.* instruction, education; direction, orders

**instruire** to teach, educate, instruct; **instruire quelqu'un**

**de quelque chose** to inform someone of something; **s'instruire** to educate oneself; to improve one's mind; **s'instruire de** to learn about

**instruit, -e** educated, learned; well-read

**insuffisance** *f.* insufficiency

**insulte** *f.* insult

**insulter** to insult, affront (someone)

**insupportable** unbearable; unendurable (pain); intolerable, insufferable (person)

**intact, -e** intact, untouched; undamaged, unbroken, whole, unsullied, unblemished

**intellectuel, -le** intellectual, mental (culture)

**intelligence** *f.* understanding, comprehension; intelligence, intellect; brain power; **être d'intelligence avec** to have an understanding, be in collusion with; **à intelligence égale** given equal intelligence

**intelligent, -e** intelligent; sharp, clever

**intendant** *m.* steward, manager

**intenter: intenter un procès** to bring legal action

**intention** *f.* intention, designs, plans

**interdit, -e** disconcerted, nonplussed, abashed; forbidden

**intéressant, -e** interesting

**intéresser** to interest; **s'intéresser à** to take, feel an interest in

**intérêt** *m.* interest; share, stake (in business, etc.); advantage, benefit; (feeling of) interest; **avoir intérêt à** to have personal interest in, selfish motives for

**intérieur, -e** interior; inner; internal; *m.n.* inside, interior

**interjection** *f.* interjection

**interminable** interminable; endless (task)

**interpellation** *f.* question; interpellation, interruption

**interpeller** to challenge; to call upon; to speak; to question

**interposer** to interpose, place; **s'interposer** to interpose, intervene; to come between

**interprétation** *f.* interpretation

**interprète** *m. & f.* interpreter

**interrogation** *f.* interrogation; questioning; question, query

**interroger** to examine, interrogate, to sound, to question; **s'interroger** to ask oneself questions

**interrompre** to interrupt; to cut short (conversation); **s'interrompre** to interrupt oneself

**interruption** *f.* interruption, stoppage, break, severance

**intervalle** *m.* interval, distance, gap, space; **dans l'intervalle** in the meantime

**intime** intimate, interior, inward; close; **ami intime** intimate, close friend

**intimement** intimately

**intimité** *f.* intimacy, close connection (between actions, etc.), closeness (of friendship); confidence

**intolérable** intolerable, insufferable, unbearing, unendurable

**intonation** *f.* intonation (of voice, etc.)

**intraduisible** untranslatable, uninterpretable

**intrépédité** *f.* intrepidity, dauntlessness, fearlessness

**intrigant, -e** intriguing, scheming, designing; *n.* intriguer, schemer, wirepuller

**intrigue** *f.* (love)affair; intrigue; plot (of play)

**introduire** to introduce; to insert, put (key in lock, etc.); to bring in (goods, etc.); to admit, let in, show in; **s'introduire** to get in, enter, worm oneself in, make one's way into; to meddle with

**intrusion** *f.* intrusion

**inutile** useless, unavailing, unprofitable, vain, bootless, needless, unnecessary

**inutilité** *f.* inutility, uselessness

**inventaire** *m.* inventory

**inventer** to invent; to find out, discover; to devise, contrive (machine, etc.); to make up (story); to think up, invent

**invention** *f.* invention, inventing, imagination, inventiveness

**investigation** *f.* investigation, inquiry

**invisible** invisible

**invité** *m.* **invitée** *f.* guest; **chambre d'invités** guest room

**inviter** to invite

**involontaire** involuntary, unintentional

**ir-a, -ai** *fut. of* **aller**

**irai-s, -t, -ent** *cond. of* **aller**

**invoquer** to invoke, call upon

**ironie** *f.* irony; **faire de l'ironie** to speak, act, ironically

**ironique** ironic(al)

**iron-s, -t** *fut. of* **aller**

**irréductible** irreducible

**irrévocable** irrevocable; binding (agreement)

**irrévocablement** irrevocably

**irritation** *f.* irritation

**isolé, -e** isolated; detached, lonely, remote

**Italie** *f.* Italy

**italien, -ne** *a. & n.* Italian

**itinéraire** *m.* itinerary, route, way

**ivoire** *m.* ivory

**ivre** drunk, intoxicated

**ivresse** *f.* intoxication, inebriety, rapture

## J

**jadis** formerly, once, of old

**jalousie** *f.* jealousy; (lattice-work) screen, venetian blind, sun-blind

**jalou-x, -se** jealous

**Jamaïque** *f.* Jamaica

**jamais** ever; **ne . . . jamais** never

**jambe** *f.* leg; **à toutes jambes**

as fast as his legs could carry him, at full speed; **jambe de bois** wooden leg, peg leg

**janvier** *m.* January; **au mois de janvier** in the month of January

**janséniste** *m.* follower of Jansenius, Dutch theologian (1585-1638)

**jaque** *m.* (*Span.*) blusterer, bully

**jardin** *m.* garden

**jardinier** *m.* **jardinière** *f.* gardener

**jarre** *f.* (large glazed) earthen jar

**jasmin** *m.* jasmine

**jaune** yellow

**je** I

**Jéricho** a city in eastern Palestine

**Jésus** Jesus; **Jésus-Christ** Jesus Christ

**jet** *m.* jet, gush, stream, spurt

**jeter** to throw, fling, cast; **se jeter** to throw oneself; **se jeter sur** to attack, go after; **se jeter un regard** to cast a glance at each other; **jeter à la figure** to throw in one's face; **jeter un cri** to cry out, utter a cry

**jeu** *m.* (*pl.* **jeux**) play, game, sport; gaming, gambling, play, carding, dicing; cards that had been laid out; **au jeu** playing cards (or some other game);

**jeune** young; **jeune homme** young man, youth; **jeunes gens** young people

**jeunesse** *f.* youth, boyhood, girlhood

**joie** *f.* joy, rejoicing, delight, gladness, glee; mirth, merriment

**joign-ant, -ons, -is** *see* **joindre**

**joindre** to join, bring together; to adjoin; to unite; **joindre à** to add to, attach

**joint, -e** joined, united, clasped (hands); **mal joint** which fitted badly (window, etc.)

**joli-e,** pretty, good-looking (girl), nice

**joue** *f.* cheek; **mettre, coucher en joue** to aim (with a gun) at

**jouer** to play; to gamble; to come into play; to work; to act; **se jouer de quelqu'un** to make game of someone, to make a fool of someone; **jouer à** to play (a game); **jouer de** to play on (a musical instrument, etc.); **jouer du couteau** to use one's knife; **faire jouer** to make (something) work, go, move; **il ne savait jouer à rien** he did not know how to play any game

**joug** *m.* yoke

**jouir** to enjoy; **jouir de** to enjoy, take pleasure in; **jouir fort de** to enjoy greatly

**jouissance** *f.* enjoyment; enjoyment of the senses

**joujou** *m.* (*pl.* **joujoux**) toy, plaything

**jour** *m.* day; (day)light; aperture, opening; **au jour** at daybreak; **en plein jour** in broad, full daylight; publicly; **tous les**

**jours** every day; **tous les dix jours** every ten days; **un jour ou l'autre** one day or another; **mettre au jour** to bring out into the open

**journal** *m.* (*pl.* **journaux**) newspaper, journal

**journaliste** *m. & f.* journalist, reporter

**journée** *f.* day; **je ne fais plus rien de la journée** I am doing nothing more all day

**joyeu-x, -se** merry, mirthful, joyous

**jubilation** *f.* jubilation, high glee, rejoicing

**Juda** Judah, kingdom in the Southern part of ancient Palestine

**judiciaire** judicial, judiciary, legal

**judiciairement** judicially

**juge** *m.* judge

**jugement** *m.* trial; judgment; judgment of a court, decision; **le jugement dernier** doomsday, last judgment; award; (in criminal cases) sentence; opinion, estimation; discernment, discrimination

**juger** to judge; to try (case, prisoner); to pass sentence on; to adjudicate, adjudge; to think, believe; to be of the opinion; to consider; **en juger par** to judge by

**juif, juive** Jewish; Jew; *m.n.* Jew; *f.n.* Jewess

**juin** *m.* June

**jupe** *f.* (woman's) skirt

**jupon** *m.* petticoat, underskirt; short skirt

**jurer** to swear; to promise; to assert; to swear (profanely); to curse; **jurer sur la Bible** to swear on the Bible; **jurer d'impatience** to swear out of impatience

**juridique** juridical, judicial; legal

**juron** *m.* (profane) oath; swear-word

**jusque** as far as; up to; till, until; **jusqu'à** even; **jusqu'à ce que** till, until; **jusqu'alors** until then; **jusque là** until then; so far; **jusqu'à jamais** forever

**jusques (jusque)** (*poetic form*)

**juste** just, right, fair; exact, accurate, tight; **au juste** rightly, exactly

**justice** *f.* justice; law, legal proceedings; **l'homme de justice** man of the law, justice

## K

**kilomètre** *m.* kilometer (5/8 of a mile)

**kiosque** *m.* small pavilion in a garden or park; summerhouse

**kyrielle** *f.* litany, long string (of words)

## L

**l'** *see* **le, la**

**la** the, her, it

**là** (of place) there; **c'est là ce qui . . .** that is what . . .
**là-bas** down there, yonder
**laborieu-x, -se** laborious, of hard work
**labourer** to till, *esp.* to plough; (*fig.*) to weary, tire
**laboureur** *m.* farm laborer (*esp.* ploughman)
**lac** *m.* lake
**lacérer** to tear, lacerate, to slash to pieces
**lacet** *m.* lace (of shoes, etc.); shoelace; noose, snare (for rabbits, etc.)
**lâche** cowardly, faint-hearted; dastardly, unmanly
**lâcher** to release; to slacken, loosen (spring, etc.); to let go; to let go of; to fire (shots from a gun); to drop; to burst out; **lâcher les grands mots** to speak pompous phrases
**là-dessus** on that; on that subject
**là-haut** up there
**laid, -e** ugly, homely
**laideur** *f.* ugliness, unsightliness
**laine** *f.* wool; **habillé de laine** dressed in woolens
**laisse** *f.* leash, lead
**laisser** to let, allow, leave; **Dieu laisse faire les hommes** God leaves it to man; **laissez-le faire!** leave it to him! **laisser tomber** to drop; to leave (someone or something somewhere); **laisser tranquille** to leave alone; **laisser voir** to show
**lait** *m.* milk; **café au lait** coffee with milk; **lait de coco** coconut milk
**laiton** *m.* brass
**lambeau** *m.* scrap, bit, shred (of cloth, etc.), tatter
**lame** *f.* blade (of sword, razor, etc.)
**lampe** *f.* lamp
**lampion** *m.* Chinese lantern
**lance** *f.* spear, lance
**lancer** to throw, fling, cast, hurl; to shout, cry out; to toss; to push; **lancer un coup de poing** to give a punch; **lancer un regard** to cast a glance; **se lancer** to throw oneself; **se lancer dans** to fling oneself into; **se lancer en avant** to rush, dash, shoot, forward
**lancer** *m.* release, launching
**langage** *m.* language; speech; **ne tenez pas pareil langage** don't talk that way
**langue** *f.* tongue; language, speech, tongue; **avoir une langue** to be sharp-tongued
**langueur** *f.* languor, languidness; listlessness
**languissant, -e** languid, listless; languishing
**lanterne** *f.* lantern; **lanterne sourde** dark lantern (one whose light can be dimmed at will)
**lapin** *m.* rabbit
**laquais** *m.* lackey, footman

**large** broad, wide, large, big, ample; **au large** keep away! keep off! **au large des vents** exposed to the winds; **être large de . .** to have a width of . . .; *m.n.* the open sea; **au large de** far away from; **prendre le large** to put to sea; to be carried far away

**larme** *f.* tear; **pleurer à chaudes larmes** to weep copiously, bitterly, bitter tears

**las, lasse** tired, weary; **être las de** to be (sick and) tired of

**lasser: se lasser** to grow tired or weary; to tire; **se lasser de** to get tired of

**lassitude** *f.* lassitude, tiredness, weariness

**latéral, -e** (*pl.* **latéraux**) lateral, along the side

**latin, -e** Latin; *m.n.* Latin language

**laver** to wash; **se laver** to wash

**le, la, les** *pers. pron.* him, her, it, them

**leçon** *f.* lesson

**lecteur** *m.* **lectrice** *f.* reader

**lecture** *f.* reading

**légende** *f.* legend

**lég-er, -ère** light, gentle, slight, mild, weak; fickle, flighty

**légèrement** lightly

**légèreté** *f.* lightness; fickleness, flightiness

**légitime** legitimate, lawful; justifiable, rightful, well-founded

**léguer** to bequeath, leave

**lendemain** *m.* next day; morrow; **le lendemain matin** the next morning, the morning after; **le lendemain même** the very next day

**lent, -e** slow; **à pas lents** with slow steps

**lentement** slowly

**lenteur** *f.* slowness; **avec lenteur** slowly; with due deliberation

**lentisque** *m.* lentiscus; mastic tree, variety of pistachio tree

**lequel (laquelle, lesquels, lesquelles)** *pron.* who, whom, which

**lessiver** to wash (linen, etc.) in lye; to buck, boil; to scrub

**leste** light; nimble, agile (person, animal); smart, brisk

**lettre** *f.* letter, epistle, missive; *pl.* letters, literature; **homme de lettres** man of letters

**leur** their; to them

**lever** to raise, lift up; **se lever** to stand up, get up, rise; to begin to clear up (of weather); to rise; **se lever sur son séant** to sit up in bed

**lèvre** *f.* lip; rim (of crater); edge; **lèvre du bas** lower lip

**lexique** *m.* vocabulary

**lézard** *m.* lizard

**liard** *m.* liard, half-farthing (currency no longer in circulation, worth a sou), penny

**libelle** *m.* libel, satiric attack

**libéral, -e** (*pl.* **libéraux**) liberal, generous; bountiful; open-handed

**libéralement** liberally, generously
**libéra-teur, -trice** *f.* liberating; *m.n.* liberator, deliverer
**libérer** to free
**liberté** *f.* liberty, freedom; **en liberté** free, set free
**libraire** *m.* book dealer, book seller
**libre** free; clear, open (space, road); vacant, unoccupied (table, seat)
**lien** *m.* tie, bond
**lier** to bind, fasten, tie, tie up; **être lié** to be connected, bound together, associated with
**lieu** *m.* place; cause; **haut lieu** high circles, high places; *pl.* house, premises; ground(s); **au lieu de** instead of, in lieu of; **avoir lieu** to take place; **en dernier lieu** lastly
**lieue** *f.* league (= 4 kilometers); **une demi-lieue** half a league
**lieutenant** *m.* lieutenant
**lièvre** *m.* hare
**ligne** *f.* line; fish line
**lime** *f.* file
**limite** *f.* boundary; **dépasser les limites** to pass all bounds
**limpidité** *f.* limpidity, clarity
**linge** *m.* linen, underwear; bed linen, etc.
**liquidation** *f.* liquidation, clearing (of accounts)
**lire** to read; **se lire** to be read
**lisière** *f.* edge, border (of field); skirt (of forest, etc.)
**lisse** smooth, shiny
**lit** *m.* bed; **lit de camp** army cot, camp bed
**littéraire** literary
**littéral, -e** (*pl.* **littéraux**) literal
**littéralement** literally
**littérature** *f.* literature
**livide** ghastly (pale), livid
**livraison** *f.* delivery; **voiture de livraison** delivery wagon, truck
**livre** *m.* book; **livre de classe** schoolbook
**livre** *f.* pound; (*formerly used for franc*) **mille livres de rente** private income of a thousand francs a year
**livrée** *f.* livery
**livrer** to deliver, give up; hand over (to the enemy, etc.), to give (someone) up; **livrer à** to throw to the wind
**locution** *f.* expression, phrase
**loge** *f.* box (in theatre); lodge; room or quarters (of a janitor)
**logement** *m.* lodging, housing; accommodation
**loger** to lodge, live; to dwell; to accommodate, house (someone); to quarter, billet (troops); to stable (horses)
**logis** *m.* home, house, dwelling, lodgings; **maréchal des logis** sergeant (cavalry)
**loi** *f.* law; **homme de loi** lawyer; **prendre la loi de** to accept the law of
**loin** far; **au loin** in the distance, afar; **de loin en loin** at intervals, now and then

**lointain, -e** distant, remote, far-off
**loisir** *m.* leisure; **à loisir** at leisure
**long, longue** long; **à la longue** in course of time, in the long run; *m.n.* length; **le long de** along, the length of; **tout son long** his whole length
**longer** to keep to the side of (road, etc.), to skirt (forest)
**longtemps** long, a long time; **il y a longtemps** a long time ago; **dès longtemps** a long time ago
**longuement** for a long time
**longueur** *f.* length; **traîner en longueur** (of lawsuit) to drag on
**loquet** *m.* latch (of doors)
**lorgner** to cast a sidelong glance, sidelong glances at, to stare at
**lorgnon** *m.* pince-nez, eyeglasses
**lors** = **alors; lors de** at the time of; **pour lors** thereupon, in that case
**lorsque** (at the time, moment) when
**louange** *f.* praise; commendation
**louche** ambiguous, shady, suspicious, questionable
**louer** to hire out, let (out); to hire, to rent
**louis** *m.*: **louis (d'or)** a currency no longer in circulation, twenty-franc gold piece
**loup** *m.* wolf
**lourd, -e** heavy, ponderous, weighty; **lourd de** imbued with, inspired with
**lourdeur** *f.* heaviness, ponderousness (of style); clumsiness, awkwardness, ungainliness; dullness (of intellect); sultriness
**Louvre** *m.* royal palace; **le Palais du Louvre** the Louvre (in Paris), now a museum
**loyal, -e** (*pl.* **loyaux**) honest, fair, straight(forward); loyal, faithful (servant); true
**lu** *past part. of* **lire**
**lubie** *f.* whim, fad, freakish notion
**lucidité** *f.* lucidity, clearness
**Lucrèce** Lucretius, Roman poet and philosopher (96?-55 BC)
**lueur** *f.* gleam, glimmer
**lugubre** lugubrious, dismal, gloomy
**lui** (to) him, her, it
**lui** he, it; him, it; **de lui-même** by itself, himself
**luire** to shine, gleam
**luisant, -e** shining, bright
**lumière** *f.* light; **la jeune lumière** early light
**lune** *f.* moon
**luné, -e: être bien (mal) luné** to be in good (bad) humor, mood
**lunette** *f.* (usually plural) spectacles, eyeglasses
**luth** *m.* lute (musical instrument)
**lutter** to wrestle; to struggle, contend, fight, compete
**luxe** *m.* luxury; abundance, profusion; **avoir du luxe dans ses sentiments** to have lofty, noble feelings

## M

**ma** *see* **mon**

**machinal, -e** (*pl.* **machinaux**) mechanical, unconscious (action)

**machinalement** mechanically, automatically

**machination** *f.* machination, plot

**machine** *f.* machine, thing, gadget, contraption; **machine à battre** threshing machine

**mâchoire** *f.* jaw (of person), jawbone

**madame** (*pl.* **mesdames**) Mrs., madam

**mademoiselle** (*pl.* **mesdemoiselles**) Miss

**madone** *f.* madonna

**magie** *f.* magic, wizardry

**magique** magic(al)

**magistrat** *m.* magistrate, justice; judge

**magnificence** *f.* magnificence, generosity, sumptuousness

**magnifique** magnificent, grand, sumptuous, gorgeous, grandiloquent, pompous; high sounding, lofty

**mai** *m.* May; **au mois de mai** in the month of May; **avoir le mois de mai sur les joues** your cheeks are rosy like the month of May

**maigre** thin, skinny, lean, skimpy, meager; **jour maigre** fast day; day of abstinence (from meat)

**main** *f.* hand; **à la main** in one's hand; **prendre en main** to take up, take charge of

**maintenant** now

**maintenir** to keep, hold (something) in position; to uphold (the law, discipline, opinion); to abide by (a decision); **se maintenir** to continue; to stay

**mais** but; **mais oui, mais si!** yes, of course; do please

**maison** *f.* house, mansion; family; **maison de campagne** country house, countryseat

**maître** *m.* master; title applied to notaries and advocates; **maître d'armes** fencing master; **maître clerc** (lawyer's) managing clerk, head clerk

**maîtresse** *f.* mistress

**maîtrise** *f.* mastership; mastery

**maîtriser** to master (a horse); to subdue (a fire); to get (fire) under control; to curb, bridle, control

**majesté** *f.* majesty

**majestueu-x, -se** majestic

**major** *m.* regimental adjutant (with administrative duties); military physician

**majordome** *m.* major-domo; steward

**mal** *m.* (*pl.* **maux**) evil, hurt, harm; difficulty; disorder, misfortune, malady, disease, ailment, pain, ache; **mal de tête** headache; **dire du mal de** to speak ill of

**mal** *adv.* badly, ill; not right;

uncomfortable, badly off; **pas mal** of good appearance, quality, etc.; **être mal** to be uncomfortable, badly housed; **mal parler** to speak ill of

**malade** ill, sick, poorly, unwell, diseased; *m. & f.n.* sick person; invalid, patient

**maladie** *f.* illness, sickness, disease, disorder, complaint; **être pris d'une maladie** to be seized by, taken with an illness

**malaisé, -e** difficult

**malfaisant, -e** maleficent, evil-minded, noxious, harmful

**malgré** in spite of; notwithstanding; **malgré moi** against my will, in spite of myself; **malgré que j'en aie** against my will

**malhabile** unskilful; clumsy, awkward

**malheur** *m.* misfortune; untoward occurrence; calamity, accident; bad luck, ill luck; **porter malheur** to bring bad luck, misfortune; **pour mon malheur** to my misfortune

**malheureusement** unfortunately, unhappily, unluckily

**malheureu-x, -se** unfortunate, unhappy, wretched (person, affair); poor, badly off (person); woeful, unlucky, wretched; *m. & f.n.* wretch; unhappy, unfortunate person

**malice** *f.* malice, spite

**malicieu-x, -se** malicious, spiteful; mischievous; roguish

**malin** *m.* **maligne** *f.* evil (-minded), wicked; shrewd, cunning; **un vieux malin** an old fox, a shrewd old fellow

**malle** *f.* trunk, box

**malotru** coarse, vulgar; *m.n.* boor; low fellow

**maltraiter** to maltreat, ill-treat, ill-use; to treat (someone) badly (by word or deed); to handle (someone) roughly

**mamamouchi** a trumped up Turkish title bestowed with great pomp on M. Jourdain in Molière's play *Le bourgeois gentilhomme*

**maman** *f.* mam(m)a, mum(m)y

**Manassé** one of the divisions of Palestine

**mandat** *m.* power of attorney; proxy; order (to pay); money order; draft

**mander** to send news; to send word (to someone to do something)

**manège** *m.* wile, stratagem, trick

**mangeaille** *f.* food, victuals, grub

**manger** to eat; **salle à manger** dining room

**manier** to handle; to wield

**maniement** *m.* handling

**manière** *f.* manner, way (of doing something); *pl.* manners, ways

**manifester** to manifest, reveal, show, exhibit

**manœuvre** *f.* working, managing, driving; manœuvring (*lit.* and *fig.*); *m.n.* unskilled laborer

**manque** *m.* lack
**manqué, -*e*** unsuccessful, wasted
**manquer** to lack, want, be short of; to fail; to be missing, wanting, deficient; **je manque de mémoire**. my memory fails me, I forget; **manquer de** to lack; **manquer de parole** not to keep one's word; **faire manquer un mariage** to prevent a marriage from taking place, to break a marriage; **manquer à** to be needed by; to be lacking; **manquer son coup** to fail, miss out
**mante** *f.* (woman's) mantle; cloak
**manteau** *m.* cloak
**mantille** *f.* mantilla, veil of lace or cloth over the head and shoulder; cape
**manufacture** *f.* manufactory; (textile, iron) mill; works
**manufacturer** to manufacture
**manuscrit** *m.* manuscript
**manzanilla** *f.* a liqueur-like wine, aromatic and slightly bitter
**maquignon** *m.* horse-dealer
**maraud** *m.* **maraude** *f.* villain, rascal, rogue
**marbre** *m.* marble (mineral, statue, etc.)
**marc** *m.* (used) tea leaves, coffee grounds
**marchand** *m.* **marchande** *f.* dealer, vendor, shopkeeper, merchant, tradesman, tradeswoman
**marchander** to haggle (with someone over something), to bargain
**marchandise** *f.* merchandise, goods, wares
**marche** *f.* step, stair; tread (of step); march, walking; **en marche** on the march; **être en marche** to be going, running, (experiment) in progress; **se mettre en marche** to start to walk; **en marche vers** on the way to
**marché** *m.* dealing, buying, deal, transaction, bargain, contract; market; **bon marché** cheap, cheapness; **à meilleur marché** more cheaply, cheaper; **jour de marché** market day
**marcher** to walk; to tread; to travel, go; to march; **marcher seul** to walk by oneself; **marcher sur le pied de quelqu'un** to step on someone's foot, (*fig.*) to offend; **marcher à quatre pattes** to walk on all fours
**maréchal** *m.* marshal (of royal household, etc.); **maréchal des logis** sergeant
**mari** *m.* husband
**mariage** *m.* marriage, wedlock, matrimony, wedding, nuptials
**marié, -e** *a.* & *n.* married (person); bride, groom
**marier** to marry off, to unite (man and woman) in wedlock; to mix with another species; to join in marriage; **se marier** to marry, get married; to wed

**marin, -e** marine, of the sea
**marmiton** *m.* cook's boy; pastry cook's errand boy
**marmot** *m.* child, brat, urchin
**marmotter** to mumble, mutter
**maroquin** *m.* morocco (leather)
**marque** *f.* mark, sign
**marquer** to mark; to distinguish; to put a mark on
**marquise** *f.* marquise; marchioness (in England)
**marronnier** *m.* chestnut tree
**marteau** *m.* knocker (on door)
**martial, -e** (*pl.* **martiaux**) martial, soldierlike; warlike
**mascarade** *f.* masquerade
**masque** *m.* mask; facial expression
**masse** *f.* heap, bulk; mob; common fund
**massi-f, -ve** massive, bulky, huge, gross
**masure** *f.* tumbledown cottage, hovel, shanty
**mat, -e** unpolished, dull, having no radiance
**matelas** *m.* mattress
**matériaux** *m.pl.* materials
**maternel, -le** maternal, motherly (care, etc.)
**mathématique** *f.* (*usually pl.*) mathematics
**matière** *f.* material, matter, substance; **en matière de** in matters of
**matin** *m.* morning; *adv.* early (in the morning); **au matin** in the morning, the next morning; **le matin** in the morning; **un beau matin** one of these (fine) days
**matinal, -e: à cette heure matinale** at this early hour
**matinée** *f.* morning, forenoon
**maudire** to curse, call down curses upon; to anathematize
**maudit, -e** accursed (crime) etc.; damned
**Maure** *m.* Moor
**mauvais, -e** bad; poor; of poor quality, badly worn
**mauve** mauve, purple
**méandre** *m.* meander, sinuosity, winding course, bend (of stream); winding path
**mécanique** mechanical
**mécaniquement** mechanically
**méchanceté** *f.* wickedness, naughtiness, mischievousness, unkindness, spitefulness, ill-nature
**méchant, -e** bad, naughty, wicked, mean; threatening; *n.* wicked, bad person; **faire le méchant** to act nastily, meanly
**mécompte** *m.* miscalculation; miscount, error; mistaken judgement
**méconnaissable** unrecognizable, hardly recognizable
**méconnaître** to fail to recognize; to misprize; to misappreciate, not to appreciate (someone's talent), to belittle, to disregard
**mécontent, -e** dissatisfied
**médaille** *f.* medal
**médecin** *m.* medical man, doctor, physician

**média-teur, -trice** mediating; *n.* mediator, intermediary
**médical, -e** (*pl.* **médicaux**) medical
**médiocre** moderate (ability, sleep, etc.)
**médiocrement** slightly, moderately
**médire** to speak ill of, to slander
**méditer** to meditate; to have in mind
**méfiance** *f.* distrust, mistrust
**méfiant, -e** distrustful, mistrustful, suspicious
**meilleur, -e** better; *n.* the better (of two), the best
**mélancolie** *f.* melancholy, dejection, mournfulness
**mélancolique** melancholy, dejected, gloomy, mournful
**mélange** *m.* mixing, blending; mixture
**mélanger** to mix
**mêler** to mix, mingle, blend, to stir into, intermingle; **mêler à** to mingle with; to implicate; **se mêler** to mix, mingle, blend; **se mêler de quelque chose** to take a hand in something; to interfere, mix into; **je ne me mêlerai en rien de cette affaire** I will have nothing to do with, will not interfere in that matter
**mélodieu-x, -se** melodious, tuneful
**mélodrame** *m.* melodrama
**melon** *m.* melon
**membre** *m.* limb
**même** self, same, itself; **moi-même** myself; **à la même enseigne** in the same boat; **de même** likewise, too; *adv.* even; **à même de** capable of; **de même** in the same way; likewise
**mémoire** *f.* memory, recollection, remembrance
**mémoire** *m.* statement, bill; memorial
**menaçant, -e** menacing, threatening, lowering (sky)
**menacer** to threaten, menace
**ménage** *m.* housekeeping, household; family; couple; **faire bon ménage (ensemble)** to live, get on happily, well together
**mendiant, -e** mendicant, begging; *n.* beggar
**mendicité** *f.* mendicity, mendicancy, begging; **dépôt de mendicité** workhouse
**mendier** to beg, beg for; **mendier son pain** to beg (for) one's bread
**mener** to lead; to conduct, take
**mensonge** *m.* lie, untruth, falsehood, story, error; **faire un mensonge** to tell a lie
**mental, -e** (*pl.* **mentaux**) mental
**mentalement** mentally
**menteu-r, -se** *a. & n.* lying, mendacious, fibbing, storytelling (person); liar, given to lying
**menthe** *f.* mint
**mentionner** to mention

**mentir** to lie, fib, tell lies, stories
**menton** *m.* chin
**menu, -e** small, fine, slender, slim, slight; **menu fatras** useless hodgepodge, trash
**mépris** *m.* scorn, contempt
**méprise** *f.* mistake, misapprehension, error
**mépriser** to despise, scorn; to hold (someone) in contempt
**mer** *f.* sea
**mercerie** *f.* small wares; haberdashery, notions store
**merci** *f.* favor; thanks; mercy, pity; **Dieu merci** thank God; **avoir merci** to have mercy
**mercredi** *m.* Wednesday
**mère** *f.* mother (sometimes used affectionately toward a person who is not the mother)
**mérite** *m.* merit; excellence, talent
**mériter** to deserve, merit
**méritoire** meritorious, deserving, praiseworthy
**merveille** *f.* marvel, wonder; wonderful thing; **les sept merveilles du monde** the seven wonders of the world; **à merveille** excellently; wonderfully well, marvelously
**merveilleu-x, -se** marvellous, wonderful; *m.n.* the marvellous, wonderful
**message** *m.* message
**messager** *m.* messenger
**messe** *f.* Mass
**messire** *m.* Sir, master
**mesure** *f.* measure; **à mesure** in proportion, successively, one by one; **à mesure que** as, in proportion as
**mesuré, -e** measured; temperate, moderate, restrained
**mesurer** to measure
**métallurgiste** *m.* metallurgist, ironmaster, metalworker
**métamorphose** *f.* metamorphosis, transformation
**métamorphoser** to metamorphose, transform; **se métamorphoser** to be metamorphosed, changed
**métaphore** *f.* metaphor, figure of speech
**métaphysique** metaphysical; *f.n.* metaphysics
**météore** *m.* meteor
**méthode** *f.* method, system
**métier** *m.* trade, profession
**mètre** *m.* meter (39.37 inches)
**mets** *m.* food; viand, dish (of food)
**mettre** to put, lay, place; to put on, dress, wear; **mettre de côté** to put aside; **se mettre à** to begin to; **se mettre à rire** to begin to laugh; to start laughing; **se mettre à table** to sit down to the table; **mettre en avant** to put forward, advance; **se mettre en fureur** to go into a rage; **se mettre en route** to start out; **mettre à la porte** to throw out; **mettre quelqu'un dans la poche** to outwit someone
**meuble** *m.* piece of furniture, furniture

**meublé, -e** furnished
**meurtrier** *m.* **meurtrière** *f.* murderer
**mi** half, mid, semi; **la mi-octobre** mid October; **à mi-pente** half way down (up) the slope
**midi** *m.* midday, noon, twelve o'clock; **il est midi** it is twelve o'clock; south; southern part (of country); **le Midi (de la France)** the south of France
**mie** *f.* = **amie;** used only with **ma**; **ma mie** my nurse (*obsolete*); **m'amie** my pet, darling
**miel** *m.* honey
**mielleu-x, -se** honeyed, sugary, sweet as honey
**mien, mienne** mine
**miette** *f.* crumb (of broken bread), morsel
**mieux** better; **le mieux** (the) best; **au mieux** for the best; **de notre mieux** as best we could; **tant mieux** so much the better; **être mieux** to be more confortable, better; **qui ne demandait pas mieux** who was only too glad
**mignon, -ne** dainty, tiny, delicate
**milieu** *m.* middle, midst; surroundings, group, set; **au milieu de** amid(st), in the midst of; **au milieu de la nuit** in the dead of night
**militaire** military; *m.n.* military man; soldier
**mille** thousand
**millier** *m.* (about a) thousand; **par milliers** by the thousand
**million** *m.* million
**milord** *m.* (English) nobleman; immensely wealthy man
**mince** thin (board, cloth, objects); slender, slight, slim (person); small, scanty
**mine** *f.* appearance, look, mien; **faire mine de** to make a show of, to look as if (one were going to do something)
**minéral** *m.n.* *&* *a.* (*pl.* **minéraux**) mineral
**ministre** *m.* minister, clergyman, servant, agent
**minois** *m.* pretty face (of child, young woman)
**minuit** *m.* midnight; twelve o'clock (at night)
**minute** *f.* minute; draft (of contract, etc.); **à la minute** per minute
**minutieusement** minutely
**mi-pente (à)** half-way up or down the hill
**miracle** *m.* miracle
**miraculeu-x, -se** miraculous
**mirer** to look intently; **se mirer** to look at, admire oneself (in mirror, or in the water); to gaze
**miroir** *m.* mirror, looking glass
**miroitant, -e** flashing; glistening, shimmering, sparkling
**mis** *past part. of* **mettre**
**misanthrope** *m.* misanthropist; *a.* misanthropic
**misanthropie** *f.* misanthropy

**misérable** miserable; unhappy, unfortunate (person); wretched, abject (dwelling); *m. & f.n.* poor wretch; scoundrel, wretch, villain

**misère** *f.* misery; trouble, ill; extreme poverty, destitution; wretchedness

**miséricorde** *f.* mercy, mercifulness

**mission** *f.* mission; **pour mission** as a mission

**Missouri** a tribe of Sioux Indians

**mit** *past def. of* **mettre**

**mixte** mixed

**mobili-er, -ère** consisting of furniture, etc.; *m.* furniture; set, suite of furniture

**mobiliser** to mobilize (troops); to call out, call up (reservists)

**mode** *f.* fancy, fashion, mode, style

**modèle** *m.* model, pattern; **modèle d'écriture** handwriting copy

**modéré, -e** moderate; temperate (person); reasonable

**moderne** modern

**modicité** *f.* moderateness; scantiness; slenderness (of means); lowness, reasonableness (of price)

**mœurs** *f.pl.* morals, manners, customs

**moi** I, me, to me; **moi-même** myself

**moindre** less(er); smallest; **le (la) moindre** the least; the slightest

**moine** *m.* monk, friar

**moins** less; **à moins de** unless, barring; **du moins** at least, that is to say, at all events; **au moins** at least (= not less than); **à moins que** unless; **tout au moins** at the very least

**moire** *f.* moire; watered silk material

**mois** *m.* month

**moisson** *f.* harvest(ing)

**moitié** *f.* half; **à moitié** half; **à moitié chemin** half way

**mol** *see* **mou**

**molécule** *f.* molecule

**mollement** softly; slackly, feebly

**mollesse** *f.* softness, flabbiness; want of vigor, slackness, lifelessness

**mollet, -te** soft to the touch

**mollet** *m.* calf (of leg)

**moment** *m.* moment, minute (*fig.*); **du moment que** seeing, considering that; **par moments** at times; **un petit moment** a short while

**mon (ma, mes)** my

**monarque** *m.* monarch

**mondain, -e** fashionable, wordly

**monde** *m.* world; **au monde** in the world; **le monde entier** the whole world; **le bout du monde** the ends of the earth; **tout le monde** people, society, everybody; **le premier du monde** the first in the world

**monnaie** *f.* money, currency; small change

**monologue** *m.* monologue
**monotone** monotonous (speech); humdrum, dull (life)
**monsieur** *m.* (*pl.* **messieurs**) mister, sir
**monstrueu-x, -se** monstrous, unnatural
**mont** *m.* mount, mountain; **par monts et par vaux** up hill and down dale
**montagne** *f.* mountain; mountain region
**montagneu-x, -se** mountainous, hilly
**montant** *m.* the amount, total sum
**monter** to climb (up, into), mount, ascend; to go upstairs; to rise, to go up; to go in; **monter la garde** to mount guard; **se monter** to get angry, excited; **se monter à** to amount to
**montée** *f.* rise, rising, ascent
**Montmorency** town not far from Paris where Rousseau once lived
**montre** *f.* watch
**montrer** to show; to display, exhibit; to point out; **se montrer** to appear; to exhibit, display; to show oneself
**moquer: se moquer de** to mock, to make fun of, to make game of; not to care a rap
**moquerie** *f.* mockery, scoffing, ridicule, derision, mocking
**moral, -e** (*pl.* **moraux**) moral; ethical; about morals; mental, intellectual
**morale** *f.* morals; ethics, moral science; moral (of fable)
**moralité** *f.* morality, moral conduct, morals, honesty
**morceau** *m.* morsel, piece (of food); piece; lump (of sugar); **mettre quelque chose en morceaux** to pull to pieces, to bits, cut into pieces
**mordre** to bite, chew on; **se mordre à la gorge** to cut each other's throats; to quarrel bitterly
**More** *m.* Moor
**morfondre** to chill to the bone; **se morfondre** to be bored to death
**morne** dejected, gloomy, dull; bleak, dreary, dismal
**mort, -e** dead; *n.* dead man, woman
**mort** *f.* death; **être à la mort** to be at death's door
**mortel, -le** mortal; destined to die; deadly (hatred, sin)
**mortifiant, -e** mortifying
**mosquée** *f.* mosque
**mot** *m.* word, note, message; **des grands mots** pompous words, phrases
**motif** *m.* motive (cause), incentive, reason
**mou (mol, molle)** soft
**mouche** *f.* fly; bull's eye
**mouchoir** *m.* handkerchief
**moue** *f.* pout
**mouillé, -e** moist, damp, wet
**mouiller** to wet, moisten, damp; **se mouiller les pieds** to get one's feet wet

**moulé, -e: écriture moulée** block lettering
**mouler** to mould
**mourir** to die
**mousquet** *m.* musket; **à coups de mousquet** shooting from their muskets
**moustache** *f.* mustache
**moutarde** *f.* mustard; **à la moutarde** with a mustard sauce
**mouton** *m.* sheep, lamb; person easily led
**mouvement** *m.* movement, motion, change, modification; agitation, burst (of emotion); action, impulse
**mouvoir** to move; **se mouvoir** to move, to stir
**moyen** *m.* means, way
**mucher** to hide
**muet, -te** dumb, mute; unable to speak; unwilling to speak
**mule** *f.* mule; hardheaded person
**mulet** *m.* (he) mule; **têtu comme un mulet** stubborn as a mule
**muletier** *m.* mule-driver, muleteer
**multiplicité** *f.* multiplicity
**multiplié, -e** multiplied, multiple, manifold, repeated
**mur** *m.* wall
**muraille** *f.* thick high wall (sometimes for defense)
**mûrir** to ripen, mature
**murmure** *m.* murmur, murmuring
**murmurer** to murmur, mutter
**musclé, -e** muscular
**musicien, -ne** *a. & n.* musician
**musique** *f.* music
**mutilé, -e** mutilated, disabled; *n.* disabled person (veterans, etc.)
**mutiler** maim
**mystère** *m.* mystery
**mystérieu-x, -se** mysterious, enigmatical, uncanny
**mystification** *f.* mystification; hoax; practical joke

## N

**nacre** *f.* mother of pearl
**nage** *f.* swimming; rowing, sculling; **être (tout) en nage** to be bathed in perspiration; **se mettre en nage** to get into a sweat
**naï-f, -ve** artless, ingenuous, unaffected, naive; **avoir un air naïf** to look innocent, artless
**nain** *m.* dwarf; midget, pygmy
**naissance** *f.* birth; descent, extraction
**naître** to be born, come into the world; to grow
**naïveté** *f.* artlessness, simplicity, ingenuousness, naivety
**Napoléon** Napoleon; *m.n.* twenty-franc piece (no longer in circulation)
**narguer** to brave, defy, flout; to snap one's fingers at
**naseau** *m.* nostril (of horse, ox)
**natal, -e** native (country)

**natte** *f.* mat, matting (of rush, straw); braid (of hair), plait (of fringes, of braided stems)
**nature** *f.* nature; kind, constitution, character; disposition; temperament; **de nature** naturally, by nature
**naturel, -le** natural; *m.n.* native (of country); nature, character, disposition
**naturellement** naturally, in a natural way; by nature; by birth; without affectation, unaffectedly
**naufragé, -e** shipwrecked; castaway; *n.* shipwrecked person
**navarrais, -e** of Navarre
**Navarre** *f.* Navarre, northeast province of Spain
**navire** *m.* ship
**ne (n')** not; **n'est-ce pas** is it not so? **ne . . . guère** hardly, scarcely; **ne . . . guère que** scarcely more than, hardly as much as; **ne . . . plus** no more, no longer; **ne . . . point** not; **ne . . . que** only; **ne . . . rien** nothing
**né** *past part. of* **naître**
**néanmoins** nevertheless, none the less, for all that; yet, still
**néant** *m.* nothingness, nought, naught, void; emptiness
**nécessaire** necessary, needful, requisite; indispensable; *m. & f.n.* necessary person
**nécessité** *f.* necessity; need
**nécessiter** to necessitate, entail, require
**négligeable** negligible
**négliger** to neglect; to take no care of; to be neglectful of (duty, one's interest); to be careless of (dress, appearance)
**négligé, -e** neglected, unheeded
**négociant** *m.* **négociante** *f.* (wholesale) merchant, trader
**nègre** *m.* **négresse** *f.* Negro; drudge
**négroïde** negroid
**neige** *f.* snow
**neigeu-x, -se** snowy, snow-covered (peak, weather)
**n'est-ce pas** is it not so?
**net, -te** clean, spotless (plate); flawless (tone); clear; sound; plainly, flatly, outright; **s'arrêter net** to stop short
**nettement** plainly, clearly
**nettoyer** to clean, scour, swab
**neuf, neuve** new
**neveu** *m.* (*pl.* **neveux**) nephew
**nez** *m.* nose; **mener par le bout du nez** to twist around one's little finger; **rire au nez de quelqu'un** to laugh in someone's face; **se rire au nez** to laugh at oneself; **se casser le nez** to find the door closed; **j'étais le nez sur ma chaîne** (*lit.* I had my nose on my chain) I was engrossed in my chain, was looking down on it
**ni: ni . . . ni** neither . . . nor
**niais, -e** simple, foolish, inane (smile); *n.* fool, simpleton
**niaiserie** *f.* silliness, foolishness
**nid** *m.* nest

**nier** to deny

**noblesse** *f.* nobility, noble birth; nobleness (of heart, behavior)

**noce** *f.* wedding; wedding festivities; marriage, nuptials; **voile de noces** bridal veil

**nocturne** nocturnal, of the night

**Noël** *m.* Christmas

**noir, -e** black, dark; *m.n.* Negro; **voir tout en noir** to look at the dark side of everything

**noirceur** *f.* blackness, darkness, gloominess

**noircir** to grow, become, turn black or dark; to darken; to blacken (something)

**noix** *f.* walnut; nut

**nom** *m.* name; **au nom de** in the name of; **sans nom** indescribable

**nomade** *a.* nomadic, wandering, errant; *m. & f.n.* nomad

**nombre** *m.* number

**nombreu-x, -se** numerous; multifarious, manifold

**nommer** to name; to give a name to; to call; to mention by name, to appoint

**non** no, not; **non pas!** not so! not at all! **non plus** neither

**non-exécution** *f.* nonfulfilment (of agreement); nonperformance

**nord** *m.* North; **au nord, dans le nord** in the north

**notaire** *m.* notary (executes authentic deeds; deals with sales of real estate; with successions; draws up marriage contracts)

**noté: homme mal noté** man of bad reputation, with a bad record

**noter** to note; to make note of

**notion** *f.* notion, idea

**notre** our

**nôtre** ours; our own; **être des nôtres** to join us, be with us

**nouer** to knot, tie; **se nouer** to become knotted (of cord, thread); to contract (throat, etc.)

**noueu-x, -se** knotty (string, wood); gnarled (stem, hands)

**nourrice** *f.* (wet) nurse; **en nourrice** placed with a wet nurse

**nourrir** to nourish; to feed; to maintain (one's family); to board (workers, pupils); to nurture

**nourri, -e** nourished, fed

**nourrisseur** *m.* stock raiser

**nourriture** *f.* food, nourishment, sustenance; **en nourriture** as a food

**nous** we; us; to us; **nous autres** we

**nouveau (nouvel, nouvelle)** new, recent, fresh, another, a second, further, additional; **de nouveau** again, once more; **nouveau venu** newcomer; **le nouveau monde** the New World *i.e.* North or South America; **rien de nouveau** nothing new

**nouvelle** *f.* (piece of) news; short novel, tale, story; *pl.* tidings, news; **demander des nouvelles de quelqu'un** to inquire, ask about someone
**noyer** to drown, to swamp, deluge (the earth)
**nu, -e** unclothed, naked, bare; **mettre quelque chose à nu** to expose; **à nu** bare, exposed
**nuage** *m.* cloud
**nudité** *f.* nudity, nakedness
**nuée** *f.* (large) cloud; storm cloud
**nuire** to be hurtful, injurious, prejudicial, harmful to
**nuisible** noxious
**nuit** *f.* night, darkness; **à la nuit tombante** at nightfall
**nul, -le** no, not one; worthless (argument, effort); **nulle part** nowhere; **déclarer nul** to declare nul and void
**numéro** *m.* number (of house, ticket); person
**nymphe** *f.* nymph

## O

**ô** (address or invocation) O! Oh!
**oasis** *f.* oasis
**obéir** to obey; **obéir à quelqu'un** to be obedient, to obey someone; **obéir à quelque chose** to yield, to submit to something
**objection** *f.* objection
**objet** *m.* object; thing; purpose, reason
**obligeance** *f.* obligingness, kindness
**obligé, -e** obliged, indebted, bound, compelled
**obliger** to oblige; to constrain, bind, compel
**oblique** oblique, slanting
**oblong, -ue** oblong
**obscur, -e** dark, gloomy (weather); obscure, unknown, lowly, humble (birth)
**obscurité** *f.* obscurity, darkness, unintelligibility, obscureness
**observateur** *m.* **observatrice** *f.* observer; observant, observing
**observation** *f.* observation, keeping (of laws), remark
**observer** to observe, see
**obstination** *f.* obstinacy, stubbornness; mulishness
**obstiné, -e** stubborn, self-willed, obstinate, mulish, dogged (resistance); persistent (cough)
**obstinément** stubbornly, obstinately
**obstiner: s'obstiner** to show obstinacy; **s'obstiner à** to insist upon
**obtenir** to obtain, get; to gain, procure; to achieve
**obtiendrez** *fut. of* **obtenir**
**obtin-s, -t** *past def. of* **obtenir**
**obtinsse** *imp. subj. of* **obtenir**
**occasion** *f.* opportunity, occasion; **à quelle occasion** what is the occasion for
**occasionner** to occasion, cause, give rise to
**occidental, -e** west(ern)

**occupation** *f.* occupation, business, work, employment

**occuper** to occupy; **s'occuper de** to go in for, be interested in; to apply one's thoughts to; to attend to; to busy oneself with

**occupé, -e** occupied; employed, preoccupied; **occupé à** busy with, occupied with

**océan** *m.* ocean

**octobre** *m.* October

**odeur** *f.* odor, smell, scent, fragrance

**odieu-x, -se** odious; hateful (person, vice); heinous (crime)

**odorat** *m.* (sense of) smell

**Œdipe** Œdipus, character in Greek legend

**œil** *m.* (*pl.* **yeux**) eye; **coup d'œil** view, glance

**œil-de-bœuf** *m.* small circular window

**œillet** *m.* carnation

**œuf** *m.* egg

**œuvre** *f.* work, working; (fini hed) work, production; **une bonne œuvre** a good deed

**offenser** to offend; to give offense to; to be detrimental to; to injure; to shock (feelings)

**office** *m.* office, functions, duty; butler's pantry; servant's hall; **un bon office** a good turn; **les bons offices** the good offices, kind intervention

**officier** *m.* officer (commissioned); **Officier de la légion d'honneur** Officer of the Legion of Honor; **Grand Officier de la Légion d'honneur** a high rank in the French Legion of Honor

**offrande** *f.* offering

**offrir** to offer, to offer up (sacrifice); to present (a gift)

**offusquer** to offend; **s'offusquer** to take offense

**ogive** *f.* Gothic arch; pointed arch

**ohé** hi! hullo!

**oiseau** *m.* bird

**oisi-f, -ve** idle, unoccupied; *n.* idler

**oisiveté** *f.* idleness, leisure, sloth

**olive** *f.* olive; *a.* olive-green

**olivier** *m.* olive tree or wood

**ombre** *f.* shadow, shade; **mettre quelqu'un à l'ombre** to put someone out of harm's way; to jail; to kill

**omelette** *f.* omelet

**on** (*often* **l'on**) one, people, they, we

**once** *f.* ounce

**oncle** *m.* uncle

**onde** *f.* wave, billow

**onéreu-x, -se** onerous, burdensome (tax), heavy (expenditure); **à titre onéreux** subject to payment

**ongle** *m.* (finger) nail; claw (*poet.*)

**opacité** *f.* opacity (of blood); denseness (of intellect)

**opéra** *m.* opera; **opéra comique** opera with spoken dialogue; **l'opéra** opera house

**opération** *f.* operation, action, doings
**opiniâtreté** *f.* obstinacy, stubbornness
**opinion** *f.* opinion; view, judgment; **l'opinion publique** public opinion
**opposer** to oppose; to set something over against something else; **s'opposer à** to oppose, be opposed to
**opposé, -e** opposed, opposing; opposite, contrary
**opposition** *f.* opposition
**or** *m.* gold; golden color
**orage** *m.* (thunder)storm
**orageu-x, -se** stormy; threatening
**oraison** *f.* prayer; oration
**orange** *f.* orange
**ordinaire** ordinary, usual, common, customary, average; **d'ordinaire** as is usual, usually; **à son ordinaire** as is his wont
**ordinairement** ordinarily, usually
**ordonnance** *f.* order (general); arrangement (of building); disposition, grouping; enactment, ordinance, decree; orderly
**ordonner** to arrange; to order, command, direct
**ordre** *m.* order, command; harmony; class; division, category; nature, character; warrant; **sur l'ordre de** at the order of; **par ordre de** by order of
**ordure** *f.* dirt, filth, muck
**oreille** *f.* ear; **dire à l'oreille** to whisper in the ear; **parler à l'oreille** to whisper; **dresser l'oreille** to prick up one's ears; **tendre l'oreille** to listen attentively
**orgueil** *m.* pride, arrogance, vaingloriousness
**orgueilleu-x, -se** proud
**oriental, -e** Eastern, oriental
**origine** *f.* origin, beginning, extraction (of person); nationality, source, ancestry
**originel, -le** primordial, original
**orme** *m.* elm tree
**ormeau** *m.* (young) elm (*diminutive of* **orme**)
**ornement** *m.* ornament, adornment, embellishment
**orner** to ornament, adorn, embellish, decorate
**ornière** *f.* rut
**os** *m.* bone; **faire de vieux os** to live a long life, grow old
**oser** to dare, venture
**ôter** to remove, take off
**ou** or; **ou . . . ou** either . . . or
**où** where; **d'où** from where, whence
**oubli** *m.* oblivion, neglect
**oublier** to forget, to overlook, neglect; to be unmindful of
**ouest** *m.* west; **un vent d'ouest** a westerly wind
**ouf!** (exclamation of relief) ha, oh! phew
**oui** yes; **mais oui** yes, of course
**oui-dà!** is that so!
**ouiche** bah! don't you believe it!

**ouïr** to hear
**ourlet** *m.* hem
**ours** *m.* bear
**outil** *m.* tool, implement
**outrager** to insult; to attack scurrilously; to outrage (nature, the law); to offend
**outre** *f.* goatskin bottle; waterskin
**outre** beyond, in addition to; **en outre** besides, moreover, furthermore
**outré, -e** exaggerated, extravagant, overdone (praise)
**ouvertement** openly
**ouvert, -e** open; opened; split open; **grandes ouvertes** (hands) wide open
**ouverture** *f.* opening; opening of a legal question; overture (music); aperture (in wall); gap, break; **ouverture d'esprit** open-mindedness
**ouvrage** *m.* work
**ouvrier** *m.* **ouvrière** *f.* worker, workman, workwoman, working man, craftsman, mechanic, operative; seamstress, factory girl
**ouvrir** to open; **s'ouvrir** to open up, be opened; **ouvrez-moi** open the door for me; **s'ouvrir** to open up, unburden one's soul, confide in others

## P

**pacifique** peaceful, quiet
**page** *m.* page (boy at court, etc.)
**paille** *f.* straw
**paillette** *f.* spangle, paillette
**pain** *m.* bread; loaf; **gagner son pain** to earn one's bread (living)
**pair** *m.* peer
**paire** *f.* pair; **nous faisons la paire** we're a nice pair; **vous faites tous deux la paire** you are a fine pair, you work together
**pairie** *f.* peerage
**paisible** peaceful, peaceable, quiet; untroubled
**paix** *f.* peace; **faire la paix** to make peace; **vivre en paix** to live in peace and quietness; **ni paix ni trêve** no peace
**palais** *m.* palace
**palatin, -e** *a.* Palatine; **le Mont Palatin** the Palatine Hill (in Rome)
**pâle** pale
**palefrenier** *m.* stableman
**palier** *m.* landing (of stairs); stairhead
**pâlir** to become pale, grow pale; to grow dim; to pale; to make pale
**pâlissant, -e** growing pale
**palme** *f.* palm (tree); palm (branch)
**palmier** *m.* palm tree
**palpitant, -e** palpitating, throbbing, quivering
**palpitation** *f.* palpitation
**palpiter** to palpitate; to flutter; to quiver; to throb
**pâmoison** *f.* swoon, fainting fit; **tomber en pâmoison** to swoon, faint away

**panégyriste** *m.* panegyrist, eulogist
**panier** *m.* basket; **panier de coche** wicker case or box placed either at the front or the back of a stagecoach in which baggage of passengers or the passengers themselves were placed
**panique** panic (terror); *f.n.* panic, scare; stampede
**panse** *f.* paunch
**pansement** *m.* dressing
**panser** to dress (wound); to tend (wounded man)
**pantalon** *m.* pantaloon; trousers, panties
**papier** *m.* paper; document
**paquet** *m.* parcel, package, bundle
**par** by, by means of, through, throughout, via, across, per, each, in, on, around, with, for, during a, at, about, for the sake of, out of, under; **par-dessus** above, over, on top of; **par exemple** for instance, indeed, I declare; **par ici** this way, over here; **par jour** each day, daily; **par toute la terre** all over the earth; **par trop** really too, entirely too; **par là** that way
**parade** *f.* parade
**paradis** *m.* paradise
**paraître** to appear; to be visible, apparent; to seem; to look
**paralyser** to paralyze
**parapet** *m.* parapet
**paraphrase** *f.* paraphrase
**parasite** *m.* parasite, hanger-on, sponger
**parasol** *m.* parasol, sunshade
**parbleu** why, of course! to be sure!
**parc** *m.* park
**parce que** because
**parchemin** *m.* parchment; *pl.* title-deeds, titles of nobility; diplomas
**parcourir** to travel through; to go over, traverse (piece of country); to walk through, across; to run over, cast one's eyes on
**par-dessus** over (the top of), above
**pardon** *m.* pardon, forgiveness (of an offense)
**pardonnable** pardonable
**pardonner** to pardon, forgive; **pardonner quelque chose à quelqu'un** to pardon somebody for something; **se faire pardonner** to have oneself pardoned for
**pareil, -le** like, alike; similar; same, identical; **pareil à** like
**parent** *m.* **parente** *f.* relative, connection, kinsman, kinswoman; relation; *pl.* parents, relatives
**parenthèse** *f.* parenthesis; digression; parenthetic clause
**parer** to dress; to adorn, embellish, deck out
**parer** to avoid, ward off; to fend off (collision); to parry, ward off (blow, thrust)

**paresse** *f.* laziness, idleness, sloth

**parfait, -e** perfect, faultless; flawless

**parfaitement** perfectly; to perfection; completely, thoroughly

**parfois** sometimes, at times, occasionally, now and then

**parfum** *m.* perfume; fragrance; sweet smell, scent (of flower), flavor

**parfumer** to scent (one's handkerchief, etc.); to put perfume on, fill with fragrance

**parisien, -ne** *a. & n.* Parisian; **à la parisienne** with a Parisian accent

**parler** to speak; *m.n.* speech; **parler de choses et d'autres** to speak of one thing or another

**parmi** among(st), amid(st)

**Parnasse** a poetic movement in the 19th century that aimed at perfection of form or art for art's sake

**parodier** to parody, to burlesque, to take off

**paroi** *f.* wall, partition wall (between rooms)

**parole** *f.* (spoken) word, good word; promise, word of honor; speech, speechmaking; **tenir (sa) parole** to keep one's promise, word; **parole d'honneur** upon my word (of honor); **donner sa parole** to give one's word of honor; **adresser la parole** to address, speak to

**parrain** *m.* godfather; sponsor

**part** *f.* share, part, portion; **nulle part** nowhere; **de toutes parts** on all sides, in every direction; **de la part de** from; **de ma part** from me; **à part** apart, separately, aside; **d'une part** on the one hand, one side; **d'autre part** on the other hand

**partage** *m.* division; sharing, share, allotment, apportionment, lot

**partager** to share, divide, parcel out, apportion; **se partager** to divide

**parti** *m.* party; political party; decision, choice, course; advantage, profit; **prendre (un) parti** to come to a decision, make up one's mind; **prendre son parti** to resign oneself

**participer** to participate, have a share, an interest in; to take a hand in, be a part of; to share in, take (a) part in

**particuli-er, -ère** particular, special, private; peculiar, strange; *m.n.* private person, private individual

**partie** *f.* part (of a whole); party; game (of cards); **en partie** partly; in part

**partir** to depart, leave; to start, set out; to go off, go away; **partir maille** to split, divide; **avoir maille à partir** to have a bone to pick; **à partir de** from there on

**partout** everywhere

**parure** *f.* ornament, adorning; dress, finery; head dress, set (of jewelry)

**parvenir** to arrive at, reach; to attain; to succeed; **parvenir à** to succeed; **faire parvenir** to send, have someone receive

**pas** *m.* pace, step, stride; threshold; **à deux pas** a few steps away; very near; **au pas** at a walk; **de ce pas** at once; **le pas de la porte** doorstep; **à pas lents** with slow steps; **à pas rapides** with quick steps; **aux pas cassés** with halting steps; **revenir sur ses pas** to retrace one's steps

**pas** *adv.* not; **pas du tout** not at all, by no means

**pascal, -e** paschal (lamb)

**passable** passable, tolerable, pretty good, fair; so so

**passage** *m.* passage; crossing, passing over, through, across; wandering; **sur le passage de ma mère** when my mother would pass

**passant** *m.* **passante** *f.* passer-by

**passé** *m.* past

**passeport** *m.* passport

**passer** to pass; to go past; to spend (time); to go (on, by, along); to proceed; to pass away; to pass, traverse, cross, go over; to pass, spend (time, one's life); to go beyond, to surpass; to pass over; to undergo, pass through; to slip, thrust one's head; **"on ne passe pas"** 'no thoroughfare'; **passer par** to go through; **passer sur** to pass over; **passer pour** to be considered; **se passer** to happen, to take place; to elapse (time); **se passer de** to do without, dispense with; to slip (something through); **faire passer à** to slip on; **faire passer sur la tête de** to have someone inherit; **venir à passer** to come by; to come to happen

**passerelle** *f.* footbridge

**passion** *f.* passion, love

**passionner, se passionner de** to conceive a passion for; to get excited over

**pasteur** *m.* minister, pastor (Protestant)

**pâte** *f.* dough; **pâte à pain** dough (for bread)

**pâté** *m.* meat or fish pie; **pâté d'anguille** eel pie

**paternel, -le** paternal, fatherly, kindly

**pathétique** pathetic, moving, touching

**patiemment** patiently

**patience** *f.* patience; **je suis à bout de patience** my patience is exausted

**patient, -e** patient, enduring, long-suffering; forbearing

**patienter** to exercise patience, wait patiently

**patio** *m.* patio, court yard (common in Spain)

**pâtissier** *m.* **pâtissière** *f.* pastry cook

**patrie** *f.* one's native land or country; fatherland

**patriotisme** *m.* patriotism

**patron** *m.* **patronne** *f.* master, mistress (of house); employer (of labor); boss; skipper, master

**patrouille** *f.* patrol (milit. etc.)

**patrouiller** to patrol

**patte** *f.* paw, foot (of a bird); **marcher à quatre pattes** to walk on all fours

**pâturage** *m.* pasture land

**paume** *f.* palm (of the hand); **(jeu de) paume** a ball game somewhat resembling tennis

**paupière** *f.* eyelid

**pause** *f.* pause, rest

**pauvre** poor; needy, in want; penurious; unfortunate; wretched, mean; shabby; *m. & f.n.* poor man, poor woman

**pauvreté** *f.* poverty, indigence

**pavé** *m.* paving stone, paving block; pavement; paved road, carriage road, highway

**paver** to pave

**pavillon** *m.* pavillion; detached building

**payer** to pay, pay for; to pay, discharge, settle (debt)

**pays** *m.* country; land; part of the country where one was born; region

**pays** *m.* **payse** *f.* fellow-countryman (-woman)

**paysage** *m.* landscape; scenery; landscape (-painting)

**paysan** *m.* **paysanne** *f.* peasant, rustic

**peau** *f.* skin

**pêcher** to fish (for); **pêcher à la ligne** to fish (with rod and line)

**peigne** *m.* comb; (also large, high comb such as Spanish women wear)

**peignoir** *m.* (lady's) dressing gown

**peindre** to paint; to depict, describe; to cover, coat with paint; to portray, represent (in colors)

**peine** *f.* punishment, penalty; sorrow, affliction; pains, trouble; difficulty; **peine capitale** capital punishment; **à peine** hardly, barely, scarcely; **valoir la peine** to be worth the trouble; **se donner la peine** to take the trouble; **ce n'est pas la peine** it is not worth while, don't bother

**peiner** to toil, labor, drudge, work hard; to hurt, offend

**peintre** *m.* painter

**peinture** *f.* (action, art of) painting; picture, painting; paint, color

**péjorati-f, -ve** pejorative; disparaging, depreciatory

**pêle-mêle** pellmell; *m.n.* jumble, disorder, medley, confusion

**pèlerin, -e** pilgrim; *m.pl.n.* Pilgrim fathers

**pelletée** *f.* shovelful, spadeful

**peloton** *m.* troop (of cavalry); squad, party, platoon

**penché, -e** leaning, bending over
**pencher** to incline, bend, lean; to lean (over), bend (over); **se pencher** to incline, bend, stoop
**pendable** who (that) deserves hanging
**pendant** *adv.* during, while
**pendant, -e** hanging, dangling
**pendre** to hang; to hang on the gallows; **faire pendre** to have hanged
**pendu** *m.* **pendue** *f.* hanged person
**pénétrant, -e** penetrating; piercing; sharp (point); pervasive, obstructive, searching; subtle; keen; discerning; shrewd
**pénétrer** to penetrate; to fathom; to enter; to understand
**pénible** laborious, hard, toilsome; painful, distressing
**péniblement** painfully, with difficulty
**pensant, -e** thinking, which thinks
**pensée** thought, intention; **à la seule pensée** at the very thought
**penser** to think; to imagine, picture; **vous n'y pensez pas** you can't possibly mean it; **y penses-tu?** how can you think of it?
**penseur** *m.* thinker
**pensi-f, -ve** thoughtful, pensive (person); abstracted (air)
**pension** *f.* pension, allowance; payment for board and lodging; boarding school (fees); (private) boarding school; **mettre un enfant en pension** to send a child to a boarding school
**pente** *f.* slope, incline; leaning, inclination; **à mi-pente** half way down (up) the slope;
**perçant, -e** piercing, penetrating (eyes); keen, sharp; shrill; biting
**perception** *f.* perception
**percer** to pierce, go through; to perforate; to make a hole, an opening in; to come, break through; **en bottes percées** in torn shoes
**percevoir** to perceive; to hear
**perclus, -e** stiff-jointed, anchylosed (as if petrified)
**perdre** to ruin, destroy; to lose; to lead to one's ruin; **se perdre** to become lost
**perdu, -e** lost, far from everything
**père** *m.* father
**péril** *m.* peril, danger, risk; hazard; **en péril** in jeopardy, in peril
**périr** to perish, die (unnaturally); to be destroyed; (of ship) to be wrecked, lost; **cela t'ennuiera à périr** you'll be bored to death
**perle** *f.* pearl
**permettre** to permit, allow
**permis, -e** *past part. of* **permettre**
**permit** *past def. of* **permettre**
**pernicieu-x, -se** pernicious, injurious, hurtful; baneful, baleful

**perpendiculaire** perpendicular
**perpétuel, -le** perpetual, everlasting; (imprisonment) for life; continual
**perplexité** *f.* perplexity
**perron** *m.* (flight of) steps (before building)
**perruque** *f.* wig
**persécuter** to persecute, harass
**persister** to persist
**personnage** *m.* personage; person of rank, of distinction; character (in play, in novel)
**personne** *f.* person; **en personne** in person; *pron.* anyone, anybody (with vaguely implied negation); **ne . . . personne** no one
**personnel, -le** personal
**perspecti-f, -ve** perspective; *f.n.* view; outlook, view, prospect
**perspicacité** *f.* perspicacity, insight, acumen, shrewdness
**persuader** to persuade, convince
**perte** *f.* loss
**pesant, -e** heavy, weighty; ponderous, clumsy (style); sluggish (mind); *m.n.* **cela vaut son pesant d'or** it is worth its weight in gold
**pesanteur** *f.* weight; gravity
**peser** to weigh, to bear; to weigh down on
**pétale** *m.* petal
**pétarader** to emit a succession of bangs; (of engine) to backfire
**pétard** *m.* firecrackers
**pétiller** (of burning wood) to crackle; (of champagne) to sparkle, fizz, bubble
**petit, -e** small, little, insignificant, unimportant, petty; mean, paltry; *m. & f.pl.* little ones, children
**petit-maître** *m.* fop
**pétrifier** to petrify; to paralyze (with fear)
**pétrir** to knead (dough, bread); to shape, mould (clay); to mix; to dig up; to mould, shape (a person's character)
**peu** *adv.* little; **peu à peu** little by little, bit by bit, gradually, by degrees; *m.* small amount; short time; the little; **peu de** few, not many, a little; **peu s'en faut** very nearly, almost, thereabouts, not far from it; **avant peu** before long, shortly; **en peu de temps** in a short while, before long; **un peu** somewhat, a bit, to some extent, a little while; **un petit peu** just for a moment
**peuple** *m.* people; nation; **le peuple** the multitude, the uneducated classes, the masses
**peupler** to people, populate
**peur** *f.* fear, fright, dread; **avoir peur** to be, feel afraid; **de peur de** for fear of; **de peur que** for fear that; **faire peur à** to frighten; **prendre peur** to become frightened
**peureu-x, -se** timorous; easily frightened; nervous; timid (nature)

**peut-être** perhaps
**peut** *pres. ind. of* **pouvoir**
**peuvent** *pres. ind. of* **pouvoir**
**peux** *pres. ind. of* **pouvoir**
**pfuit** (*exclamation*) phew (surprise, disgust); off he goes
**phénomène** *m.* phenomenon
**philanthropie** *f.* philanthropy
**philosophe** *m. & f.* philosopher
**philosophie** *f.* philosophy
**philosophique** philosophical
**philosophiquement** philosophically
**philtre** *m.* (love) philter; potion
**Phogor** (Beth Phogor) part of Transjordania (Middle East)
**phrase** *f.* sentence
**physicien** *m.* **physicienne** *f.* physicist
**physionomie** *f.* face, countenance, appearance, aspect; physiognomy
**physique** physical; **douleur physique** bodily pain; *f.n.* physics; natural philosophy
**piaffer** (of horse) to paw the ground
**piastre** *f.* piaster (a coin)
**picador** *m.* horseman in a bull-fight (Spanish)
**picaresque** (from the Spanish *pícaro* — a rogue, a good-for-nothing) **roman picaresque** a novel with the life of *pícaros* as its theme
**picorer** (of bird, etc.) to forage; to pick, scratch about for food
**pie** *f.* magpie
**pièce** *f.* piece; room in a house; coin; gun; **pièces d'un procès** documents, papers in a case
**piécette** *f.* small coin (of a small denomination)
**pied** *m.* foot (of man, of hoofed animal); foot (measure); **marcher sur les pieds de quelqu'un** to tread on someone's toes; **à pied** on foot; **mettre les pieds dans** to step into; **pointe du pied** tiptoe
**piège** *m.* trap, snare; **prendre un animal au piège** to trap an animal; **se prendre au piège** to walk, fall into the trap; **tendre un piège** to lay a trap
**pierre** *f.* stone
**pierreries** *f.pl.* precious stones, jewels, gems
**piété** *f.* affectionate devotion; piety, godliness
**pieu** *m.* stake, post; **raide comme un pieu** as stiff as a post
**pieu-x, -se** reverent, pious
**pignon** *m.* gable
**piller** to pillage, plunder, loot, sack, ransack; **piller rasibus** to strip clean, completely
**pin** *m.* pine(tree), fir; **pomme de pin** fir co e, pine cone
**pince** *f.* grip, hold
**pincée** *f.* pinch
**pincer** to pinch, nip
**pintade** *f.* guinea fowl, guinea hen
**pipe** *f.* pipe, tobacco pipe
**piquer** to sting, to bite, prick
**piquet** *m.* peg, stake, post; picket

**piqueter** to peg out, stake out (claim, camp); to prick; to spot

**pirouette** *f.* pirouette, whirling, dance steps

**pis** worse; **tant pis** so much the worse

**pis-aller** *m.* last resource; makeshift

**piste** *f.* track, trail; scent

**pistole** *f.* pistole (an obsolete gold coin)

**pistolet** *m.* pistol

**pitance** *f.* monk's allowance; pittance; a little food or money

**piteusement** piteously, pitifully

**piteu-x, -se** piteous, woeful, pitiable

**pitié** *f.* pity, compassion; **avoir pitié de** to have mercy, pity on; **faire pitié** to move to pity

**pitoyable** pitiable, pitiful, piteous, wretched

**place** *f.* place, position, locality, spot; **rester en place** to keep, stay still; **à sa place** in his or her place; **prendre place** to take a seat, one's place

**placer** to place; to put, set (in a certain place); to find a place, places for; **se placer** to take one's seat, place, position, stand

**plafond** *m.* ceiling

**plaider** to plead (a cause)

**plaideur** *m.* **plaideuse** *f.* litigant, suitor (in law)

**plaie** *f.* wound, sore

**plaignait** *imp. ind. of* **plaindre**

**plaindre** to pity; **se plaindre** to complain; **se plaindre de** to complain of, about; to find fault with

**plaine** *f.* plain; flat, open country

**plainte** *f.* moan, groan; complaint; plaint, lament

**plaire** to please; **s'il vous plaît** (if you) please; **se plaire à** to like (it), to enjoy

**plaisant** *m.* wag, joker; **mauvais plaisant** practical joker

**plaisanter** to speak in jest, joke

**plaisanterie** *f.* joke, jest; joking, jesting

**plaisir** *m.* pleasure, delight; amusement, enjoyment; **prendre du plaisir à** to take pleasure in, enjoy; **à plaisir** wantonly, without cause; **à son plaisir** at will

**plan** *m.* plane; plan

**planche** *f.* board, plank

**plancher** *m.* (boarded) floor; **plancher en terre battue** dirt floor

**planchette** *f.* small plank or board

**planter** to plant, set (seeds); to fix, set (up)

**plaque** *f.* plate, sheet; (ornamental) plaque; warming pan

**plat, -e** flat, level; *m.n.* flat part; dish (container or contents); flat part (of hand); **se coucher à plat ventre** to lie down flat on one's stomach

**plateau** *m.* plateau, tableland; platform; floor of the stage

**plein, -e** full, filled, replete; complete, entire, whole; solid; **tout en plein** from top to bottom

**pleur** *m.* tear, weeping

**pleurer** to weep, mourn for; to bewail; to shed tears, cry; **pleurer à chaudes larmes** to cry bitterly

**pleuvoir** to rain

**pli** *m.* fold, pleat

**plier** to fold, fold up; to strike (tent); to furl (sail)

**plomb** *m.* lead

**plongée** *f.* plunge, dive

**plonger** to plunge; to dive, to duck down

**plongeur** *m.* **plongeuse** *f.* diver; **cloche à plongeur** diving bell

**ployer** to bend, bend over

**plu** *past part. of* **plaire**

**pluie** *f.* rain

**plume** *f.* pen; **trait de plume** stroke of the pen

**plumeau** *m.* feather duster; whisk broom (of feathers)

**plupart** *f.*: **la plupart** the most; the greatest or greater part of; **la plupart des hommes** most men, men in general; **pour la plupart** for the most part

**plus** more; **plus loin** farther on; **plus tôt** sooner; **(le) plus** most; **ne . . . plus** no more, no longer, not again; **non plus** neither; **de plus en plus** more and more; **de plus** besides

**plusieurs** several

**plutôt** rather, sooner; on the whole; **plutôt que** rather than

**pluvier** *m.* plover (bird)

**poche** *f.* pocket; bag, pouch, sack; **en poche** in one's pocket, ready cash; **mettre quelqu'un dans la poche** to outwit someone

**poêle** *m.* stove

**poème** *m.* poem

**poésie** *f.* poetry; poem; piece of poetry

**poète** *m.* poet

**poids** *m.* weight; heaviness

**poignarder** to stab (with a dagger)

**poignée** *f.* handful

**poignet** *m.* wrist

**poing** *m.* fist; **coup de poing** blow given with the fist, punch; **au poing** in the hand; **lancer un coup de poing** to give a punch

**point** *m.* point; **à ce point** to such a degree, so; **être sur le point de** to be about to, on the point of; **au point que** so much so that; **point de vue** point of view; **le point du jour** daybreak

**point** *adv.*: **ne . . . point** not at all; **peu ou point** little or not at all; **point du tout** not at all

**pointe** *f.* point (of pin, sword, etc.); **pointe du pied** tiptoe

**pois** *m.* pea; **pois verts** green peas

**poisson** *m.* fish

**poitrine** *f.* chest, breast, bosom; **de toutes leurs poitrines** with all their lung power
**poli, -e** polished; buffed; burnished; bright; glossy (steel), sleek (coat of animal); polished, elegant (style, writer); polite, civil, urbane
**police** *f.* policing; the police; **salle de police** guardroom
**poliment** politely, civilly
**polir** to polish
**politesse** *f.* politeness; good manners, good breeding; civility, courtesy, urbanity
**politicien** *m.* politician
**politique** *f.* politics; **faire de la politique** to go in for politics
**polytechnicien** *m.* student at the École polytechnique
**polytechnique** polytechnic
**pomme** *f.* apple; **pomme de terre** potato; **pomme de pin** fir cone, pine cone
**pommier** *m.* apple tree
**pomper** to pump; to suck up, suck in (liquid)
**pompeu-x, -se** pompous; stately (procession)
**pomponner** to adorn, bedizen
**pont** *m.* bridge
**porcelaine** *f.* porcelain, china (ware)
**port** *m.* (act of) carrying; port; **sur le port** at the port; **se mettre au port d'armes** to shoulder arms
**portant, -e** bearing, carrying; **être bien portant** to be in good health
**porte** *f.* gateway, door, doorway, entrance; **porte cochère** carriage entrance; **mettre à la porte** to throw out; to show one the door; **à deux portes de** two doors from
**portée** *f.* reach (of arm); radius; **à la portée** within reach, within striking distance; **à portée de voix** within earshot
**porte-feuille** *m.* wallet, portfolio
**porte-plume** *m.* penholder, pen
**porter** to carry; to bear, support; to induce, incline, prompt; to produce, bring forth; to entertain; to declare, state; **porter santé** to drink a toast; **porter accusation** to lodge a complaint; **porter au cœur** to strike the heart (like a bullet); **vous serez porté** your name will appear
**porte-voix** *m.* megaphone; **en porte-voix** in the shape of a megaphone
**portion** *f.* portion, share, part
**portugais, -e** Portuguese
**poser** to rest, lie; to place, put, set, set down, lay; **poser une question** to ask a question; **se poser** to sit down
**positi-f, -ve** positive, actual, real, sure
**position** *f.* position; situation; posture, attitude; condition, circumstances

**posséder** to be in possession of; to possess, own; to enjoy the possession of; to have; to take hold of

**possible** possible; imaginable

**poste** *f.* post office; post, relay; **les postes** the postal service

**poste** *m.* post, station; position; **poste de veille** lookout (*milit.*)

**postiche** false (hair, moustache, wig)

**poteau** *m.* post, pole, stake

**potence** *f.* gallows; **gibier de potence** gallows bird

**poterne** *f.* postern (gate)

**pouce** *m.* thumb

**poudrer** to powder; to sprinkle with powder; to put powder on

**poudroyer** to cover with dust; to form clouds of dust

**poulaille** *f.* brood

**poulailler** *m.* henhouse, henroost; chicken coop; top gallery (theater)

**poule** *f.* hen; fowl, chicken

**poulet** *m.* chicken, chick; **avoir un cœur de poulet** to be chickenhearted, cowardly

**pouliche** *f.* filly

**pouls** *m.* pulse; **tâter le pouls** to feel the pulse

**poupée** *f.* doll

**pour** for, as for; to, in order to, for the purpose of, on account of; **pour** + *inf.* in order to; **pour lors** thereupon; **pour que** in order that, so that; **pour peu que** if only, if ever; **comme pour** as if to, pretending to; **pour moi** as for me; **pour tout de bon** in real earnest; **pour ce qui est du prince** as far as the prince is concerned

**pourpoint** *m.* coat, doublet

**pourpre** *f.* royal or imperial dignity; *a.* crimson

**pourquoi** why

**pourr-a, -ai, -as, -ons, -ont** *fut. of* **pouvoir**

**pourrai-s, -t, -ent** *cond. of* **pouvoir**

**pourri, -e** rotten; rotted (wood); putrid

**poursuite** *f.* lawsuit, action, prosecution; suing (of debtor)

**poursuivre** to pursue; to go after, make after; to chase; to pursue, continue, proceed with, go on with; to run after

**pourtant** nevertheless, however, still, (and) yet

**pourvoir** to provide, to supply, furnish, equip

**pourvu que** provided that; so long as

**pousser** to push, shove, thrust; to drive, impel, urge forward; to utter (cry); to heave (sigh); to grow, shoot, burgeon; **pousser à bout** to make one angry

**poussière** *f.* dust

**poutre** *f.* wooden beam

**pouvoir** to be able, can; to be possible, probable; **se peut-il** is it possible; **que peuvent les malheureux?** what can un-

fortunate people do?; **cela ne se peut pas** it is not possible
**pouvoir** *m.* power; **il n'est pas en mon pouvoir de** it is not within my power to
**prairie** *f.* meadow
**pratiquer** to cut
**préalable** previous
**préambule** *m.* preamble
**précaution** *f.* precaution; caution, wariness, care; **prendre des précautions** to take precautions
**précédent, -e** preceding
**précéder** to precede
**précepte** *m.* precept
**prêcher** to preach
**précieusement** preciously
**précieu-x, -se** valuable (advice, help, time); precious
**précipitation** *f.* precipitancy, terrible hurry, hot haste
**précipiter** to precipitate; **se précipiter** to dash, to rush headlong, to make a rush
**précisément** precisely, exactly
**prédécesseur** *m.* predecessor
**prédicateur** *m.* preacher
**prédilection (pour)** *f.* predilection, partiality, fondness (for)
**prédire** to predict, prophesy, foretell, forecast
**préétabli, -e** pre-established; preordained
**préétablir** to pre-establish
**préhistoire** *f.* prehistory
**préméditer** to premeditate
**premier, première** first; **le premier venu** the first comer, an insignificant person (*see* **venu**)
**premièrement** first
**prendre** to take, seize, catch, capture; to take, lay hold of, grab; **prendre fait et cause pour** to stand up for; **prendre goût à** to develop a taste for; **il me prend des envies** the desire gets hold of me; **faire prendre quelque chose à quelqu'un** to have someone take (eat, drink, etc.); **il prit à droite** he took, went, to the right; **se prendre** to go about; **il sait comment s'y prendre** he knows how to go about it, how to set about it
**prénommé, -e** above-named
**préoccupation** *f.* preoccupation; concern
**préoccupé, -e (de)** preoccupied, taken up (with)
**préparation** *f.* preparation, getting ready
**préparer** to prepare; to make ready, get ready (meal, etc.); **se préparer** to get ready, to prepare
**près** near; close by, next, near by; **à peu près** nearly, about, approximately; **près de** close to, near
**présence** *f.* presence; **en présence** face to face; in view of one another; **en présence de** in presence of
**présent** *m.* present, gift
**présent, -e** present; present in

one's mind; **à présent** just now; at present

**présentation** *f.* presentation; (formal) introduction; presentation (at court)

**présenter** to offer; to show; **se présenter** to present, introduce oneself; to appear

**préserver** to preserve; to protect

**président** *m.* president

**présomption** *f.* presumption; presumptive evidence; presumptuousness

**presque** almost, nearly; (with negative) scarcely, hardly

**pressé, -e** pressed, crowded; **être pressé** to be in a great hurry

**presser** to press; to squeeze; to be beset; to crowd; **se presser** to hurry, push on; **presser le pas** to hasten, hurry

**pression** *f.* pressure

**présumer** to presume; **à ce que je présume** as I presume

**prêt** *m.* loan; advance (on wages)

**prêt, -e** ready

**prétendre** to claim; to require; to maintain, assert

**prétendu, -e** alleged, would-be; intended; **mon prétendu, ma prétendue** my intended (prospective husband, wife)

**prêter** to lend; **se prêter à** to lend oneself to

**prétentieu-x, -se** pretentious

**prétexte** *m.* pretext, excuse, plea; **sous prétexte de** on the pretext of

**prêtre** *m.* priest

**preuve** *f.* proof, evidence, token; **faire preuve de** to give proof of; **faire la preuve** to prove; test

**prévenir** to forestall, anticipate; to prevent, ward off, avert; to inform, apprize, forewarn; to predispose, to bias; to notify

**prévenu** *m.* **prévenue** *f.* accused, prisoner

**prévoir** to foresee, forecast, gauge (events, the future); to take measures beforehand; to provide for

**prier** to pray; to ask, beg, request; **je prie Dieu qu'il en soit ainsi** I pray God that it be so; **je vous en prie!** oh do! do, please! **se faire prier** to require much pressing, to let oneself be coaxed

**prière** *f.* prayer; request, entreaty; **faire faire des prières** to have prayers said

**prime: de prime abord** to begin with; at first

**primiti-f, -ve** primitive; primeval, original, earliest; first, original

**prince** *m.* prince

**princesse** *f.* princess

**princi-er, -ère** princely

**principal, -e** principal, chief, leading

**pri-s, -t** *past def. of* **prendre**

**pris, -e** *past part. of* **prendre**

**prisme** *m.* prism

**prison** *f.* prison, jail

**prisonnier** *m.* **prisonnière** *f.* prisoner

**priver** to deprive; **se priver** to deprive oneself

**prix** *m.* value, worth, cost, price; charge

**probable** probable, likely

**probablement** probably

**problème** *m.* problem

**procédé** *m.* proceeding, dealing, conduct; process

**procéder** to proceed, go about something

**procès** *m.* proceedings at law; lawsuit; action at law; cause, case

**procès-verbal** *m.* (official) report; proceedings, minute(s); record

**prochain, -e** nearest (village, etc.); near at hand, closely; next

**proche** near

**procuration** *f.* procuration, proxy, power of attorney

**procurer** to procure, obtain, get

**prodige** *m.* prodigy, wonder, marvel

**prodigieu-x, -se** prodigious, amazing

**prodigue** spendthrift, wasteful

**prodiguer** to be prodigal, lavish (on someone)

**produire** to produce, bring forward, adduce (evidence); to yield; to bear (fruit); to bring about (result, effect); **se produire** to take place, happen

**produit** *m.* product

**profane** profane; secular; impious, sacrilegious

**proférer** to utter; **sans proférer un mot** without a word

**profession** *f.* occupation, profession, calling, business, trade

**profit** *m.* profit, benefit; **au profit de** on behalf of, for the benefit of

**profiter** to profit; **profiter de** to take advantage of, to turn something to account

**profiteur** *m.* profiteer

**profond, -e** deep

**profondément** deeply, profoundly

**profondeur** *f.* depth

**progrès** *m.* progress

**progresser** to progress, advance; to make headway

**proie** *f.* prey; **être en proie à une violente émotion** to be under a violent emotion

**projet** *m.* project, plan; scheme

**projeter** to project; to throw; to cast (shadow); to plan, contemplate (departure)

**prolonger** to prolong; to protract, extend; to draw out, spin out; continue; **se prolonger** to be prolonged; to continue, extend

**promenade** *f.* walking (as exercise); stroll, outing; **faire une promenade (à pied)** to go for a walk; **mener à la promenade** to take for a walk

**promener** to take (someone) for a walk, drive, etc.; to cast (eyes);

**promener un chien** to exercise a dog; **se promener** to take a walk

**promesse** *f.* promise, assurance; **faire faute à sa promesse** to go back on one's promise

**promettre** to promise; **se promettre** to promise oneself

**promi-s, -t** *past def. of* **promettre**

**promis, -e** *past part. of* **promettre**

**promontoire** *m.* promontory, headland

**prompt, -e** prompt, quick, ready; hasty

**promptement** promptly, quickly

**promptitude** *f.* promptitude, promptness; quickness, alertness, speed

**prononcer** to pronounce, recite, speak; to adjudge, adjudicate; to say; **se prononcer** to declare, pronounce, express

**propager** to propagate; to spread (abroad)

**prophète** *m.* prophet, seer

**prophétique** prophetic(al)

**propice** propitious; auspicious; favorable

**proportionné, -e** proportionate, suited

**propos** *m.* purpose, resolution; words; subject, matter; *pl.* conversation

**proposer** to propose (plan); to propound (theory); **se proposer** to offer oneself, come forward; to plan; to intend; to come into view

**propre** proper, peculiar to, own; appropriate, suitable; neat, clean

**proprement** properly, appropriately; decently; **proprement dit** properly so called

**proscription** *f.* proscription

**prosterner** to bow down; **se prosterner** to prostrate oneself

**protéger** to protect

**protestation** *f.* protestation, asseveration, protest

**proue** *f.* prow, stem, bow (of ship)

**prouver** to prove (fact), to substantiate (a claim)

**provenir** to arise, come

**providence** *f.* providence

**province** *f.* province; **la province** the provinces, the country

**provision** *f.* provision, store, stock, supply; **jugement par provision** provisional judgement

**provisoire** provisional; acting, temporary

**provoquer** to provoke; to cause, bring about

**prudence** *f.* prudence, carefulness

**prussien, -ne** *n. & a.* Prussian

**psaume** *m.* psalm

**psychologie** *f.* psychology

**psychologique** psychologic(al)

**public, -ique** public; *m.n.* the public, the people

**publier** to publish

**pudeur** *f.* modesty, sense of decency, propriety; naiveness
**puer** to stink, smell
**puéril, -e** puerile, childish
**puis** *pres. ind. of* **pouvoir**
**puis** *adv.* then, afterwards, next; besides; moreover
**puiser** to draw (water, supplies, etc.)
**puisque** since, as, seeing that
**puissance** *f.* power; force, strength
**puissant, -e** powerful, mighty, strong
**puisse** *pres. subj. of* **pouvoir**
**puits** *m.* well, hole
**punir** to punish; to avenge
**punition** *f.* punishing, punishment
**pur, -e** pure
**puritain** *m.* **puritaine** *f.* Puritan
**pu-rent, -s, -t** *past def. of* **pouvoir**
**pût** *imp. subj. of* **pouvoir**

## Q

**qualité** *f.* quality, degree of excellence; qualification, capacity, profession, occupation, title, rank
**quand** when; **quand même** even if, even though, although; **à quand** when, what is the date of
**quant: quant à** as to, as for, as regards, with respect to, with regards to
**quantité** *f.* quantity, great number
**quarante** forty; **quarante-huit** forty-eight
**quart** *m,* quarter, fourth part; **trois quarts** three quarters
**quartier** *m.* quarter, part, portion, district, neighborhood, ward; quarters, barracks; **y prendre ses quartiers** to make one's headquarters there
**quatorze** fourteen
**quatre** four; **quatre-vingts** eighty
**que** *rel. pron.* that, whom, which, when
**que** *interrog. pron.* what? **que voulez-vous?** what do you want? **que faire?** what's to be done? **qu'est-ce?** what is it?
**que** that; but (that); when; **ne . . . que** only
**quel, quelle** *a. & pron.* what, which; **quel que soit, quel qu'en soit** whoever, whatever may be
**quelconque** any (whatever)
**quelque(s)** some, any, some little, a few; **quelque . . . soit** however . . . may be
**quelque chose** something, anything
**quelquefois** sometimes; now and then
**quelqu'un, quelqu'une (quelques-uns, quelques-unes)** some, one (or other); *m.* someone, somebody
**quémander** to beg (from door to door)

**querelle** *f.* quarrel, dispute; **chercher querelle** to try to pick a quarrel
**quérir** to go and fetch
**qu'est-ce que** *interrog. pron.* what?
**qu'est-ce qui** *interrog. pron.* (used as subject) what?
**question** *f.* question, query, matter, point, issue
**quête** *f.* quest, search
**queue** *f.* tail
**qui** *rel. pron.* (subject) who, that, which; (after prep.) whom; **qui que** who(so)ever, whom(so)ever; **qui que ce soit** anyone (whatever)
**qui** *interrog. pron.* who? whom?
**quinte** *f.*: **quinte de toux** fit of coughing (laughing); **par quintes** in fits and starts
**quinze** fifteen
**quinzième** fifteenth
**quittance** *f.* receipt, discharge
**quitte** free, quit, rid; **en être quitte pour, avec** to get off, come off, be let off with, be quits; **quitte à** even if
**quitter** to leave, drop, quit (place, person); to vacate (office); **quitter des yeux** to take one's eyes off
**quoi** *rel. pron.* what; **de quoi** enough
**quoi** *interrog. pron.* what? **eh bien, quoi?** well, what about it? **à quoi bon?** what's the use?
**quoique** although

**R**

**rabais** *m.* reduction (in price), rebate, discount; devaluation
**rabattre** to turn down; to reduce
**rabattu, -e** trite, old
**râble** *m.* back, saddle
**raccommoder** to reconcile, to make it up (between two persons)
**race** *f.* race; ancestry or descent; strain; stock, breed
**racheter** to repurchase; to buy back; to redeem; to make a further purchase of
**raconter** to tell, relate, narrate, recount
**radieu-x, -se** radiant, dazzling
**radis** *m.* radish
**radoteur** *m.* **radoteuse** *f.* dotard
**radoucir** to calm, soften; to make milder, to mollify
**rage** *f.* rage, fury, great anger; **de rage** out of anger, rage
**raide** stiff; tight, taut (rope); inflexible, unbending, unyielding; steep; abrupt
**raidillon** *m.* (short and steep) rise (in a road); abrupt path
**raidir** to stiffen; **se raidir** to stiffen; to grow stiff; to grow taut
**raie** *f.* line, stroke (on paper); furrow; ridge
**railler** to laugh at, jeer at, make game of; to mock
**raillerie** *f.* raillery, jest, joke
**raison** *f.* reason, motive, ground, reasoning, sense; reasoning

power; reason, justification, argument; **à plus forte raison** with greater reason; **avec raison** rightly; **avoir raison** to be right; **un mot de raison** a sensible word; **parler raison** to talk in a reasonable manner, to talk sense; **faire raison à** to answer one's toast

**raisonnable** reasonable, sensible; according to reason; rational

**râle** *m.* rattle (in the throat); death rattle

**râler** to rattle (in one's throat); to beat one's last gasp

**ramasser** to pick up

**rambarde** *f.* breastwork, barrier to protect gunners

**ramener** to bring back (again), lead back; to take back, drive back; to reduce; to bring in

**rampe** *f.* flight of stairs, railing

**rang** *m.* row, line; rank (row in line abreast); station (in life)

**ranger** to arrange; to set (books, etc.) in rows; to put, set (things) to rights, in order; to classify; **se ranger** to turn to one side

**râpé, -e** grated; worn out

**rapide** rapid, swift, fast

**rapidité** *f.* rapidity, swiftness

**rapière** *f.* rapier

**rapine** *f.* pillage, rapine, plunder

**rappel** *m.* recall, reminder

**rappeler** to recall, remind; to call back to mind; to call, summon; **se rappeler de** to recall, remember, to remind oneself of

**rapport** *m.* relation, connection, relationship

**rapporter** to bring back; **rapporter un fait** to report, relate, a fact; **se rapporter à** to relate, have reference to, refer to; to be related to, be connected with

**rapprocher** to bring near; **se rapprocher** to approach, come nearer, draw nearer

**rapsodie** *f.* miscellany

**rare** rare, uncommon, exceptional; unusual; thin, sparse

**rareté** *f.* rarity; scarceness, scarcity, dearth

**ras, -e** close-cropped (hair); closeshaven, (beard, chin); short napped

**raser** to shave; to shave off (moustache); **se faire raser** to have, get a shave

**rassasier** satisfy (hunger, passion); to sate, satiate, surfeit, cloy

**rassembler** to collect; **se rassembler** to assemble, come together, flock together

**rassurer** to reassure, cheer, hearten

**raté, -e** miscarried, ineffectual; insufficient

**ration** *f.* ration(s), allowance

**rattraper** to recapture; to catch again; to overtake; to catch up with; to recover

**rauque** hoarse, raucous, rough, harsh, raw (voice, etc.)

**ravin** *m.* ravine, gully

**ravi, -e** entranced, enraptured; delighted; overjoyed

**ravir** to ravish, enrapture, delight, enchant

**raviser: se raviser** to change one's mind; to think better of it

**ravitaillement** *m.* revictualling; provision; supply; provisioning

**ravitailler** to revictual; to provision; to supply with fresh provisions

**rayé, -e** striped

**rayer** to stripe, streak (fabric); to strike out, cross out

**rayon** *m.* ray; **rayon de lune** moonbeam

**rayon** *m.* shelf, department; **rayon de miel** honeycomb

**réagir** to react

**réal** *m.* (*pl.* **réaux**) a small Spanish coin (formerly) worth one quarter of a peseta

**réalisation** *f.* realization, carrying into effect, carrying out (of a plan)

**réaliser** to realize; to effect; to carry out, work out (a plan), carry into effect

**réalité** *f.* reality; **en réalité** in reality, really, actually, as a matter of fact

**rebattu, -e** hackneyed

**rebelle** rebellious; stubborn, obstinate

**rébellion** *f.* rebellion, rising, revolt

**rebondir** to rebound; to bounce

**rebord** *m.* edge, border, rim; hem; lip; window sill

**rebuter** to rebuff; to dishearten, discourage

**réception** *f.* receipt (of letter); reception

**recevoir** to receive, get; to welcome; to receive, entertain (friends); to accept, admit

**réchaud** *m.* small portable stove; hot plate, plate warmer, dish warmer, chafing dish

**réchauffé** *m.* warmed-up (dish)

**réchauffer** to reheat; to warm up again; to make hot again; **se réchauffer** to warm oneself at the fire; to get warmed up

**recherche** *f.* quest, search, pursuit; **être à la recherche de** to be in search of

**rechute** *f.* relapse; setback

**récif** *m.* reef

**réciproque** reciprocal, mutual

**réciproquement** reciprocally, in turn

**récit** *m.* narration, narrative; account, recital, relation (of events); tale

**réclamer** to lay claim to; to claim; to demand; to claim back; to demand back

**recoin** *m.* nook, recess; hidden recess

**reçoi-s, -t, -vent** *pres. ind. of* **recevoir**

**récolte** *f.* harvesting (of grain); harvest crop

**récolter** to harvest; to gather in, get in, reap (crop); to collect, gather

**recommander** to recommend, advise

**recommencer** to begin again, start again

**récompense** *f.* recompense, reward; **en récompense** as a reward

**récompenser** to recompense, reward

**reconduire** to escort, see someone home; to accompany, take, bring, lead back (to a place); to see, show out; to accompany to the door

**reconnaissance** *f.* recognition, acknowledgment; gratitude, gratefulness; reconnoitering

**reconnaître** to recognize; to know again; to acknowledge, (truth); to acknowledge, admit, avow (mistake)

**reconnu, -e** *past part. of* **reconnaître**

**reconnu-s, -t** *past def. of* **reconnaître**

**reconquérir** to regain, recover, win back

**reconstruction** *f.* reconstruction, rebuilding

**recoucher** to put to bed again; **se recoucher** to go to bed again, to go back to bed

**recours** *m.* recourse, resort, resource; **avoir recours à** to have recourse to, to appeal to

**recouvrer** to recover, retrieve, regain; to collect

**recouvrir** to cover again

**recroquevillé, -e** shrivelled, curled up

**rectifier** to purify

**reçu** *m.* receipt, voucher; receipt, a sealed receipt, statement

**reçu, -e** *past part. of* **recevoir**

**reçûmes** *past def. of* **recevoir**

**reçu-rent, -t** *past def. of* **recevoir**

**recueil** *m.* collection, compilation

**recueillir** to collect, gather, pick up; to garner, get in; to take in, to shelter; to put into a volume of collected works

**recuit, -e** baked by the sun, tanned, annealed

**reculer** to move back; to step back, draw back, recede; to fall back, retreat; to recoil

**redemander** to ask for again; to ask for more of, for a second helping of; to ask for something back (again)

**redescendre** to come down again, go down again

**redevable: être redevable à** to be indebted, beholden to; to owe (one's life) to

**redevenir** to become again

**redevint** *past def. of* **redevenir**

**redire** to tell, say, again; to repeat

**redoubler** to redouble, increase, grow louder

**redoutable** redoutable, formidable; dangerous

**redouter** to dread, fear; to hold in awe

**redresser** to straighten; **se redresser** to draw oneself up; to hold one's head high; to straighten up

**réduire** to reduce; **réduire quelqu'un à la misère** to reduce someone to poverty

**réel, -le** real, actual

**réellement** really, truly

**refaire** to repair; to recover (one's health); to improve one's condition

**refermer** to reclose; to shut, close again; to close up (grave) again

**réfléchir** to reflect; to throw back; to think; **réfléchir sur (à)** to reflect on; to ponder, consider, weigh, turn over in one's mind

**réflexion** *f.* reflection; thought, meditation

**refroidir** to cool, chill

**refuge** *m.* refuge; shelter, sanctuary

**réfugier: se réfugier** to take refuge; to find shelter

**refus** *m.* refusal

**refuser** to refuse; **se refuser** to resist

**regagner** to regain

**régal** *m.* feast

**régaler** to entertain; to feast (one's friends); to treat; **se régaler** to feast, treat oneself

**regard** *m.* glance, look; **jeter un regard** to give a look; to glance

**regarder** to regard, consider; to look at; **regarder faire** to watch someone do something; **regarde-moi un peu** just look at me

**régiment** *m.* regiment

**région** *f.* region, territory

**registre** *m.* register; account book; **tenir registre des événements** to take note of, to keep a record of events

**règle** *f.* ruler; rule (of conduct, grammar); **tout est en règle** everything is in order, in proper form (according to regulations), everything is O.K.

**réglé, -e** regular; steady, methodical, regulated

**régler** to regulate, order (one's life); to adjust; to settle (question, account)

**régner** to reign, rule; to hold sway over; (of conditions) to prevail, be prevalent

**regretter** to regret; to be sorry about; **regretter son argent** to wish one had one's money back

**réguli-er, -ère** regular, steady; even; orderly (life); punctual

**réimprimer** to reprint

**rein** *m.* kidney; back; **les reins** the back

**reine** *f.* queen

**rejaillir** (of light) to be reflected; to flash or glance back

**rejeter** to reject, cast aside

**rejoindre** to rejoin, reunite; to join (things, persons) (together) again; **rejoindre quelqu'un** to rejoin, overtake someone; to catch up with someone (again); **se rejoindre** to meet, join, unite

**réjoui, -e** jolly, joyous, cheerful, cheery

**relâche** *m.* slackening; relaxation, respite, rest; breathing space; **sans relâche** without respite, without stopping, without interruption

**relati-f, -ve** relative, relating to

**relation** *f.* relation

**relever** to raise, lift, set up again; to set (someone) on his feet again, to rebuild (wall), to right (ship); to pick up; to challenge; to take someone up sharply; to bring into relief; to heighten; to bring out (the color); **se relever** to rise to one's feet (again); to get up from one's knees; to rise again (in public estimation)

**relief** *m.* relief; **sans relief** with no ruggedness

**religieu-x, -se** religious; sacred (music); *m.n.* monk, friar; *f.n.* nun

**religion** *f.* religion

**relire** to reread; to read (over) again

**remarquable** remarkable, worthy of notice, noteworthy; distinguished, prominent

**remarque** *f.* remark; **en faire la remarque** to remark upon something, to call attention to, speak about

**remarquer** to remark, notice, observe, note

**rembourser** to repay, refund; to reimburse

**remède** *m.* remedy, cure; **il n'y a pas de remède** there is no help for it

**remercier** to thank; **remercier de** to thank for; **je vous remercie de . . .** thank you very much for . . .

**remettre** to put, set something back again; to hand out, give; **remettre en question** to take up the matter again; **s'en remettre à** to rely on, trust; **se remettre** to sit down again; to regain (health, etc.); **se remettre à** to start again, begin again

**remis, -e** *past part. of* **remettre**

**remise** *f.* putting back; delivery (of letter, parcel); remitting (of money); remittance

**rémission** *f.* remission (of sin, debt); **sans rémission** unremittingly, relentless(ly); without a chance of grace or pardon

**remit** *past def. of* **remettre**

**remonter** to go up again; to climb up, go up again; to rise

**remords** *m.* remorse, self-reproach, compunction

**remplacer** to take, fill the place of; to serve as a substitute for; to do duty for; to replace; to deputize for

**remplir** to fill; to fill up or refill; to fill in; **se remplir de** to be filled with

**remuement (remûment)** *m.* moving, stirring, wagging (dog's tail).

**remuer** to move, to stir; to wag (tail), to shake; **se remuer** to move, move about, stir; to bustle about; to bestir oneself

**renaître** to be born again; to spring up again (of plants); to revive

**rencontre** *f.* meeting, encounter; occasion, situation

**rencontrer** to meet; to fall in with; to come upon, light upon; to chance upon (an old friend); to run across; **se rencontrer** to meet; to be found; **il se rencontre ici** there appear, there are to be found here

**rendez-vous** *m.* appointment; **donner rendez-vous** to make, fix an appointment; to arrange to meet

**rendre** to give back, return, restore; to repay, pay back; to make, convey, deliver; to imitate; **rendre l'esprit** to die; **se rendre chez quelqu'un** to call on someone; **se rendre compte** to realize

**rendu, -e** exhausted

**renfermer** to contain, comprise, include, enclose

**renforcer** to reinforce; to intensify; to strengthen, stiffen, brace; **se renforcer** to become stronger, brighter

**renforcé, -e** reinforced

**rengorger: se rengorger** to strut, swagger; to give oneself airs, puff oneself up

**renifler** to sniff, snort, snuffle

**renoncer** to renounce, give up; **renoncer à** to renounce, give up, forgo, drop; to revoke

**renouveler** to renew, renovate; **se renouveler** to be renewed; **l'air ne se renouvelait pas** no fresh air would come in

**renseignement** *m.* (piece of) information, (piece of) intelligence; indication; *pl.* information (general)

**rente** *f.* revenue, rent; income; annuity, pension, allowance; **rente viagère** life annuity; **avoir mille francs de rente** to have a private income of a thousand francs

**rentrée** *f.* returning (to work, after recess)

**rentrer** to re-enter, return; to come, go in again; to return home; to enter, go in

**renverse** *f.*: **tomber à la renverse** to fall backwards; **jeter à la renverse** to throw backwards

**renversé, -e** inverted, reversed; **le visage renversé** very much upset

**renversement** *m.* reversal, inversion; overthrow; overturning, upsetting

**renverser** to reverse; to knock over; to throw down; to overturn, upset (pail); to spill; **se renverser** to loll; to throw oneself on one's back

**renvoyer** to send back; to return, to throw back; to reecho, reverberate; to reflect; to send, turn away; to dismiss, discharge

**repaître** to feed (an animal); **se repaître** to feast

**répandre: se répandre** to spread

**reparaître** to reappear

**réparer** to repair, mend; to overhaul; to refit; to rectify; to put to right

**repartir** to start out again

**repas** *m.* meal, repast

**repasser** to pass again; **passer et repasser** to go back and forth

**repentir** to repent, rue, be sorry for

**repentir** *m.* repentance

**répercuter** to reverberate, reflect back

**répéter** to repeat; to say or do (over) again; **se répéter** to be repeated

**repli** *m.* fold, crease, hidden fold

**répondre** to answer, correspond to, reply; **en répondre** to guaranty; **se répondre** to answer one another

**réponse** *f.* answer

**repos** *m.* rest, repose; peace, tranquillity (of mind); **en repos** at rest; in peace

**reposé, -e** rested; **à tête reposée** after serious reflection

**reposer** to put, place, lay, set back (in place); to replace; to lie, rest; **à cœur reposé** when our emotions will have calmed down; **se reposer** to rest, repose, to take a rest

**repousser** to push back, push away, drive off, thrust aside, repulse, reject, spurn, repel; to be repulsive (to someone)

**reprendre** to take again, retake, recapture; to resume; to put on again; to recommence, continue; to take up again; to return; to revive; **reprendre la route** to take the road again; **se reprendre** to start again; **reprendre son souffle** to catch one's breath

**représentation** *f.* representation; spectacle; performance (of a play)

**représenter** to present again; to reintroduce; to produce, exibit (documents); to represent; to depict, portray; to produce (a play, show)

**réprimande** *f.* reprimand, reproof

**repris** *past part. of* **reprendre**

**reprise** *f.* retaking, recapture, recovery; **à plusieurs reprises** repeatedly, several times in succession

**reproche** *m.* reproach

**reprocher** to reproach; **se reprocher** to reproach oneself for
**républicain, -e** republican
**république** *f.* republic; commonwealth
**répudier** to repudiate (wife, opinion)
**répugner** to feel repugnance toward, to revolt at
**réputation** *f.* reputation, repute
**réserve** *f.* reserving, reservation; reserve, guardedness, caution (in speech); coyness; **en réserve** in reserve
**résignation** *f.* resignation; submissiveness
**résigné, -e** resigned; meek, uncomplaining (person)
**résigner** to resign; **se résigner** to resign oneself; to submit
**résister** to resist; to hold out against; **résister à** to resist
**résolu** *past part. of* **résoudre**
**résolument** resolutely
**résolu-rent, -s, -t** *past def. of* **résoudre**
**résolution** *f.* resolution; determination; resolve; **prendre, adopter une résolution** to pass, carry a resolution; **prendre la résolution** to make the resolution, resolve
**résonner** to resound, re-echo, reverberate
**résoudre** to resolve, dissolve, break up; to clear up (a difficulty); to settle (a question); to decide; **se résoudre à** to make up one's mind, decide
**respect** *m.* respect, regard
**respectable** respectable; worthy of respect
**respecter** to respect
**respecti-f, -ve** respective
**respiration** *f.* respiration, breathing, breath
**respirer** to breathe, catch one's breath
**responsabilité** *f.* responsibility; liability
**ressembler** to resemble; **se ressembler** to be like, resemble
**ressentiment** *m.* resentment
**ressentir** to feel (pain, emotion); **se ressentir** to feel the effects
**resservir** to serve again; to be used again
**ressort** *m.* spring
**ressortir** to come, go out again; **faire ressortir** to set off, make stand out
**ressouvenir: se ressouvenir de** to remember again, recall; **il me ressouvient de . . .** I have a distant memory of . . .
**ressusciter** to resuscitate; to restore to life; to raise (the dead); to revive, come to life again, be resuscitated
**reste** *m.* rest, remainder, remains; remnants; remaining persons; leavings, scraps (of a meal); **au reste** after all, besides
**rester** to remain; to stand; **rester en place** to keep, stay still; to remain in one place;

**en rester là** to remain that way

**restituer** to restore

**résultat** *m.* result, outcome

**résulter** to result, follow, arise; **il en résulte que** consequently; **il en résulte** the result of it is; **il résulte que** the result, outcome is

**rétablir** to re-establish, restore, set up again; to reinstate (official); to restore (one's health); **se rétablir** to recover, get well again, be restored; **l'ordre se rétablit** public order is being restored

**retard** *m.* delay

**retarder** to retard, delay

**retenir** to hold back; to keep back; to detain, delay; to retain; to restrain, curb, check; **se retenir de** to keep from, refrain from

**retentir** to resound

**retirer** to draw out, pull out; **se retirer** to retire, withdraw, go away

**retomber** to fall (down) again; to fall (back); to fall upon

**retour** *m.* return, going back, coming back; return trip; **être de retour** to be back again; **en retour** in exchange, in turn

**retourner** to turn inside out; to return; to go back; to drive, ride, sail, walk back; to turn over (in one's mind); **se retourner** to turn around

**retracer** to retrace; to trace again; **se retracer** to recall to memory

**rétracter** to retract; **se rétracter** to retract, disavow, recant

**retraite** *f.* retreat, withdrawal, seclusion; pension; shelter; retirement; **battre, sonner la retraite** to beat, sound the tattoo (summoning soldiers to their quarters at night)

**retrouver** to find again; to meet, recover again; to discover; to regain; **aller retrouver** to go and join; **se retrouver** to meet again

**réunion** *f.* meeting

**réunir** to join, unite; **se réunir** to meet; to gather together; to come together; to join forces

**réussir** to succeed; **mon déguisement me réussit à merveille** I have been marvelously successful with my disguise

**revanche** *f.* return, revenge; **en revanche** on the other hand

**rêve** *m.* dream

**réveil** *m.* waking, awakening

**réveiller** to awake, awaken, wake, waken (someone); to wake up; to rouse, stir up; **se réveiller** to awake; to wake up; to be awakened, roused, stirred up; to revive

**révéler** to reveal, disclose; to let out; to show; to betoken; to betray, reveal (faults)

**revenir** to recall; to return, come back, come again; to come back to one's memory; **revenir à soi** to come to, regain consciousness, regain one's wits; **revenir de tout** to lose interest in everything, be disgusted with everything; **revenir sur ses pas** to retrace one's steps; **s'en revenir** to wend one's way back
**rêver** to dream; to dream of
**réverbère** *m.* street lamp
**révérence** *f.* bow; curtsey
**révérer** to revere; to reverence
**rêverie** *f.* reverie; dreaming, musing, meditation
**reverrai-s, -t** *cond. of* **revoir**
**reverrons** *fut. of* **revoir**
**revêtement** *m.* facing, coating, sheathing
**revêtir** to put on; to clothe again; to reclothe; to clothe, dress, garb
**rêveur** *m.* **rêveuse** *f.* dreamer
**reviendrai-s, -t** *cond. of* **revenir**
**revienne** *pres. subj. of* **revenir**
**revient** *pres. ind. of* **revenir**
**revin-s, -t** *past def. of* **revenir**
**revit** *past def. of* **revoir**
**revoir** to see again; to meet again
**révolte** *f.* revolt, rebellion; mutiny
**révolter** to arouse indignation; to revolt, disgust
**révolution** *f.* revolution
**revolver** *m.* revolver
**rez-de-chaussée** ground level, street level; ground floor (*U.S.*) first floor (of house); ground floor flat
**rhabiller** to dress again; **se rhabiller** to dress oneself again
**rhéteur** *m.* rhetor; orator; mere talker
**rhétorique** *f.* rhetoric; last year in a lycée
**Rhin (le)** the Rhine
**rhumatisant, -e** rheumatic
**riche** rich, wealthy, well-off; valuable; handsome (gift); *n.* rich man, woman
**richesse** *f.* wealth
**ride** *f.* wrinkle (on the face)
**rideau** *m.* screen, curtain
**ridicule** ridiculous, laughable, ludicrous; *m.n.* ridiculousness, absurdity, ridicule
**rien** nothing, not anything; **rien que** nothing but, only, merely
**rien** *m.* trifle; mere nothing
**rieu-r, -se** laughing; fond of laughter; in a laughing mood
**rigide** rigid; tense, fixed
**rigueur** *f.* rigor, harshness, severity; strictness
**rime** *f.* rhyme
**ripaille** *f.* feasting, carousal; **faire ripaille** to feast, carouse
**rire** to laugh; **rire de** to laugh at; **monsieur veut rire** the gentleman is joking; **rire au nez** to make fun of; **se rire de** to laugh at, mock
**rire** *m.* laughter, laughing; **un rire** a laugh
**risque** *m.* risk

**risquer** to risk, venture, chance; **qui ne risque rien n'a rien** nothing ventured, nothing gained

**rivage** *m.* bank, shore (of river)

**rival** *m.* rival

**rivalité** *f.* rivalry

**rive** *f.* bank, shore

**rivière** *f.* river, stream

**rixe** *f.* brawl

**robe** *f.* (lady's) dress, gown, frock; (long) robe, gown (of lawyer, professor, etc.)

**robinet** *m.* tap, faucet, spigot

**robuste** robust; sturdy, stout (faith); hardy (plant); strongly built

**roche** *f.* rock, boulder

**rocher** *m.* rock (high and pointed); crag

**rocheu-x, -se** rocky

**rôder** to prowl; to be on the prowl; to prowl around

**rogatons** *m.pl.* scraps (of food); odds and ends

**roi** *m.* king

**rôle** *m.* role, part

**romain, -e** Roman

**roman** *m.* novel

**romance** *f.* song, ballad

**romancier** *m.* **romancière** *f.* novelist

**romanesque** romantic

**romantique** romantic

**rompre** to break, to break in two (with an effort); to snap (stick, bough); **rompre un mariage** to break off an engagement

**rompu, -e** broken

**rond, -e** round, rounded, plump; *m.n.* round, ring, circle; **tourner en rond** to go around in a circle

**ronde** *f.* round; **à la ronde** around

**ronger** to gnaw, nibble; to corrode, pit, eat away; to erode; to harass with cares

**roquet** *m.* cur, mongrel

**rose** *f.n.* rose; *m.n.* rose (color); *a.* rose, pink

**roseau** *m.* reed

**rosée** *f.* dew

**rossignol** *m.* nightingale

**roucouler** to coo

**roue** *f.* wheel

**rouge** red

**rougeâtre** reddish

**rougir** to redden; to turn red; to color, blush; to flush (up); **rougir de** to blush because of, to be ashamed of

**rouillé, -e** rusted, rusty

**rouleau** *m.* roll (of paper)

**roulement** *m.* rolling; rumbling; rattle; beating (of drum)

**rouler** to roll; to roll (over, along down); **rouler des pensées** to meditate

**rouquin, -e** *a. & n.* red-haired, carrot-haired

**route** *f.* road(way), path, track; route, course, way; **grande route** main road, highway; **être en route** to be on the way; **se mettre en route** to start out; **en route** on the

way; **en route vers** on the way to
**roux, rousse** reddish, red-haired
**royal, -e** royal, regal, kingly
**royaume** *m.* kingdom, realm
**ruban** *m.* ribbon, band
**ruche** *f.* (bee)hive
**rude** uncouth, unpolished, primitive; untaught; rough; harsh, grating; rugged; hard, arduous, severe; gruff, ungracious
**rudement** roughly, harshly, severely
**rudimentaire** rudimentary, simple
**rue** *f.* street, thoroughfare
**ruelle** *f.* lane, sidestreet, alley; small, narrow street
**ruer** (of animal) to rear, kick; to fling out; to lash out
**ruiner** to ruin
**ruisseau** *m.* brook; (small) stream
**ruisseler** to stream (down), run (down); to trickle; to be dripping (with perspiration)
**rumeur** *f.* confused or distant murmur; rumor; sound, hum (of traffic); din, clamor
**ruse** *f.* ruse, trick, wile, dodge
**russe** *a.* & *n.* Russian
**rustre** boorish; *m.* boor, churl, lout; bumpkin

## S

**sa** *see* **son**
**sable** *m.* sand; **sables mouvants** quicksands
**sablé, -e** sanded, gravelled (path)
**sablonneu-x, -se** sandy (shore, plain)
**sabot** *m.* wooden shoe; clog, sabot; hoof (of a horse, etc.)
**sabre** *m.* saber; sword; **coup de sabre** cut, thrust, blow of the saber; **donner du sabre** to strike with the sword
**sac** *m.* sack, bag, pouch; **sac de (en) papier** paper bag; **être dans le même sac** to be in the same boat
**saccade** *f.* jerk, start, jolt
**sachant** *pres. part. of* **savoir**
**sach-e, -es, -iez** *pres. subj. of* **savoir**
**sach-ez, -ons** *impv. of* **savoir**
**sacré, -e** holy (scripture); sacred, consecrated; confounded, "cursed", "damned"
**sacrifice** *m.* sacrifice
**sacrifier** to sacrifice; to offer in sacrifice; to give up (time, money, etc.); **se sacrifier** to sacrifice oneself
**sage** *a.* wise; judicious, discreet; well-behaved; well-conducted; *m.n.* wise man; **les sept Sages** the Seven Wise Men (sages)
**sagesse** *f.* wisdom, prudence, discretion; steadiness, good behavior; quietness
**saigner** to bleed; **saigner du nez** to bleed from the nose
**saillant, -e** salient, outstanding; striking
**sain, -e** healthy, hale (person), sound, sane

**saint, -e** saintly; holy; *n.* saint; holy person
**Saint-Cyrien** *m.* cadet training at Saint-Cyr
**saisie** *f.* seizure
**saisir** to seize; to grasp; to grab; to lay hold, take hold, catch hold; to perceive, discern, apprehend; to take in, understand, catch
**saisissable** perceptible, distinguishable
**saisissement** *m.* seizure; shock; sudden chill
**sait** *pres. ind. of* **savoir**
**sale** dirty, unclean, filthy, soiled, nasty
**saler** to salt; to season with salt
**salir** to dirty, soil; to besmirch, defile, sully
**salle** *f.* room; workroom; ward in a hospital, institution, etc.; **salle à manger** dining room; **salle de police** guardroom; **salle de classe** classroom
**salon** *m.* drawing room, living room; **petit salon** morning room, small parlor
**saltimbanque** *m.* member of travelling circus; showman
**saluer** to salute; to bow to; to greet
**salut** *m.* safety; salvation; bow, salutation; greetings
**salutation** *f.* greeting
**salve** *f.* salvo (discharge of small arms or artillery)
**samedi** *m.* Saturday
**sandale** *f.* sandal
**sang** *m.* blood; race, lineage
**sang-froid** *m.* coolness, composure
**sanglant, -e** bloody; bloodstained, covered with blood
**sanglot** *m.* sob
**sanglotant, -e** sobbing
**sangloter** to sob
**saoûl** *see* **soûl**
**sans** without; but for, were it not for; **sans que** without
**santé** *f.* health; well-being; **boire à la santé de** to drink to someone's health, to toast
**saphir** *m.* sapphire
**sapin** *m.* fir
**Satan** *m.* Satan
**satire** *f.* satire; satirizing; **faire la satire de** to satirize
**satin** *m.* satin
**satisfaction** *f.* satisfaction, gratification; reparation, amends
**satisfaire** to satisfy
**satisfait, -e** satisfied
**saturnien, -ne** Saturnian
**sauce** *f.* sauce
**saucisson** *m.* sausage
**sauf** save, but, except
**saur-ai, -as, -a, -ez** *fut. of* **savoir**
**saurai-s, -t, -ent** *cond. of* **savoir**
**saute** *f.* jump (in temperature, price); **saute de vent** shift, change of wind
**sauter** to jump, leap, skip; to jump down; to dismount; **sauter à la gorge de quelqu'un** to fly at someone's throat; **sauter au cou de quelqu'un** to fling one's arms round some-

one's neck; **sauter en bas de** to jump down from

**sauterelle** *f.* grasshopper

**sautoir** *m.*: **sautoir rouge** the red ribbon on which is worn the Cross of the French Legion of Honor

**sauvage** *m. & f.* savage; *a.* wild, wild-eyed

**sauver** to save, rescue; **se sauver** to escape, make one's escape from danger; to run away, be off, clear out; to escape

**sauveteur** *m.* rescuer; lifesaver

**sauveur** *m.* saver, preserver, deliverer; **le Sauveur** the Savior, the Redeemer

**savant, -e** learned, erudite, scholarly, well-informed; *m.n.* scientist, scholar

**savoir** to know; to be aware of; to know how to; be able; **savoir bon gré** to be grateful; **que vous savez** you know about; **que sais-je?** how do I know? **je n'en sais rien** I really cannot tell

**savoureu-x, -se** savory, tasty (dish)

**scandale** *m.* scandal, (cause of) shame, disgrace

**scélérat** *m.* scoundrel, villain; cunning scoundrel; **un franc scélérat** a real scoundrel

**scélératesse** *f.* wickedness, villainy; low cunning; wicked action or piece of low cunning

**scène** *f.* stage; scene; angry discussion, row

**sceptre** *m.* scepter

**science** *f.* science

**scientifique** scientific

**scier** to saw; to saw off (branch, etc.)

**scrupule** *m.* scruple, doubt; **se faire scrupule de** to have scruples about

**scrupuleu-x, -se** scrupulous

**se(s')** oneself; himself, herself, itself, themselves; each other, one another

**séant** sitting; in session; becoming; *m.n.* (*lit.*) the part of the body on which we sit; **se mettre sur son séant** to sit up (in bed)

**sébile** *f.* wooden bowl; wooden saucer; small bowl

**sec, sèche** dry, harsh; gaunt (person)

**sèchement** dryly

**sécher** to dry (up)

**sécheresse** *f.* dryness; drought

**second, -e** second

**seconde** *f.* second (time)

**secondement** secondly

**secouer** to shake, shake up

**secourir** to succor, help, aid

**secours** *m.* help, succor, relief, aid, assistance; **porter secours** to bring aid; **des secours** financial help

**secousse** *f.* shake, shaking; jolt, jerk, shock; **par secousses** in jerks

**secr-et, -ète** secret, hidden

**secret** *m.* secret
**secrétaire** *m.* writing desk; secretary
**secrètement** secretly, covertly; in secret
**séduction** *f.* seduction; enticement; leading astray; charm, seductiveness
**séduire** to seduce; to lead astray; to beguile; to captivate, lure, allure, charm
**seigneur** *m.* Lord; lord of the manor; nobleman, noble, Sir; **Seigneur!** oh Lord!
**seigneurial, -e** (*pl.* **seigneuriaux**) seigniorial, manorial (rights)
**seigneurie** *f.* lordship; **Votre Seigneurie** Your Lordship
**sein** *m.* breast, bosom; **au sein de** in the midst of
**seize** sixteen
**séjour** *m.* stay, sojourn; (place of) abode; residence, resort
**selle** *f.* saddle
**selon** according to
**semaine** *f.* week
**semblable** alike; similar; similar to; such; like
**semblant** *m.* semblance, appearance; (outward) show; **sans faire semblant de rien** surreptitiously
**sembler** to seem; **que t'en semble?** what do you think of it? **à ce qu'il me semble** it seems to me, in my opinion
**semence** *f.* seed
**semer** to sow
**sénateur** *m.* senator
**sens** *m.* sense (of touch, etc.); sense, judgement, intelligence, understanding; direction; meaning, import (of a word); **perdre ses sens** to lose consciousness; **perdre le sens** to lose one's mind; **bon sens** common sense; **dans un sens** in a way
**sensibilité** *f.* sensibility, sensitiveness; feeling
**sensible** sensitive, susceptible, impressionable, touchy; felt; sympathetic; sensitive
**sentence** *f.* maxim; sentence, judgement; saying
**senteur** *f.* fragrance, smell
**sentier** *m.* (foot)path
**sentiment** *m.* feeling, sensation (of joy, hunger); sense, consciousness; opinion
**sentimental, -e** (*pl.* **sentimentaux**) sentimental, of sentiment
**sentinelle** *f.* sentry
**sentir** to feel; to be conscious, aware of; to smell; to smell of; to smack of; **je sentais juste** my instinctive feelings were right; **se sentir** to feel, to feel oneself (to be)
**seoir** to suit, become (*pres. ind.* **il sied**)
**séparer** to separate; to disunite, part; to divide, keep apart; **se séparer** to part, separate
**sept** seven
**septembre** *m.* September
**septième** seventh
**sépulchre** *m.* sepulcher, tomb

**sépulcral, -e** sepulchral
**ser-ai, -as, -a, -ez, -ont** *fut. of* **être**
**serai-s, -t, -ent** *cond. of* **être**
**serein, -e** serene, calm (sky); cheerful
**sérénissime** most serene
**sérénité** *f.* serenity, calmness
**sergent** *m.* sergeant; **sergent major** top sergeant
**sérieusement** seriously
**sérieu-x, -se** serious; grave, sober; serious-minded; earnest, genuine; weighty, important; *m.n.* seriousness, gravity; **prendre quelque chose trop au sérieux** to take something too seriously
**serin** *m.* canary
**serinette** *f.* miniature hand organ used to teach canaries to sing
**serment** *m.* (solemn) oath
**sermon** *m.* sermon
**serpe** *f.* billhook (tool for pruning and cutting)
**serpent** *m.* serpent, snake
**serpenter** to wind, curve, meander
**serré, -e** tightly; tight, close; **le cœur serré** with anguish in one's heart
**serrer** to press, squeeze, clasp; to press together; **serrer la main à quelqu'un** to clasp someone's hand; to shake hands with someone; **serrer les dents** to clench, set one's teeth
**serrure** *f.* lock; **trou de la serrure** keyhole
**sert** *pres. ind. of* **servir**
**servante** *f.* (maid)servant, servant girl
**service** *m.* service; duty; **être au service de quelqu'un** to be in someone's service, in attendance on someone; **escalier de service** backstairs; **être de service** to be on duty
**serviette** *f.* table napkin
**servir** to serve; to be in use; **servir de** to serve as, be used as; **se servir de** to make use of; **servir la messe** to serve at mass; **pour vous servir** I am at your service; **à quoi sert-il?** what is the use? **à quoi cela me servirait-il?** of what use would it be to me?
**serviteur** *m.* servant
**servitude** *f.* servitude, bond-service; slavery
**seuil** *m.* threshold, doorsill, doorstep
**seul, -e** only, sole, single, alone; **tout seul** all by oneself; **à la seule pensée** at the very thought
**seulement** only; even
**sève** *f.* sap (of plant); **plein de sève** sappy, full of vitality
**sévère** severe; stern, hard, harsh; strict, rigid (discipline)
**sévèrement** severely
**sévérité** *f.* severity; **avec sévérité** severely

**sexe** *m.* sex
**si** *conj.* if
**si** *adv.* so, so much; yes (in answer to a negative question or remark)
**Sibérie** *f.* Siberia
**siècle** *m.* century
**sied** *see* **seoir**
**siège** *m.* seat, center; chair; coachman's box
**sien, -ne** his, hers, its, one's; **le sien (la sienne)** his, his own (her own)
**siffler** to whistle; to hiss (serpent); to whirr, whizz
**signal** *m.* (*pl.* **signaux**) signal
**signature** *f.* signing, signature
**signe** *m.* sign; indication, gesture, motion, signal; **faire signe à** to motion to, make a sign to; to beckon to; **faire un signe de tête** to nod
**signer** to sign; to put or set one's name to (documents); to stamp, mark; **se signer** to cross oneself; to be signed
**signification** *f.* meaning, signification, sense, import
**signifier** to mean, signify; to serve, give notice of (*jurid.*)
**silence** *m.* silence; **garder le silence** to keep silent
**silencieu-x, -se** silent
**silex** *m.* silica, flint
**sillon** *m.* furrow; line (on the forehead); *pl.* fields
**simple** simple, ordinary, common; simple-minded, unsophisticated
**simplicité** *f.* simplicity
**sincère** sincere
**singe** *m.* monkey, ape
**singuli-er, ère** singular; peculiar; strange; remarkable, uncommon; odd, curious, queer
**singulièrement** strangely, singularly
**sinon** otherwise, (or) else, if not; except
**sire** *m.* lord, sir
**sitôt: sitôt que** + *ind.* as soon as
**situation** *f.* condition, situation
**situer** to place, situate, locate
**six** six
**sixième** sixth
**sociable** sociable, companionable
**social, -e** (*pl.* **sociaux**) social
**société** *f.* society, community; *pl.* social gatherings
**sœur** *f.* sister
**soi** oneself; himself, herself, itself
**soie** *f.* silk
**soient** *pres. subj. of* **être**
**soif** *f.* thirst; **avoir soif** to be thirsty
**soigner** to look after, take care of, attend to
**soigneu-x, -se** careful, painstaking; tidy
**soigneusement** carefully
**soin** *m.* care, watching over, solicitude, attention, trouble; task; **avoir soin de** to take care of, be careful with, be sure to, see to it that; **prendre soin de** to take care of; to take pains to
**soir** *m.* evening

**soirée** *f.* (duration of) evening

**sois** *impv. of* **être**

**soit** *pres. subj. of* **être;** so be it, O.K.; **soit l'un soit l'autre** either one or the other

**soixante** sixty

**sol** *m.* ground, earth, soil

**soldat** *m.* soldier; **se faire soldat** to become a soldier

**soleil** *m.* sun; **au soleil** in the sun; **dans le soleil** in the strong sun; **soleil couchant** setting sun; **soleil levant** rising sun

**solide** solid (body, food); strong; secure (foundation); substantial

**solitaire** solitary, lonely, lonesome

**solitude** *f.* solitude, loneliness

**solliciter** to solicit; to request earnestly, beg for (favor, interview); to tempt; (of magnet) to attract; (of spring) to pull

**solution** *f.* solution; answer (to question, problem); settlement (of dispute)

**sombre** dark, somber, gloomy, dim; dismal, melancholy

**somme** *f.* sum, amount; sum of money

**sommeil** *m.* sleep, slumber

**sommet** *m.* top, summit (of hill)

**somnambulique** somnambulistic, of a somnambulist

**somnolent, -e** somnolent, sleepy

**somnoler** to drowse, doze

**son (sa, ses)** his, her, its, one's

**son** *m.* sound

**son** *m.* bran; **tache de son** freckle

**sonder** to sound, probe, examine, investigate

**songe** *m.* dream

**songer** to think; to dream, muse; **songer à** to think of; to consider, think over; to remember; **songez donc!** just think!

**songeu-r, -se** *a.* pensive, thoughtful; *n.* dreamer

**sonner** to sound; (of clock) to strike; (of bell) to ring, to toll; **être sonné** to be under shellfire; to be out of one's mind

**sonnet** *m.* sonnet

**sonore** sonorous; loud-sounding; resonant (metal); rustling (of trees, *poet.*)

**sorbet** *m.* sherbet; ices

**sorcier** *m.* **sorcière** *f.* sorcerer, wizard; *f.* sorceress, witch

**sort** *m.* lot (in life), fate, chance, fortune

**sorte** *f.* sort, kind; manner, way; **de la sorte** that way, in this way; **en sorte que** and so, so that; **en quelque sorte** as it were, in a way, in a manner

**sortie** *f.* going out, coming out, departure, exit; leaving; release

**sortilège** *m.* spell, charm

**sortir** to go, come out; to leave the room or house; to get out; to extricate oneself; to spring, issue, descend; to stand out, stick out, protrude, project

**sot, sotte** *a.* stupid, foolish; *n.* fool, dolt, blockhead

**sottement** stupidly

**sottise** *f.* stupidity, silliness, folly, foolishness; foolish act or word

**sou** *m.* smallest denomination of French money; **un sou vaillant** a "red" cent

**souche** *f.* stump, stub, stock (of tree); log

**souci** *m.* care, anxiety, worry

**soucier** to give cause for worry; **se soucier de** to be concerned about, think about (with concern), care about

**soudain, -e** sudden, unexpected

**soudainement** suddenly

**soudure** *f.* soldering, welding, brazing

**souffert** *past part. of* **souffrir**

**souffle** *m.* breath; puff, blast; respiration, breathing; **prendre son souffle** to take a deep breath

**souffler** to blow; to breathe, catch one's breath; to utter (a word, a sound); to prompt (pupil, actor)

**soufflet** *m.* box on the ear; slap in the face, on the cheek

**souffrance** *f.* suffering, pain

**souffrir** to suffer; to endure, undergo, bear, put up with (pain, loss)

**souhait** *m.* wish, desire, aspiration

**souhaiter** to wish; **souhaiter le bonjour** to wish (someone) a fine day

**soûl, -e** drunk; gorged; **manger tout son soûl** to eat one's fill

**soulager** to lighten the burden of; to ease (pressure); to relieve, alleviate, assuage (pain, grief)

**soulever** to raise, bring up; to lift (up); to raise slightly; to rouse, stir up; to excite, provoke, rouse; **se soulever** to revolt, rise in rebellion; to raise oneself

**soulier** *m.* shoe; **souliers de marche** walking shoes

**soumettre** to submit; **se soumettre** to submit, give in, yield

**soumis, -e** submissive, obedient; dutiful (child)

**soupçonner** to suspect

**soupçonneu-x, -se** suspicious, distrustful

**souper** to have supper; to sup

**souper** *m.* supper

**soupir** *m.* sigh

**source** *f.* source; spring

**sourcil** *m.* eyebrow

**sourd, -e** deaf; dull (pain); dull, muffled (noise); muted (string); hollow (voice); secret (rumor, desire); **lanterne sourde** dark lantern (one whose light can be dimmed at will)

**souriant, -e** smiling, pleasant; **en souriant** with a smile; smilingly

**sourire** to smile

**sourire** *m.* smile

**souris** *f.* mouse

**sournois, -e** artful, sly, deep, crafty; cunning, shifty

**sournoisement** on the sly, stealthily
**sous** under(neath), beneath, below; during the time of
**sous-seing** *m.* private agreement, private contract
**soussigné, -e** undersigned
**soustraire** to take away; **se soustraire à** to avoid
**soutenir** to sustain, support; to hold up, prop up; to prevent from falling; to back (up); to maintain, uphold (opinion); to withstand, hold out against (attack); to keep up one's courage
**soutenu, -e** sustained, unremitting; unceasing, earnest, constant
**souterrain, -e** underground, subterranean
**soutien** *m.* support, prop; supporter, upholder
**souvenir** to remember; **se souvenir de** to remember, recall; **faire souvenir** to remind
**souvenir** *m.* remembrance, recollection, memory; memorial, memory; memento, souvenir
**souvent** often
**souverain** *m.* **souveraine** *f.* sovereign
**souverainement** sovereignly
**souvins** *past def. of* **souvenir**
**soyez** *impv. of* **être**
**spacieu-x, -se** spacious, roomy, capacious
**spécial, -e** special, especial
**spectacle** *m.* spectacle, sight, scene; play, entertainment; show, display; performance (of a play)
**spéculer** to speculate
**spiral, -e** spiral
**spirale** *f.* spiral; **en spirale** winding (of stairs, etc.)
**spirituel, -le** witty, clever
**splendeur** *f.* splendor; brilliance, radiance, brightness; magnificence, grandeur, display
**splendide** splendid, resplendent, brilliant; magnificent (palace); sumptuous (meal); gorgeous (sunset)
**squelettique** skeletal; skeleton-like
**statisticien** *m.* statistician
**statue** *f.* statue
**stérile** sterile, unfruitful, barren; unproductive (land)
**stipuler** to stipulate; to lay down (that)
**stoïcisme** *m.* stoicism, impassiveness
**stupéfait, -e** stupefied, amazed, aghast, astounded, dumbfounded
**stupeur** *f.* stupor; dazed state; amazement
**stupide** stupid; stunned with surprise; bemused; dull-witted, witless; stupefied
**style** *m.* style (written or oral); fashion
**subalterne** subordinate, minor (official, part)
**subir** to undergo
**subit, -e** sudden, unexpected

**subitement** suddenly
**subjecti-f, -ve** subjective
**sublime** sublime; lofty, exalted
**subreptice** surreptitious; clandestine
**subrepticement** surreptitiously
**subsister** to subsist; to (continue to) exist; to still be in existence; to remain
**subventionner** to subsidize
**succès** *m.* result; success
**succession** *f.* succession; series, sequence (of ideas); inheritance, inheriting, coming into (property); estate
**succinct, -e** succinct, brief, concise
**succinctement** succinctly, concisely
**succomber** to succumb
**sucre** *m.* sugar
**sud** *m.* south; **vers le sud** towards the south; **au sud** in the south
**suer** to sweat
**sueur** *f.* sweat, perspiration
**suffire** to suffice; to be sufficient, be enough; **suffit!** enough! **il suffit!** that is enough!
**suffocant, -e** suffocating, stifling
**suggérer** to suggest
**suinter** (of water, rock) to ooze, seep, sweat; (of vessel) to leak; (of wound) to run, ooze
**suite** *f.* continuation, series, sequence, succession (of events), consequence, result; **dans la suite** later on; **tout de suite** at once, right away; **ainsi de suite** and so on; **par la suite** later on, afterwards
**suivant, -e** next, following; according to; in accord with
**suivi, -e** sustained, steadfast, continuous, persistent
**suivre** to follow, go behind; to pay heed to, be attentive to; **suivre des yeux** to watch a person leaving; to follow with one's eyes
**sujet** *m.* subject; cause, reason, object, ground (of complaint); **au sujet de** concerning, about
**sujet, -te** *a.* subject (to)
**superbe** proud, haughty, vainglorious, arrogant; superb, fine, stately; magnificent
**superbement** superbly, gorgeously
**superficiel, -le** superficial; shallow
**supérieur, -e** upper; superior; higher
**superstition** *f.* superstition
**supplanter** to supplant; to supersede
**suppliant, -e** suppliant, supplicating, imploring, pleading
**supplice** *m.* punishment, torture, torment, anguish, agony
**supplier** to beg, supplicate, entreat; **je t'en supplie** I beg of you
**supporter** to support; to endure, suffer, bear; to tolerate, put up with, stand
**supposé, -e** false, supposed

**supposer** to suppose, assume, imagine; to presuppose, imply
**supputer** to compute, calculate
**suprême** supreme, highest; crowning; paramount; final; **l'Être suprême** the Supreme Being, God
**sur** on, upon; over, above; toward, about, concerning, respecting; out of
**sûr, -e** sure; safe, secure; trustworthy, reliable, trusty, true, staunch (friend); surely, of course, certain; **être sûr de** to be sure, certain of
**surbaissé, -e** depressed, flattened, surbased
**sûreté** *f.* safety, security, safekeeping; **être en sûreté** to be safe, in a safe place, out of harm's way
**surgir** to rise; to come into view; to loom (up)
**surhumain, -e** superhuman
**sur-le-champ** at once, immediately
**surmonter** to surmount; to (over) top; to rise above, higher than
**surnaturel, -le** supernatural; extraordinary
**surnommer** to name, call; to nickname
**surplomber** to overhang; to jut out; to tower over
**surplus** *m.* surplus, excess; **au surplus** besides, after all; moreover
**surprendre** to surprise; to come upon unexpectedly, catch unaware; to astonish; **se surprendre** to surprise oneself, catch oneself
**surpris, -e** surprised
**surprise** *f.* astonishment
**surprit** *past def. of* **surprendre**
**sursaut** *m.* (involuntary) start, jump; **avoir un sursaut** to give a start, jump up; **en sursaut** with a start
**surveillance** *f.* supervision, watching, watch
**survenir** (of events) to happen, occur; (of difficulty) to arise; **il était survenu** there had taken place
**su-s, -t** *past def. of* **savoir**
**susciter** to raise up; to create (enemies); to give rise to (difficulties)
**susdit, -e** aforesaid, abovementioned
**suspendre** to suspend, stop
**suspendu, -e** suspended, hanging
**Sylla** Sulla, Roman dictator (136-78 B.C.)
**syllabe** *f.* syllable
**symptôme** *m.* symptom; sign, token, indication
**systématiser** to systematize
**système** *m.* system

## T

**ta** *see* **ton**
**tabac** *m.* tobacco
**table** *f.* table; **se mettre à table** to sit down to the table

**tableau** *m.* picture, scene, painting; **tableau noir** blackboard
**tablette** *f.* leaf of wood, ivory, metal to write on; writing tablet
**tabouret** *m.* footstool, stool
**tache** *f.* stain, spot, blemish; **tache de son** freckle
**tâcher** to try, endeavour, strive
**taille** *f.* figure, waist, body; **prendre par la taille** to seize, take around the waist; **de petite taille** short
**tailleur** *m.* tailor
**taire** to say nothing about; to keep still; to suppress, keep dark, hush up, keep silent; **se taire** to hold one's tongue, to hold one's peace, be silent; **tais-toi!** hold your tongue, be quiet!
**talent** *m.* talent
**taloche** *f.* blow, beating, rap
**talon** *m.* heel
**tambour** *m.* drum; **tambour de basque** tambourine (with jingles)
**tandis que** whereas, while
**tanière** *f.* den, lair
**tant** so much; so many, as many; to such a degree; as much, as well as; as long, as far as; **à tant par heure** at so much an hour; **tant soit peu** ever so little; somewhat; **tant pis** so much the worse, it can't be helped, too bad, what a pity; **tant que** as long as; **si tant est que** if it is only possible
**tante** *f.* aunt
**tantôt** soon, presently; just now; a little while ago; **tantôt . . . tantôt** at one time . . . at another time, sometimes . . . sometimes
**tapage** *m.* (loud) noise; din, uproar; row; **faire du tapage** to kick up a row; to make a racket, noise
**tapis** *m.* carpet, rug
**tapisserie** *f.* tapestry-making, tapestry, hangings
**tard** late; **plus tard** later on; **au plus tard** at the latest
**tarder** to delay, be long in; **sans tarder** without delay; **tarder à** to be long in
**tardi-f, -ve** tardy, belated; late
**tarir** to dry up, run dry; to exhaust (one's means); to stop, put an end to
**tarte** *f.* tart; pie
**tas** *m.* heap, pile (of stones)
**tasse** *f.* cup
**tâter** to feel; **tâter le pouls à quelqu'un** to feel someone's pulse
**taureau** *m.* bull
**te** you, to you
**technique** technical
**teint** *m.* complexion, color
**teinte** *f.* tint, shade, hue
**teinture** *f.* dyeing; tinting; dye
**tel, telle** such; like; a certain; **tel que** such as, like; **tel quel** just as it is; just as he is; **un tel** so and so; **tel ou tel** some people
**télégraphique** telegraphic

**tellement** in such a manner; so; to such a degree; so much; **tellement que** + *ind.* to such an extent that

**téméraire** rash, reckless, foolhardy, bold

**témoignage** *m.* testimony, evidence, expression

**témoigner** to testify; to bear witness; to give evidence; **témoigner de** to show, evince, prove; to bear testimony to, testify to; **témoigner d'un goût pour** to show, display, evince a taste for

**témoin** *m.* witness

**tempe** *f.* temple (of forehead)

**temple** *m.* temple, church, place of worship (of Protestants); "chapel"

**temporel, -le** temporal

**temps** *m.* time, hour; weather; while, period; **à temps** on time; **en même temps** at the same time; **beau temps** fine weather; **le temps de** long enough to; **de tout temps** always, ever; **de temps en temps** from time to time; **de temps à autre** from time to time; **dans le temps** at the time, formerly

**tendre** tender; soft, delicate; new, early; fond, affectionate, loving

**tendre** to stretch; extend; to tend, lead, conduce; **tendre un piège** to set a trap; **tendre la main** to hold out one's hand; **tendre l'oreille** to listen attentively

**tendrement** tenderly

**tendresse** *f.* tenderness; fondness, love

**ténèbres** *f.pl.* darkness, gloom

**tendu, -e** draped

**tenir** to hold; to have; to adhere; to hold out, last; **tenez!** look (you)! look here! **ne tenez pas pareil langage** don't talk that way; **tenir à** to care about, value, prize; **se tenir à** to stick to, keep to; **tenir quelque chose de quelqu'un** to learn something from someone; **tenir de longs-discours** to carry on long conversations; **tenir bon** to resist, stay on; **se tenir** to stand; **se tenir tranquille** to keep, remain, be quiet

**tentation** *f.* temptation; **succomber, céder à la tentation** to succumb, yield to temptation; to fall

**tente** *f.* tent

**tenter** to tempt; to put to the test; to attempt, try

**terme** *m.* term, terminus; bound, end, limit; time; terminal (statute)

**terme** *m.* term, expression; *pl.* wording (of clause); terms, conditions

**terne** dull, lusterless, leaden (coloring); colorless, dismal

**terrain** *m.* terrain, soil

**terrasse** *f.* terrace, bank

**terrasser** to lay low; to overpower; to overwhelm, dismay, crush, nonplus; to throw to the floor

**terre** *f.* earth; the world; ground, land; estate, property; loam, clay; **être sous terre** to be in one's grave; **terre battue** dirt floor; **par terre** on the ground, floor; **être à terre** to be on foot, be down; *pl.* the land, country, etc.

**terre-plein** *m.* earth platform, terrace; flat stretch of ground

**terrestre** terrestrial; earthy; worldly (thoughts)

**terreur** *f.* terror; (intense) fear; dread

**terrible** terrible, terrific, frightful, dreadful

**terrifier** to terrify; to scare to death

**terrine** *f.* earthenware vessel, pan

**territoire** *m.* territory; area under jurisdiction

**tertre** *m.* hillock, mound, knoll

**tes** *see* **ton**

**testament** *m.* will, testament

**tête** *f.* head; **perdre la tête** to lose one's head, self-possession; **à tête reposée** at one's leisure; **une forte tête** a strong minded person

**tête-à-tête** *m.* private interview, confidential interview; **en tête-à-tête** alone (together)

**têter** (of infant or young) to suck; **têter à sa soif** to get enough milk from his wet nurse's breast

**têtu, -e** stubborn

**thé** *m.* tea; **thé à la menthe** mint tea

**théâtre** *m.* theater, playhouse; stage, scene

**thème** *m.* theme, topic; subject; composition exercise; translation from one's own to a foreign language

**théoricien** *m.* theoretician, theorist; **théoricien en chambre** armchair theorist

**théorie** *f.* theory

**théorique** theoretic(al)

**thèse** *f.* thesis, proposition, argument

**tien, tienne** yours; thine; **le tien, la tienne** your own (property)

**tiers, tierce** third; which comes in third place; *m.n.* third, third part

**timbre** *m.* stamp (on document)

**timide** timid; timorous, apprehesive; shy, bashful; diffident

**timon** *m.* pole (of vehicle), shaft

**tin-s, -t** *past def. of* **tenir**

**tinter** to ring, toll (bell), tinkle; to buzz (ears)

**tir** *m.* shooting, gunnery

**Tircis** Thyrsis (shepherd's name)

**tirer** to pull out, lengthen, stretch; to tug, draw, haul, drag; **tirer les vers du nez** to pump someone, draw secrets out of someone; **tirer de** to take from, draw from; **tirer**

**mal** (of lamp) to draw badly; **tirer à sa fin** to draw to a close; **tirer quelqu'un d'affaire** to get someone out of it, get out of a difficulty; **tirer au vol** to shoot on the fly; **s'en tirer** to manage

**tireur** *m.* one who draws; shooter, marksman, a good shot

**tiroir** *m.* drawer

**tissu** *m.* fabric, material, tissue

**tissu** woven (material)

**titre** *m.* title; claim, right

**toi** you, to you

**toile** *f.* linen, linen cloth; **toile d'araignée** cobwed; spider's web

**toilette** *f.* (woman's) dress, costume; **faire sa toilette** to make one's toilet; to dress

**toison** *f.* fleece; golden fleece (mythology)

**toit** *m.* roof; housetop; lean-to, roof; shed; **toit de cochons** pigsty

**tolérable** bearable, tolerable

**tombe** *f.* tomb, grave

**tombeau** *m.* tomb; monument (over grave or vault)

**tombée** *f.* fall (of night)

**tomber** to fall, fall down, tumble down, drop down; to drop, abate, subside; to fall, hang down; **laisser tomber** to drop

**tome** *m.* (heavy) volume; tome

**ton (ta, tes)** your

**ton** *m.* tone; intonation; manners, breeding; **d'un ton** in a tone

**tonneau** *m.* cask, tub, barrel

**tonner** to thunder, make a loud noise like thunder

**tonnerre** *m.* thunder; **mille tonnerres!** by thunder!

**tordre** to twist (hemp); to wring (clothes); **tordre le cou à quelqu'un** to wring someone's neck

**torréfier** to torrefy; to roast, to scorch

**torrent** *m.* torrent

**tort** *m.* wrong; error, fault; injury, harm, detriment, hurt; **avoir tort** to be wrong, be in the wrong; **faire tort à** to do harm to

**tortue** *f.* tortoise

**torture** *f.* torture, torment

**torturer** to torture; **se torturer l'esprit** to rack, cudgel one's brains

**tôt** soon; **le plus tôt possible** as soon as possible; **tôt ou tard** sooner or later; **je n'avais pas plus tôt . . .** I had no sooner . . .

**total, -e** total, complete, entire, whole

**totalement** entirely

**totalité** *f.* totality, whole

**toucher** to touch; to draw, receive one's salary; to be paid; to move, affect; to concern; to touch on, dwell on, deal with, allude to; **toucher un mot** to say a word

**touffu, -e** bushy (beard); thick (woods), thickly wooded

**toujours** always, ever, still, continuing; **viens toujours** come anyway

**tour** *m.* circumference, circuit; trick, feat; **tour à tour** by turns, in turn; **à son tour** in (its, his, her) turn; **faire un tour** to take a trip; to take a stroll

**tourbillon** *m.* whirlwind; swift

**tourbillonner** to whirl

**tourmente** *f.* gale, storm, tempest

**tourmenter** to torture, torment; to harass, trouble, worry; to plague, pester, tease, bait

**tournant** turning; revolving; *m.n.* turning, bend (of road)

**tourner** to turn; to fashion, shape, turn (on a lathe); **tourner (en) rond** to go around in a circle; **tourner la tête** to turn one's head; **tourner les talons** to turn on one's heels and go; **tourner et retourner** to turn over and over again; **aussi bien tournée** as shapely; **se tourner** to turn; **se tourner en** to turn into

**tournure** *f.* turn, course; shape, form, finger, appearance

**tous** *see* **tout**

**tousser** to cough

**tout, toute** (*pl.* **tous, toutes**) all; any, every; whole; all; **tous (les) deux** both

**tout** *m.* **le tout** the whole; **pas du tout** not at all

**tout** *adv.* quite, entirely, completely, very; **tout à l'heure** a little while ago; **tout de suite** at once, right away; **tout à fait** quite, entirely; **tout au moins** at the very least; **tout comme** just as; **tout à coup** suddenly

**toutefois** yet, nevertheless, however

**tout-puissant** *m.* **toute-puissante** *f.* almighty, omnipotent, all-powerful; *m.* **le Tout-Puissant** the Almighty

**trace** *f.* trace; trail, track

**tracer** to trace; to lay out (road, railway); to mark out; to plot out, set out; to draw, trace

**tradition** *f.* tradition

**traduction** *f.* translating; translation

**traduire** to summon before a court; to translate

**tragédie** *f.* tragedy

**tragique** tragic

**trahir** to betray

**train** *m.* train; string; line; manner, type, course; **en train de** in the act of

**traîner** to drag, drag out, pull, trail, haul, draw along; to tow; to drag on, drag out (one's existence); to spin out; to linger; **l'affaire traîne** the matter hangs fire; (of lawsuit) **traîner en longueur** to go very slowly, to drag (on)

**trait** *m.* stroke, mark, line, streak, bar; feature, lineament (of face); dart; trait (of character); sally

**trait** *m.* stroke, mark, line, streak, bar; feature, lineament (of face); dart; trait (of character); sally

**traité** *m.* treatise; treaty, compact, agreement

**traiter** to treat, call; **traiter de** to call (names)

**traître** *m.* **traîtresse** *f.* traitor, traitress; *a.* treacherous

**tranche** *f.* slice

**tranchée** *f.* trench

**trancher** to slice; to cut; **trancher le mot** to speak plainly; to speak out

**tranquille** tranquil, calm, still, quiet, steady, placid; undisturbed, untroubled; **soyez tranquille** don't worry; **laisser tranquille** to leave alone, not to bother; **se tenir tranquille** to behave (do nothing wrong); to keep still

**tranquillement** quietly, peacefully

**tranquillité** *f.* calm(ness), tranquillity, quiet, stillness; quietness

**transaction** *f.* transaction; arrangement, compromise; *pl.* dealings, deals

**transiger** to compound, compromise; to effect a compromise

**transition** *f.* transition

**transmettre** to transmit; to pass on; to convey; to hand down (to posterity)

**transmis, -e** *past part. of* **transmettre**

**transplanter** to transplant, bring (from another place)

**transport** *m.* transport, conveyance, carriage (of goods, passengers); rapture; outburst of feeling

**transporter** to transport, convey, remove, transfer, carry; to carry away, enrapture; to bring

**travail** *m.* (*pl.* **travaux**) labor, work, toil; **travail des mains** manual labor; *pl.* literary, philosophical, etc. works

**travailler** to work

**travers** *m.*: **à travers, au travers de** through; **en travers** athwart

**traverser** to traverse (region); to cross, go across, step across; to go, pass through (town, danger, crisis); to make one's way through (crowd)

**travestir** to disguise; **se travestir** to disguise oneself

**travestissement** *m.* disguising; disguise

**treille** *f.* vine-arbor, trellis

**treize** thirteen; **aller sur ses treize ans** to be going on thirteen

**treizième** thirteenth

**tremblant, -e** trembling; quivering; quaking, unsteady, flickering (light); tremulous, quavering (voice)

**trembler** to tremble, shake; to quake; (of light) to quiver, flicker

**trempe** *f.* temper; quality, kind

**trente** thirty; **trente et quarante** a card game

**trépas** *m.* death, decease

**trésor** *m.* treasure
**tressaillir** to start; to give a start, a jump (from surprise) to quiver; to shudder (from fear); to thrill (with joy); (of heart) to throb, bound
**trêve** *f.* truce
**triangulaire** triangular; three-square
**tribulation** *f.* tribulations, trials
**tribunal** *m.* tribunal; court of justice, law court; (the) magistrates
**tribut** *m.* tribute
**tricher** to cheat (at cards, etc.); to trick
**tricot** *m.* (knitted) sweater
**Trinité** *f.* Trinity (first Sunday after Pentecost, 56 days after Easter)
**triomphant, -e** triumphant
**triomphe** *m.* triumph
**triompher** to triumph; to get the better of; to win
**triple** threefold, triple; three times, thrice
**triste** sad; sorrowful, doleful, woeful; melancholy; dreary, dismal, cheerless; bleak, depressing; unfortunate, painful
**tristement** sadly
**tristesse** *f.* sadness
**trois** three
**troisième** third
**tromper** to deceive; to cheat; to impose upon, to take in; **se tromper** to be mistaken, be wrong; to make a mistake; **se tromper sur** to be mistaken about; **se tromper de** to make a mistake, be wrong about or in
**tromperie** *f.* deceit, deception, fraud; piece of deceit
**trôner** to sit enthroned; to sit in state, as if on a throne
**tronqué, -e** truncated, mutilated, cut short
**trop** too; too much, overmuch; **de trop** too much, too many; **être de trop** to be in the way, unwelcome; **par trop** (altogether) too (much)
**trotter** to trot; (of mice) to scamper; to put (horse) to the trot; to trot (horse)
**trottoir** *m.* footway, footpath, pavement, sidewalk
**trou** *m.* hole
**trouble** *m.* confusion, disorder; agitation, perturbation, uneasiness; disturbance; dismay; *a.* dim, blurred
**troubler** to disturb; to interfere with; to perturb; to confuse, upset, discompose; to disquiet, make uneasy; to make (liquid, etc.) cloudy, muddy
**troué, -e** with holes
**troupe** *f.* troop, band, company, throng; gang, set (of thieves)
**troupeau** *m.* herd, drove, flock
**troupier** *m.* soldier, private
**trousse** *f.* bundle, kit; **être aux trousses de quelqu'un** to be after someone, on someone's heels; to pursue

**trouver** to find; to think, deem; **vous trouvez?** you think so? **venir trouver quelqu'un** to come and speak to; **trouver bon** to consider (something) good; **se trouver** to be; to happen; to turn out; to happen to be; to be situated; **je me trouve très bien ici** I feel very comfortable here

**truand** *m.* **truande** *f.* beggar, vagrant, vagabond

**truite** *f.* trout

**tu** you

**tû** *past part. of* **taire**

**tuer** to kill; to slaughter, butcher; to shoot dead

**tulipe** *f.* tulip

**turc, turque** Turkish; *n.* Turk

**tut (se)** *past def. of* **se taire**

**tutelle** *f.* tutelage, guardianship; protection

**tuteur** *m.* **tutrice** *f.* guardian; tutor (of a minor)

**type** *m.* type; sample piece; pattern

**tyran** *m.* tyrant

## U

**Ulysse** Ulysses, hero of the *Odyssey*

**un, une** one, a, an

**uni, -e** smooth, even (of stones, etc.); of a solid color (materials); plain, united

**uniforme** uniform, unvarying, the same

**uniforme** *m.* uniform

**unique** sole, only, single, unrivaled, unique, unparalleled

**uniquement** uniquely, solely

**unir** to unite, join, link

**unisson** *m.*: **à l'unisson** in keeping with; in harmony with

**univers** *m.* universe

**universel, -le** universal; of the world

**urgence** *f.* urgency; **de toute urgence** of the greatest urgency; in great haste

**usage** *m.* use, usage, employment; custom, practice, tradition; rules; experience, **faire usage de** to make use of

**user** to use, make use of; **user de** to use

**usé, -e** worn, shabby, threadbare, trite, trivial, "stale"

**usine** *f.* works, manufactory, mill

**utile** useful, serviceable

## V

**vacance** *f.* vacation, holidays (*usually used in the plural*)

**vacant, -e** vacant, unoccupied; **place vacante** vacant seat; vacancy (of office)

**vacarme** *m.* uproar, racket

**vache** *f.* cow

**vacherie** *f.* cow barn

**vagabond, -e** *a.* wandering, vagabond, roving; *n.* vagabond; vagrant, tramp

**vague** *f.* wave

**vague** indefinite, hazy, dim, vague, indistinct

**vaillant, -e** brave, courageous, spirited; **n'avoir pas un sou vaillant** to be penniless
**vain, -e** vain, unreal, empty, ineffectual, fruitless, useless, proud; **en vain** in vain
**vaincre** to vanquish, conquer, defeat, overcome
**vainqueur** *m.* victor, conqueror, winner
**vaisseau** *m.* vessel, ship
**val** *m.* vale, narrow valley
**Valence** *f.* Valencia, province of Spain on the Mediterranean
**valencien, -ne** Valencian
**valet** *m.* jack, knave (of cards); flunkey; valet; **valet de chambre** manservant
**valeur** *f.* value, worth; **la valeur de** the equivalent of; *pl.* shares, securities
**validité** *f.* validity
**valise** *f.* suitcase, valise
**vallée** *f.* valley, vale
**vallon** *m.* small valley, dale, vale
**valoir** to be worth; to deserve, merit; to come up to; **valoir quelque chose à quelqu'un** to bring in, yield; **qui valût cet acte de folie** which had such good results as this act of madness; **les siennes (jambes) en valaient bien d'autres** hers were in every respect as good as many others; **valoir mieux** to be better; **valoir la peine** to be worth while
**vampire** *m.* vampire
**vanité** *f.* vanity, conceit, vainglory, pride
**vaniteu-x, -se** vain, conceited, vainglorious
**vanté, -e** highly praised
**vanter** to praise, speak highly of; **se vanter** to boast about, brag
**vapeur** *f.* haze, vapor, fumes, steam; **canon à vapeur** cannon fired by steam
**vase** *m.* vase, receptacle, vessel
**vaste** vast, wide, great, broad, immense, spacious
**vastement** vastly, immensely
**va-t-en** *impv. of* **s'en aller** go away
**vécu** *past part. of* **vivre**
**végétation** *f.* vegetation
**veille** *f.* eve, preceding day; the eve, the night before; watch; **poste de veille** lookout
**veiller** to sit up, stay up; to watch, keep a good lookout, keep watch
**vendre** to sell; **se vendre** to be sold
**vendredi** *m.* Friday
**vénérable** venerable, aged
**vénérer** to venerate
**vengeance** *f.* revenge, vengeance, retribution
**venger** to avenge; **se venger** to be revenged, have one's revenge, take one's revenge; **se venger sur quelqu'un** to revenge oneself on someone
**vengeur** *m.* **vengeresse** *f.n.* avenger; *a.* avenging, vengeful

**venir** to come; **en venir à** to resort to; **faire venir quelqu'un** to send for, to summon; **venir trouver quelqu'un** to come and speak to; **venir à passer** to come by; **venir de** to have just; **à quoi veux-tu en venir?** what are you driving at? **faire venir** to call, send for
**Venise** *f.* Venice
**vent** *m.* wind
**venta** *f.* (Spanish) inn
**ventre** *m.* abdomen, belly, stomach, paunch; **se coucher à plat ventre** to lie flat on one's belly (stomach)
**ventru, -e** corpulent, portly
**venu, -e** (with **premier, dernier, nouveau**) comer; **premier venu** the first one to come; anybody at all, an insignificant person; **le nouveau venu** the newcomer
**ver** *m.* worm; **tirer les vers du nez** to worm secrets out of someone
**véracité** *f.* veracity
**verbal, -e** (*pl.* **verbaux**) verbal, of words
**verge** *f.* rod, wand, switch
**verger** *m.* orchard
**verglas** *m.* frost, glazed frost; ice covering sidewalks and roads
**véridique** veracious
**vérifier** to verify, inspect, examine, check, prove, confirm (statement)
**véritable** true, real, genuine, veritable
**véritablement** truly, really
**vérité** *f.* truth, fact, sincerity, truthfulness; **à la vérité** as a matter of fact; to tell the truth, truly, really; **en vérité** speaking truthfully, really, truly; **dire ses vérités** to say what one thinks (of him, etc.)
**vermeil, -le** bright red, vermillion; *m.* silver-gilt, vermeil, gilded silver
**verre** *m.* glass; lens; **verre de vin** glass of wine
**vers** *m.* verse, line of poetry; **faire des vers** to write poetry, verses
**vers** towards (of place); about (of time)
**versant** *m.* slope, side, bank; side of a mountain, valley, etc.
**verser** to pour; to shed (tears)
**verset** *m.* verse (of Bible, Koran, etc.)
**vert, -e** green; sharp (reprimand); severe (punishment); (*fig.*) violent; **le vert** green (color)
**vertical, -e** (*pl.* **verticaux**) vertical; perpendicular; upright; *f.n.* vertical
**vertige** *m.* dizziness, giddiness, vertigo
**vertu** *f.* courage, valor, virtue, quality, property (of remedy), energy
**veste** *f.* short jacket
**vestibule** *m.* lobby, entrance hall, vestibule

**vêtement** *m.* garment; *pl.* clothes, clothing, apparel
**vêtir** to clothe; to dress, attire; **se vêtir** to dress, clothe (oneself)
**vêtu, -e** dressed
**veuf, veuve** widowed (man, woman); *m.n.* widower; *f.n.* widow
**veuille** *pres. subj. of* **vouloir**
**veuve** *see* **veuf**
**viag-er, -ère** for life; **une rente viagère** a life annuity, income
**viande** *f.* meat
**vibrer** to vibrate
**vice** *m.* vice, fault, defect, flaw, imperfection
**victime** *f.* victim, sufferer (*always f.*)
**victoire** *f.* victory
**victuailles** *f.pl.* eatables, victuals
**vide** empty, blank, unoccupied, alone; **à vide** empty, without food, etc.; *m.n.* empty space, gap, cavity; emptiness, void
**vie** *f.* life, lifetime, existence, way of living, livelihood; **de sa vie** in his (her) life; **à la vie à la mort** in life and death; **la vie courante** every day life
**vieil, vieille** *see* **vieux**
**vieillard** *m.* old man
**vieillesse** *f.* old age
**vieilli, -e** grown old; **vieilli par vous** grown old because of you
**vieillir** to grow old, age; to make someone look older
**viendr-ai, -as, -a** *future of* **venir**
**vienn-e, -es, -e** *pres. subj. of* **venir**
**vien-s, -t** *pres. ind. of* **venir**
**vierge** *f.* maiden, virgin; **la Vierge Marie** the Virgin Mary; **la Sainte Vierge** the Blessed Virgin Mary
**vieux, vieil** *f.* **vieille** old, ancient, of long standing; **mon vieux** old man, old chap!
**vif, vive** alive, living, animated, brisk, fast, sharp, keen, quick, vivid; deep, enthusiastic, bright (light)
**vigoureu-x, -se** vigorous, strong, sturdy, powerful
**vilain, -e** nasty, mean, ugly; bad, unpleasant, sordid, wretched; *m.n.* nasty fellow
**village** *m.* village
**ville** *f.* town, city; **à la ville** in town; **dîner en ville** to dine out
**vin** *m.* wine; **petit vin** light wine
**vingt** twenty
**vingtaine** *f.* about twenty; twenty odd
**violence** *f.* force, violence, strength
**violemment** violently
**violent, -e** violent, fierce; extremely bright (light)
**violer** to violate
**violet, -te** violet (color), purple, blue (of rings under the eyelid)
**violette** *f.* violet (flower)
**violon** *m.* violin
**vi-s, -t** *see* **voir** *and* **vivre**

**Virgile** Virgil, Roman poet (70-19 B.C.)
**visage** *m.* face, countenance; face, visage
**vis-à-vis** opposite; **vis-à-vis de quelqu'un** facing, opposite someone; **vis-à-vis de moi** in respect to, concerning me
**visible** visible, perceptible, obvious, manifest, evident
**visiblement** visibly, obviously, evidently
**visionnaire** *a. & n.* dreamer; visionary, imaginary, unreal
**visite** *f.* social call, visit
**visiter** to visit
**visiteur** *m.* **visiteuse** *f.* visitor
**vite** swift, speedy, rapid, quickly, fast, swiftly, rapidly
**vitesse** *f.* speed, swiftness, fleetness, rapidity
**vitrail** *m.* (*pl.* **vitraux**) stained glass window; leaded glass window
**vitre** *f.* windowpane
**vivant, -e** alive, living; *n.* a living person
**vive** *see* **vif**
**vivement** briskly, sharply, smartly, deeply, acutely, keenly, hastily, petulantly, vividly, brusquely, quickly
**vivre** to live; to be alive; to spend one's life; to subsist; **vive!** long live! **vivre de** to live on
**vlan, v'lan** whack! slap, bang
**vocabulaire** *m.* vocabulary
**voici** here; here is, are; **me voici** here I am; **nous voici** here we are (etc.)
**voie** *f.* way, road, route
**voilà** there, now; there is, are; **voilà qui est dit** I have told you my plan, I have had my say; **voilà que** now, behold; **voilà qui est intolérable** that is really intolerable; **toi que voilà** you who is there, whom I behold
**voile** *f.* sail
**voile** *m.* veil
**voilé, -e** overcast, dimmed
**voiler** to veil, obscure, hide, cover with a veil
**voir** to see; to set eyes upon someone; to visit; to understand; **je n'en vois pas** I can't think of any; **voyons** come, come; **laisser voir** to show; **qu'as-tu à y voir?** why should you be concerned about it? **faire voir** to show
**voirie** *f.* Highway Department
**voisin, -e** neighboring, adjoining, neighbor; *n.* neighbor
**voisinage** *m.* nearness, vicinity, proximity, neighborhood
**voiture** *f.* vehicle, car, carriage, conveyance, wagon
**voix** *f.* voice; **à voix basse** in a low voice, softly; **à haute voix** in a loud voice, aloud; **voix sourde** a hollow voice; **à portée de voix** within earshot, hailing distance
**vol** *m.* flying, flight; **tirer au vol** to shoot on the fly

**volée** *f.* volley (of missiles); beating; flight; **recevoir une bonne volée** to get a sound thrashing; **à toute volée** as loud as possible

**voler** to fly

**voler** to steal; to swindle, cheat, rob

**volet** *m.* shutter (of window), shop shutter

**voleur** *m.* **voleuse** *f.* thief, robber, burglar

**volontaire** voluntary, spontaneous, intentional

**volonté** *f.* will, whims, caprices, wish, will power

**volontiers** gladly, with pleasure, willingly

**voltiger** to fly about, flit, flutter

**voltigeur** *m.* light infantry man

**volume** *m.* volume, tome

**volupté** *f.* sensual pleasure, voluptuousness

**vomir** to vomit

**vont** *pres. ind. of* **aller**

**vôtre** yours; **le vôtre, la vôtre, les vôtres** *poss. pron.* yours, your own

**voudrai** *see* **vouloir**

**vouloir** to will, want, wish for, desire; to try; **vouloir bien** to be willing; **vouloir dire** to mean; **que me voulez-vous?** what do you want of me? **si l'on veut de moi** if you want to have my company; **voulez-vous de moi pour ami?** do you want me to be your friend? **je le veux bien** I am willing to believe it; **en vouloir à** to bear a grudge against; **faites comme vous voudrez** do as you please

**voulu, -e** required, requisite, deliberate, intentional

**vous** you; to you

**vous-même(s)** *see* **même**

**voyage** *m.* journey, trip, tour; **capeline de voyage** traveling hood (which covers the shoulders); **en voyage** traveling

**voyager** to travel, make a journey, take a trip

**voyageur** *m.* **voyageuse** *f.* traveller; passenger; voyager

**voyou** *m.* young loafer, guttersnipe, hoodlum

**vrai, -e** true, real, truthful; **dire vrai** to tell the truth; *adv.* really, indeed, truly; *m.n.* truth

**vraiment** really

**vu** *past part. of* **voir**

**vue** *f.* sight, view; prospect, outlook; scene; **en vue de** with a view to, with the purpose of; **être en vue** to be visible; **être en vue de quelqu'un** to be in full sight of

**vulgaire** common, unrefined, vulgar, lowly, coarse

**vulgarité** *f.* vulgarity

**vulnérable** vulnerable

## Y

**y** there, here; thither; **ça y est!** it's done! that's it! all right!

done! there now, I was sure it would happen

**yema** *f.* pastry made with sugar and beaten egg yolks

**yeux** *pl. of* **œil**

## Z

**zèbre** *m.* zebra

**zic!** zip! to cut with one motion

**zigzag** *m.* zigzag; **faire des zigzags** to stagger along; to zigzag along